Inde

Murée par l'Himālaya
et les déserts du Nord-Ouest,
protégée par l'océan
et par la jungle,
l'Inde contemporaine
est pourtant l'héritière
d'un lourd passé
marqué par les invasions
(expédition d'Alexandre le Grand,
conquêtes musulmanes
et mogholes)
et la colonisation britannique,
qui fut certainement
l'une des causes principales
du sous-développement
actuel du pays.
Car l'Inde n'a pas toujours été
aussi cruellement confrontée
aux fléaux de la misère,
de la surpopulation
et de la malnutrition.
Elle a connu dans son passé
de véritables « âges d'or »,
qui lui ont permis de fournir
d'éminentes contributions
au patrimoine scientifique
universel, dans les domaines
des mathématiques,
de l'astronomie et de la médecine.
Et le trésor artistique
que recèlent en particulier
ses temples
porte témoignage d'une société
qui a été prospère et heureuse.
Malgré tout, ce pays
au cadre socioculturel
si complexe,
traversé d'innombrables
cloisonnements
(religions [hindouisme,
jinisme, bouddhisme],
langues, races, castes...)
a relevé le défi
de l'indépendance
et entend promouvoir
le progrès humain
par des réformes économiques
et sociales.
Sans pour autant heurter
de front les traditions séculaires.

Enfant jouant le rôle de Kṛṣṇa,
à Allāhābād.
Dieu du panthéon hindouiste,
Kṛṣṇa est la plus répandue
parmi les manifestations,
ou *avatāra*
(divinité qui descend dans le monde
pour détruire le mal), de Viṣṇu.

J. L. Nou

J. L. Nou

Le monastère de Thiksé, au Ladakh.
Les monastères bouddhiques,
ou lamaseries,
construits entre le Xe et le XIIe siècle,
sont typiques du paysage
de cette contrée, dont l'Inde
ne contrôle que la partie orientale.

Chaque matin à Kanchipuram,
dans le Tamil Nadu, les femmes tracent
avec de la pâte de riz
des dessins propitiatoires
sur le sol, devant leur maison.

Bain à Timuchendur,
capitale du Tamil Nadu,
près de Madras. L'eau a, en Inde,
une importance toute particulière :
la rivière est considérée
comme une mère prodiguant
abondance et fertilité;
à l'aurore et au crépuscule,
les fidèles offrent au fleuve
des présents;
l'eau, élément de purification,
est utilisée dans tous les rituels.

J. L. Nou

J. L. Nou

La fête du Maha Kumbh Mela
à Allāhābād.
Le Maha Kumbh Mela
est une fête religieuse
très ancienne, qui se déroule
tous les douze ans,
rassemblant au confluent
de deux fleuves sacrés
(le Gange et la Yamunā)
des foules énormes de pèlerins.

La foire aux chameaux
à Pushkar (Rājasthān).
Chaque année, en automne,
s'ouvre ce gigantesque marché,
auquel les paysans se rendent
avec leur bétail
et leurs chameaux.
Ils viennent aussi
chercher le salut,
car le lac autour duquel
s'étend le village du Pushkar
est l'un des plus importants
lieux saints hindous,
et ses eaux sont sacrées.

Srīrangam, ville-temple et grande cité vishnuiste,
dont l'ensemble comprend sept enceintes.
Sur ce document, un aspect du pavillon Seṣagirirāya
et ses fringants chevaux sculptés.

Ascètes aux sources de la rivière Yamunā (Uttar Pradesh).
Ce site est sacré depuis l'époque où, un sage étant devenu trop âgé
pour se rendre à Gangotri pour le rituel quotidien du bain,
une source nouvelle jaillit en ce lieu.

Il distingue deux types d'homosexualité. L'un, l'*homosexualité narcissique*, est celui dans lequel l'homme recherche un substitut qui le représente du temps où il était l'objet de tout l'amour maternel; dans cette relation, il s'identifie à sa mère. L'autre type est représenté par l'*homosexualité sado-masochiste*, où la régression au stade anal entraîne une forte ambivalence dans les relations : le sujet désire être pénétré par son partenaire et s'approprier ainsi sa virilité. Cela s'associe à la crainte de perdre ce pénis surestimé au contact de la femme vécue comme castratrice.

HOMOSEXUEL, ELLE adj. et n. Qui éprouve une attirance sexuelle pour les personnes de son sexe.

HOMOSPHÈRE n. f. Couche de l'atmosphère, située entre le sol et une altitude de 100 km environ, où les constituants principaux (azote et oxygène) restent en proportions constantes.

HOMOTHERME adj. et n. m. Se dit des corps doués d'homothermie.

HOMOTHERMIE n. f. Caractère d'un corps à température homogène et constante.

HOMOTHÉTIE [ɔmɔteti *ou* ɔmɔtesi] n. f. *Math.* Transformation dans laquelle l'image d'un point se trouve sur la droite qui le joint à un point fixe, la distance étant réduite ou amplifiée dans un rapport constant.

HOMOTHÉTIQUE adj. Relatif à l'homothétie.

HOMOZYGOTE adj. et n. *Biol.* Être dont les cellules possèdent en double le gène d'un caractère donné. (Contr. HÉTÉROZYGOTE.)

HOMS, v. de Syrie, près de l'Oronte; 315 000 hab. Raffinerie de pétrole. Engrais. Bien que mentionnée dès le IIe millénaire avant notre ère, la ville ne se développa qu'au Ier s. apr. J.-C. sous le nom d'*Émèse* et n'occupa un rang remarquable parmi les cités de l'Orient romain que sous les Sévères* : les princesses de cette dynastie étaient originaires d'Émèse, où leur famille remplissait les fonctions de grand prêtre du dieu solaire Élagabal, qui avait dans la ville un temple renommé. Prise par les Arabes en 637, Homs ne joua qu'un rôle effacé dans l'histoire politique de la Syrie.

HOMUNCULE ou **HOMONCULE** n. m. (dimin. du lat. *homo*, homme). Petit homme, petit être sans corps, sans sexe, et doué d'un pouvoir surnaturel, que les sorciers prétendaient fabriquer. ‖ *Fam.* Petit homme, avorton.

HO-NAN ou **HENAN,** prov. de la Chine, dans le bassin du Houang-ho; 160 000 km^2; 74 millions d'hab. Capit. *Tcheng-tcheou.* La moitié orientale appartient à la grande plaine de la Chine du Nord, produisant surtout du blé, malgré les progrès de la riziculture, liée à l'extension de l'irrigation.

HONDSCHOOTE (59122), ch.-l. de cant. du Nord, près de la frontière belge, à 21,5 km au S.-E. de Dunkerque; 3 780 hab. Hôtel de ville Renaissance. Victoire française du général Houchard sur les Austro-Anglo-Hollandais (1793).

HONDURAS, État de l'Amérique centrale; 112 088 km^2; 4 100 000 hab. Capit. *Tegucigalpa.*

GÉOGRAPHIE. Situé entre le Salvador, le Guatemala, à l'O., et le Nicaragua, à l'E., le Honduras est un État montagneux qui s'ouvre largement sur la mer des Antilles (golfe du Honduras) par une plaine alluviale, mais qui ne possède qu'un étroit débouché sur l'océan Pacifique. Un massif souvent volcanique, entaillé de profondes vallées, en occupe la partie centrale. Le climat tropical permet la croissance de la forêt dense sur les basses pentes. En altitude, celle-ci passe à la forêt tempérée.

La population, peu dense, est composée de deux groupes : des métis d'Indiens et des Espagnols vivent sur les hautes terres, tandis que les Noirs prédominent sur la côte de la mer des Antilles. L'économie repose sur la banane, cultivée en plantations contrôlées par les grandes sociétés américaines. En altitude, à côté des cultures vivrières (haricots), se développent l'élevage bovin et les plantations de café. Mais le niveau de vie reste très faible.

HISTOIRE. En 1821, le Honduras, surtout peuplé de métis et de mulâtres, suit le destin de l'Amérique centrale, indépendante de Madrid, puis de Mexico (1824). Quand éclate la confédération des Provinces-Unies de l'Amérique centrale (1838), il devient pratiquement un protectorat britannique, puis, après 1856, il connaît une instabilité politique chronique. Au début du XXe s., l'emprise de l'*United Fruit Company* fait du Honduras le type de la *Banana Republic.* Le dictateur Tiburcio Carías Andino, qui mène le pays d'une main de fer de 1933 à 1949, n'est qu'un instrument de l'*United.* Son successeur, Juan Manuel Gálvez, président de la République de 1949 à 1954, fait preuve d'une certaine indépendance. Ensuite, libéraux et militaires se succèdent; la sanglante guerre contre le Salvador (1969) débouche sur l'agitation politique des années 1970. Les militaires forment une junte de gouvernement en 1978. La reconquête du pouvoir par les civils (élection du libéral Roberto Suazo Córdova à la présidence de la République en 1981) reste fragile dans un pays que caractérise, en raison de son voisinage avec le Nicaragua sandiniste, son active coopération militaire avec les États-Unis. Succédant à un autre président libéral (José Simón Azcona, 1986-1990), le conservateur Rafael Callejas devient en 1990 chef de l'État.

Depuis 1987, le Honduras se concerte avec d'autres pays d'Amérique centrale (Costa Rica, Guatemala, Nicaragua, Salvador) pour tenter de rétablir la paix dans la région.

HONDURAS *(golfe du),* échancrure du littoral de l'Amérique centrale, sur la mer des Antilles.

HONDURAS BRITANNIQUE → BELIZE.

***HONDURIEN, ENNE** adj. et n. Du Honduras.

HONECKER (Erich), homme d'État allemand (Neunkirchen, Sarre, 1912). Secrétaire général du parti socialiste unifié (SED) à partir de 1971, il devient président du Conseil d'État de la République démocratique allemande en 1976. Il démissionne de ces deux fonctions en 1989. Il est ensuite exclu du parti.

HONEGGER (Arthur), compositeur suisse (Le Havre 1892 - Paris 1955). Bien que membre du groupe des Six*, il n'eut « pas le culte de la foire ni du music-hall, mais au contraire celui de la musique de chambre et de la musique symphonique dans ce qu'elle a de plus grave et de plus austère ». En témoignent notamment, outre son *Pacific 231* (1923), ses cinq symphonies, son opéra *Antigone* (1927) et surtout ses grands oratorios (*le Roi David,* 1921; *Judith,* 1925; *Cris du monde,* 1931; *Jeanne d'Arc au bûcher,* 1935; *la Danse des morts,* 1938; *Nicolas de Flue,* 1940).

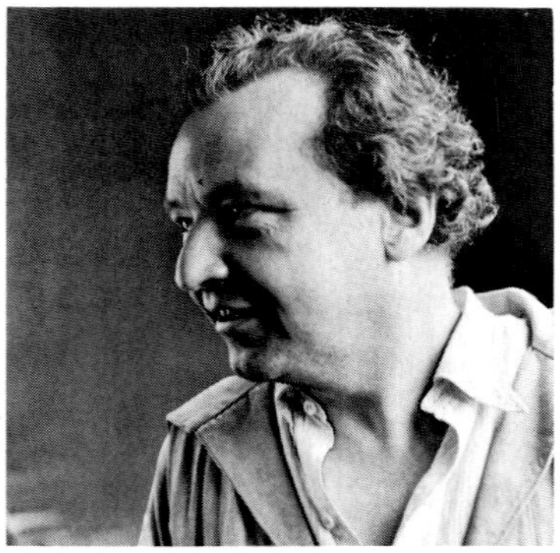

Doisneau-Rapho

Arthur **Honegger**

HONFLEUR (14600), ch.-l. de cant. du Calvados, sur la rive gauche de l'embouchure de la Seine; 8 529 hab. Église Sainte-Catherine, en bois, du XVe s. Vieilles maisons. Musée municipal Eugène-Boudin et musée du Vieux-Honfleur. Port de commerce. Constructions mécaniques.

HÔN GAI ou **HONGAY,** port du Viêt-nam septentrional, sur le golfe du Tonkin. — À proximité, extraction du charbon.

HONGKONG, territoire britannique, en bordure de la Chine méridionale (Kouang-tong); 1 034 km^2; 5 313 000 hab. Capit. *Victoria.*

GÉOGRAPHIE. Le territoire juxtapose une partie péninsulaire très découpée, la *péninsule de Kowloon,* et diverses îles, dont Lan Tao (presque vide) et *Hongkong* (76 km^2, agglomération très surpeuplée). Développé comme port d'entrepôt (avec zone franche) et centre commercial, ayant reçu après 1949 un grand nombre de réfugiés fuyant la Chine populaire, il s'est récemment fortement industrialisé (textile, horlogerie et électronique). C'est un organisme urbain exceptionnel, source de devises pour la Chine populaire, qui lui fournit notamment des compléments alimentaires.

HISTOIRE. Durant la guerre de l'Opium (1839-1842), la Compagnie anglaise des Indes orientales, installée à Macao, se réfugie dans l'île de Hongkong, et les Anglais acquièrent celle-ci par le traité de Nankin (1842); en 1860, la convention de Pékin leur donne en outre Kowloon; en 1898, une nouvelle convention leur cède en bail la plus grande partie de la péninsule et soixante-quinze îles *(New Territories).* En 1984, un accord sino-britannique prévoit la restitution de Hongkong à la Chine en 1997.

***HONGRE** n. et adj. m. (de *hongrois*). Se dit d'un cheval châtré.

***HONGRER** v. t. *Vétér.* Châtrer un cheval.

***HONGREUR** n. m. Celui qui hongre.

HONGRIE, en hongr. **Magyar Népköztársaság,** État de l'Europe centrale, à l'est de l'Autriche; 93 300 km^2; 10 700 000 hab. *(Hongrois).* Capit. *Budapest.*

GÉOGRAPHIE.

● *Le milieu naturel.* La Hongrie est un pays de plaines et de collines, occupant une vaste partie du bassin pannonien. La dorsale hongroise est un alignement N.-E.-S.-O. de massifs peu élevés aux formes lourdes (Bakony; monts Mátra, 1 015 m), parfois flanqués d'édifices volcaniques. Elle sépare la Petite Plaine, ou Kisalföld, au N.-O., de la Grande Plaine, ou Alföld, cuvette de subsidence remblayée par le Danube et la Tisza. À l'O. du Danube, les collines de Transdanubie sont coupées par le lac Balaton.

L'ensemble du pays subit un climat continental caractérisé par des hivers froids et des étés chauds et orageux (à Budapest, la température moyenne de janvier est de − 1 °C, celle de juillet de 21,9 °C et les précipitations annuelles sont de 498 mm). La forêt couvre les zones élevées, tandis que la plaine, souvent marécageuse, est le domaine de la prairie (puszta).

● *La population.* La démographie reflète les vicissitudes historiques qu'a subies le pays. La stagnation de la population résulte en grande partie du vieillissement dû aux pertes de la guerre et aux mouvements d'émigration qui l'ont suivie. Le faible taux de natalité s'est cependant relevé. La population, dense, est inégalement répartie; elle se concentre dans les régions industrielles, les vallées marécageuses du Danube et de la Tisza étant longtemps apparues répulsives. Le taux d'urbanisation est moyen, mais la seule ville de Budapest regroupe le cinquième de la population du pays, hypertrophie héritée de l'ancien Empire austro-hongrois. Seules six autres agglomérations dépassent 100 000 habitants : Miskolc, Debrecen, Pécs, Győr, Szeged et Székesfehérvár.

● *L'économie.* Après 1945, le nouvel État hongrois a organisé son économie sur des bases socialistes. La crise de 1956 l'a conduit à freiner une collectivisation entreprise à un rythme trop rapide. Les paysans peuvent conserver un peu de terres, et une plus grande place est laissée à l'initiative individuelle.

L'agriculture a été modernisée. La mécanisation a permis l'augmentation des rendements, et les troupeaux de porcs et d'oies de la Puszta ont disparu au profit des cultures. L'aménagement du cours du Danube et surtout de celui de la Tisza, grâce à une série de barrages qui en régularisent le débit, est à l'origine de l'accroissement des surfaces cultivables. À côté des céréales (blé, maïs) se développent la betterave à sucre, la pomme de terre, le tabac et les légumes. La vigne, qui couvre les basses pentes, fournit le célèbre tokay. La culture du coton a progressé. L'élevage est pratiqué dans de grosses exploitations spécialisées : bovins, ovins et surtout porcs.

L'industrialisation est ancienne, mais elle a pris un nouvel essor avec le régime socialiste. Les activités traditionnelles (industries alimentaires et textiles, papeteries) ont perdu leur importance devant les branches nouvelles. Cependant, la Hongrie souffre du manque de matières premières, en particulier énergétiques. La production de lignite stagne, et le potentiel hydroélectrique est faible. L'extraction du pétrole et surtout du gaz naturel dans l'Alföld reste modeste, et le pays importe du pétrole

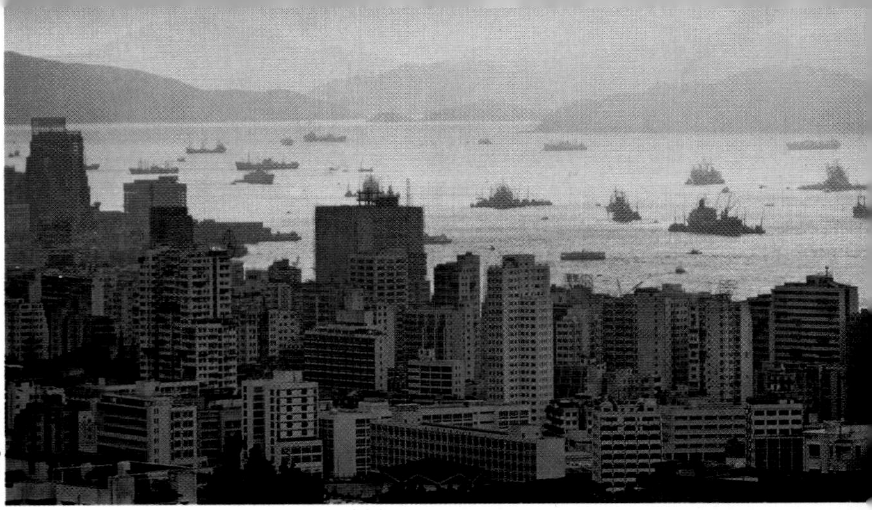

R. Singh-Rapho

Vue partielle de l'île et de la baie de **Hongkong.**

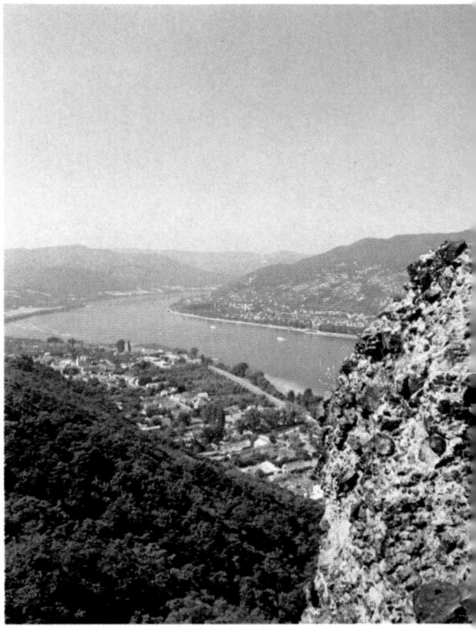

P. Ploquin

Hongrie :
le Danube à Visegrád (nord de Budapest).

HONGRIE

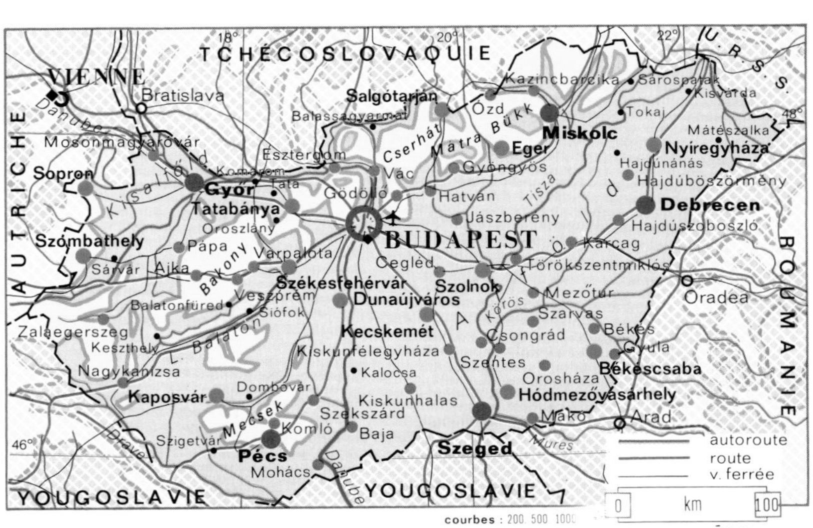
TCHÉCOSLOVAQUIE
AUTRICHE
ROUMANIE
U.R.S.S.
YOUGOSLAVIE
YOUGOSLAVIE
VIENNE
Bratislava
Salgótarján
Balassagyarmat
Ózd
Kazincbarcika
Sárospatak
Kisvárda
Tokaj
Miskolc
Eger
Nyíregyháza
Mátészalka
Hajdúnánás
Hajdúböszörmény
Debrecen
Hajdúszoboszló
Mosonmagyaróvár
Sopron
Győr
Komárom
Tata
Tatabánya
Esztergom
Vác
Gödöllő
Gyöngyös
Hatvan
Jászberény
Cserhát
Mátra
Bükk
Tisza
BUDAPEST
Oroszlány
Pápa
Várpalota
Bakony
Szombathely
Sárvár
Ajka
Székesfehérvár
Dunaújváros
Veszprém
Balatonfüred
Siófok
Cegléd
Szolnok
Törökszentmiklós
Karcag
Mezőtúr
Szarvas
Oradea
Zalaegerszeg
Keszthely
L. Balaton
Kecskemét
Kiskunfélegyháza
Csongrád
Békés
Gyula
Szentes
Orosháza
Békéscsaba
Hódmezővásárhely
Nagykanizsa
Kaposvár
Dombóvár
Kalocsa
Kiskunhalas
Szekszárd
Mecsek
Komló
Szigetvár
Pécs
Mohács
Baja
Szeged
Makó
Arad
Mures
Drave
Danube
Körös
18°
20°
22°
48°
46°
autoroute
route
v. ferrée
0 km 100
courbes : 200 500 1000

d'U. R. S. S. (par l'oléoduc de l'Amitié). Les ressources en minerais métalliques sont également limitées (cuivre, plomb, zinc); cependant, la bauxite alimente la métallurgie de l'aluminium et le fer est à l'origine du développement de la sidérurgie (3,5 Mt d'acier par an), encore insuffisant. La production industrielle, localisée surtout dans la région de Budapest, est fondée sur les activités de transformation : constructions mécaniques et électriques, chimie (engrais, matières plastiques, textiles synthétiques). Les produits sont exportés principalement vers l'U. R. S. S. et les autres pays du Comecon, mais aussi, et de plus en plus, vers les pays occidentaux. Le déficit de la balance commerciale n'est pas comblé par les revenus du tourisme.

HISTOIRE.
● *Des origines à 1918.* Au début du Ier s., les Romains occupent la Transdanubie et la transforment en province (Pannonie) : ils la quittent en 409, l'abandonnant aux Ostrogoths, auxquels succèdent les Gépides, puis les Huns et les Avars. À la fin du IXe s. apparaissent les Hongrois (Magyars), ethnie qui appartient à la branche ougrienne de la famille linguistique finno-ougrienne et qui, chassée par les Petchenègues des steppes du sud de la Russie, envahit le bassin danubien et conduit de nombreux raids en Occident. Peu à peu, leur organisation tribale devient structure géographique, les forteresses des chefs se transformant en centres administratifs. C'est la famille d'Árpád († 907) qui détient le pouvoir central. En 975, Géza († 997) se fait baptiser par des missionnaires allemands. Son fils Étienne Ier* est couronné roi de Hongrie (an mille) et parachève son œuvre en organisant le pays en comitats et en évêchés, et en l'ouvrant à la civilisation de l'Europe occidentale. Après lui, les guerres de succession affaiblissent la Hongrie, qui un moment, au XIe s., subit l'emprise impériale. Mais les règnes d'André Ier (de 1047 à 1060), de Ladislas Ier (de 1077 à 1095) et de Coloman (de 1095 à 1116) sont marqués par l'expansion hongroise dans les Balkans et vers l'Adriatique (Dalmatie, Croatie). Le royaume atteint son apogée sous Béla III (de 1172 à 1196) : l'agriculture et le commerce sont alors en plein développement, tandis que l'administration se codifie. Le XIIIe s. voit grandir l'anarchie féodale; Béla IV (de 1235 à 1270) s'efforce bien de rétablir le pouvoir royal, mais son action est interrompue par la terrible invasion des Mongols (1241-42). Par la suite, la royauté s'appuie, contre l'aristocratie foncière, sur la petite noblesse, tandis que se fortifie la bourgeoisie citadine et marchande.

Après la mort d'André III (1301), le morcellement féodal s'accentue. L'arrivée au pouvoir de la maison d'Anjou — Charles-Robert (de 1308 à 1342), Louis Ier* le Grand (de 1342 à 1382) — redonne à la royauté son lustre et sa puissance, la conquête de la Bosnie (1328) assurant les frontières orientales. Louis Ier réalise même l'union de la Hongrie, de la Croatie et de la Dalmatie, et obtient en 1370 la couronne de Pologne. L'oligarchie aristocratique redevient toute-puissante sous le gendre de Louis Ier, Sigismond de Luxembourg (de 1387 à 1437). Celui-ci, devenu empereur (1410) et roi de Bohême (1419), ne peut arrêter l'avance des Turcs et perd la Dalmatie au profit de Venise. Après lui, les guerres de succession (Jagellon*, Hunyadi*) affaiblissent le pays, qui doit constamment faire face à la menace turque. La Hongrie connaît néanmoins un remarquable développement économique et culturel sous Mathias* Corvin (de 1458 à 1490); celui-ci stoppe les Turcs, conquiert la Bohême, la Moravie et la Silésie, et transfère son siège à Vienne. Mais, après lui, le pouvoir central s'écroule; l'année 1526 voit la défaite de Louis II (de 1516 à 1526) devant les Turcs à Mohács et l'occupation de Buda; mais, en 1552, l'offensive turque est freinée en direction de Vienne. Tandis que la Transylvanie*, constituée en principauté élective en attendant d'être indépendante (1606), est aux mains de quelques grandes familles (Báthory*, Bocskai), la Hongrie royale, possession des Habsbourg*, est dominée par la petite noblesse rurale. Mais, lorsque la Transylvanie devient turque (1660), elle perd son appui indispensable face aux Habsbourg, ce qui favorise sous Léopold Ier* (de 1658 à 1705) une guerre civile. La reprise de Buda (1686) et de la Transylvanie (1687) sur les Turcs aboutit à la cession de l'ensemble de la Hongrie aux Habsbourg, qui font de celle-ci une dépendance de leurs États héréditaires (1687-1699). Un dernier soulèvement national (1703-1711), celui de François II Rákóczi, prince de Transylvanie, aboutit à la suppression de l'autonomie de cette province.

En 1723, la Hongrie accepte la pragmatique sanction, qui rend la couronne de saint Étienne héréditaire même dans la ligne féminine. En fait, si, sous les règnes de Marie-Thérèse* (de 1740 à 1780), de Joseph II* (de 1780 à 1790), de Léopold II* (de 1790 à 1792) et de François II* (de 1792 à 1835), la Hongrie connaît un certain développement économique et social, la centralisation et la germanisation autrichiennes s'avèrent de moins en moins soutenables. La peur de la Révolution française refroidit le zèle nationaliste des quelques centaines de magnats qui possèdent le sol hongrois; par contre, elle donne des motivations nouvelles à la résistance des sociétés secrètes et des intellectuels. Les principaux leaders nationalistes sont le comte István Széchenyi (1791-1860) — accusateur, dans *le Crédit*, du système féodal hongrois —, le poète Sandor Petőfi* et surtout Lajos Kossuth*, qui, en mars 1848, prend la tête du mouvement révolutionnaire. Ne se contentant pas d'un statut autonome, Kossuth, qui s'appuie sur les allogènes, fait voter par le Parlement de Pest la déchéance des Habsbourg (14 avr. 1849); mais les armées russes, victorieuses à Világos (13 août), l'obligent à la fuite. La Hongrie retombe alors sous la tyrannie policière de Vienne, qui, cependant, maintient la suppression du servage. Mais les défaites autrichiennes de 1859 et de 1866 obligent François-Joseph Ier à composer avec les Hongrois : le compromis de 1867 crée une double monarchie austro-hongroise, avec deux parlements et deux gouvernements, les deux pays étant liés par la dynastie des Habsbourg. Cependant, cet accord laisse la Hongrie face aux nationalités, notamment aux Croates, qui obtiennent en 1868 le maintien de leur diète.

La consolidation politique due au compromis de 1867 aide à l'évolution rapide de l'économie hongroise, l'agriculture restant prédominante. Le parti libéral de Ferenc Deák* assure durant trente ans la direction du pays, Kálmán Tisza étant président du Conseil de 1875 à 1890. Mais l'aggravation de la crise agraire après 1880 favorise l'émigration et aussi la fondation d'un parti social-démocrate (1890), dont les revendications provoquent une dure réaction. Les années qui précèdent la Première Guerre mondiale sont troublées par les grèves et marquées par la montée de l'opposition de gauche.

● *Depuis 1918.* La Première Guerre mondiale provoque la misère; lorsque s'écroule la double monarchie (été 1918) et qu'est proclamée la deuxième république hongroise (16 nov.), avec le comte Mihály Károlyi (1875-1955) au gouvernement, la situation économique est tellement grave en Hongrie que Károlyi, le 20 mars 1919, doit remettre le pouvoir au parti social-démocrate et au parti communiste, né en novembre 1918. Le nouveau gouvernement proclame la république des Conseils (21 mars 1919), le Conseil exécutif révolutionnaire des commissaires du peuple étant présidé par Béla Kun*. Mais l'intervention armée des Roumains et des Tchèques oblige celui-ci à s'enfuir (1er août 1919). La république des Conseils s'écroule, et le contre-amiral Miklós Horthy*, chef de l'armée blanche, est élu régent du « royaume sans roi » de Hongrie, qui rompt officiellement ses liens avec l'Autriche (1er mars 1920). Peu après, la Hongrie signe le traité de Trianon (4 juin), qui l'ampute de la Slovaquie, de la Ruthénie, de la Transylvanie, du Banat, de la Croatie et de Fiume.

La régence d'Horthy s'éternise, malgré les deux tentatives de restauration de Charles (Ier) de Habsbourg en 1921, le gouvernement, dirigé par István Bethlen (1874-1947) de 1921 à 1931, assurant à la Hongrie, qui a perdu les deux tiers de son territoire, un certain équilibre politique et économique. Mais la grande crise économique de 1930 favorise les éléments d'extrême droite (Croix-Fléchées), antisémites, et la Hongrie de Horthy entre dans la dépendance de l'Allemagne hitlérienne. En 1941, la Hongrie déclare la guerre à l'Union soviétique. Cependant l'opposition anti-allemande s'organise autour du parti communiste clandestin. En octobre 1944, Hitler impose les Croix-Fléchées de Szálasi et oblige le régent Horthy à démissionner. Mais l'entrée et la victoire de l'armée rouge (déc. 1944) fait passer la Hongrie — république en 1946 — dans le camp socialiste.

En juin 1948 est constitué le parti des travailleurs hongrois, bientôt seul admis; en mai 1949 triomphe aux élections le Front d'indépendance populaire, qui porte au pouvoir Mátyás Rákosi. Celui-ci, le 20 août, obtient du Parlement une nouvelle constitution, sur le modèle de celle de l'Union soviétique, et présente le premier plan quinquennal. Quand la déstalinisation se développe en Hongrie, il est remplacé par Imre Nagy* (1953), dont le libéralisme mitigé ne plaît à personne et qui, dès 1955, est remplacé par András Hegedüs. Mais partisans et adversaires de la libéralisation du régime se heurtent au point qu'en octobre 1956 éclate une insurrection qui rappelle Nagy au pouvoir, mais qui est écrasée par les troupes soviétiques (nov.). Nagy arrêté — en attendant d'être exécuté —, le gouvernement du pays est assuré par le premier secrétaire du parti communiste, János Kádár, chef du gouvernement de 1956 à 1958 et de 1961 à 1965. Ce dernier, après avoir accéléré la collectivisation agraire, amorce une politique plus libérale, poursuivie par ses successeurs au gouvernement. En 1988, Kádár démissionne de ses fonctions à la tête du parti. En 1989, tandis que la Hongrie ouvre sa frontière avec l'Autriche (mai), l'évolution du régime s'accélère. Le parti renonce à son rôle dirigeant et abandonne toute référence au marxisme-léninisme; une révision de la Constitution ouvre la voie au multipartisme (oct.). La République populaire hongroise devient officiellement la « République de Hongrie ». Les élections libres — les premières depuis 1945 — de mars-avril 1990, remportées par les partis du centre, scellent le rejet de l'ancien régime.

***HONGROIERIE** n. f., ou ***HONGROYAGE** n. m. Industrie et commerce du hongroyeur. ‖ Méthode de tannage des cuirs au moyen de solutions concentrées d'alun et de sel.

***HONGROIS, E** adj. et n. De la Hongrie.

***HONGROIS** n. m. Langue finno-ougrienne parlée en Hongrie.

***HONGROYER** [ɔ̃grwaje] v. t. (de *Hongrie*) [conj. **2**]. Travailler et préparer le cuir à la façon des cuirs dits « de Hongrie ».

***HONGROYEUR** n. m. Ouvrier qui tanne les cuirs à l'alun et au sel.

***HONING** n. m. (mot angl., de *to hone*, affûter). Opération de finition à la pierre abrasive pour améliorer l'état de surface de certaines pièces mécaniques.

HONNÊTE adj. (lat. *honestus*, honorable). Qui respecte rigoureusement la loyauté, la probité, la justice ou l'honneur : *un homme honnête; marché honnête.* ‖ Conforme au bon sens, à la moyenne : *récompense honnête.*

HONNÊTEMENT adv. De façon honnête : *gagner honnêtement sa vie.*

HONNÊTETÉ n. f. Sentiment conforme à l'honneur, à la probité.

HONNEUR n. m. (lat. *honor*). Sentiment de sa dignité morale : *faire ce que l'honneur commande; un homme d'honneur.* ‖ Réputation, estime qui accompagnent le courage et les talents : *acquérir de l'honneur par ses actes.* ‖ Considération, réputation : *attaquer l'honneur de qqn.* ‖ Démonstration d'estime, de respect : *donner une fête en l'honneur de qqn.* ● *Dame d'honneur,* dame attachée au service d'une princesse. ‖ *Faire honneur à sa famille,* être pour elle un sujet de gloire. ‖ *Faire honneur à un repas,* y manger abondamment. ‖ *Faire honneur à sa signature,* remplir ses engagements. ‖ *Garçon, demoiselle d'honneur,* jeunes gens qui assistent les mariés le jour du mariage. ‖ *Garde d'honneur,* troupe dont on fait accompagner de hauts personnages. ‖ *Parole d'honneur,* promesse faite, assurance donnée sur l'honneur. ‖ *Place d'honneur,* place réservée dans une réunion à une personne qu'on veut honorer. ‖ *Point d'honneur,* chose qui touche à l'honneur. ‖ *Pour l'honneur,* gratuitement, sans aucune rémunération. ‖ *Se faire honneur de qqch,* se l'attribuer, s'en vanter. ‖ *Se piquer d'honneur,* faire une chose avec zèle. ‖ *Tour d'honneur,* tour de piste effectué après la victoire par le gagnant. ◆ pl. Distinctions, dignités : *aspirer aux honneurs.* ‖ Marques spéciales de respect réservées aux hauts personnages de l'État. ‖ Les figures ou les cartes les plus hautes à certains jeux. ● *Faire les honneurs d'une maison,* y recevoir selon les règles de la politesse. ‖ *Honneurs funèbres,* honneurs qu'on rend aux morts, cérémonie des funérailles. ‖ *Honneurs de la guerre,* conditions honorables consenties par le vainqueur à une troupe qui s'est rendue après une valeureuse résistance. ‖ *Honneurs militaires,* cérémonial par lequel une formation des armées témoigne son respect à un chef, à un drapeau, aux morts, etc.

***HONNIR** v. t. (mot francique). *Litt.* Couvrir publiquement de honte.

HONOLULU, capit. de l'État américain des Hawaii, dans l'île d'Oahu; 365 000 hab. Centre touristique.

HONORABILITÉ n. f. État, qualité d'une personne honorable.

HONORABLE adj. Digne de considération, d'estime : *caractère, homme honorable.* ‖ Qui fait honneur, qui attire la considération : *action honorable.* ‖ Convenable, suffisant : *fortune honorable.* ‖ *Hérald.* Se dit des pièces de l'écu qui peuvent couvrir le tiers du champ.

HONORABLEMENT adv. De façon honorable.

HONORAIRE adj. (lat. *honorarius*). Se dit de celui qui, après avoir exercé longtemps une charge, en conserve le titre et les prérogatives honorifiques : *conseiller honoraire.* ‖ Qui porte un titre honorifique, sans fonctions : *membre honoraire.*

HONORAIRES n. m. pl. Rétribution versée aux personnes qui exercent des professions libérales (médecin, avocat, etc.).

HONORARIAT n. m. Dignité d'une personne honoraire.

HONORER v. t. (lat. *honorare*). Traiter avec respect, estime ou considération : *honorer la mémoire de qqn.* ‖ Accorder comme une distinction : *honorer une réunion de sa présence.* ‖ Remplir ses engagements : *honorer sa signature.* ‖ Procurer de l'honneur, de la considération : *honorer son pays.* ◆ **s'honorer** v. pr. Être fier de : *ville qui s'honore de ses monuments.*

HONORIFIQUE adj. (lat. *honorificus*). Qui procure de la considération, des honneurs : *un titre honorifique.*

***HONORIS CAUSA** [ɔnɔriskoza] loc. adj. (loc. lat., *pour marquer son respect à*). Se dit de grades universitaires conférés à titre honorifique et sans examen à de hautes personnalités.

HONORIUS Ier, II, III, IV → PAPE.

HONORIUS (Flavius) [Constantinople 384-Ravenne 423], empereur d'Occident de 395 à 423, second fils de Théodose Ier. Avant sa mort, Théodose avait nommé augustes ses deux fils, Arcadius* pour l'Orient, Honorius pour l'Occident, et avait prévu que Stilicon* serait le tuteur commun des deux jeunes empereurs; mais, devant la réaction antibarbare de Constantinople, Stilicon ne put maintenir une direction unique : il ne fut que le régent d'Honorius, ce qui marquait au grand jour la séparation de l'Empire en deux parties. Après la chute de Stilicon (408), le règne d'Honorius fut marqué par une série de catastrophes : prise de Rome par Alaric* (410), invasions barbares en Espagne et en Gaule (409-415), usurpations et anarchie. L'Occident fut sauvé par F. Constantius (Constance III), qui réduisit les usurpateurs et accéda au trône aux côtés d'Honorius en 421.

HONSHŪ, la plus grande et la plus peuplée des îles du Japon; 230 841 km²; 93 millions d'hab.

Cette île montagneuse est axée sur deux chaînes, l'une orientée N.-S., l'autre E.-O., qui se rejoignent au centre, au niveau de la Fossa Magna, couloir tectonique dominé par le grand cône volcanique du Fuji-Yama. La jeunesse du relief est attestée par la fréquence des tremblements de terre et des manifestations volcaniques. Les plaines n'occupent que des superficies réduites : Kantō (plaine de Tōkyō), plaine de Nagoya, Kansai (plaine d'Ōsaka-Kyōto). Le climat varie avec la latitude. Au S., il est chaud et humide sous l'influence de la mousson, et les pentes sont couvertes d'une forêt où se mêlent des espèces variées (magnolias, chênes, hêtres). Au N., il devient froid, à cause, en partie, de l'Oyashio, courant froid qui longe les côtes. La neige est fréquente en hiver, et la forêt comprend surtout des conifères et des bouleaux.

L'île recouvre des régions variées. Le Nord, ou Tōhoku, le plus récemment peuplé, conserve une vocation essentiellement rurale. La culture du blé et l'élevage y sont les activités essentielles. L'hydroélectricité et la houille y ont permis le démarrage de l'industrie (sidérurgie), qui demeure modeste. Le reste de l'île est caractérisé par une opposition économique marquée entre la côte pacifique, prolongée par celle de la mer Intérieure, et celle de la mer du Japon. Sur cette dernière, l'agriculture prédomine : riz (avec souvent deux récoltes annuelles), thé, arbres fruitiers, légumes, etc. Ces productions ont perdu leur importance sur la côte sud, devenue la région vitale du Japon. Les énormes concentrations urbaines de Tōkyō, de Yokohama, de Nagoya, d'Ōsaka-Kōbe-Kyōto regroupent l'essentiel de la production industrielle du pays, et toutes les activités y sont représentées.

***HONTE** n. f. (mot francique). Sentiment pénible venant d'une faute commise ou de la crainte du déshonneur ou d'une humiliation : *être rouge de honte; essuyer la honte d'un refus.* ‖ Chose déshonorante, qui soulève l'indignation : *c'est une honte.* ● *Avoir honte,* avoir du remords; être dégoûté de. ‖ *Avoir perdu toute honte, avoir toute honte bue,* être sans pudeur, insensible au déshonneur. ‖ *Faire honte à,* être un sujet de honte pour : *faire honte à ses parents;* faire des reproches : *faire honte à qqn de sa conduite.* ‖ *Sans fausse honte,* sans scrupule inutile.

***HONTEUSEMENT** adv. D'une façon honteuse.

***HONTEUX, EUSE** adj. Qui éprouve de la honte, de la confusion : *honteux de sa conduite.* ‖ Qui cause de la honte, du déshonneur : *fuite honteuse.* ‖ Qui n'ose pas faire état de ses convictions, de ses opinions. ‖ *Anat.* Relatif aux organes génitaux. ● *Maladie honteuse* (Fam.), maladie vénérienne.

Honvéd (mot hongr., *défenseur de la patrie*), nom donné depuis 1848 à l'armée hongroise.

HOOFT (Pieter Cornelisz.), écrivain hollandais (Amsterdam 1581-La Haye 1647). Poète élégiaque et prosateur, il a contribué à former la langue classique de son pays.

HOOGH (Pieter DE), peintre hollandais (Rotterdam 1629 - Amsterdam v. 1684). Travaillant à Delft, puis à Amsterdam, influencé par Vermeer et par Rembrandt, il a dépeint les intérieurs et la vie familière de la bourgeoisie aisée.

HOOGHLY ou **HUGLI,** bras occidental du delta du Gange; 250 km.

HOOGSTRATEN, comm. de Belgique (prov. d'Anvers), au N.-O. de Turnhout; 14 400 hab. Église gothique de la première moitié du XVIe s.

HOOKE (Robert), astronome et mathématicien anglais (Freshwater, île de Wight, 1635 - Londres 1703). Il disputa à Newton* la découverte de la gravitation* universelle et à Huygens* l'invention de l'échappement à ancre ainsi que celle du ressort spiral. Mais surtout il énonça la loi de proportionnalité entre les déformations élastiques d'un corps et les efforts auxquels celui-ci est soumis *(loi de Hooke).*

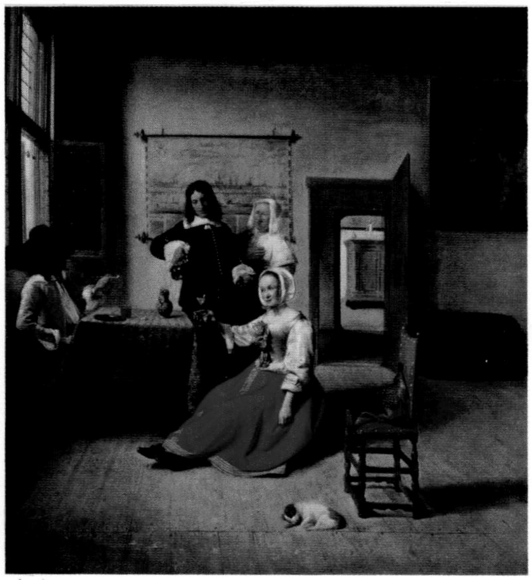

Pieter de **Hoogh** : *la Buveuse*, 1658. (Musée du Louvre, Paris.)

HOOVER (Herbert Clark), homme d'État américain (West Branch, Iowa, 1874 - New York 1964). Directeur général des vivres pour les États-Unis pendant la Première Guerre mondiale, ministre du Commerce (1921), il a été président (républicain) des États-Unis de 1929 à 1933.

HOOVER DAM, anc. **Boulder Dam,** important barrage de l'ouest des États-Unis, sur le Colorado. Grande centrale hydroélectrique.

***HOP!** interj. Sert à stimuler ou à faire sauter.

***HOPAK** [ɔpak] ou **GOPAK** [gɔpak] n. m. (mot russe). Danse populaire ukrainienne et russe, de rythme vif, au cours de laquelle on exécute des sauts acrobatiques, des pirouettes, des « marteaux ».

HOPE (Thomas Charles), chimiste écossais (Édimbourg 1766 - *id.* 1844). Il est l'auteur d'une expérience (1805) qui met en évidence le maximum de densité de l'eau à 4 °C.

HO-PEI ou **HEBEI,** prov. de la Chine du Nord; 190 000 km²; 53 millions d'hab. Capit. *Che-kia-tchouang.* Englobant la municipalité de Pékin, c'est une région de moyennes montagnes au N., appartenant au S.-O. à la grande plaine de la Chine du Nord, productrice surtout du blé. Le sous-sol fournit du charbon et du fer, bases de la métallurgie, activité industrielle dominante.

HOPIS, ethnie indienne d'Amérique du Nord (auj. localisée en Arizona).

HÔPITAL n. m. (lat. *hospitalis*). Établissement, public ou privé, où sont effectués tous les soins médicaux et chirurgicaux, ainsi que les accouchements. ● *Hôpital de jour* (Psychiatr.), institution où les malades ne sont pris en traitement que pendant la journée et retournent passer la nuit à leur domicile. ‖ *Hôpital psychiatrique,* établissement hospitalier spécialisé dans le traitement des troubles mentaux, nommé *asile* avant 1938 et actuellement *centre hospitalier spécialisé.*

■ Les hôpitaux modernes comportent, outre les lits d'hospitalisation, toutes les installations et tous les appareillages nécessités par les problèmes multiples que posent le diagnostic et le traitement des maladies et des blessures; ce sont parfois des centres de recherche et d'enseignement (centres hospitalo-universitaires [C. H. U.]).

HÔPITAL (L') [57490], comm. de la Moselle, à 7,5 km au N. de Saint-Avold; 6 567 hab.

HOPKINS (Gerard Manley), écrivain britannique (Stratford, Essex, 1844 - Dublin 1889). Membre de la société de Jésus, professeur de grec à la faculté de Dublin, il composa, de 1885 à 1887, de brefs poèmes, qui, lorsqu'ils furent publiés par Robert Bridges en 1918, exercèrent par leurs innovations métriques et leur accent tragique une grande influence sur la poésie anglo-saxonne.

HOPKINS (*sir* Frederick Gowland), biochimiste britannique (Eastbourne 1861 - Cambridge 1947). Il reçut le prix Nobel de médecine en 1929 pour ses travaux sur les acides aminés essentiels, les ptérines, le tryptophane et le glutathion.

HOPLITE n. m. *Antiq. gr.* Fantassin pesamment armé.

***HOQUET** [ɔkɛ] n. m. (onomat.). Contraction brusque du diaphragme, accompagnée d'un bruit particulier dû au passage de l'air dans la glotte. ‖ État caractérisé par la succession de ces contractions.

***HOQUETER** v. i. (conj. **4**). Avoir le hoquet.

***HOQUETON** [ɔktɔ̃] n. m. (mot ar.). Sorte de veste en étoffe ou en cuir portée par les hommes d'armes (XIVe-XVe s.).

HORACE, en lat. **Quintus Horatius Flaccus,** poète latin (Venosa 65 av. J.-C. - † 8 av. J.-C.). Son père, un affranchi, sacrifie tout pour lui faire donner à Rome et à Athènes une parfaite éducation littéraire et philosophique. Horace se lie en Grèce avec Brutus, le meurtrier de César, qui lui donne dans son armée le grade de tribun militaire. Après avoir combattu à Philippes, il rentre à Rome, ruiné et suspect, et devient greffier de la questure. Mais il rencontre Virgile, qui le prend en affection et le présente à Mécène. Sa culture et son esprit lui font bientôt gagner la protection d'Auguste, mais il sait sauvegarder sa liberté, mêlant aux plaisirs mondains les joies de la campagne. Épicurien délicat et artiste raffiné, il a doté les lettres latines d'une poésie à la fois familière, nationale et religieuse (*Satires*, Épodes, Odes*, Épîtres**). Par son souci de la perfection littéraire, par sa morale d'honnête homme épris du juste milieu, il apparaîtra aux érudits de la Renaissance, puis aux écrivains du XVIIe s. comme le parfait modèle des vertus classiques.

Horace, tragédie de P. Corneille (1640) : au patriotisme du vieil Horace et de son fils, Corneille oppose le courage plus humain de Curiace et l'amour exclusif de Camille, sœur d'Horace.

HORACES (les trois). C'est sous le règne de Tullus* Hostilius, troisième roi de Rome, que la tradition place la guerre entre Albe et Rome, le combat des trois Horaces, champions de Rome, contre les trois Curiaces, champions d'Albe, la victoire d'Horace, meurtrier de sa sœur, et la défaite des Curiaces, qui est en même temps la ruine de leur ville. La légende des Horaces, rendue célèbre par Corneille (*Horace**), est née du fait que la tribu *Horatia* englobait dans son territoire Bovillae et Albe elle-même.

HORAIRE adj. (lat. *horarius;* de *hora,* heure). Relatif aux heures. ‖ Par heure : *salaire horaire.* ● *Cercle horaire d'un astre,* grand cercle de la sphère céleste, passant par cet astre et les pôles.

HORAIRE n. m. Tableau des heures d'arrivée et de départ : *horaire des trains.* ‖ Répartition des heures de travail. ‖ Travailleur payé à l'heure. ● *Horaire flexible,* horaire de travail permettant aux employés d'une entreprise un certain choix de leurs heures d'arrivée et de départ. (On dit aussi HORAIRE MOBILE ou À LA CARTE.)

***HORDE** n. f. (mot tatar). Troupe de gens indisciplinés : *horde de brigands.* ‖ *Hist.* Tribu tatare ou État mongol. (Les deux principaux États mongols furent la Horde Blanche et la Horde d'Or.)

HORDE D'OR, État mongol le plus occidental (de 1236/1240 à 1502). Les sources orientales l'appellent khânat de Qiptchak ou Ulus de Djötchi (ou Djütchī), car il s'est constitué à partir du territoire hérité par Djötchi, fils aîné de Gengis khān*. La Horde d'Or est fondée par Batū khān*, qui lui donne pour capitale Saray, sur la Volga. Elle étend sa domination sur les principautés russes, la Crimée, une partie du Caucase et de la Sibérie, qui lui versent un tribut. Bientôt assimilés par les Turcs autochtones, ses khāns adoptent définitivement l'islām à partir du XIVe s. Au milieu du XVe s., les khānats d'Astrakhan, de Kazan*, de Kassymov, de Crimée* et de Sibérie se rendent indépendants. En 1480, le tsar Ivan III* secoue le joug mongol, et la Horde d'Or est détruite en 1502 par les Tatars de Crimée, alliés aux Russes.

HORGEN, comm. de Suisse (cant. de Zurich), sur la rive sud du lac de Zurich; 15 691 hab.

***HORION** [ɔrjɔ̃] n. m. (anc. fr. *oreillon,* coup sur l'oreille). Coup violent donné à qqn.

HORIZON n. m. (gr. *horizein,* borner). Ligne imaginaire circulaire dont l'observateur est le centre, et où le ciel et la terre (ou la mer) semblent se joindre. ‖ Partie de la terre, de la mer ou du ciel que borne cette ligne. ‖ Domaine d'une action, d'une activité quelconque : *l'horizon des connaissances humaines; l'horizon politique.* ‖ *Astron.* Grand cercle de la sphère céleste formé, en un lieu donné, par l'intersection de cette sphère et du plan horizontal; parfois, syn. de PLAN HORIZONTAL. ‖ *Géol.* Couche bien caractérisée par un ou plusieurs fossiles. ‖ *Pédol.* Couche du sol, sensiblement homogène du point de vue de sa composition, de sa structure, de ses aspects physiques et chimiques. ‖ *Préhist.* Distribution de traits culturels identiques sur une vaste région au cours d'une période limitée. ● *Horizon artificiel,* instrument de pilotage d'un avion destiné à matérialiser une référence de verticale terrestre.

HORIZONTAL, E, AUX adj. Parallèle au plan de l'horizon, donc perpendiculaire à une direction qui représente conventionnellement la verticale. ● *Coordonnées horizontales d'un astre,* la hauteur et l'azimut de cet astre. ‖ *Plan horizontal,* plan passant par l'observateur et perpendiculaire à la direction du fil à plomb, en un lieu donné.

HORIZONTALE n. f. *Math.* Ligne horizontale.

HORIZONTALEMENT adv. Parallèlement à l'horizon.

HORIZONTALITÉ n. f. Caractère, état de ce qui est horizontal : *l'horizontalité d'un plan.*

HORKHEIMER (Max), philosophe et sociologue allemand (Stuttgart 1895 - Nuremberg 1973). Directeur de l'Institut für Sozialforschung (1930), il fonde et dirige l'école de Francfort*. En 1933, il fuit le nazisme, puis, l'année suivante, il réinstalle l'Institut à New York, où il poursuit des recherches de sociologie à partir du matérialisme historique, repris dans une perspective critique et humaniste (*Kritische Theorie I* et *II,* 1968). Ses œuvres principales sont *Studien über Autorität und Familie* (1936), *Eclipse of Reason* (1947) et, avec Adorno*, *Dialektik der Aufklärung* (1947).

Horla *(le),* recueil de contes de Maupassant (1887), qui s'ouvre sur le journal d'un homme obsédé par la présence diffuse d'un être surnaturel qui s'empare de sa volonté et de son énergie.

HORLOGE n. f. (gr. *hôrologion,* qui dit l'heure). Machine servant à mesurer le temps et à indiquer l'heure. ‖ *Inform.* Organe alimenté par un générateur d'impulsions périodiques et assurant la synchronisation du fonctionnement des divers éléments de l'unité centrale d'un ordinateur. ● *Horloge astronomique,* horloge monumentale à automates, affichant l'heure et diverses fonctions astronomiques. ‖ *Horloge atomique,* horloge dont le circuit oscillant est entretenu et strictement contrôlé par les phénomènes de transition que présentent les atomes de certains corps. ‖ *Horloge digitale,* horloge sans aiguilles ni cadran, où l'heure se lit à l'aide des chiffres 0 à 9 défilant sur un écran. ‖ *Horloge électrique,* horloge dont le mouvement pendulaire est produit, entretenu et réglé par un courant électrique. ‖ *Horloge électronique,* horloge à circuits intégrés, sans aucune partie mobile. ‖ *Horloge parlante,* horloge fournissant l'heure cinq fois par minute sur simple appel téléphonique. ‖ *Horloge à poids,* horloge dont le rouage est mû par la chute régulièrement ralentie d'un poids. ‖ *Réglé comme une horloge,* extrêmement régulier dans ses habitudes.

HORLOGER, ÈRE n. Personne qui fabrique, vend ou répare des horloges, des montres. ◆ adj. Qui concerne l'horlogerie : *l'industrie horlogère.*

HORLOGERIE n. f. Commerce de l'horloger; son magasin, son industrie. ‖ Objets qu'il fabrique.

HORME (L') [42400 St Chamond], comm. de la Loire, dans la banlieue est de Saint-Chamond; 4 889 hab. Métallurgie.

***HORMIS** [ɔrmi] prép. *Litt.* À l'exception de, en dehors de, excepté : *hormis deux ou trois.*

HORMISDAS → PAPE.

HORMONAL, E, AUX adj. Relatif aux hormones : *insuffisance hormonale.*

HORMONE n. f. (gr. *hormân,* exciter). Substance produite par une glande ou par synthèse et qui agit sur des organes ou tissus situés à distance, après transport par le sang. ‖ Substance régulatrice de la croissance des végétaux.

■ Chez les animaux, les hormones sont le plus souvent sécrétées par les glandes endocrines, et assurent des corrélations diverses entre les organes. L'hypophyse sécrète plusieurs hormones agissant sur la croissance et sur le fonctionnement des autres glandes endocrines (l'*hormone gonadotrope* agit notamment sur les fonctions sexuelles). La thyroïde sécrète la *thyroxine,* qui règle les combustions et la croissance; les *hormones corticosurrénales,* nombreuses, interviennent dans les divers métabolismes et possèdent une action anti-inflammatoire et tonique; les *hormones sexuelles* sont sécrétées par les gonades (testicule ou ovaire); l'*insuline* et le *glucagon* sont la sécrétion interne du pancréas.

HORMONOTHÉRAPIE n. f. Traitement par les hormones.

HORMUZ → ORMUZ.

HORN *(cap),* extrémité méridionale de l'Amérique du Sud, dans la partie chilienne de la Terre de Feu.

HORNAING (59171), comm. du Nord, à 6 km au N.-E. d'Aniche; 2 971 hab.

***HORNBLENDE** [ɔrnblɛ̃d] n. f. (all. *Horn,* corne, et *blenden,* briller). Aluminosilicate naturel de calcium, de fer et de magnésium, noir ou vert foncé, du groupe des amphiboles.

HORNES (Philippe II DE MONTMORENCY, *comte* DE), seigneur des Pays-Bas (Nevele v. 1524 - Bruxelles 1568). S'étant opposé à l'autoritarisme espagnol aux Pays-Bas avec le comte d'Egmont*, il fut décapité avec ce dernier par ordre du duc d'Albe.

HORNEY (Karen), médecin et psychanalyste américaine d'origine allemande (Hambourg 1885 - New York 1952). Elle se sépara de l'orthodoxie freudienne en attribuant aux facteurs culturels un rôle prédominant dans la genèse des névroses. Ses principaux ouvrages sont *la Personnalité névrotique de notre temps* (1937), *les Voies nouvelles de la psychanalyse* (1939), *Névrose et Croissance humaine* (1950).

HORNOY-LE-BOURG (80640), ch.-l. de cant. de la Somme, à 15,5 km au N.-E. d'Aumale; 1 470 hab. Château du XVIIIe s.

HORODATÉ, E adj. Se dit d'un document qui comporte l'indication de la date et de l'heure : *ticket horodaté.* ● *Stationnement horodaté,* qui se fait à l'aide d'horloges horodatrices.

HORODATEUR, TRICE adj. et n. m. Se dit d'un appareil imprimant la date et l'heure.

HOROGRAPHIE n. f. Syn. de GNOMONIQUE.

HOROKILOMÉTRIQUE adj. Qui se rapporte au temps passé et à l'espace parcouru : *compteur horokilométrique.*

HOROMÉTRIE n. f. Technique de la mesure du temps.

HOROPTÈRE n. m. Lieu des points objets dont les images se forment sur des points correspondants des rétines (sans qu'il y ait diplopie).

HOROSCOPE n. m. (gr. *hôroskopos,* qui considère le moment [de la naissance]). Ensemble des présages tirés de l'état du ciel à l'heure de la naissance d'un individu.

HOROWITZ (Vladimir), pianiste américain d'origine russe (Kiev 1904 - New York 1989). Gendre d'A. Toscanini, il fut un grand interprète de Chopin, de Prokofiev et de Skriabine.

HORREUR n. f. (lat. *horror*). Violente impression de répulsion, d'effroi, causée par qqch d'affreux : *être saisi d'horreur.* ‖ Caractère horrible d'une action : *l'horreur d'un crime.* ‖ Chose pour laquelle on éprouve de la répugnance à cause de sa laideur, de sa saleté. ◆ pl. Ce qui inspire le dégoût ou l'effroi : *les horreurs de la guerre; commettre des horreurs.* ‖ Paroles, écrits obscènes, orduriers : *dire des horreurs.*

HORRIBLE adj. (lat. *horribilis*). Qui fait horreur : *un spectacle horrible.* ‖ Extrême, excessif en mal : *un bruit horrible.* ‖ Très mauvais : *temps horrible.*

HORRIBLEMENT adv. De façon horrible : *un homme horriblement habillé.* ‖ Extrêmement : *horriblement cher.*

HORRIFIANT, E adj. Qui horrifie.

HORRIFIER v. t. Causer un sentiment d'effroi.

HORRIFIQUE adj. Qui cause de l'horreur.

HORRIPILANT, E adj. *Fam.* Agaçant.

HORRIPILATEUR adj. m. Se dit du muscle fixé à la racine de chaque poil, et dont la contraction redresse celui-ci.

HORRIPILATION n. f. Érection des poils due à l'effroi, au froid, etc. (Syn. CHAIR DE POULE.) ‖ *Fam.* Vif agacement.

HORRIPILER v. t. (lat. *horripilare,* avoir le poil hérissé). Causer l'horripilation. ‖ *Fam.* Mettre hors de soi, excéder : *ses manières m'horripilent.*

***HORS** [ɔr] prép. (lat. *de foris*). Au-delà de : *hors série.* ‖ *Litt.* Excepté : *hors deux ou trois; hors cela.* ● *Hors barème,* se dit d'un salarié dont les appointements sont au-dessus du plus haut salaire prévu dans la convention collective. ‖ *Hors cadre,* position extérieure dans laquelle un fonctionnaire peut être placé sur sa demande, le laissant soumis aux règles régissant sa fonction. ‖ *Hors concours,* qui n'est plus autorisé à concourir en raison de sa supériorité. ‖ *Hors d'eau,* se dit d'une construction à laquelle on a fait tout ce qui était nécessaire pour la soustraire aux dégâts provoqués par les pluies. ‖ *Hors tout,* se dit de la plus grande valeur de la dimension d'un objet. ‖ *Mettre hors la loi,* déclarer que qqn n'est plus sous la protection des lois. ◆ loc. prép. *Hors de,* à l'extérieur de : *hors de chez soi;* à l'écart de l'influence de, de l'action de, de l'état de : *hors d'atteinte; hors de danger; hors de doute.* ● *Hors de combat,* qui n'est plus en état de combattre. ‖ *Hors d'ici!,* sortez! ‖ *Hors de question,* qui n'est pas envisagé. ‖ *Hors de service, d'usage,* qui n'est plus en état d'être utilisé. ‖ *Hors de soi,* dans un état de violente agitation.

***HORSAIN** ou ***HORSIN** n. m. Nom donné par les habitants d'un village à celui qui n'y habite pas en permanence, à un occupant d'une résidence secondaire.

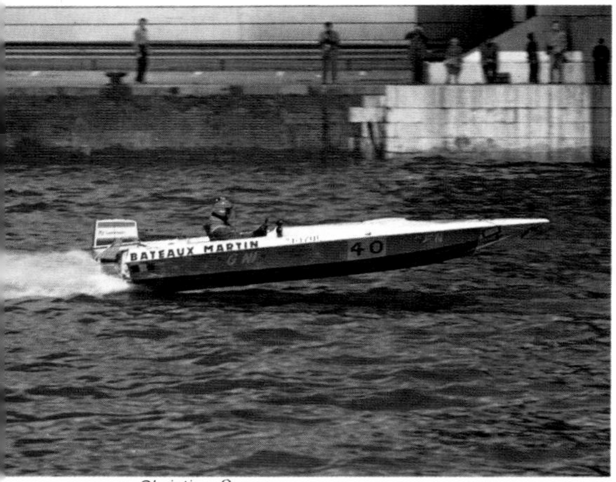

Christian Sappa

hors-bord
de compétition

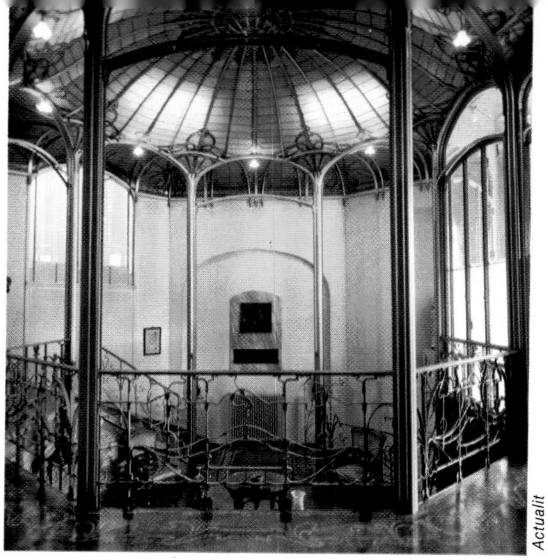
Victor **Horta** : hall de la maison Van Eetvelde à Bruxelles, 1897.
Actualit

***HORS-BORD** n. m. inv. Moteur fixé à l'arrière d'un bateau, à l'extérieur du bord. ‖ Canot léger de course, propulsé par un moteur hors-bord.

***HORS-COTE** [ɔrkɔt] adj. et n. m. inv. Se dit d'un marché de Bourse des valeurs mobilières dont la cotation n'est soumise à aucune réglementation; ces valeurs.

***HORS-D'ŒUVRE** n. m. inv. Mets servis au début du repas. ‖ Partie d'une œuvre littéraire qu'on peut retrancher sans nuire à l'ensemble. ● *Bâtiment (en) hors-d'œuvre* (Archit.), se dit d'un corps de bâtiment qui en touche un autre, plus important, sans s'y intégrer.

***HORSE-GUARD** [ɔrsgard] n. m. (mots angl., *garde à cheval*) [pl. *horse-guards*]. Militaire du régiment de cavalerie de la garde royale anglaise, créé en 1819.

HORSENS, v. du Danemark, sur la côte orientale du Jylland; 53 000 hab.

***HORSE POWER** [ɔrspawœr] n. m. inv. (expression angl., *cheval-puissance*). Anc. unité de mesure de puissance (symb. HP) adoptée en Grande-Bretagne, et qui valait 75,9 kgm/s ou 1,013 ch ou encore 0,7457 kW.

***HORS-JEU** n. m. inv. Au football et au rugby notamment, position irrégulière d'un joueur par rapport aux autres, entraînant une sanction contre ce joueur. ● *Hors-jeu de position,* au football, hors-jeu d'un joueur qui ne participe pas à l'action et qui n'est pas systématiquement sanctionné.

***HORS-LA-LOI** n. m. inv. (traduction de l'angl. *outlaw*). Individu qui se met en dehors des lois, bandit.

***HORS-PISTE** ou ***HORS-PISTES** n. m. inv. Ski pratiqué en dehors des pistes balisées.

***HORST** [ɔrst] n. m. *Géol.* Compartiment soulevé entre des failles.

HORST (Louis), pianiste accompagnateur et compositeur américain (Kansas City, Missouri, 1884 - New York 1964). Directeur musical à la Denishawn School et chez Martha Graham, il eut une influence considérable sur les danseurs américains novateurs de la « modern dance ».

***HORS-TEXTE** n. m. inv. Feuillet, le plus souvent illustré, de mêmes dimensions que les cahiers formant un livre, non compris dans la pagination, que l'on intercale dans un livre.

HORTA (Victor, *baron*), architecte belge (Gand 1861 - Bruxelles 1947). Utilisant le fer dès 1889 dans l'architecture privée, ce pionnier de l'Art* nouveau fait intervenir la courbe aussi bien dans les structures (liberté du plan) que dans le décor (ligne « coup de fouet » d'inspiration végétale) [à Bruxelles : maison Tassel, 1893; hôtel Solvay, 1895; Maison du peuple, 1896, détruite; maison Horta, 1898, auj. musée Horta]. Ayant libéré l'architecture de toute attache académique, suivi par de nombreux émules, il revient ensuite à une simplicité plus classique.

HORTENSE DE BEAUHARNAIS → BEAUHARNAIS.

HORTENSIA n. m. Arbrisseau originaire d'Extrême-Orient, cultivé pour ses fleurs ornementales blanches, roses ou bleues. (Famille des saxifragacées.)

hortensia

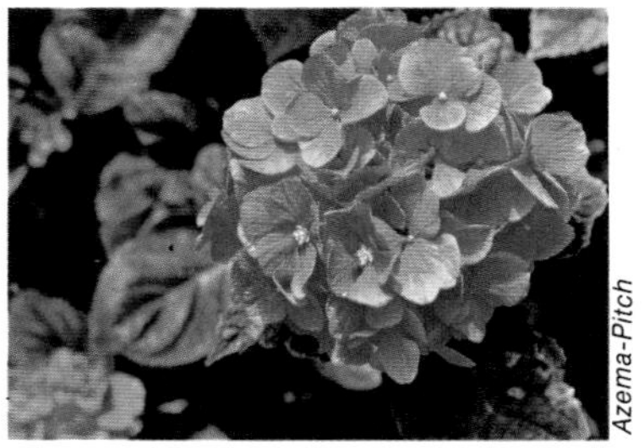
Azema-Pitch

HORTENSIUS HORTALUS (Quintus), orateur romain (114-50 av. J.-C.), représentant de la tendance asiatique dans l'éloquence romaine. Membre de l'aristocratie conservatrice, il fut l'adversaire de Cicéron, notamment dans le procès de Verrès (70), avant de devenir son allié dans les procès de Murena et de Rabirius.

HORTHY DE NAGYBÁNYA (Miklós), homme d'État hongrois (Kenderes 1868 - Estoril, Portugal, 1957). Nommé commandant en chef de la flotte austro-hongroise en 1918, il est désigné après la défaite comme chef de l'armée nationale contre-révolutionnaire (1919) pour lutter contre le régime communiste de Béla Kun*. Élu régent par l'Assemblée nationale (1920), il exerce les fonctions de chef de l'État au nom de l'empereur Charles IV de Habsbourg, dont il empêche la restauration. Bien qu'hostile au national-socialisme, il légalise l'occupation allemande en 1944, en acceptant de désigner un gouvernement dans la Hongrie occupée. Les Allemands l'empêchent de négocier un armistice avec les Russes et l'obligent à démissionner (oct. 1944).

HORTICOLE adj. Relatif à la culture des jardins : *une exposition horticole.*

HORTICULTEUR, TRICE n. Personne qui s'occupe d'horticulture.

HORTICULTURE n. f. (lat. *hortus,* jardin). Culture des jardins.

HORTILLONNAGE n. m. En Picardie, autrefois surtout, marais entrecoupé de petits canaux, utilisé au moyen d'abondantes fumures pour les cultures maraîchères.

HORTON (Lester), chorégraphe, théoricien et pédagogue américain (Indianapolis 1906 - Los Angeles 1953). Son approche des danses des Indiens d'Amérique et du nô japonais l'amène à appréhender la danse dans ses rapports avec le théâtre et à aborder la technique de la « modern dance » d'une manière très personnelle. Son enseignement a influencé toute une génération de danseurs, tel Alvin Ailey.

HORUS, dieu solaire de l'ancienne Égypte, symbolisé par un homme à tête de faucon ou par un soleil ailé; il incarne dans la théologie héliopolitaine le principe du bien, face au dieu Seth*, devenu incarnation du mal.

Hōryū-ji, sanctuaire bouddhique construit au début du VIIe s., près de Nara* (Japon), dont certains bâtiments sont les plus anciens exemples de l'architecture de bois d'Extrême-Orient.

HOSANNA [ɔzana] n. m. (mot hébr., *sauvenous, je t'en prie*). Acclamation de la liturgie juive passée dans la liturgie chrétienne. ‖ Chant, cri de joie, de triomphe.

HOSPICE n. m. (lat. *hospitium*). Maison où des religieux donnent l'hospitalité aux pèlerins, aux voyageurs. ‖ Maison d'assistance où l'on reçoit les vieillards démunis ou atteints de maladie chronique.

HOSPITALET DE LLOBREGAT (L'), v. de la banlieue de Barcelone; 295 000 hab.

HOSPITALIER, ÈRE adj. Relatif aux hospices, aux hôpitaux, aux cliniques : *établissements hospitaliers.* ‖ Qui exerce l'hospitalité, qui accueille volontiers : *un peuple hospitalier; une maison hospitalière.* ◆ adj. et n. Relatif aux ordres religieux militaires qui se vouaient au service des voyageurs, des pèlerins ou des malades (chevaliers du Saint-Sépulcre, Templiers...) ou qui exercent encore une activité charitable (ordre de Malte, ordre de Saint-Lazare...).

HOSPITALIER n. m. Membre de certains ordres institués pour soigner les malades.

HOSPITALISATION n. f. Admission et séjour dans un établissement hospitalier.

HOSPITALISER v. t. (lat. *hospitalis*). Faire entrer dans un établissement hospitalier : *hospitaliser un malade.*

HOSPITALISME n. m. Ensemble des troubles psychiques et somatiques dus à une carence affective totale chez de jeunes enfants placés en institution.

HOSPITALITÉ n. f. Action de recevoir chez soi par charité ou par politesse.

HOSPITALO-UNIVERSITAIRE adj. (pl. *hospitalo-universitaires*). *Centre hospitalo-universitaire (C. H. U.),* établissement hospitalier où s'effectue l'enseignement des étudiants en médecine.

HOSPODAR n. m. (mot ukrainien, *souverain*). *Hist.* Titre de princes vassaux du Sultan, particulièrement en Moldavie et en Valachie.

HOSSEGOR (40150), station balnéaire des Landes (comm. de *Soorts-Hossegor*), près de l'*étang d'Hossegor.*

HOSSEIN (Robert HOSSEINHOFF, dit **Robert**), metteur en scène de théâtre, acteur et cinéaste français (Paris 1927), auteur de grandes fresques spectaculaires (*Notre-Dame de Paris,* 1978; *Danton et Robespierre,* 1979; *les Misérables,* 1980; *Un homme nommé Jésus,* 1983; *Jules César,* 1985; *l'Affaire du courrier de Lyon,* 1987; *la Liberté ou la Mort,* 1988; *Dans la nuit, la liberté,* 1989).

HOSTELLERIE [ɔstɛlri] n. f. → HÔTELLERIE.

HOSTIE n. f. (lat. *hostia,* victime). *Antiq.* Victime immolée à une divinité. ‖ *Liturg.* Pain azyme que le prêtre consacre pendant la messe.

HOSTILE adj. (lat. *hostilis;* de *hostis,* ennemi). Qui manifeste des intentions agressives, qui se conduit en ennemi : *attitude hostile; hostile au progrès.*

HOSTILEMENT adv. De façon hostile.

HOSTILITÉ n. f. Sentiment d'inimitié ou d'opposition : *hostilité permanente entre deux personnes.* ◆ pl. Opérations de guerre, état de guerre : *reprendre les hostilités.*

***HOT DOG** [ɔt dɔg] n. m. (mots amér., *chien chaud*) [pl. *hot dogs*]. Petit pain fourré d'une saucisse chaude avec moutarde.

HÔTE, HÔTESSE n. (lat. *hospes, hospitis*). Personne chez qui on est reçu.

HÔTE n. m. Personne qui est reçue chez qqn; invité. ‖ *Litt.* Être qui vit habituellement quelque part. ‖ Organisme vivant qui en abrite un autre.

HÔTEL n. m. (lat. *hospitale,* auberge). Maison meublée où on loge les voyageurs : *descendre à l'hôtel.* ‖ Grand édifice destiné à des établissements publics : *l'hôtel des Monnaies, des Invalides.* ● *Hôtel maternel,* hôtel réservé à des pensionnaires mères célibataires. ‖ *Hôtel particulier* ou *hôtel,* demeure citadine d'un riche particulier. ‖ *Hôtel de ville,* maison où siège l'autorité municipale. ‖ *Maître d'hôtel,* chef du service de la table dans une grande maison, un restaurant, etc. ‖ *Sauce maître d'hôtel,* se dit d'une préparation à base de beurre et de persil.

HÔTEL-DIEU n. m. (pl. *hôtels-Dieu*). Dans certaines villes, hôpital principal, de fondation ancienne.

Hôtel du Nord, roman d'Eugène Dabit (1929). En une trentaine d'épisodes, le déroulement de la vie quotidienne d'un hôtel : premier récit couronné du prix du roman populiste et qui inspira un film de Marcel Carné (1938).

HÔTELIER, ÈRE n. Professionnel assurant l'exploitation d'un hôtel destiné à recevoir les voyageurs. ◆ adj. Relatif aux hôtels, à l'hôtellerie : *industrie hôtelière.*

HÔTELLERIE n. f. Partie d'une abbaye, d'un monastère réservée au logement des hôtes. ‖ Restaurant élégant. (On dit aussi HOSTELLERIE en ce sens.) ‖ Ensemble de la profession hôtelière.

HÔTESSE n. f. *Hôtesse d'accueil* ou *hôtesse,* jeune femme chargée d'accueillir les visiteurs dans certains organismes. ‖ *Hôtesse de l'air,* jeune femme qui, à bord des avions commerciaux, veille au confort des passagers. ‖ *Robe d'hôtesse,* robe d'intérieur longue et confortable.

***HOT MONEY** n. f. inv. (loc. angl., *monnaie brûlante*). Syn. de CAPITAUX FÉBRILES*.

***HOTTE** n. f. (mot francique). Panier d'osier ou cuve aplatis d'un côté, qu'on porte sur le dos à l'aide de bretelles. ‖ Partie saillante et s'évasant du haut vers le bas du conduit d'une cheminée, au-dessus du manteau. ● *Hotte aspirante,* installation permettant d'aspirer les vapeurs et odeurs de cuisson, et qui peut être soit à raccordement, soit à recyclage interne.

***HOTTENTOT, E** adj. Des Hottentots.

HOTTENTOTS, peuple vivant dans la partie méridionale de la Namibie, apparenté aux Bochimans. Refoulés par les colons allemands, les Hottentots se révoltèrent contre ces derniers en 1904.

***HOTU** n. m. (mot wallon). Poisson d'eau douce (rivières et fleuves), à dos brunâtre et à lèvres cornées et tranchantes, atteignant 50 cm de long et appartenant à la famille des cyprinidés. (Sa chair est fade et remplie d'arêtes.)

HÖTZENDORF (Conrad VON) → CONRAD VON HÖTZENDORF.

***HOU!** [u] interj. Marque la réprobation ou, répétée, sert à interpeller.

HOUAI ou **HUAI** (la), riv. de la Chine orientale, entre le Houang-ho et le Yang-tseu-kiang. Importants barrages (pour la régularisation du débit et l'irrigation).

HOUAI-NAN ou **HUAINAN,** v. de Chine (Ngan-houei), sur la *Houai;* 350 000 hab.

HOUA KOUO-FONG ou **HUA GUOFENG,** homme politique chinois (prov. du Chan-si 1922). Membre du Comité central du parti communiste chinois (depuis 1969) et du bureau politique (depuis 1973), il devient vice-premier ministre et ministre de la Sécurité publique en 1975, puis il est nommé chef de gouvernement par intérim (févr. 1976) après la mort de Tcheou

Le « Yumedono » (salle des rêves) au **Hōryū-ji,** temple fondé à Nara au VIIe s.

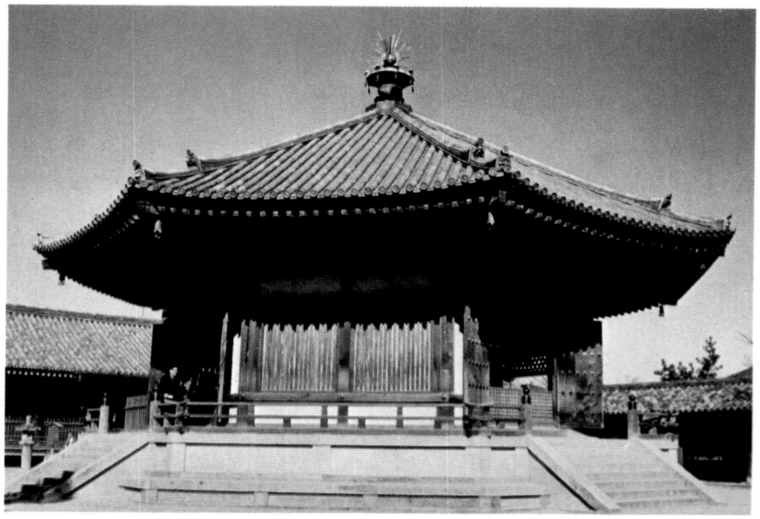
Vautier-Decool

Ngen-lai. En avril 1976, il devient officiellement Premier ministre et premier vice-président du parti communiste, avant de succéder à Mao Tsö-tong à la présidence du parti (octobre). Sa nomination aux plus hautes fonctions de l'État coïncide avec l'élimination des dirigeants d'extrême gauche et consacre la victoire des éléments modérés au sein du parti. En 1980, il est remplacé à la tête du gouvernement par Tchao Tseu-yang (Zhao Ziyang). En 1981, il est écarté de la présidence du parti et, en 1982, il est éliminé du Bureau politique.

HOUANG-CHE ou **HUANGSHI,** v. de Chine (Hou-pei); 111 000 hab.

HOUANG-HO ou **HUANGHE,** fleuve de la Chine du Nord; 4 845 km.

Le Houang-ho (ou fleuve Jaune) prend sa source au Ts'ing-hai, à 4 500 m d'altitude. Après un cours supérieur encaissé dans la montagne, il décrit à partir de Lan-tcheou une large boucle vers le N. Au niveau des Ts'in-ling, il s'infléchit de nouveau vers l'E. et va se jeter dans la mer Jaune en un vaste delta, qui avance d'une centaine de mètres par an.

Ce fleuve énorme draine un bassin de 750 000 km². Son débit moyen n'est que de 1 500 m³/s, mais son irrégularité est responsable de crues violentes en été, au cours desquelles le débit atteint 20 000 m³/s. Le Houang-ho charrie alors des tonnes de limons jaunes, qu'il dépose lors de la décrue, et tout le cours inférieur est encaissé dans ces matériaux friables, sculptés en terrasses. L'un des premiers objectifs de la République populaire a été la régularisation du fleuve, pour éviter les conséquences désastreuses de ses crues annuelles (qui se traduisaient parfois par des changements de cours). La construction, en cours, de barrages, de digues et de canaux développe la navigation, l'irrigation et la production d'hydroélectricité.

HOUANG KONG-WANG ou **HUANG GONGWANG,** peintre et lettré chinois (1269-1354), doyen des quatre grands maîtres du paysage de l'époque Yuan. Réagissant contre un certain maniérisme des membres de l'académie des Song du Sud, Houang rend avec une extrême simplicité de moyens — par le jeu de petites touches d'encre — l'atmosphère et la lumière, et revient à des compositions solidement structurées d'une grande noblesse.

***HOUARI** [wari] n. m. *Mar.* Gréement constitué par une voile aurique triangulaire hissée sur une vergue qui glisse le long du mât.

HOUAT (56170 Quiberon), île et comm. du Morbihan, au S.-E. de Quiberon; 390 hab.

***HOUBLON** n. m. (anc. néerl. *hoppe*). Plante grimpante cultivée pour ses inflorescences femelles, employés pour aromatiser la bière. (Haut. : jusqu'à 5 m; famille des cannabinacées.)

***HOUBLONNAGE** n. m. Action de houblonner.

***HOUBLONNER** v. t. Mettre du houblon dans une boisson.

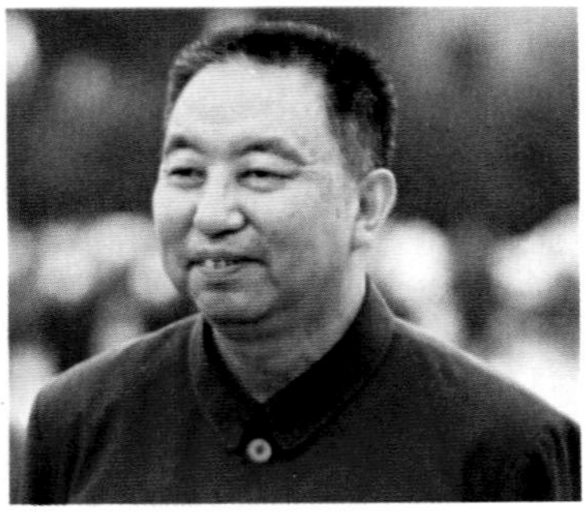

Gamma

Houa Kouo-fong

***HOUBLONNIER, ÈRE** n. Personne qui cultive le houblon. ◆ adj. Relatif au houblon.

***HOUBLONNIÈRE** n. f. Champ de houblon.

HOUCHARD (Jean Nicolas), général français (Forbach 1738 - Paris 1793). Il arrêta l'invasion des coalisés à Hondschoote (1793), mais, accusé de ménager l'ennemi, il fut traduit devant le Tribunal révolutionnaire et guillotiné.

HOU CHE ou **HU SHI,** écrivain chinois (Chang-hai 1891 - T'ai-pei 1962). En 1917, il prit la tête du mouvement de la « Révolution littéraire » et imposa en littérature l'emploi de la langue parlée.

HOUCHES (Les) [74310], comm. de la Haute-Savoie, à 7 km au S.-O. de Chamonix; 1 766 hab. Station de sports d'hiver (alt. 1 008-1 900 m).

HOUDAIN (62150), ch.-l. de cant. du Pas-de-Calais, à 3,5 km au S. de Bruay-en-Artois; 7 746 hab. Église des XIIe et XVIe s.

***HOUDAN** n. f. Poule d'une race créée à Houdan.

HOUDAN (78550), ch.-l. de cant. des Yvelines, à 21 km au N.-E. de Dreux; 2 973 hab. Donjon du XIIe s. Église des XVe-XVIe s. Vieilles maisons.

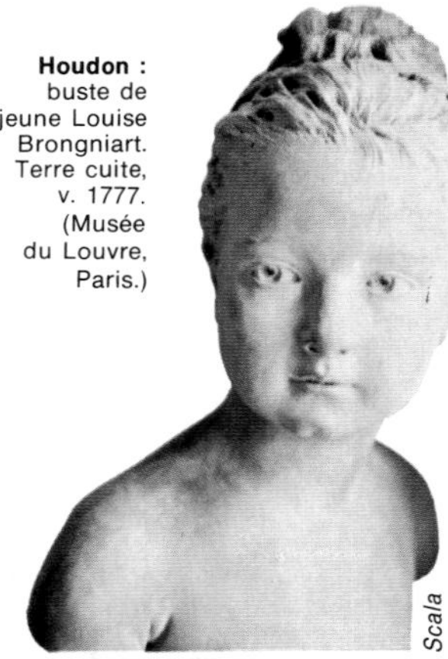

Houdon : buste de la jeune Louise Brongniart. Terre cuite, v. 1777. (Musée du Louvre, Paris.)

Scala

voile à **houari**

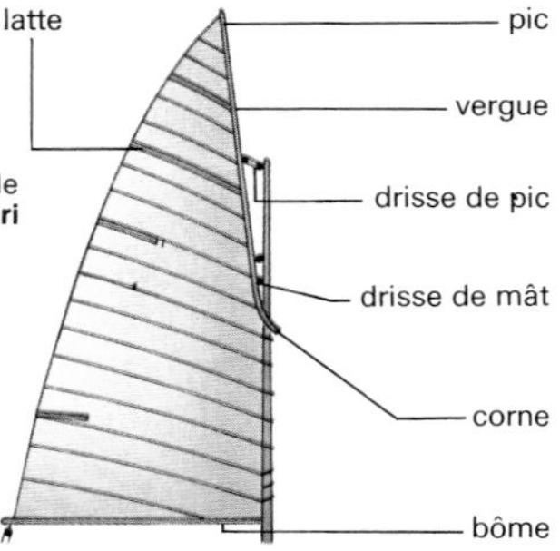
latte
pic
vergue
drisse de pic
drisse de mât
corne
bôme

houblon

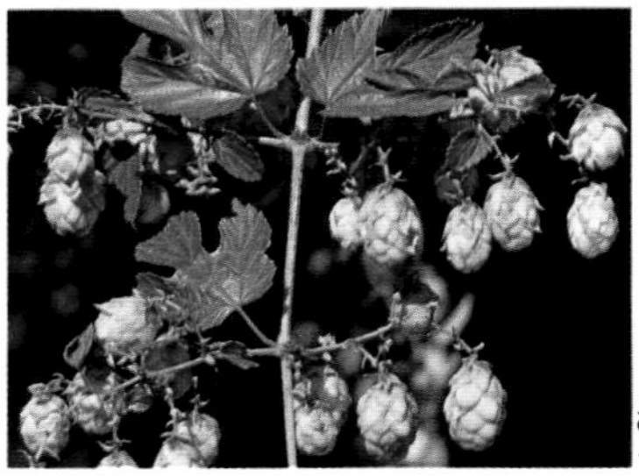

J. Six

HOUDON (Jean Antoine), sculpteur français (Versailles 1741 - Paris 1828). Pensionnaire de l'École royale des élèves protégés, puis de l'Académie de France à Rome (1764-1768), où il étudie les antiques et l'anatomie (*l'Écorché,* École des beaux-arts, Paris), agréé à l'Académie en 1769, il conquiert rapidement une vaste clientèle par ses tombeaux (monuments Galitzine, Moscou, 1773) et ses grandes figures (*Diane chasseresse,* plâtre de 1776, reproduit en bronze et en marbre), qui rompent avec la rocaille, mais surtout par ses bustes, dans lesquels il s'attache à rendre toute la subtilité d'expression du visage humain. Il laisse ainsi de vivantes effigies des célébrités parisiennes, fournit à Catherine II une réplique de son *Voltaire assis* (auj. à la Comédie-Française), va aux États-Unis, en 1785, pour le *Washington* en pied du Capitole de Richmond, mais excelle plus encore dans les portraits familiers de ses proches (la petite *Louise Brongniart,* terre cuite, Louvre). Son opportunisme, qui lui fait, parfois, offrir deux versions d'un même buste, l'une en costume moderne, l'autre à l'antique, lui permet de s'adapter au changement de clientèle sous la Révolution et l'Empire.

HOUDRY (Eugène), ingénieur français (Domont 1892 - Upper Darby, Pennsylvanie, 1962). Il inventa le cracking catalytique.

***HOUE** n. f. (mot francique). Pioche à fer large et recourbé, pour remuer la terre.

HOUEILLÈS (47420), ch.-l. de cant. de Lot-et-Garonne, à 14 km au S. de Casteljaloux; 708 hab.

Hougue *(bataille de la),* bataille que livra Tourville, dans des conditions difficiles, face à la flotte anglo-hollandaise le 29 mai 1692.

HOUHEHOT ou **HUHEHOT,** v. de Chine, capit. de la Mongolie-Intérieure; 314 000 hab.

***HOUILLE** n. f. (wallon *hoye,* mot francique). Combustible minéral fossile solide, provenant de végétaux ayant subi au cours des temps géologiques une transformation lui conférant un grand pouvoir calorifique. (Les anthracites [95 p. 100 de carbone] et les houilles maigres [90 p. 100 de carbone] sont utilisés comme combustibles, tandis que, par distillation, on retire des houilles grasses [80 à 85 p. 100 de carbone] du gaz d'éclairage, des goudrons et un résidu solide, le coke.) ● *Houille blanche,* énergie obtenue à partir des chutes d'eau.

■ La houille résulte de la décomposition, à l'abri de l'air, en milieu lacustre (bassins limniques) ou marin (bassins paralliques), de débris végétaux. Variété de charbon au fort pouvoir calorifique, présente surtout dans les terrains de la fin de l'ère primaire (dont une période porte le nom de « carbonifère »), elle fut à la base de la révolution industrielle dès la fin du XVIIIe s. et constituait encore de très loin la première source d'énergie au début de ce siècle, puisqu'elle assurait environ 90 p. 100 de la consommation mondiale d'énergie primaire.

La production mondiale n'a pratiquement jamais cessé de s'accroître. Elle a presque triplé encore depuis la fin de la Seconde Guerre mondiale, avoisinant aujourd'hui 3,2 milliards de tonnes. Cependant, la progression n'a pas été générale. L'extraction de la houille a fortement reculé depuis 1960 en Europe occidentale, en raison de conditions de gisement souvent difficiles, augmentant le prix de revient d'un produit fortement concurrencé par un pétrole abondant et bon marché jusqu'au début des années 70. Elle a ainsi reculé de plus de moitié en Grande-Bretagne, en France et en Belgique, de plus d'un tiers en Allemagne fédérale. En contrepartie, la production s'est fortement accrue dans les pays socialistes (U.R.S.S., Chine, Pologne) et dans des États s'industrialisant (Afrique du Sud, Inde, Australie). La crise du pétrole a parfois redonné un nouvel essor à l'extraction houillère; c'est le cas aux États-Unis, revenus au premier rang mondial, avec un apport annuel de l'ordre de 783 Mt, précédant la Chine (environ 740 Mt), puis l'U.R.S.S. (près de 490 Mt). Ces trois géants fournissent approximativement les deux tiers de la production mondiale. Loin derrière viennent la Pologne, l'Afrique du Sud, l'Inde et l'Australie, qui, toutes, dépassent largement le seuil des 100 Mt, encore approché par la R.F.A. et la Grande-Bretagne. La France ne produit plus que 15 Mt.

La croissance de celle-ci n'a pas empêché une sensible détérioration de la part de la houille dans le bilan énergétique mondial. Actuellement, la houille satisfait à peine le tiers des besoins énergétiques mondiaux. La consommation a notamment diminué dans le chauffage, mais elle reste importante pour la production d'électricité thermique classique et naturellement dans la sidérurgie, où son dérivé, le coke, demeure encore un point de passage pratiquement obligé.

Les réserves mondiales de houille sont beaucoup plus importantes que celles d'hydrocarbures et se chiffrent par milliers de milliards de tonnes. La progression de l'extraction se heurte cependant à des obstacles physiques et écologiques (dégradation évidente de l'environnement, pollution fréquente); ces derniers peuvent être palliés à terme par une gazéification massive de la houille. (V. carte p. 694.)

***HOUILLER, ÈRE** adj. Qui renferme des couches de houille : *terrain houiller.* ‖ Relatif à la houille.

***HOUILLER** n. m. *Géol.* Syn. de CARBONIFÈRE.

***HOUILLÈRE** n. f. Mine de houille.

HOUILLES (78800), ch.-l. de cant. des Yvelines, à 9 km au N.-O. de Paris; 29 854 hab. Depuis 1972, poste de commandement de la force océanique stratégique.

***HOUKA** n. m. (mot hindi). Pipe orientale analogue au narguilé.

***HOULE** n. f. (mot germ.). Mouvement ondulatoire de la mer, sans que les vagues déferlent. ● *Hauteur de la houle,* distance verticale d'une crête à un creux. ‖ *Longueur de la houle,* distance comprise entre deux crêtes.

***HOULETTE** n. f. (mot néerl.). Bâton à l'usage des bergers, terminé par une sorte de cuiller en fer, pour lancer de la terre aux animaux qui s'écartent. ‖ Petite bêche de jardinier. ● *Sous la houlette de qqn,* sous sa direction.

***HOULEUX, EUSE** adj. Se dit de la mer agitée par la houle. ‖ Agité de sentiments contraires, mouvementé : *salle houleuse.*

HOULGATE (14510), comm. du Calvados, sur la Manche, à 4 km à l'E. de Cabourg; 1 784 hab. Station balnéaire.

HOULME (Le) [76670], comm. de Seine-Maritime, à 12 km au N. de Rouen; 4 351 hab. Métallurgie.

***HOULQUE** ou ***HOUQUE** n. f. (lat. *holcus,* orge sauvage). Genre de graminacées voisines des avoines.

HOU-NAN ou **HUNAN,** prov. de la Chine méridionale; 210 000 km²; 54 009 000 hab. Capit. *Tch'ang-cha.* Au S. du Yang-tseu-kiang, la région, demeurée surtout rurale, est une importante productrice de riz et de thé.

HOUNSFIELD (Godfrey Newbold), ingénieur britannique (Newark 1919). Il développa, avec A. M. Cormack, le scanner en milieu hospitalier. (Prix Nobel 1979.)

HOU-PEI ou **HUBEI,** prov. de la Chine méridionale; 180 000 km²; 47 800 000 hab. Capit. *Wou-han.* L'ouest est formé de moyennes montagnes; l'est est une plaine de confluence (Yang-tseu-kiang et Han-chouei), portant surtout des rizières. Mais la province fournit aussi du coton, du blé et de l'orge.

HOUPHOUËT-BOIGNY (Félix), homme d'État ivoirien (Yamoussoukro, Côte-d'Ivoire, 1905). Médecin et planteur, il fonde en 1946 le parti nationaliste du Rassemblement démocratique africain (R.D.A.), puis devient député de la Côte-d'Ivoire à l'Assemblée nationale française (1946-1959) et maire d'Abidjan (1956-1960). Ministre dans tous les gouvernements français à partir de 1956, il participe au processus de la décolonisation. Président de l'Assemblée constituante de la république de la Côte-d'Ivoire (1958), il devient chef du gouvernement ivoirien (1959) et obtient l'accession du pays à l'indépendance. Élu président de la République (1960), et constamment réélu depuis, il est parvenu à renforcer l'unité du pays et à lui assurer un développement économique satisfaisant, tout en accélérant, surtout depuis le mouvement de contestation ouvrière et étudiante de 1969, l'africanisation des cadres. Maintenant de bons rapports avec la France et les pays occidentaux, il s'efforce de limiter l'influence communiste en Afrique, où il joue un rôle de leader modéré.

HOUPLINES (59116), comm. du Nord, sur la Lys, banlieue N.-E. d'Armentières; 7 964 hab.

***HOUPPE** n. f. (mot francique). Touffe de brins de laine, de soie, de duvet : *houppe à poudre de riz.* ‖ Touffe de cheveux sur la tête. ‖ Syn. de HUPPE.

***HOUPPELANDE** n. f. Ample manteau sans manches.

***HOUPPETTE** n. f. Petite houppe.

***HOUPPIER** n. m. Arbre ébranché auquel on ne laisse que la cime. ‖ Partie supérieure d'un arbre.

***HOUQUE** n. f. → HOULQUE.

***HOURD** [ur] n. m. (mot francique). Au Moyen Âge, estrade que l'on dressait pour les spectateurs des tournois. ‖ *Fortif.* Galerie de bois établie au niveau des créneaux pour battre le pied des murailles d'un château fort.

***HOURDAGE** n. m. Maçonnerie grossière en moellons ou en plâtras. ‖ Première couche de gros plâtre appliquée sur un lattis pour former l'aire d'un plancher ou une paroi en cloisons. (On dit aussi HOURDIS.)

***HOURDER** v. t. Exécuter un hourdis.

***HOURDIS** [urdi] n. m. *Constr.* Corps de remplissage en aggloméré ou en terre cuite posé entre les solives, les poutrelles ou les nervures des planchers. ‖ Première couche de gros plâtre sur un lattis.

***HOURI** n. f. (mot persan). Dans le Coran, vierge du paradis promise aux croyants. ‖ Femme très belle.

***HOURRA** interj. et n. m. Cri réglementaire poussé par l'équipage d'un navire pour saluer un hôte d'honneur. ‖ Cri d'acclamation : *être accueilli par des hourras.* (On écrit aussi HURRAH.)

HOURRITES, peuple de l'Asie occidentale, installé dès le IIIe millénaire en haute Mésopotamie. Les souverains d'Akkad* (XXIVe-XXIIIe s.) et ceux de la IIIe dynastie d'Our* (2133-2025) tentent de le soumettre. Au XVIIIe s., les Hourrites s'infiltrent sur le cours supérieur de l'Euphrate et dans le nord de la Syrie; au XVIe s., ils fondent l'État du Mitanni*. La puissance hourrite s'effondrera aux XIVe-XIIIe s. sous la pression des Hittites* et des Assyriens.

HOURTIN (33990), comm. du nord de la Gironde, près de l'*étang d'Hourtin;* 3 598 hab. Centre de formation de la marine nationale. Phares sur la côte.

***HOURVARI** n. m. (de *houre,* cri pour exciter les chiens, et *charivari*). *Litt.* Vacarme, grand tumulte.

houlque

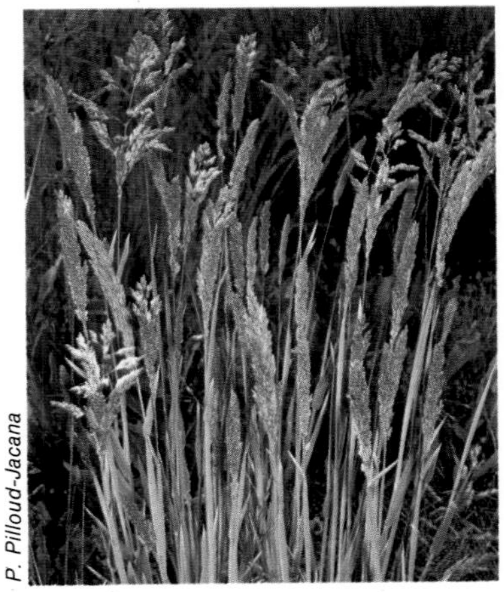

P. Pilloud-Jacana

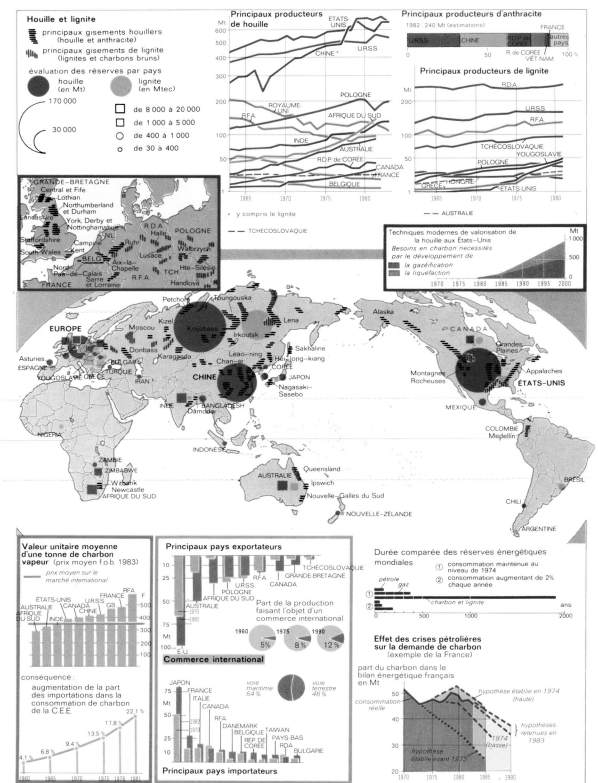

Houille et lignite

principaux gisements houillers (houille et anthracite)

principaux gisements de lignite (lignites et charbons bruns)

évaluation des réserves par pays
houille (en Mt) lignite (en Mtec)

170 000
30 000

□ de 8 000 à 20 000
□ de 1 000 à 5 000
○ de 400 à 1 000
○ de 30 à 400

Principaux producteurs de houille

ÉTATS-UNIS · CHINE * · U.R.S.S. · POLOGNE · ROYAUME-UNI · AFRIQUE DU SUD · RFA · INDE · AUSTRALIE · R.D.P. de CORÉE · CANADA · FRANCE · BELGIQUE

1965 1970 1975 1980

* y compris le lignite

— TCHÉCOSLOVAQUIE

Principaux producteurs d'anthracite
1982 240 Mt (estimations)

U.R.S.S. · CHINE · R. de CORÉE · VIÊT-NAM · RDP de CORÉE · FRANCE · autres pays

0 · 50 · 100 %

Principaux producteurs de lignite

RDA · URSS · RFA · TCHÉCOSLOVAQUIE · YOUGOSLAVIE · POLOGNE · GRÈCE · HONGRIE · ÉTATS-UNIS

-- AUSTRALIE

Techniques modernes de valorisation de la houille aux États-Unis

Besoins en charbon nécessités par le développement de
la gazéification
la liquéfaction

1970 1975 1980 1985 1990 1995 2000

GRANDE-BRETAGNE : Central et Fife, Lothian, Northumberland et Durham, Lancashire, York, Derby et Nottinghamshire, Staffordshire, Kent, South Wales

R.D.A. : Halle, Ruhr, Campine, Lusace
POLOGNE : Wałbrzych, Hte-Silésie
Aix-la-Chapelle, Nord-Pas-de-Calais, Sarre et Lorraine, R.F.A., TCH., Handlová

EUROPE · Petchora · Toungouska · Moscou · Kizel · Lena · Alaska · CANADA · Grandes Plaines · Kouzbass · Irkoutsk · Asturies · ESPAGNE · Donbass · Karaganda · Sakhaline · Leao-ning · Chan-si · Héi-long-kiang · Montagnes Rocheuses · ÉTATS-UNIS · BULGARIE · TURQUIE · IRAN · CHINE · CORÉE · JAPON · Nagasaki-Sasebo · MEXIQUE · YOUGOSLAVIE · GRÈCE · INDE · BANGLADESH · Dámoder · NIGERIA · COLOMBIE · Medellín · ZAMBIE · ZIMBABWE · INDONÉSIE · Withank · Newcastle · AFRIQUE DU SUD · AUSTRALIE · Queensland · Ipswich · Nouvelle-Galles du Sud · NOUVELLE-ZÉLANDE · BRÉSIL · CHILI · ARGENTINE

Valeur unitaire moyenne d'une tonne de charbon vapeur (prix moyen f.o.b. 1983)

prix moyen sur le marché international

ÉTATS-UNIS · AUSTRALIE · AFRIQUE DU SUD · CANADA · URSS · CHINE · INDE · FRANCE · GB · RFA

conséquence : augmentation de la part des importations dans la consommation de charbon de la C.E.E.

4,1 % · 6,8 % · 9,4 % · 13,5 % · 17,8 % · 22,1 %
1960 1965 1970 1975 1978 1981

Principaux pays exportateurs

TCHÉCOSLOVAQUIE · GRANDE-BRETAGNE · RFA · CANADA · URSS · POLOGNE · AFRIQUE DU SUD · AUSTRALIE · É.-U.
1970 · 1982

Part de la production faisant l'objet d'un commerce international
1960 : 5% · 1975 : 8% · 1990 : 12%

Commerce international

voie maritime 54 % · voie terrestre 46 %

Principaux pays importateurs

JAPON · FRANCE · ITALIE · CANADA · RFA · DANEMARK · BELGIQUE · RÉP. DE CORÉE · TAIWAN · PAYS-BAS · RDA · BULGARIE
1982 · 1970

Durée comparée des réserves énergétiques mondiales

① consommation maintenue au niveau de 1974
② consommation augmentant de 2% chaque année

pétrole · gaz · charbon et lignite

0 · 500 · 1000 · 2000 ans

Effet des crises pétrolières sur la demande de charbon (exemple de la France)

part du charbon dans le bilan énergétique français en Mt

consommation réelle
hypothèse établie en 1974 (haute)
hypothèses retenues en 1983
1974 (basse)
hypothèse établie avant 1973

1970 · 1975 · 1980 · 1985 · 1990

HOUILLE ET LIGNITE

---

lement en 1915-Pékin 1989), secrétaire général du parti communiste chinois de 1980 à 1987.

HOVE, v. de Grande-Bretagne, près de Brighton; 67 000 hab. Station balnéaire.

HOVERCRAFT [ɔvœrkraft] n. m. (angl. *to hover,* planer, et *craft,* embarcation). Syn. de AÉROGLISSEUR.

HOVERPORT [ɔvœrpɔr] n. m. Partie d'un port formée d'un plan incliné et réservé à l'accostage des hovercrafts.

HOWARD (Edward Charles), ingénieur britannique (Sheffield 1774 - Londres 1816). Il découvrit le fulminate de mercure (1799) et inventa l'évaporateur sous pression réduite, utilisé dans les sucreries.

HOWRAH, v. de l'Inde, dans le delta du Gange, banlieue de Calcutta; 738 000 hab.

HOXHA ou **HODJA** (Enver), homme politique albanais (Gjinokastër 1908 - Tirana 1985). Il organise en Albanie la résistance contre l'occupation italienne et allemande, fonde le parti des travailleurs albanais (1941) et devient commandant en chef de l'armée en 1944. Président du Conseil de 1945 à 1954, secrétaire général du parti communiste albanais de 1948 à sa mort, il rompt avec l'U.R.S.S. en 1961 et noue, jusqu'en 1976, des liens étroits avec la Chine populaire.

***HOYAU** [ɔjo *ou* wajo] n. m. (de *houe*). Houe à lame aplatie en biseau.

HOYERSWERDA, v. de l'Allemagne démocratique, au N.-E. de Dresde; 70 000 hab.

HOYLE (sir Fred), astronome britannique (Bingley, Yorkshire, 1915). Surtout connu pour son hypothèse d'une création continue de matière dans l'Univers, il est également l'auteur de travaux sur la structure des étoiles et sur la formation du système solaire. Il est aussi réputé comme vulgarisateur scientifique et auteur de science-fiction.

HRABAL (Bohumil), écrivain tchèque (Brno-Židenice 1914). Il unit dans ses récits les thèmes surréalistes à l'inspiration populaire (*Trains étroitement surveillés,* 1967; *la Coupe de cheveux,* 1976; *Un doux barbare,* 1978).

HRADEC KRÁLOVÉ, v. de Tchécoslovaquie, ch.-l. de la province de Bohême-Orientale; 97 000 hab. Cathédrale gothique en brique (XIVe s.). Église baroque Notre-Dame (XVIIe s.).

HRUBÍN (František), écrivain tchèque (Brno-Židenice 1914 - České Budějovice 1971). Ses poèmes mêlent l'inspiration militante (*Pain et acier,* 1945) à la célébration de la nature et de l'enfance (*Belle en misère,* 1935; *Combien y a-t-il de soleils?,* 1961).

HUACHIPATO, centre sidérurgique du Chili méridional, sur le Pacifique.

HUAMBO, anc. *Nova Lisboa,* v. de l'Angola, sur le plateau intérieur; 62 000 hab.

HUANCAYO, v. du Pérou, dans les Andes, à l'E. de Lima; 127 000 hab.

***HUARD** ou ***HUART** n. m. Au Canada, nom usuel du plongeon arctique.

HUARI, site éponyme d'une culture des Hautes Terres péruviennes, près d'Ayacucho, qui atteint son apogée entre 600 et 1 000, pendant l'horizon moyen. Les fouilles ont révélé un important centre cérémoniel et une vaste zone d'habitat, attestant un certain urbanisme, qui ne sera pas sans influence sur les civilisations des Chimús et des Incas. Cette culture connaît une très grande diffusion, confirmée par sa céramique.

HUAXTÈQUES, peuple de l'ancien Mexique, qui occupait une vaste région entre la sierra Madre orientale et le golfe du Mexique. Si l'origine des Huaxtèques est maya*, l'évolution de leur culture et de leur art est très différente; la séparation se serait produite vers la fin du IIe millénaire. Leur civilisation atteignit son apogée vers le Xe s. de notre ère, à l'époque postclassique, avec de remarquables œuvres sculptées. Travaillées en bas relief, les stèles représentent des scènes mythologiques. La sta-

Huaxtèques : statue d'adolescent en pierre. Culture huaxtèque, classique tardif. (Musée national d'anthropologie, Mexico.)

Vautier-Decool

***HOUSEAUX** [uzo] n. m. pl. (anc. fr. *hose,* botte). Hautes guêtres de cuir employées pour monter à cheval.

***HOUSPILLER** v. t. (de *housser,* frapper, et *pignier,* peigner). Faire de vifs reproches, réprimander.

***HOUSPILLEUR, EUSE** n. Celui, celle qui aime à houspiller.

***HOUSSAIE** [usɛ] n. f. Lieu planté de houx.

HOUSSAY (Bernardo Alberto), physiologiste argentin (Buenos Aires 1887 - *id.* 1971), prix Nobel de médecine et de physiologie en 1947, avec C.F. et G.T. Cori, pour des travaux sur les hormones.

***HOUSSE** n. f. (mot francique). Enveloppe qui sert à recouvrir et à protéger des meubles, des vêtements, etc. ‖ Couverture qui se met sur la croupe des chevaux de selle.

***HOUSSER** v. t. Couvrir d'une housse.

HOUSTON, v. des États-Unis, dans le sud-est du Texas; 1 594 000 hab. Musées d'art. Houston est la plus grande ville du Texas, et l'un des plus grands ports américains malgré son éloignement de la mer (50 km), pallié par un canal rejoignant la baie de Galveston. C'est une importante ville industrielle (raffinage du pétrole [extrait à proximité] et pétrochimie, alimentation, métallurgie de transformation) et le centre de la NASA (contrôle des vaisseaux spatiaux).

HOUTHALEN-HELCHTEREN, comm. de Belgique (Limbourg), au N. d'Hasselt; 25 200 hab.

***HOUX** n. m. (mot francique). Arbuste des sous-bois, à feuilles luisantes, épineuses et persistantes, dont l'écorce sert à fabriquer la glu. (Haut : jusqu'à 10 m; longévité : 300 ans.)
● *Petit houx,* nom usuel d'une espèce de *fragon.*

HOU YAO-PANG ou **HU YAOBANG,** homme d'État chinois (dans le Hounan, officiel-

F. Varin

houx

tuaire, proche de la stèle, se distingue par son ornementation gravée ou modelée. La céramique, classée d'après le site éponyme de Pánuco, possède des formes variées à tendance anthropomorphique. Les éléments de parure en nacre sont fréquents et admirablement travaillés. Avant de disparaître, les Huaxtèques subirent de plus en plus l'influence aztèque*.

HUAYNA CÁPAC († Quito 1525), Inca du Pérou (1493-1525). Par ses conquêtes, il conféra à l'Empire péruvien sa plus grande extension.

HUBBLE (Edwin Powell), astronome américain (Marshfield 1889 - San Marino 1953). Auteur d'importants travaux en astronomie galactique, il démontra en 1923, grâce au télescope de 2,50 m du mont Wilson, la nature extragalactique de nombreuses nébuleuses. Il mit également en évidence une relation de proportionnalité entre la vitesse apparente de fuite des galaxies (effet Doppler*) et leur distance.

HUBERT *(saint),* évêque de Tongres, Maastricht et Liège († Liège 727), qui évangélisa la Belgique orientale. Ses reliques furent transférées dans un monastère de la forêt des Ardennes, ce qui lui valut de devenir le patron des chasseurs; le XVe s. lui forgea une légende.

Hubertsbourg *(traité d'),* traité signé le 15 février 1763 et qui mit fin à la guerre de Sept Ans* en ce qui concernait l'Autriche et la Prusse.

HUBLI, v. de l'Inde (Karnātaka); 526 000 hab.

*__HUBLOT__ n. m. (anc. fr. *huve,* bonnet; mot francique). Ouverture pratiquée dans la coque d'un navire ou d'un avion, pouvant se fermer hermétiquement et qui peut donner de l'air et de la lumière. ‖ Partie vitrée de la porte d'un four, d'un appareil ménager, permettant de surveiller l'opération en cours.

*__HUCHE__ n. f. (mot germ.). Grand coffre de bois utilisé pour pétrir la pâte ou conserver le pain, ou comme meuble de rangement.

HUCHEL (Peter), écrivain allemand (Berlin 1903 - Laufen 1981). Rédacteur en chef (1949-1962) de la revue littéraire de l'Allemagne de l'Est *Sinn und Form,* il témoigna contre les entraves à la liberté d'expression avant d'évoquer son drame d'artiste (*Jours comptés,* 1972).

*__HUCHER__ [yʃe] v. t. (lat. *huccare*). Appeler à haute voix.

HUCQUELIERS (62650), ch.-l. de cant. du Pas-de-Calais, à 20 km au N.-E. de Montreuil; 577 hab.

HUDDERSFIELD, v. de Grande-Bretagne, au S.-O. de Leeds; 131 000 hab.

HUDSON, fl. du nord-est des États-Unis, qui rejoint l'Atlantique à New York; 500 km. La vallée, en aval d'Albany, est une grande voie de communication (avec celle de la Mohawk) entre New York et les Grands Lacs.

HUDSON *(baie d'),* grande baie du Canada, prise plusieurs mois par les glaces, ouverte sur l'Atlantique par le *détroit d'Hudson.*

HUDSON (Henry), navigateur anglais († en mer 1611). Au cours d'une expédition (1610), il longea les côtes du Groenland et découvrit la baie et le détroit qui portent son nom.

*__HUE!__ [y] interj. S'emploie pour faire avancer un cheval. ● *Tirer à hue et à dia,* agir de façon désordonnée.

HUÊ, v. du Viêt-nam, près de la mer de Chine méridionale; 209 000 hab. Capitale des Nguyên, seigneurs de Cochinchine au XVIIe s., Huê devint celle de l'empereur Gia Long en 1801. Là fut signé en 1883 le traité qui assurait le protectorat français sur l'Annam. Sur la rive gauche du fleuve, la vieille cité impériale — citadelle, palais et temples — a été très atteinte par le bombardements pendant la guerre du Viêt-nam.

*__HUÉE__ n. f. Cris hostiles : *s'enfuir sous les huées.*

HUELGOAT (29218), ch.-l. de cant. du Finistère, à 29 km au S. de Morlaix; 2 090 hab. Église et chapelle gothiques du XVIe s. Forêt.

HUELVA, port d'Espagne, en Andalousie, ch.-l. de prov., à l'embouchure du río Tinto; 127 000 hab. Raffinage du pétrole et pétrochimie.

*__HUER__ v. t. (de *hue!*). Accueillir par des cris de dérision et d'hostilité, conspuer, siffler : *il se fit huer par la foule.* ◆ v. i. Crier, en parlant du hibou, de la chouette.

*__HUERTA__ [wɛrta] n. f. (mot esp.). En Espagne, plaine irriguée couverte de riches cultures.

HUESCA, v. d'Espagne, en Aragon, ch.-l. de prov., au N.-E. de Saragosse; 41 000 hab. Nombreux monuments, dont l'anc. abbaye romane S. Pedro el Viejo et la cathédrale (XIIIe-XVIe s.; retable sculpté de Damián Forment, 1520). Musées épiscopal et provincial.

HUET, patronyme de divers peintres français, sans liens entre eux, depuis le XVIIIe s. Le plus connu est PAUL (Paris 1803 - *id.* 1869). Esprit cultivé, grand voyageur, admirateur de Bonington et de Constable, ami de Delacroix, il chercha à créer un « paysage-état d'âme » exprimant la mystérieuse puissance de la nature (*l'Inondation à Saint-Cloud,* 1855, Louvre).

HUGGINS (Charles Brenton), médecin américain (Halifax 1901), prix Nobel de médecine en 1966 pour ses travaux sur le traitement du cancer de la prostate par la chirurgie et les œstrogènes.

HUGHES (David Edward), ingénieur américain d'origine britannique (Londres 1831 - *id.* 1900). Il construisit un appareil télégraphique imprimeur dont le succès fut considérable (1854), imagina le microphone (1877), inventa la balance d'induction et étudia le magnétisme.

HUGLI → HOOGHLY.

HUGO (Victor), écrivain français (Besançon 1802 - Paris 1885). Gide voyait en lui (« hélas! », ajoutait-il) notre plus grand poète. Cette boutade serait à classer dans le sottisier de l'histoire littéraire, si elle ne traduisait exactement la confusion de l'opinion commune à l'égard d'un écrivain qui, de son vivant déjà, encombrait passablement l'horizon. Pour s'en tenir au domaine français, il suffit de citer Musset, Vigny, Nerval, Baudelaire, Rimbaud, Verlaine, Mallarmé, dont l'aventure créatrice est contemporaine de celle de Hugo : il paraît difficile de soutenir que V. Hugo les résume ou les dépasse. Mais il serait tout aussi déraisonnable de lui dénier le tempérament poétique. Hugo, pendant plus de soixante ans, n'a pu s'empêcher de faire des vers, plus naturellement encore qu'un pommier porte des pommes, et c'est là à la fois sa faiblesse et sa force : dans une production massive, il y a parfois beaucoup de bon. Au vrai, ce que l'on attend d'un poète — image que Hugo lui-même a contribué à créer —, c'est la tension d'une expérience unique, personnelle ou collective, mais exclusive, la même note portée toujours plus haut : or, des *Odes* de 1822 à *l'Art d'être grand-père,* Hugo s'est essayé à tous les genres, il a tenté tous les registres. Esthétiquement et politiquement il suit toujours l'engouement de la nouvelle génération, dont il finit par être la meilleure incarnation : Hugo est un peu à la poésie ce que Picasso est à la peinture. Mais, malgré ses proclamations révolutionnaires (« bonnet rouge au vieux dictionnaire » ou recours au « grotesque »), les grandes ruptures ne sont pas de lui : la brèche romantique, c'est Lamartine qui l'a ouverte et, à l'autre bout, c'est Rimbaud qui est le « voyant » de la modernité. Hugo, qui se voulait briseur du vers et des pensers antiques, qui reconnaissait la force contestataire du réalisme balzacien, définit prudemment le romantisme comme le « libéralisme en littérature » : c'est moins affirmer, avec la préface des *Odes,* que « le domaine de la poésie est illimité » que lui assigner un modèle économique et politique qui contredit son aspiration à l'indépendance absolue. Paradoxe dont Hugo se tire en plaçant le poète en marge, phare qui éclaire la mêlée ou génie criant dans le désert. Heureusement pour lui, car sa pratique, dans les meilleurs des cas, a tourné le dos à sa théorie : Hugo est poète lorsqu'il est non pas solitaire, mais solidaire, lorsque la souffrance (la mort de Léopoldine ou de Claire Pradier) ou la colère (sa haine pour Napoléon le Petit) le poussent à se rattacher à la nature ou à la communauté humaine. La poésie naît d'un double mouvement : d'abord le retranchement, le recul (le voyage, l'exil, la méditation tournée vers la mort), puis le retour et la réconciliation (dans le temps apaisé de *la Légende des siècles*). Équilibre de plus en plus difficile à maintenir : à partir des *Contemplations,* l'architecture des recueils se délite, le poème tend vers la prolifération continue, l'inachèvement. Et ce n'est pas un hasard si le meilleur peut-être, en tout cas le plus vivant de l'œuvre de Hugo, reste le domaine qui intègre dans sa structure même la dialectique du vouloir-vivre et du néant, de la poursuite de l'idéal et du monde dégradé, c'est-à-dire ses romans. C'est au fond ce qu'avoue *William Shakespeare,* véritable « manifeste littéraire du XIXe siècle », tentative pour fonder une conception dynamique de la littérature, qui ne peut dire la liberté et le hasard à travers des formes héritées et closes. Prophète, Hugo a entrevu l'éclatement de l'écriture : mais il ne lui était pas donné de pénétrer sur cette terre promise et redoutée.

la vie

1802	Naissance à Besançon d'un père qui sera général d'Empire et accompagnera en Italie, puis en Espagne Joseph, frère de Napoléon.
1822	Mariage avec Adèle Foucher.
1833	Début de sa liaison avec Juliette Drouet.
1841	Élection à l'Académie française.
1843	Mort à Villequier de sa fille Léopoldine et de son gendre.
1845	Pair de France.
1848	Élection à l'Assemblée constituante.
1849	Élection à l'Assemblée législative.
1851	Exil après le coup d'État du 2 décembre.
1852	Installation à Jersey.
1855	Installation à Guernesey.
1859	Refus de l'amnistie de Napoléon III.
1870	Retour à Paris.
1871	Élu à l'Assemblée nationale, Hugo condamne la Commune, mais réclame l'amnistie pour les Fédérés.
1876	Sénateur.
1878	Congestion cérébrale.
1885	Funérailles nationales.

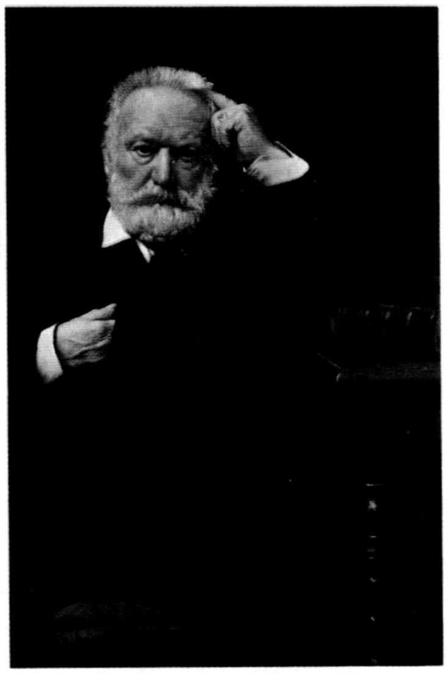
Lauros-Giraudon

Victor **Hugo**, par Bonnat

l'essentiel de l'œuvre

POÉSIE	ROMANS
Odes et Ballades* (1826) *les Orientales** (1829) *les Feuilles d'automne* (1831) *les Chants du crépuscule* (1835) *les Rayons* et les Ombres* (1840) *les Châtiments** (1853) *les Contemplations** (1856) *la Légende* des siècles* (1859) *les Chansons des rues et des bois* (1865) *l'Art* d'être grand-père* (1877)	*Han d'Islande* (1823) *Notre-Dame de Paris* (1831) *les Misérables** (1862) *les Travailleurs* de la mer* (1866) *L'homme qui rit* (1869) *Quatrevingt-Treize* (1874)
THÉÂTRE	ESSAIS
*Cromwell** (1827) *Hernani** (1830) *Marion* de Lorme* (1831) *Ruy* Blas* (1838) *les Burgraves** (1843)	*William Shakespeare* (1864) *Histoire d'un crime* (1877-1878)

*__HUGUENOT, E__ n. et adj. (all. *Eidgenossen,* confédéré). Surnom donné jadis par les catholiques français aux calvinistes.

HUGUES l'Abbé († 885). Issu de la famille des Welfs, cousin de Charles le Chauve, il reçoit à la mort de Robert le Fort le commandement de la Neustrie; en fait, il gouverne le royaume occidental depuis l'avènement de Louis le Bègue (877) jusqu'à 885.

HUGUES le Grand († 956), comte de Paris et duc des Francs, fils du roi Robert Ier. Protecteur, puis adversaire de Louis IV d'Outremer, il ne s'opposa pas à l'élection du roi Lothaire (954), mais assura à sa descendance la maîtrise du duché de Bourgogne (956).

HUGUES Ier Capet (v. 941-996), duc des Francs (956-987), roi de France (987-996), fils aîné d'Hugues le Grand. Véritable chef de l'aristocratie du royaume occidental, il reçut à la mort de Louis V l'appui de l'archevêque de Reims Adalbéron, fut proclamé roi à Noyon le 1er juin et triompha de son compétiteur, Charles de Basse-Lorraine, frère de l'ancien roi Lothaire (991). Il dut lutter contre son vassal, le comte Eudes Ier de Blois, et chercha à conserver sous son contrôle l'archevêché de Reims. Dès son avènement, il avait fait sacrer son fils Robert en vue d'assurer la succession au trône à la maison robertienne.

HUHEHOT → HOUHEHOT.

HUILAGE n. m. Action d'huiler.

HUILE n. f. (lat. *oleum*). Produit d'origine minérale, animale ou végétale, fluide à la température ordinaire, et constitué dans le premier cas par des hydrocarbures lourds, dans les deux autres cas par un mélange de glycérides. ‖ *Pop.* Personnage officiel, influent. ● *Baigner dans l'huile,* se dérouler sans incident. ‖ *Faire tache d'huile,* s'étendre insensiblement. ‖ *Huile de coude* (Fam.), énergie déployée pour faire qqch. ‖ *Huile détergente,* huile de pétrole lubrifiante, qui dispose et retient en suspension les dépôts et les résidus acides des moteurs à combustion interne. ‖ *Huile essentielle,* huile volatile obtenue par distillation de substances aromatiques d'origine végétale. ‖ *Huile de pétrole,* liquide pétrolier lourd, visqueux, utilisé comme lubrifiant. ‖ *Mer d'huile,* mer très calme. ‖ *Mettre de l'huile,* aplanir les difficultés. ‖ *Peinture à l'huile,* ou *huile,* peinture dont le liant est fait d'une ou plusieurs huiles grasses ou essentielles, minérales ou végétales; toile, tableau exécutés avec ce type de produit. ‖ *Les saintes huiles,* huiles utilisées pour les sacrements. ‖ *Verser, mettre, jeter de l'huile sur le feu,* attiser, envenimer une querelle.

■ Les huiles végétales sont extraites des fruits (olivier, noyer, palmier à huile, etc.) ou des graines (arachide, colza, navette, tournesol, soja, œillette, carthame, pépins de raisin, coton, ricin, lin, etc.) des plantes oléagineuses. À quelques exceptions près : huile de lin (propriétés siccatives), huile de ricin (propriétés purgatives), etc., elles sont surtout employées en alimentation humaine pour assaisonner, cuire ou conserver les aliments.

Une huile provenant d'une seule variété végétale et obtenue uniquement par des procédés mécaniques (broyage, forte pression, centrifugation, etc.) est dite « huile vierge ». Une huile raffinée est une huile vierge (ou un mélange d'huiles) qui a subi différents traitements chimiques pour améliorer son goût et son odeur.

Les procédés d'extraction par solvants volatils sont réservés aux huiles industrielles.

Les huiles animales, et en particulier les huiles de poissons, sont utilisées principalement pour la conservation des aliments. En raison de leur richesse en vitamines, principalement en vitamine A, certaines d'entre elles (huile de foie de morue, etc.) sont prescrites en diététique. L'huile de baleine, après hydrogénation, entre dans la fabrication de margarines spéciales pour la biscuiterie et la pâtisserie.

Les huiles minérales proviennent de la distillation et du raffinage du pétrole brut. Elles sont utilisées soit en raison de leur onctuosité (très variable suivant les hydrocarbures qui les composent), pour la lubrification des machines et des moteurs, soit en raison de leurs propriétés isolantes, dans certains types d'installations ou de matériels électriques (transformateurs).

HUILER v. t. Frotter, imprégner d'huile : *huiler des rouages.*

HUILERIE n. f. Fabrique ou magasin d'huile végétale.

HUILEUX, EUSE adj. Qui est de la nature de l'huile. ‖ Gras et comme imbibé d'huile : *peau huileuse.*

HUILIER n. m. Accessoire de table réunissant les burettes d'huile et de vinaigre. ‖ Fabricant ou marchand d'huile.

*__HUIS__ [ɥi] n. m. (lat. *ostium,* porte). *À huis clos,* toutes portes fermées, le public n'étant pas admis. ‖ *Demander le huis clos,* demander que l'audience ne soit pas publique.

HUISNE, affl. de la Sarthe (r. g.), qu'il rejoint au Mans; 130 km.

HUISSERIE n. f. *Constr.* Partie fixe en bois ou en métal formant les piédroits et le linteau d'une porte dans une cloison, dans un pan de bois, etc.

HUISSIER n. m. (de *huis*). Gardien qui se tient à la porte d'un haut personnage pour annoncer et introduire les visiteurs. ‖ Employé chargé du service dans les assemblées ou les administrations. (On dit parfois APPARITEUR, GARDIEN ou GARÇON DE BUREAU.) ● *Huissier audiencier,* huissier qui est chargé de la police à l'audience d'un tribunal. ‖ *Huissier de justice,* ou *huissier,* officier ministériel chargé de signifier, dans l'étendue du ressort où il a le pouvoir d'instrumenter, les actes de procédure, et de mettre à exécution les jugements et les actes authentiques ayant force exécutoire.

*__HUIT__ [ɥit; ɥi devant une consonne] adj. num. et n. m. inv. (lat. *octo*). Sept plus un. ‖ Huitième : *Charles VIII.* ◆ n. m. inv. En aviron, embarcation à huit rameurs.

*__HUITAIN__ n. m. Pièce composée de huit vers. ‖ Stance de huit vers, dans un plus long ouvrage.

*__HUITAINE__ n. f. Groupe de huit unités ou environ : *une huitaine de litres.* ‖ Espace de huit jours, une semaine. ● *À huitaine, sous huitaine,* à pareil jour la semaine suivante.

*__HUITANTE__ adj. num. Quatre-vingts. (S'emploie en Suisse.)

*__HUITIÈME__ adj. ord. et n. Qui occupe un rang marqué par le numéro huit. ‖ Qui se trouve huit fois dans le tout.

*__HUITIÈMEMENT__ adv. En huitième lieu.

HUÎTRE n. f. (lat. *ostrea;* mot gr.). Mollusque bivalve comestible, fixé aux rochers marins par une valve de sa coquille. (Pour la consommation, on en pratique l'élevage, ou *ostréiculture,* dans des parcs [Arcachon, Marennes, Belon, Cancale, etc.]; moins digestibles pendant l'époque de la reproduction, les huîtres sont surtout consommées en dehors des « mois sans *r* » [mai, juin, juillet, août].) ‖ *Fam.* Personne stupide. ● *Huître perlière,* celle qui donne des perles fines, comme la *méléagrine* des mers chaudes, la *mulette* d'eau douce.

*__HUIT-REFLETS__ n. m. inv. Haut-de-forme.

HUÎTRIER, ÈRE adj. Relatif aux huîtres.

HUÎTRIER n. m. Oiseau échassier vivant sur les côtes et se nourrissant de crustacés et de mollusques.

HUÎTRIÈRE n. f. Parc à huîtres; banc d'huîtres.

HÜLÄGÜ, conquérant mongol et fondateur de la dynastie des Ilkhāns* de Perse (v. 1217-Marārha 1265). Hülägü, chef de l'armée envoyée par son frère, le grand khān Möngke, au Moyen-Orient, élimine les ismaéliens* d'Iran (1256), puis assiège Bagdad (1258), qu'il détruit. Il échoue dans la conquête de la Syrie (1260).

HULL, v. du Canada (Québec), sur l'Ottawa, en face de la ville d'Ottawa; 61 039 hab.

HULL, v. de Grande-Bretagne → KINGSTON-UPON-HULL.

HULL (Cordell), homme d'État américain (Olympus 1871 - Bethesda 1955). Ayant réorganisé le parti démocrate après le départ de W. Wilson (1920), il fut le secrétaire d'État aux Affaires étrangères de F. D. Roosevelt de 1933 à 1944. Considéré comme le père de l'O. N. U., il reçut en 1945 le prix Nobel de la paix.

HULL (Clark Leonard), psychologue américain (Akron, New York, 1884 - New Haven, Connecticut, 1952). Il a étudié principalement les processus de l'apprentissage.

***HULOTTE** n. f. (anc. fr. *huller,* hurler). Oiseau rapace nocturne, commun dans les bois, atteignant 70 cm de long. (Nom usuel : *chat-huant.*)

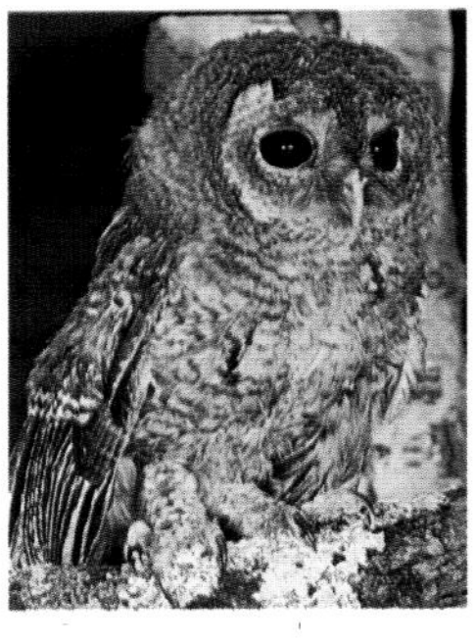

J. Six

hulotte

***HULULER** v. i. → ULULER.

***HUM!** [œm] interj. Marque le doute, l'impatience, la réticence.

***HUMAGE** n. m. Action de humer.

HUMAIN, E adj. (lat. *humanus*). Qui concerne l'homme : *le corps humain; l'espèce humaine.* ‖ Sensible à la pitié, compatissant, compréhensif : *se montrer humain envers ses semblables.*

HUMAIN n. m. *Litt.* Homme.

HUMAINEMENT adv. En homme; suivant les forces, les capacités de l'homme. ‖ Avec humanité, avec bonté.

HUMANISATION n. f. Action d'humaniser.

HUMANISER v. t. Rendre plus humain, plus sociable, plus civilisé. ◆ **s'humaniser** v. pr. Devenir plus doux, plus compréhensif.

HUMANISME n. m. Doctrine qui a pour objet l'épanouissement de l'homme. ‖ Mouvement des humanistes de la Renaissance, qui ont remis en honneur les langues et les littératures anciennes. ‖ *Philos.* Position philosophique qui met l'homme et les valeurs humaines au-dessus des autres valeurs.

■ *(Littér.)* L'humanisme est l'une des deux faces de la Renaissance : celle du philologue et de l'écrivain tourné vers l'âge d'or des lettres antiques, celle qui se déploie dans le temps et dont le héros est le Romain. L'autre face, celle du conquistador et du découvreur attiré par l'or et les épices, a pour territoire l'espace des explorations maritimes et pour figure de proue l'Indien. L'humanisme tient donc, dans la constitution du monde nouveau, une place bien délimitée et limitée. Sauf de rares exceptions, les humanistes, s'ils contribuent à la définition de nombreuses attitudes politiques, sont étrangers aux sciences de leur temps et à l'activité économique : la comptabilité en partie double est de plus grandes conséquences que la redécouverte de Plutarque (et les véritables savants — Bernard Palissy ou Ambroise Paré — n'écrivent ni en grec ni en latin et récuseront l'autorité des Anciens pour se fonder sur l'expérience). D'autre part, la rupture de l'humanisme avec la tradition médiévale et catholique n'est pas une attitude originelle. Les lettres latines avaient été cultivées, après les invasions barbares, dans les abbayes de toute l'Europe occidentale. Les savants de l'Italie et du Moyen Âge se considéraient comme les héritiers de la Rome de l'Antiquité, et la culture gréco-byzantine subsistait partiellement dans le sud du pays. Dante, formé à la scolastique et à la théologie thomiste, nourrit cependant son esprit des mythes antiques. Pétrarque admire Homère et Platon. Boccace apprend le grec. Au XVe s., les érudits italiens vont chercher dans l'Empire byzantin des manuscrits grecs et accueillent les savants chassés de Constantinople après la prise de la ville par les Turcs. La philologie et l'archéologie se développent. Les écrivains plagient Cicéron, Virgile, Horace. Mais, rapidement, cette vision nouvelle et enthousiaste d'une civilisation pieusement conservée ne peut s'accommoder des cadres de la tradition chrétienne : on étudie Lucrèce pour réfuter la scolastique; conteurs et moralistes célèbrent la sensualité païenne. Les courants de pensée antique ne sont plus étudiés à la lumière de la foi, mais pour eux-mêmes : de Florence, le platonisme de Marsile Ficin se répand dans toute l'Europe. L'exaltation de l'homme aboutit cependant à une glorification des instincts, à la vie violente et voluptueuse des tyrans, des condottieri et des mécènes fastueux. Le culte de la Nature permet de préciser le domaine des sciences en regard de la théologie et de la politique. Aussi, quand avec les expéditions italiennes de Louis XII et de François Ier la gloire des lettres rejoint le désir de triomphes guerriers, l'érudition française s'applique à la fois aux textes sacrés et aux chefs-d'œuvre de l'Antiquité païenne. Lefèvre d'Étaples édite Aristote et donne une traduction de la Bible. Guillaume Budé décide François Ier à créer des « lecteurs royaux » (le futur Collège de France), mais réserve à la doctrine chrétienne la formation de l'âme. Cependant, Luther et Calvin reprochent aux humanistes de substituer à la foi les idées philosophiques païennes. Le succès des principes stoïciens ou de la morale épicurienne conduit à l'ébauche d'un rationalisme et d'une conception laïque des règles de vie. Les guerres de Religion vont, toutefois, détruire la confiance dans la sagesse et la bonté originelle de l'homme. D'autre part, les progrès de la littérature nationale (Marot, Rabelais, Marguerite de Navarre, Maurice Scève, Ronsard, du Bellay, Amyot) rendent moins nécessaire l'imitation des poètes anciens, et les découvertes scientifiques (Galilée) ébranlent le prestige des savants latins et grecs. L'humanisme fleurira encore dans les universités de Louvain, avec Juste Lipse, et de Leyde. La Renaissance s'achève, comme elle a commencé, dans l'érudition des philologues.

HUMANISTE n. *Philos.* Partisan de l'humanisme. ‖ Homme versé dans la connaissance des langues et des littératures anciennes. ◆ adj. Relatif à l'humanisme.

HUMANITAIRE adj. Qui traite les hommes humainement, qui cherche leur bien : *sentiments humanitaires.*

HUMANITARISME n. m. Conceptions humanitaires.

HUMANITÉ n. f. (lat. *humanitas*). Nature humaine : *les faiblesses de l'humanité.* ‖ L'ensemble des hommes : *bienfaiteur de l'humanité.* ‖ Bonté, bienveillance : *traiter qqn avec humanité.* ◆ pl. Étude des langues et des littératures grecque et latine.

Humanité *(l'),* journal quotidien, fondé en 1904 par Jean Jaurès, qui passa aux mains de la majorité après le congrès socialiste de Tours (1920) et devint l'organe central du parti communiste français.

HUMANOÏDE adj. et n. Dans le langage de la science-fiction, être ressemblant à l'homme. ◆ adj. À forme humaine.

HUMBER (le), estuaire de l'Ouse et de la Trent, sur la côte est de l'Angleterre. Sur ses rives se situent les ports de Grimsby et de Hull (Kingston-upon-Hull).

HUMBERT Ier (Turin 1844 - Monza 1900), roi d'Italie de 1878 à 1900. Fils et successeur de Victor-Emmanuel II, il favorisa la politique germanique de Crispi*. Il fut tué par un anarchiste.

HUMBERT II (Racconigi 1904 - Genève 1983), roi d'Italie du 9 mai au 13 juin 1946. Fils de Victor-Emmanuel III, hostile à Mussolini*, il est fait lieutenant général du royaume le 5 juin 1944. Devenu roi par l'abdication de son père, il est presque aussitôt écarté du trône par le référendum favorable à la république.

HUMBERT (Henri), botaniste français (Paris 1887 - Bazemont 1967). La flore de Madagascar a été l'objet de ses travaux.

HUMBLE adj. (lat. *humilis*). Qui s'abaisse volontairement : *un homme humble.* ‖ Qui marque de la déférence, du respect : *humble requête.* ‖ *Litt.* De modeste condition sociale : *une humble situation.* ‖ Pauvre, sans éclat : *d'humbles travaux.* ● *À mon humble avis,* si je puis exprimer mon opinion. ◆ n. m. pl. *Litt.* Les pauvres.

HUMBLEMENT adv. Avec humilité.

HUMBOLDT (Wilhelm VON), linguiste et homme d'État prussien (Potsdam 1767 - Tegel 1835). Il mena de front des études sur la littérature, l'anthropologie, les langues et une brillante carrière d'homme d'État. Ambassadeur à Rome, à Vienne et à Londres, fondateur et premier recteur de l'université de Berlin (1810), plénipotentiaire au congrès de Vienne (1815), ministre (1818), il se retira de la vie publique en 1819 à cause de ses idées libérales.

Partant de l'étude de langues aussi variées que le sanskrit, le chinois, le basque, le hongrois, le birman, le kawi, le japonais, les langues sémitiques, son but a été de dépasser la grammaire comparée pour constituer une anthropologie générale : chaque langue, selon lui, reflète une vision du monde qui lui est propre. Le langage, d'autre part, est une propriété innée, inhérente à l'esprit humain, c'est « l'organe qui forme la pensée ». Son influence, considérable de son vivant, s'est éteinte avec lui et ne s'est exercée que de manière marginale sur la pensée linguistique du XXe s. (Croce, Cassirer, Whorf, la linguistique générative).

B.N.

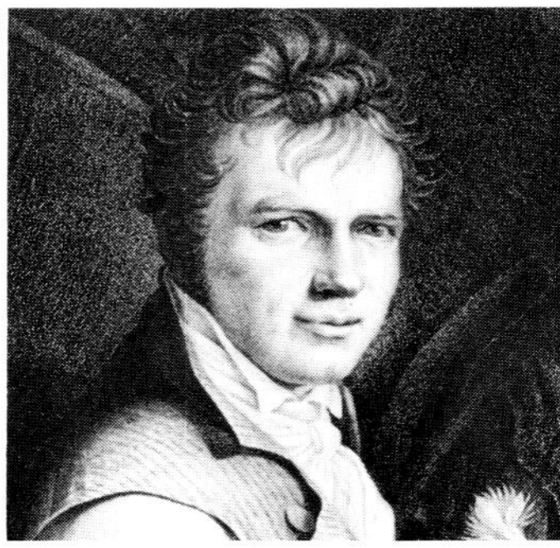

Alexander von **Humboldt**

HUMBOLDT (Alexander, *baron* VON), voyageur allemand (Berlin 1769 - *id.* 1859), frère de Wilhelm. Naturaliste renommé, l'un des créateurs de la climatologie et de l'océanographie, il est surtout célèbre pour ses voyages — en Amérique tropicale (1799-1805) et en Asie centrale (1829-1832), notamment — qui ont inauguré l'ère des explorations scientifiques modernes.

HUMBOLDT *(courant de)* ou **COURANT DU PÉROU,** courant marin froid du Pacifique oriental, longeant, vers le N., les côtes du Chili et du Pérou.

HUME (David), philosophe écossais (Édimbourg 1711 - *id.* 1776). Après des études de droit et un voyage en France (1734-1737), il regagne Londres où il écrit un *Traité de la nature humaine* (1739-40) et des *Essais moraux et politiques* (1741-42), qui orientent son œuvre dans une double direction : une théorie empiriste de la connaissance, qui sert de base à une théorie utilitariste de la vie sociale et politique. Hume développe ces deux théories dans *Essais philosophiques sur l'entendement humain* (1748), *Enquête sur les principes de la morale* (1751) et *Dissertations politiques* (1752). Conservateur d'une bibliothèque d'Édimbourg de 1752 à 1769, il entreprend une *Histoire de la Grande-Bretagne* (1754-1762) et des *Dialogues sur la religion naturelle* qui lui valent une grande renommée et une mise en accusation par les Églises d'Écosse. Nommé secrétaire d'ambassade à Paris (1763), il fréquente les salons, les encyclopédistes, se lie et se brouille avec Rousseau, puis il rentre à Londres pour devenir sous-secrétaire d'État (1767-1769).

L'empirisme de Hume procède de la méthode appliquée dans le *Traité,* qui conduit à observer le fait que la certitude des connaissances résulte de l'invariance des opérations mentales mises en œuvre dans l'acte de connaître. Toutes les idées humaines naissent des sensations et de leurs associations; le reste (Dieu, la causalité, la réalité du monde extérieur) n'est que croyance. Partant il n'y a ni vérité absolue ni morale absolue. Dès lors, il ne se pose aucun problème de légitimité politique : le gouvernement, l'État comme les convenances sociales ne sont que des conventions utiles en tant que fictions.

HUMECTAGE n. m. Action d'humecter, fait d'être humecté.

HUMECTER v. t. (lat. *humectare*). Rendre humide, mouiller légèrement : *humecter ses doigts.*

HUMECTEUR n. m. Appareil utilisé pour pratiquer l'humectage des étoffes, du papier.

***HUMER** v. t. (onomat.). Aspirer par le nez pour sentir : *humer l'odeur d'un mets.*

HUMÉRAL, E, AUX adj. Relatif à l'humérus.

HUMÉRUS [ymerys] n. m. (mot lat.). Os unique du bras, qui s'articule par l'épaule avec la cavité glénoïde de l'omoplate, et par le coude avec la cavité sigmoïde du cubitus et avec la cupule du radius. (Les parties de l'humérus sont : la tête, le trochiter, la gouttière, la trochlée, le condyle, l'épitrochlée, l'épicondyle.)

HUMEUR n. f. (lat. *humor,* liquide). Disposition affective qui donne à nos états d'âme une tonalité agréable ou désagréable : *bonne humeur; humeur maussade.* ‖ *Litt.* Disposition chagrine : *un accès, un moment d'humeur.* ‖ *Méd.* Substance fluide élaborée par un organisme animal, comme le sang, la lymphe, la bile, etc. (vx). ● *Être d'humeur à,* avoir une disposition momentanée : *ne pas être d'humeur à travailler.*

HUMIDE adj. (lat. *humidus*). Chargé d'eau ou de vapeur d'eau : *linge, temps humide.* ● *Yeux humides,* yeux mouillés de larmes.

HUMIDIFICATEUR n. m. Appareil servant à maintenir un degré hygrométrique donné en un point ou dans un lieu déterminés.

HUMIDIFICATION n. f. Action d'humidifier.

HUMIDIFIER v. t. Rendre humide.

HUMIDIMÈTRE n. m. Appareil de mesure de l'humidité d'un matériau.

HUMIDITÉ n. f. État de ce qui est humide : *l'hygromètre mesure l'humidité de l'air.* ● *Humidité absolue,* nombre de grammes de vapeur d'eau contenue dans un mètre cube d'air. ‖ *Humidité relative,* rapport de la pression effective de la vapeur d'eau à la pression maximale.

HUMIFICATION n. f. Transformation en humus.

HUMILIANT, E adj. Qui humilie.

HUMILIATION n. f. Action par laquelle on est humilié; affront : *essuyer une humiliation.* ‖ État d'une personne humiliée : *rougir d'humiliation.*

HUMILIÉ, E adj. et n. Qui a subi une humiliation.

HUMILIER v. t. Rabaisser d'une manière outrageante; offenser : *se sentir humilié par un échec.* ◆ **s'humilier** v. pr. S'abaisser volontairement, se faire humble.

Humiliés et offensés, roman de Dostoïevski (1866) : une œuvre « sauvage », de l'aveu de son auteur, première évocation systématique des mobiles paradoxaux des actions humaines et du rachat de toutes les offenses par la charité de l'Évangile.

HUMILITÉ n. f. Sentiment de celui qui est humble; caractère de ce qui est humble. ● *En toute humilité,* aussi humblement que possible.

HUMIQUE adj. Relatif à l'humus.

HUMMEL (Johann Nepomuk), pianiste et compositeur autrichien (Presbourg 1778 - Weimar 1837). Maître de chapelle chez les Esterházy, puis à Stuttgart et à Weimar, virtuose du piano, influencé par Mozart, il laisse une méthode et quantité de pages pour son instrument.

HUMORAL, E, AUX adj. *Méd.* Relatif aux humeurs du corps.

HUMORISTE n. et adj. Personne qui a de l'humour. ‖ Auteur de dessins, d'écrits comiques ou satiriques.

HUMORISTIQUE adj. Qui a le caractère de l'humour, plein d'humour.

HUMOUR n. m. (mot angl.). Forme d'esprit qui dissimule sous un air sérieux une raillerie cruelle, une situation absurde ou comique.

© Iderea

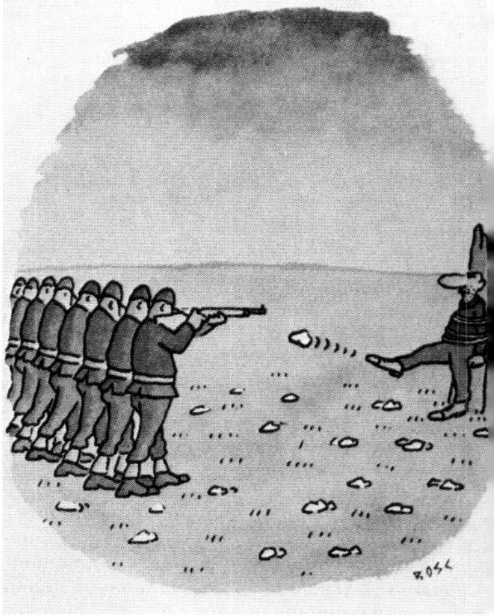

humour : dessin de Jean Bosc (1924-1973)

● *Humour noir,* humour qui souligne avec cruauté, amertume et parfois désespoir l'absurdité du monde.

HUMPHREY (Doris), danseuse, chorégraphe et pédagogue américaine (Oak Park, Illinois, 1895 - New York 1958). Sujet particulièrement doué, disciple de Ruth Saint Denis et de Ted Shawn, associée de Charles Weidman, elle est l'un des pionniers de la modern dance. Elle a élaboré une technique reposant sur les possibilités innombrables d'équilibre et de rythme du corps humain. Ses compositions se fondent sur des abstractions *(Passacaglia)* ou sur des thèmes dramatiques *(Lament for Ignacio Sánchez Mejías).* Elle est l'auteur d'un des plus importants ouvrages de chorégraphie, *The Art of making Dances* (posthume, 1959).

HUMUS [ymys] n. m. (mot lat.). Substance colloïdale noirâtre résultant de la décomposition partielle, par les microbes du sol, de déchets végétaux et animaux. (Syn. TERRE VÉGÉTALE.)

HUNDERTWASSER (Friedrich STOWASSER, dit), peintre autrichien (Vienne 1928). Sens du merveilleux, ingéniosité parfois quelque peu morbide et automatisme sont à l'origine de ses labyrinthes peuplés de figures, brillamment enluminés.

***HUNE** n. f. (mot scandin.). *Mar.* Plate-forme fixée à l'extrémité supérieure de certains mâts.

HUNEDOARA, v. de Roumanie, en Transylvanie; 86 000 hab. Château en partie du XIVe s. Sidérurgie.

HUNGNAM ou **HEUNG-NAM,** v. de la Corée du Nord, sur la mer du Japon; 150 000 hab.

***HUNIER** n. m. Voile carrée située immédiatement au-dessus des basses voiles.

HUNINGUE (68330), ch.-l. de cant. du Haut-Rhin, près du Rhin, à 2 km au N. de Bâle; 6 679 hab. Industries chimiques. — En 1815, célèbre défense de la place par le général Joseph Barbanègre (1772-1830).

***HUNNIQUE** adj. Relatif aux Huns.

HUNS, ancienne population nomade de haute Asie. Pendant longtemps les Huns ont été présentés comme un rameau des Hiong-nou; mais ils semblent avoir une origine différente et seraient des mongoloïdes de langue altaïque.

● *Les Huns proprement dits.* Les Huns sont cités pour la première fois au IIe s. apr. J.-C. par Ptolémée, qui les situe dans les steppes entre le Manytch et le Kouban. Deux siècles plus tard, ils font irruption dans l'histoire de l'Europe : en 370-375, ils franchissent la Volga, soumettent les Alains et les Ostrogoths, tandis que les Wisigoths, à leur tour submergés, pénètrent dans l'Empire romain (376). La poussée hunnique, dont le rôle est décisif dans le déclenchement des grandes invasions barbares*, se poursuivit vers l'ouest : v. 396, les Huns occupent les plaines roumaines et pannoniennes et organisent leur empire, qui s'étend des Alpes orientales à la mer Noire. La puissance hunnique ne devient un danger pour le monde romain que lorsque les rois Mundzuk et Roua édifient en Pannonie, au début du Ve s., un véritable État qui disposait d'une cavalerie remarquable. Poursuivant leur œuvre, Attila* unifie les tribus hunniques avant d'envahir l'Orient (441-449) puis l'Occident (451-453) romain. Mais l'empire des Huns disparaîtra avec lui.

● *Les Huns Hephthalites.* Horde turco-mongole originaire de l'Altaï et descendue, à la fin du IVe s., dans les steppes du Turkestan russe, les Hephthalites s'installent, v. 440, en Sogdiane et en Bactriane, puis ils envahissent le Khorāsān (484). Renonçant à occuper l'empire des Sassanides*, ils s'établissent à Kaboul et conquièrent le nord-ouest de l'Inde (bassins de l'Indus et du Malwā), où ils se maintiennent jusqu'au VIe s.

HUNSRÜCK, partie du Massif schisteux rhénan (Allemagne fédérale), sur la rive gauche du Rhin.

HUNT (William Holman) → PRÉRAPHAÉLITES.

***HUNTER** [œntər] n. m. (mot angl.). Cheval de chasse, exercé à franchir les obstacles.

HUNTINGTON BEACH, v. des États-Unis (Californie), au S.-E. de Los Angeles; 170 000 hab. Industrie aéronautique.

HUNTSVILLE, v. des États-Unis (Alabama); 147 000 hab. Industrie aérospatiale.

HUNTZIGER (Charles), général français (Lesneven 1880 - près du Vigan 1941). Commandant la IIe armée, puis le 4e groupe d'armées dans les Ardennes en 1940, il fut chargé par Pétain de négocier les armistices avec l'Allemagne et l'Italie. Nommé ensuite ministre de la Guerre, il périt dans un accident aérien.

HUNYADI, famille hongroise, illustrée par : JÁNOS (Jean) [v. 1387 - Zimony 1456], gouverneur de Hongrie en 1446, capitaine général en 1453, qui, en 1456, força les Turcs à lever le siège de Belgrade; MATHIAS* CORVIN, son fils, qui fut roi de Hongrie.

Huon de Bordeaux, chanson de geste française du début du XIIIe s. Le héros, protégé par le nain Auberon (Obéron), conquiert la belle Esclarmonde.

***HUPPE** n. f. (lat. *upupa*). Touffe de plumes que certains oiseaux ont sur la tête. (Syn. : HOUPPE.) ‖ Oiseau passereau de la grosseur d'un merle, ayant une touffe de plumes sur la tête.

***HUPPÉ, E** adj. Qui a une huppe sur la tête, en parlant des oiseaux. ‖ *Fam.* Riche, noble.

HURAULT (Louis), général français (Attray, Loiret, 1886 - Vincennes 1973). Spécialiste de la photogrammétrie aérienne, il dirigea de 1937 à 1940 le Service géographique de l'armée et présida à sa transformation en Institut géographique national, dont il fut le directeur jusqu'en 1956.

***HURE** n. f. (mot germ.). Tête coupée de sanglier, de saumon, de brochet, etc. ‖ Galantine farcie de morceaux de hure : *hure de porc.*

HUREPOIX (le), plateau au S. et au S.-O. de Paris, entre la Beauce et la Brie, entaillé par les vallées de l'Orge et de l'Yvette.

HURIEL (03380), ch.-l. de cant. de l'Allier, 2 347 hab. Église et donjon du XIIe s.

***HURLANT, E** adj. Qui hurle.

***HURLEMENT** n. m. Cri prolongé, plaintif ou furieux, particulier au loup, au chien, à l'hyène. ‖ Cri aigu et prolongé que l'homme fait entendre dans la douleur, la colère, etc.

***HURLER** v. i. (lat. *ululare*). Faire entendre des hurlements, des cris effrayants ou discordants. ‖ Présenter une disparité choquante : *couleurs qui hurlent ensemble.* ◆ v. t. Dire, chanter en criant très fort : *hurler une chanson.*

***HURLEUR, EUSE** n. Celui, celle qui hurle.

***HURLEUR** n. m. et adj. Singe de l'Amérique du Sud, dont les cris s'entendent très loin. (Syn. : ALOUATE, OUARINE.)

HURLUBERLU, E n. (de *berlu,* inconsidéré). *Fam.* Étourdi, écervelé.

***HURON, ONNE** n. et adj. *Fam.* et *litt.* Personne grossière, malotru.

HURON *(lac),* grand lac de l'Amérique du Nord (États-Unis et Canada); 60 000 km^2.

***HURONIEN, ENNE** adj. *Plissement huronien,* plissement précambrien qui a affecté notamment la Scandinavie et le Canada.

HURONS, Indiens qui vivaient dans la péninsule géorgienne (Ontario actuel). Ils furent au XVIIe s. les alliés des Français contre les Iroquois, qui les exterminèrent.

***HURRAH** interj. et n. m. → HOURRA.

***HURRICANE** n. m. (mot amérindien). Cyclone tropical en Amérique centrale.

HURTADO DE MENDOZA (Diego), diplomate, historien et écrivain espagnol (Grenade 1503 - Madrid 1575). On lui attribue le *Lazarillo de Tormes,* le premier des romans picaresques.

HUS (Jan), prêtre tchèque, réformateur religieux (Husinec, Bohême, v. 1370 - Constance 1415). Professeur à la faculté de Prague, il en devient le recteur; son enseignement et sa prédication lui attirent l'inimitié du haut clergé, dont il dénonce le relâchement en termes vigoureux. Ardent patriote et réformateur, passionné de la vie religieuse, il fait de l'église de Bethléem, à Prague, un centre de renouveau chrétien et de patriotisme tchèque. Accusé de soutenir les thèses du réformateur John Wycliffe, qu'il expose, certes, avec sympathie, mais qu'il infléchit dans le sens catholique, il est condamné par le concile de Constance et, au mépris du sauf-conduit qui lui a été accordé, il est arrêté et brûlé comme hérétique. Il sera vénéré par le peuple de Bohême comme un martyr, et les hussites, à partir de 1415, lutteront contre Rome et contre l'empereur.

HUSÁK (Gustáv), homme politique tchécoslovaque (Bratislava 1913). Il participe au soulèvement national slovaque contre les Allemands (1944) puis préside le gouvernement autonome de Slovaquie (1946-1950). Ses responsabilités au sein du parti communiste tchécoslovaque lui sont retirées à partir de 1950, à la suite du conflit qui l'oppose à Novotný*. Exclu du parti et emprisonné, il est réhabilité en 1963 et devient premier secrétaire du parti communiste de Slovaquie en août 1968. L'un des principaux responsables politiques après l'intervention soviétique en Tchécoslovaquie, il se consacre à la réforme qui aboutit, en janvier 1969, à la fédéralisation de la République tchécoslovaque. Premier secrétaire du parti communiste en remplacement d'A. Dubček* (avril 1969), il resserre les liens avec l'U. R. S. S. et assure la « normalisation » de la vie politique. À la tête du parti (avec, à partir de 1971, le titre de secrétaire général) jusqu'en décembre 1987, il succède, en mai 1975, à L. Svoboda à la présidence de la République. Il démissionne de cette dernière fonction en décembre 1989.

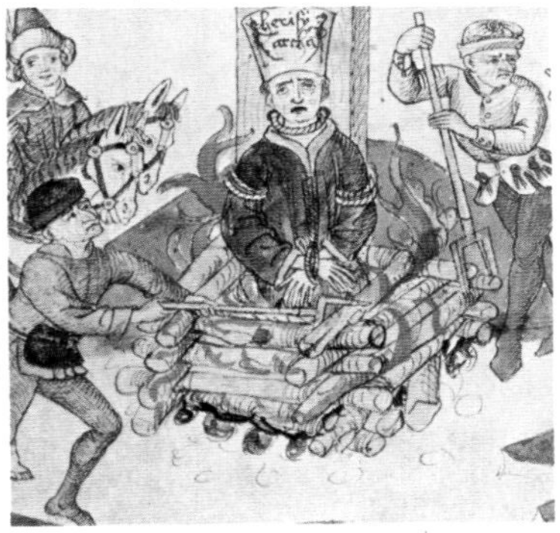

Bibliothèque nationale de Vienne

Jan **Hus,** brûlé comme hérétique, le 6 juillet 1415 à Constance. Dessin colorié. (Bibl. nat. de Vienne.)

huppe

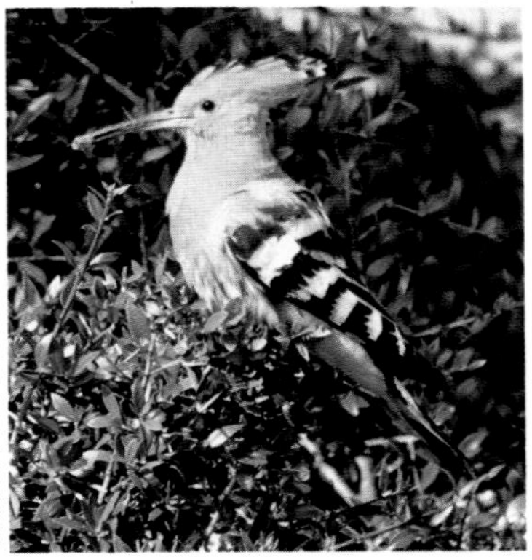

Duscher-Press and Pictures

ḤUSAYN ('Ammān 1935), roi de Jordanie depuis 1952. Soutenu par les Bédouins de la Légion arabe, par la Grande-Bretagne et par les États-Unis, Ḥusayn doit cependant faire des concessions aux nationalistes : renvoi de Glubb pacha, commandant en chef de la Légion arabe (1956), accord militaire conclu avec Nasser (1967). Il engage la Jordanie dans la troisième guerre israélo-arabe*, qui entraîne l'occupation de la Cisjordanie par les Israéliens. En 1970-71, Ḥusayn fait investir les camps des résistants palestiniens. Il parvient ainsi à maintenir le pouvoir hāchémite* en Jordanie. Après avoir, en 1974, reconnu l'O. L. P. comme unique représentant des Palestiniens, il cherche, à travers des accords — intermittents — avec Y. 'Arafāt, des alliances (avec la Syrie [1978] et l'Iraq [1981]) et un rapprochement avec l'Égypte (1985), à favoriser un règlement négocié des conflits du Proche-Orient.

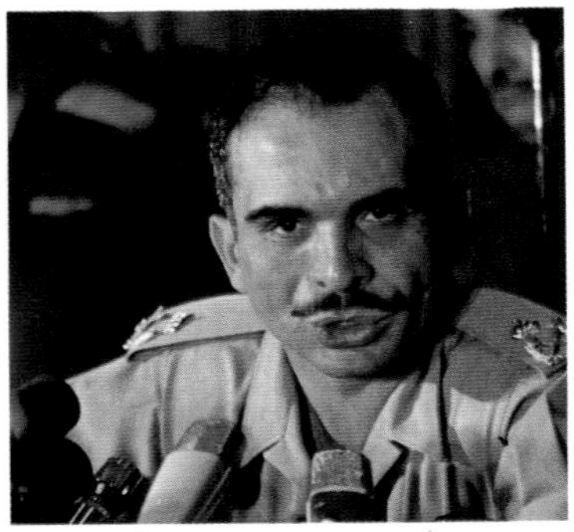

B. Barbey-Magnum

Ḥusayn de Jordanie en 1970

En 1988, il proclame la rupture des liens légaux et administratifs entre son pays et la Cisjordanie.

ḤUSAYN IBN 'ALĪ (v. 1856 - 'Ammān 1931), souverain du Hedjaz (1916-1924). Chérif de La Mecque, il s'appuya sur les Anglais, à partir de 1915, pour secouer le joug ottoman. En 1916, il se proclama roi du Hedjaz. Il abdiqua en 1924.

***HUSSARD** n. m. (mot hongr.). Militaire d'un corps de cavalerie légère créé en France au XVIIe s. et dont la tenue fut d'abord empruntée aux Hongrois. (Leur tradition est aujourd'hui continuée par certains régiments blindés.)

***HUSSARDE** n. f. Danse d'origine hongroise.

● *À la hussarde,* brutalement.

HUSSEIN ou **ḤUSAYN** (Ṭāhā), écrivain égyptien (Marhārha 1889 - Le Caire 1973). Aveugle dès l'âge de deux ans, il devint professeur à la faculté des lettres du Caire et ministre de l'Instruction publique. Ses romans et ses essais critiques et autobiographiques (*le Livre des jours,* 1929-1939) concilient la tradition spirituelle orientale et l'ouverture au monde moderne.

HUSSEIN (Saddam) ou **ḤUSAYN** (Ṣaddām), homme d'État iraqien (Tikrit 1937). Il est, depuis 1979, chef de l'État iraqien et secrétaire général du Baath.

HUSSEIN-DEY, faubourg d'Alger.

HUSSERL (Edmund), philosophe allemand (Prossnitz, Moravie, 1859 - Fribourg-en-Brisgau 1938). Les études d'astronomie, de physique et de mathématiques qu'il fait à Leipzig le conduisent à soutenir une thèse de doctorat (*Sur le calcul des variations,* 1883) et à devenir l'assistant de Weierstrass. Il suit les cours de Franz Brentano et publie une étude psychologique sur le concept de nombre (1887). En 1891, il écrit la *Philosophie de l'arithmétique* et, en 1900-01, les *Recherches logiques,* dans lesquelles il pose les premiers jalons de la phénoménologie*. Il quitte alors Halle pour Göttingen (1906), où il élabore sa philosophie phénoménologique (*la Philosophie comme science rigoureuse,* 1911; *Idées directrices pour une phénoménologie,* 1913). Professeur à Fribourg-en-Brisgau de 1916 à 1928, il poursuit ses recherches — dont nombre sont encore inédites — et publie *Leçons sur la conscience intime du temps* (1928), *Logique formelle et transcendantale* (1929), *Méditations cartésiennes* (1931) et *la Crise des sciences européennes et la phénoménologie transcendantale* (1936).

En posant que toute connaissance est intuition d'une essence par la conscience, la phénoménologie husserlienne se présente en même temps comme une théorie des essences et comme une méthode pour fonder la réalité du monde et la réalité de l'homme dans le monde. Dans cette optique, l'intentionnalité est la détermination principale de la conscience, « cette particularité foncière qu'a la conscience d'être la conscience de quelque chose ». De la sorte, il n'y a pas de monde qui ne soit pour une conscience ni de conscience qui ne se détermine comme une visée du monde. Le phénomène est ce qui, de la réalité, se donne à la conscience dans une série d'esquisses successives. Mais si les choses émergent à travers des retouches sans fin, seule la conscience recèle un invariant dans sa visée. Husserl procède à la mise en parenthèses du monde pour mettre à jour cet invariant : l'ego qui est à l'origine des significations des phénomènes. Ainsi, selon Husserl, la conscience seule est donatrice de sens. Cette investigation sur le sens donne son unité à la pensée husserlienne. Elle s'est déployée en deux directions, qui se recoupent pour constituer la problématique phénoménologique du langage : après avoir monté l'élaboration des significations dans le champ des idéalités de nature logico-mathématique, Husserl poursuit son investigation dans le cadre d'une philosophie de la vie et de la perception. Et c'est précisément en articulant vie, perception et langage que la phénoménologie husserlienne apparaît comme une pensée unifiée.

***HUSSITE** [ysit] n. m. Qui se réclamait des doctrines religieuses de Jan Hus.

HUSTON (John), cinéaste américain (Nevada, Missouri, 1906 - Newport, Rhode Island, 1987). Boxeur, acteur, journaliste et scénariste avant d'aborder la mise en scène de cinéma, en 1941, il construisit une grande partie de son œuvre autour de deux thèmes indissociables : l'exaltation de l'effort et de l'esprit d'aventure et la méditation sur l'échec et la vanité de ces mêmes entreprises : *le Faucon maltais* (1941), *le Trésor de la sierra Madre* (1947), *Key Largo* (1948), *Asphalt Jungle* (1950), *la Charge victorieuse* (1951), *The African Queen* (1951), *les Misfits* (1961), *Reflets dans un œil d'or* (1967), *Fat City* (1971), *L'homme qui voulut être roi* (1976), *Au-dessous du volcan* (1984), *l'Honneur des Prizzi* (1985), *Gens de Dublin* (1987).

HUTCHINSON (Ann), danseuse et notatrice américaine (New York 1918). Elle se spécialise dans l'étude des systèmes de notation chorégraphique à New York (School of Performing Arts et Juilliard School), puis à Londres. Cofondatrice à New York du Dance Bureau Notation (1940), elle a publié *Labanotation* (1954).

***HUTTE** n. f. (mot francique). Cabane faite de branchages, de terre, etc.

HUTUS, ethnie du Burundi* et du Ruanda*, où elle est dominante. Traditionnellement les Hutus sont subordonnés aux Tutsis*.

HUVEAUNE, fl. côtier de Provence, qui longe au S. l'agglomération marseillaise avant de rejoindre la Méditerranée; 52 km.

HUXLEY (Thomas Henry), zoologiste et physiologiste britannique (Ealing 1825 - Londres 1895), défenseur ardent du transformisme.

HUXLEY (*sir* Julian Sorell), biologiste britannique (Londres 1887 - *id.* 1975), petit-fils du précédent. Il fut le premier directeur de l'Unesco de 1946 à 1948. Il s'est intéressé au problème de l'évolution et à l'enseignement de la zoologie.

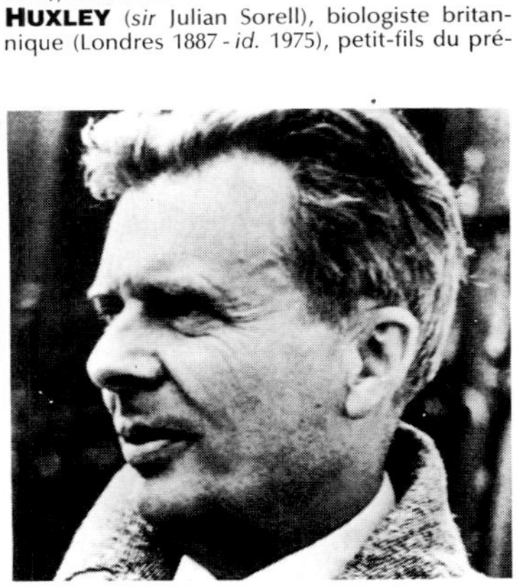

Camera Press-Parimage

Aldous **Huxley**

HUXLEY (Aldous), écrivain britannique (Godalming, Surrey, 1894 - Hollywood 1963), frère du précédent. Poète, influencé par l'imagisme (*Leda,* 1920), il évolua ensuite dans ses essais et ses romans vers une vision satirique du monde, née de son ironie pessimiste et de son attrait pour les philosophies orientales (*Contrepoint,* 1928; *le Meilleur* des mondes,* 1932; *la Paix des profondeurs,* 1936).

HUXLEY (Andrew Fielding), neurophysiologiste britannique (Hampstead, près de Londres, 1917), demi-frère de l'écrivain Aldous Huxley, prix Nobel de médecine et de physiologie en 1963, avec Eccles et Hodgkin, pour ses travaux sur la conduction nerveuse.

HUY, en néerl. **Hoei,** v. de Belgique (prov. de Liège), sur la Meuse; 17400 hab. Collégiale Notre-Dame des XIVe-XVe s. (crypte du XIe s.).

HU YAOBANG → HOU YAO-PANG.

HUYGENS (Christiaan), physicien, mathématicien et astronome néerlandais (La Haye 1629 - *id.* 1695). Dès 1656, il compose un traité de calcul des probabilités. En géométrie, il est l'auteur de la théorie des développées et développantes. En astronomie, il invente l'oculaire négatif des lunettes, qui lui permet de découvrir l'anneau de Saturne (1655), la rotation de Mars et la nébuleuse d'Orion (1656); il est le premier à assimiler le Soleil à une étoile. En mécanique, on lui doit la théorie du pendule, qu'il utilise comme régulateur du mouvement des horloges. Huygens imagine aussi l'échappement à ancre (1657). Il définit la force centrifuge, le moment d'inertie et énonce le théorème des forces

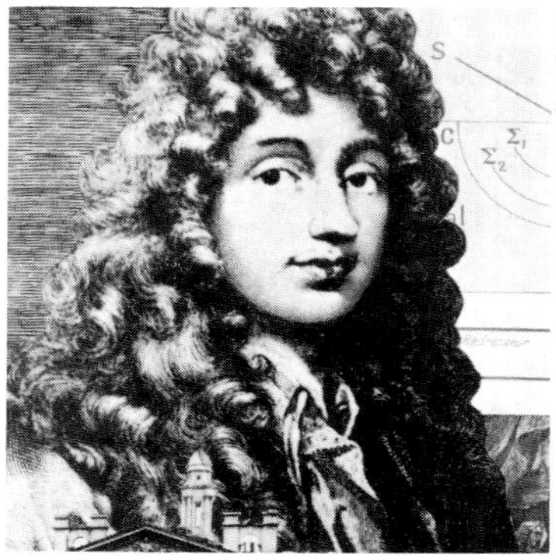

Keystone

Christiaan **Huygens**

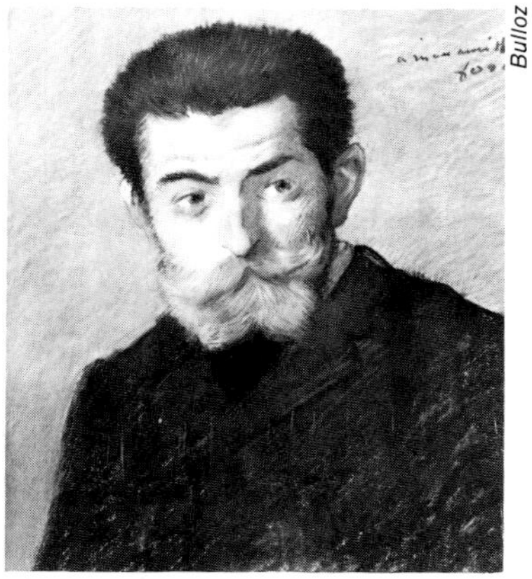

Bulloz

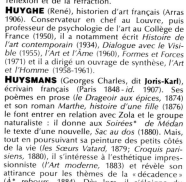

Huysmans, par Forain

vives. En optique, il fait appel à la théorie ondulatoire (1678) pour retrouver les lois de la réflexion et de la réfraction.

HUYGHE (René), historien d'art français (Arras 1906). Conservateur en chef au Louvre, puis professeur de psychologie de l'art au Collège de France (1950), il a notamment écrit *Histoire de l'art contemporain* (1934), *Dialogue avec le Visible* (1955), *l'Art et l'Âme* (1960), *Formes et Forces* (1971) et il a dirigé un ouvrage de synthèse, *l'Art et l'Homme* (1958-1961).

HUYSMANS (Georges Charles, dit **Joris-Karl**), écrivain français (Paris 1848 - *id.* 1907). Ses poèmes en prose (*le Drageoir aux épices,* 1874) et son roman *Marthe, histoire d'une fille* (1876) le font entrer en relation avec Zola et le groupe naturaliste : il donne aux *Soirées* de Médan* le texte d'une nouvelle, *Sac au dos* (1880). Mais, tout en poursuivant sa peinture des petits côtés de la vie (*les Sœurs Vatard,* 1879; *Croquis parisiens,* 1880), il s'intéresse à l'esthétique impressionniste (*l'Art moderne,* 1883) et révèle son attirance pour les thèmes de la « décadence » (*À* rebours,* 1884). Dès lors, il s'éloigne du naturalisme (*Là-bas,* 1891) et, sous l'influence de l'abbé Mugnier, il se convertit au catholicisme, traduisant dans ses dernières œuvres son besoin de surnaturel (*la Cathédrale,* 1898; *l'Oblat,* 1903; *les Foules de Lourdes;* 1906).

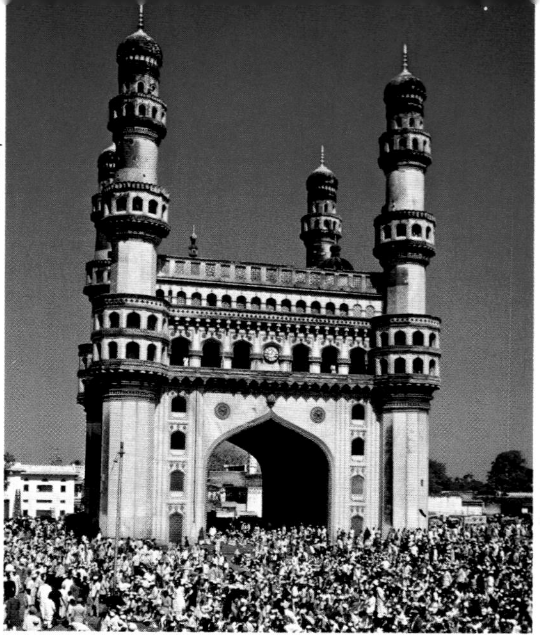

Koch-Rapho

Hyderābād : le « Chār Mīnār » (« Quatre Minarets »), élevé en 1591.

HUYSMANS (Camille), homme politique belge (Bilzen 1871 - Anvers 1968). Député socialiste à partir de 1910, président de l'Internationale socialiste en 1940, il dirige d'août 1946 à mars 1947 un gouvernement de gauche. En 1966, il rompt avec le P. S. B. pour fonder un nouveau parti socialiste.

HYACINTHE n. f. (gr. *huakinthos*). Pierre fine, variété de zircon brun-orangé à rouge. ‖ Anc. nom de la JACINTHE.

HYADES *(les),* groupe d'étoiles dans la constellation du Taureau*, qui constituent un amas* ouvert.

HYALIN, E adj. (gr. *hualos,* verre). Qui a l'apparence du verre : *quartz hyalin.*

HYALITE n. f. Variété transparente et vitreuse de l'opale. ‖ *Méd.* Inflammation du corps vitré de l'œil.

HYALOÏDE adj. Qui a la transparence du verre.

HYBRIDATION n. f. Croisement entre deux individus de races ou, plus rarement, d'espèces différentes. (Mendel a dégagé les lois de l'hybridation entre des pois de caractères différents.)

HYBRIDE adj. et n. m. (lat. *hybrida,* de sang mêlé). Se dit d'un animal ou d'un végétal résultant d'un croisement. (Le mulet est un hybride de l'âne et de la jument.) ‖ D'une nature composite, mal définie : *solution hybride.* ‖ *Ling.* Se dit d'un mot tiré de deux langues différentes, comme *automobile.*

HYBRIDER v. t. Réaliser une hybridation.

HYBRIDITÉ n. f., ou **HYBRIDISME** n. m. Qualité, caractère, condition d'hybride.

HYBRIDOME n. m. Amas cellulaire hybride formé par la fusion en laboratoire de cellules vivantes de provenances différentes.

HYDARTHROSE n. f. (gr. *hudôr,* eau, et *arthron,* articulation). *Méd.* Épanchement de liquide dans une articulation.

HYDATIDE n. f. Larve du ténia échinocoque, qui se développe dans le foie ou le poumon de plusieurs mammifères et de l'homme.

HYDATIQUE adj. Qui contient des hydatides.

Hyde Park, grand parc de l'ouest de Londres.

HYDERĀBĀD, v. du sud de l'Inde, dans le Deccan, capit. de l'Andhra Pradesh; 2528000 hab. Entourée d'une enceinte achevée au XVIIIe s., la vieille ville abrite plusieurs monuments, dont le Dār al-chifā (XVIe s.), le Tolī masdjid (1671), le Makka masdjid (1614-1692) et le Chār Mīnār (1591), grand arc de triomphe, l'un des chefs-d'œuvre de l'architecture indo-islamique. Célèbre école de miniatures. Musées.

HYDERĀBĀD, v. du sud-est du Pākistān, dans le Sind; 795000 hab. Construction aéronautique. Chimie.

HYDNE n. m. (gr. *hudnon*). Champignon comestible, à chapeau jaunâtre muni de pointes à la face inférieure, commun dans les bois. (Classe des basidiomycètes; nom usuel : *pied-de-mouton.*)

HYDRA ou **ÍDHRA,** île grecque de la mer Égée, au large de l'Argolide. Ch.-l. *Hydra (Ídhra).*

HYDRACIDE n. m. *Chim.* Acide résultant de la combinaison de l'hydrogène avec un métalloïde et ne comportant pas d'oxygène.

HYDRAIRE n. m. Cnidaire, généralement marin, dont les polypes vivent fixés sur les rochers littoraux et les algues. (Les *hydraires* forment un ordre.)

HYDRAMNIOS n. m. *Méd.* Augmentation de la quantité de liquide amniotique dans lequel baigne le fœtus.

HYDRARGYRE n. m. Anc. nom du MERCURE.

HYDRARGYRISME n. m. Intoxication par le mercure.

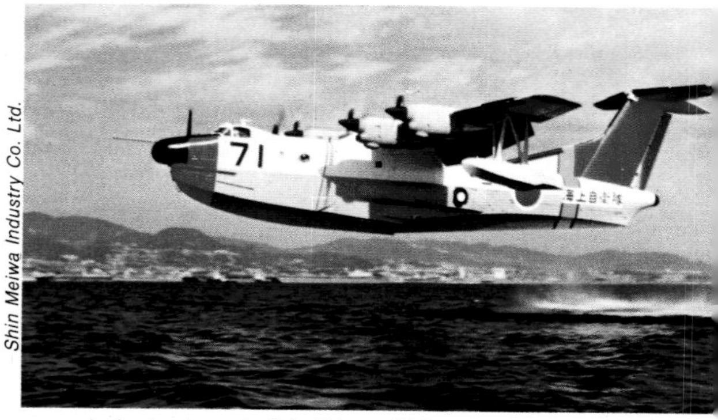

Shin Meiwa Industry Co. Ltd.

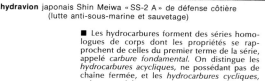

hydravion japonais Shin Meiwa « SS-2 A » de défense côtière (lutte anti-sous-marine et sauvetage)

HYDRASTIS [idrastis] n. m. (lat. *hydrastina,* chanvre des bois). Plante herbacée de la famille des renonculacées, contenant un alcaloïde vasoconstricteur.

HYDRATABLE adj. Susceptible d'être hydraté.

HYDRATANT, E adj. *Crème, lotion, lait hydratants,* produits utilisés en cosmétologie pour restituer à l'épiderme sa teneur en eau.

HYDRATATION n. f. Introduction d'eau dans l'organisme. ‖ *Chim.* Fixation d'eau.

HYDRATE n. m. (gr. *hudôr,* eau). *Chim.* Combinaison de l'eau avec une substance. • *Hydrates de carbone,* autre nom des GLUCIDES.

HYDRATER v. t. Faire une hydratation. ‖ *Chim.* Combiner avec de l'eau.

HYDRAULE n. f. (gr. *hudraulis*). *Antiq.* Instrument de musique, précurseur de l'orgue, dans lequel un réservoir d'eau stabilise la pression de l'air fourni aux tuyaux.

HYDRAULICIEN, ENNE n. Ingénieur spécialiste des questions d'hydraulique.

HYDRAULIQUE adj. Relatif à l'eau. ‖ Qui fonctionne à l'aide d'un liquide quelconque : *frein hydraulique.* • *Mortier hydraulique,* mortier qui durcit dans l'eau.

HYDRAULIQUE n. f. Science et technique qui traitent des lois régissant la stabilité et l'écoulement des liquides et des problèmes posés par l'utilisation de l'eau.

HYDRAVION n. m. Avion à flotteurs ou à coque marine, pouvant prendre son essor sur l'eau et s'y poser.

HYDRAZINE n. f. Composé basique, de formule H_2NNH_2, utilisé comme ergol.

HYDRE n. f. (gr. *hudra*). Animal d'eau douce, très contractile, ayant la forme d'un polype isolé, portant de 6 à 10 tentacules. (Long. en extension : 1 cm; embranchement des cnidaires, ordre des hydraires.) ‖ Nom donné autref. aux serpents d'eau douce. • *Hydre de Lerne,* serpent à plusieurs têtes, qui repoussaient au fur et à mesure qu'on les tranchait, détruit par Héraclès; danger sans cesse renaissant.

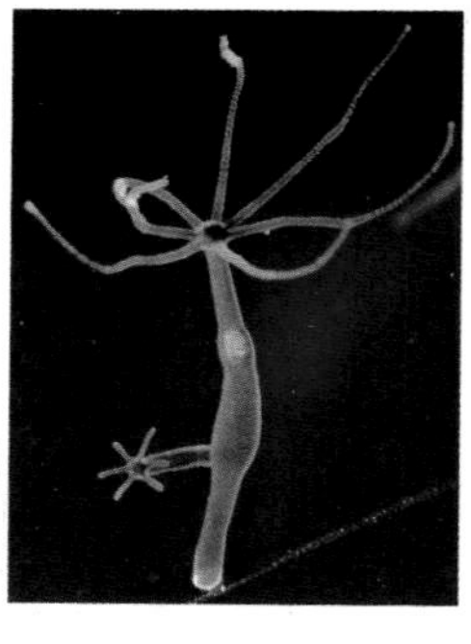

P. Starosta

hydre

HYDRIE n. f. *Archéol.* Grand vase grec à eau à trois anses, dont une verticale.

HYDRIQUE adj. Relatif à l'eau : *diète hydrique.* ‖ Suffixe désignant les hydracides : *acide chlorhydrique.*

HYDROBASE n. f. Base pour hydravions.

HYDROCARBONATE n. m. Carbonate basique hydraté.

HYDROCARBONÉ, E adj. Qui contient de l'hydrogène et du carbone.

HYDROCARBURE n. m. Composé binaire de carbone et d'hydrogène : *le pétrole et le gaz naturel sont des hydrocarbures.*

■ Les hydrocarbures forment des séries homologues de corps dont les propriétés se rapprochent de celles du premier terme de la série, appelé *carbure fondamental.* On distingue les *hydrocarbures acycliques,* ne possédant pas de chaîne fermée, et les *hydrocarbures cycliques,* qui en possèdent une.

Les premiers se divisent en carbures *saturés,* ou *alcanes** (méthane, éthane, propane, butane, etc.), et en carbures *non saturés,* susceptibles de fixer par addition de l'hydrogène ou d'autres éléments. Les carbures non saturés comprennent les carbures *éthyléniques,* ou *alcènes*,* dont la chaîne contient au moins une double liaison, et les carbures *acétyléniques,* ou *alcynes*,* dont la chaîne contient une triple liaison.

Les hydrocarbures cycliques se divisent en :
1° carbures *hydrocycliques,* ou *alicycliques,* possédant des chaînes fermées à 3, 4, 5, 6, 7 et 8 atomes de carbone, saturés ou non saturés, mais dont les propriétés sont comparables à celles des carbures acycliques (ex. : cyclopropane, cyclohexane);
2° carbures *à noyau,* ou *aromatiques,* caractérisés par des chaînes fermées non saturées (noyau benzénique), douées de propriétés spéciales. Les principaux sont le benzène, le toluène, le naphtalène.

HYDROCÈLE n. f. Épanchement séreux du scrotum.

HYDROCÉPHALE adj. et n. Atteint d'hydrocéphalie.

HYDROCÉPHALIE n. f. Augmentation de volume du liquide céphalo-rachidien, entraînant, chez l'enfant, une augmentation du volume de la boîte crânienne et une insuffisance du développement intellectuel.

HYDROCHARIDACÉE [idrokaridase] n. f. Plante monocotylédone vivant dans l'eau douce, comme l'*élodée,* la *vallisnérie,* la *morène.* (Les *hydrocharidacées* forment une famille.)

HYDROCLASSEUR n. m. Appareil servant à séparer, en catégories de grosseur, des produits fins entraînés en suspension dans l'eau.

HYDROCORALLIAIRE n. m. Cnidaire colonial à squelette calcaire, comme le *millépore.* (Les *hydrocoralliaires* forment un ordre.)

HYDROCORTISONE n. f. Hormone corticosurrénale, dérivé hydrogéné de la cortisone.

HYDROCOTYLE n. f. Ombellifère vivant dans les lieux humides.

HYDROCRAQUAGE n. m. Craquage à haute pression d'un produit pétrolier en présence d'hydrogène et d'un catalyseur.

HYDROCRAQUEUR n. m. Installation d'hydrocraquage.

HYDROCUTION n. f. Accident caractérisé par une perte de connaissance qui fait couler à pic le baigneur.

HYDRODÉSULFURATION n. f. Désulfuration catalytique à l'hydrogène avec récupération du soufre.

HYDRODYNAMIQUE n. f. Étude des lois régissant le mouvement des liquides ainsi que les résistances qu'ils opposent aux corps qui se meuvent par rapport à eux. ◆ adj. Relatif à l'hydrodynamique.

HYDROÉLECTRICITÉ n. f. Énergie électrique obtenue par la houille blanche.

HYDROÉLECTRIQUE adj. Relatif à l'hydroélectricité : *une centrale hydroélectrique.*

HYDROFILICALE n. f. Plante aquatique voisine des fougères, telle que la *pilulaire.* (Les *hydrofilicales* forment un ordre.)

HYDROFOIL n. m. (mot angl.). Syn. d'HYDROPTÈRE.

HYDROFUGATION n. f. Action d'hydrofuger.

HYDROFUGE adj. et n. m. Qui préserve de l'humidité; qui chasse l'humidité; qui s'oppose au passage de l'eau.

HYDROFUGER v. t. (conj. **1**). Rendre hydrofuge.

HYDROGEL n. m. Gel obtenu en milieu aqueux.

HYDROGÉNATION n. f. Action d'hydrogéner. ‖ *Pétr.* Installation de raffinage à l'hydrogène. • *Hydrogénation du charbon,* fabrication d'huile minérale artificielle à partir de la houille par l'action de l'hydrogène. ‖ *Hydrogénation des* *huiles,* durcissement artificiel des huiles animales et végétales sous l'action de l'hydrogène.

HYDROGÈNE n. m. (gr. *hudôr,* eau, et *gennân,* engendrer). Corps simple (H) nº 1, de masse atomique 1,008, gazeux, qui entre dans la composition de l'eau. • *Bombe à hydrogène,* v. THERMONUCLÉAIRE.

■ L'hydrogène fut identifié en 1766 par Cavendish. Dans l'hydrogène ordinaire, le noyau de l'atome est constitué par un unique proton; mais on en connaît deux isotopes, le deutérium* et le tritium*.

C'est un gaz incolore et inodore; il est le plus léger de tous les corps, sa densité par rapport à l'air étant 0,07. Par suite, il traverse plus rapidement qu'aucun autre gaz les parois poreuses et certains métaux au rouge. Il est, après l'hélium, le gaz le plus difficile à liquéfier; son point d'ébullition normale est −253 ºC. Ses molécules H_2 peuvent présenter deux structures, correspondant à l'ortho- et au parahydrogène.

Peu actif à froid, il donne, à chaud ou au contact de catalyseurs, de nombreuses réactions. Élément univalent, il est plutôt électropositif, ce qui le rapproche des métaux.

Il se combine directement à la plupart des non-métaux. Les quatre halogènes donnent avec lui des hydracides. Il brûle dans l'air avec une flamme bleue en donnant de l'eau et forme avec l'oxygène un mélange détonant. On peut le combiner au soufre à chaud, à l'azote sous pression, au carbone à haute température. Il forme avec les métaux alcalins et alcalino-terreux des hydrures cristallisés, décomposables par l'eau.

Très avide d'oxygène et de chlore, l'hydrogène peut détruire beaucoup de leurs combinaisons. Il réduit les oxydes du soufre, de l'azote, du cuivre, du fer, etc.

Au contact d'un catalyseur, il peut se produire une réduction suivie d'une hydrogénation. Ainsi, l'oxyde de carbone se transforme en méthane sous l'action du nickel réduit; avec un catalyseur convenable, on peut obtenir des carburants synthétiques.

Élément le plus abondant de l'univers, l'hydrogène n'occupe pas sur la Terre la première place. L'air en renferme une petite quantité; à l'état de combinaison, il figure dans l'eau, dans beaucoup de corps minéraux et dans tous les corps organiques. On le prépare industriellement à partir de l'eau, que l'on électrolyse ou que l'on réduit par le carbone, ou de mélanges gazeux qui en contiennent (gaz naturel, gaz des cokeries, gaz de pétrole). En France, on utilise le gaz de Lacq, dont on décompose catalytiquement le méthane par la vapeur d'eau.

Au laboratoire, on fait agir sur le zinc l'acide chlorhydrique dilué.

L'hydrogène a été employé au gonflement des aérostats. On l'utilise maintenant comme matière première dans un grand nombre d'opérations chimiques (synthèse de l'ammoniac, du méthanol; hydrotraitement en pétrochimie, etc.). L'hydrogène liquide est employé avec l'oxygène liquide pour la propulsion des lanceurs d'engins spatiaux.

HYDROGÉNÉ, E adj. Combiné avec l'hydrogène. ‖ Qui contient de l'hydrogène.

HYDROGÉNER v. t. (conj. **5**). Combiner avec l'hydrogène.

HYDROGÉOLOGIE n. f. Partie de la géologie qui s'occupe de la recherche et du captage des eaux souterraines.

HYDROGLISSEUR n. m. Bateau à fond plat, propulsé par une hélice aérienne.

HYDROGRAPHE n. Spécialiste d'hydrographie. • *Ingénieur hydrographe,* nom donné jusqu'en 1970 aux officiers du service hydrographique de la marine. (Leur corps est désormais intégré à celui des ingénieurs de l'armement.)

HYDROGRAPHIE n. f. Science qui étudie l'hydrosphère (eaux marines, cours d'eau et lacs). ‖ Topographie maritime qui a pour objet de lever le plan du fond des mers et des fleuves. ‖ Ensemble des eaux courantes ou stables d'une région : *l'hydrographie de la France.*

HYDROGRAPHIQUE adj. Qui concerne l'hydrographie. • *Service hydrographique et océanographique de la marine,* service de la marine nationale chargé d'établir les cartes marines et de diffuser les informations nautiques. (Son siège a été transféré de Paris à Brest en 1972.)

HYDROLASE n. f. Enzyme intervenant dans les hydrolyses.

HYDROLAT n. m. Eau distillée aromatique.

HYDROLITHE n. f. Hydrure de calcium, qui, au contact de l'eau, dégage de l'hydrogène.

HYDROLOGIE n. f. Science qui traite des propriétés mécaniques, physiques et chimiques des eaux marines (*hydrologie marine* ou océanographie) et continentales (*hydrologie fluviale* ou potamologie; limnologie).

HYDROLOGIQUE adj. Relatif à l'hydrologie.

HYDROLOGISTE ou **HYDROLOGUE** n. Géophysicien spécialiste des questions d'hydrologie.

HYDROLYSABLE adj. Qui peut être hydrolysé.

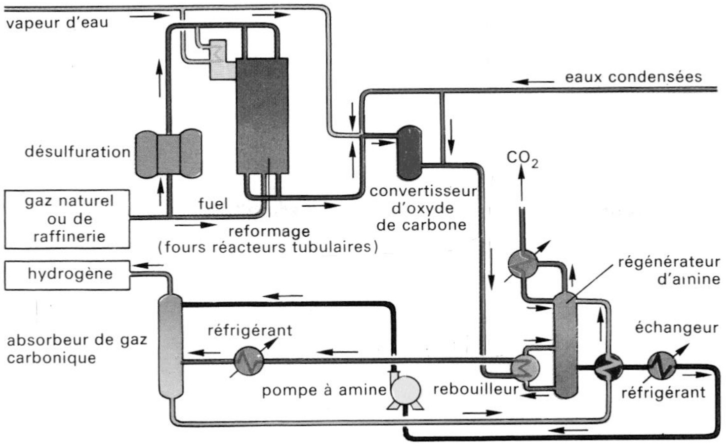
vapeur d'eau
eaux condensées
désulfuration
CO_2
gaz naturel ou de raffinerie
fuel
convertisseur d'oxyde de carbone
reformage (fours réacteurs tubulaires)
régénérateur d'amine
hydrogène
absorbeur de gaz carbonique
réfrigérant
échangeur
pompe à amine
rebouilleur
réfrigérant

schéma de la fabrication de l'**hydrogène** par steam-reforming à partir d'hydrocarbures

HYDROLYSE n. f. Décomposition de certains composés chimiques par action de l'eau.

HYDROLYSER v. t. Réaliser l'hydrolyse de.

HYDROMÉCANIQUE adj. Mû par l'eau.

HYDROMEL n. m. (gr. *hudôr,* eau, et *meli,* miel). Boisson, fermentée ou non, faite d'eau et de miel.

HYDROMÉTALLURGIE n. f. Procédé métallurgique d'élaboration d'un métal dans lequel les produits sont traités en solution aqueuse.

HYDROMÈTRE n. f. Insecte à longues pattes qui lui permettent de flotter et d'avancer par saccades sur l'eau. (Ordre des hétéroptères; nom usuel : *araignée d'eau.*)

HYDROMINÉRAL, E, AUX adj. Relatif aux eaux minérales.

HYDROMINÉRALURGIE n. f. Minéralurgie par voie chimique en phase liquide.

HYDRONÉPHROSE n. f. Distension des calices et du bassinet du rein par l'urine, quand celle-ci ne peut s'écouler normalement par les uretères.

HYDROPHILE adj. Apte à être mouillé par l'eau sans être dissous : *coton hydrophile.*

HYDROPHILE n. m. Insecte coléoptère ressemblant au dytique et vivant dans les mares. (Long. 5 cm.)

HYDROPHOBE adj. et n. Qui ne peut être mouillé par l'eau.

HYDROPIQUE adj. et n. (gr. *hudropikos*). Atteint d'hydropisie (vx).

HYDROPISIE [idrɔpizi] n. f. Accumulation pathologique de sérosité dans une partie du corps, notamment dans l'abdomen (vx).

HYDROPNEUMATIQUE adj. Qui fonctionne à l'aide de l'eau, ou d'un liquide quelconque, et d'un gaz comprimé : *frein hydropneumatique.*

HYDROPTÈRE n. m. Engin de transport sur l'eau, comportant sous sa coque des ailes immergées qui assurent, à une vitesse suffisante, la portance de la coque soustraite alors à la résistance hydrodynamique. (Syn. HYDROFOIL.)

HYDROQUINONE n. f. *Chim.* Composé comportant deux noyaux phénols, employé comme révélateur photographique.

HYDROSILICATE n. m. Silicate hydraté.

HYDROSOL [idrɔsɔl] n. m. Solution colloïdale où l'eau est le milieu dispersif.

HYDROSOLUBLE adj. Se dit des corps solubles dans l'eau, et en particulier des vitamines B, C et P.

HYDROSPHÈRE n. f. Partie liquide de la croûte terrestre (par oppos. à ATMOSPHÈRE et à LITHOSPHÈRE).

HYDROSTATIQUE n. f. Étude des conditions d'équilibre des liquides.

HYDROSTATIQUE adj. Relatif à l'hydrostatique. • *Balance hydrostatique,* appareil qui sert à déterminer la densité des corps. ‖ *Niveau hydrostatique,* surface de la nappe phréatique. ‖ *Pression hydrostatique,* pression qu'exerce l'eau sur la surface d'un corps immergé.

HYDROTHÉRAPIE n. f. Thérapeutique utilisant l'eau à l'aide de diverses techniques.

HYDROTHÉRAPIQUE adj. Relatif à l'hydrothérapie.

HYDROTHERMAL, E, AUX adj. Relatif aux eaux thermales.

HYDROTHORAX n. m. Épanchement de liquide dans la cavité de la plèvre.

HYDROTIMÉTRIE n. f. Mesure de la dureté d'une eau par dosage de ses sels de calcium et de magnésium.

HYDROTRAITEMENT n. m. Épuration d'un produit pétrolier par hydrogénation.

HYDROXYDE n. m. *Chim.* Combinaison d'eau et d'un oxyde métallique.

HYDROXYLAMINE n. f. Base NH_2OH, qui se forme dans la réduction des nitrates.

HYDROXYLE n. m. *Chim.* Radical OH qui figure dans l'eau, les hydroxydes, les alcools, etc. (Syn. : OXHYDRYLE.)

HYDROZOAIRE n. m. (gr. *hudôr,* eau, et *zôon,* animal). Cœlentéré cnidaire. (Les *hydrozoaires* forment une classe comprenant les *hydraires* [hydre], les *hydrocoralliaires* [millépore], les *siphonophores* [physalie].)

HYDRURE n. m. Combinaison de l'hydrogène avec un corps simple.

HYÈNE [jɛn] n. f. (gr. *huaina*). Mammifère carnassier se nourrissant surtout de charognes, à pelage gris ou fauve tacheté de brun. (Abondante en Europe au quaternaire, elle ne se trouve plus aujourd'hui qu'en Afrique et en Asie.) [Long. : 1 m à 1,40 m. Cri : l'hyène *hurle.*]

HYÈRES (83400), ch.-l. de cant. du Var, à 18 km à l'E. de Toulon; 41 739 hab. *(Hyérois).* Restes d'enceinte et monuments médiévaux de la vieille ville. Base aéronavale du Palyvestre (École de l'aviation embarquée).

HYÈRES *(îles d'),* archipel français de la Méditerranée (Var), comprenant *Porquerolles, Port-Cros* et *l'île du Levant.* Station touristique. Centre naturiste à l'île du Levant.

HYGIÈNE n. f. (gr. *hugieinon,* salubre, sain). Partie de la médecine qui traite des milieux où l'homme est appelé à vivre, et de la manière de les modifier dans le sens le plus favorable à son développement. ‖ Ensemble de règles et de pratiques relatives à la conservation de la santé : *hygiène bucco-dentaire.* • *Hygiène mentale,* ensemble des mesures propres à prévenir l'apparition de troubles mentaux.

HYGIÉNIQUE adj. Relatif à l'hygiène : *soins hygiéniques.* • *Papier hygiénique,* papier très mince pour water-closets. ‖ *Serviette hygiénique,* bande absorbante utilisée par les femmes pendant les règles.

HYGIÉNIQUEMENT adv. Conformément aux règles de l'hygiène.

HYGIÉNISTE n. Spécialiste de l'hygiène.

HYGIN *(saint)* → PAPE.

HYGROMA n. m. *Méd.* Inflammation des bourses séreuses.

HYGROMÈTRE n. m. Appareil pour mesurer le degré d'humidité de l'air. (Dans l'hygromètre à cheveux, les cheveux se raccourcissent par la sécheresse, s'allongent par l'humidité, variations qui déplacent une aiguille devant un cadran gradué.)

HYGROMÉTRIE ou **HYGROSCOPIE** n. f. Science qui a pour objet de déterminer l'humidité de l'atmosphère.

HYGROMÉTRIQUE adj. Relatif à l'hygrométrie.

HYGROPHILE adj. Se dit d'un organisme qui recherche l'humidité.

HYGROPHOBE adj. Se dit d'un organisme qui ne peut s'adapter dans les lieux humides.

HYGROPHORE n. m. Champignon basidiomycète à lames épaisses, espacées, à chapeau souvent visqueux.

HYGROSCOPE n. m. Appareil mettant en évidence de façon qualitative les variations de l'état hygrométrique de l'air.

HYGROSCOPIQUE adj. Qui a tendance à absorber l'humidité de l'air.

HYGROSTAT n. m. Appareil maintenant constant l'état hygrométrique de l'air ou d'un gaz.

HYKSOS, nom donné à des envahisseurs asiatiques, qui ont gouverné l'Égypte de 1670 à 1560 av. J.-C. Groupes guerriers venus de Palestine et implantés dans le Delta oriental au XVIIIe s. av. J.-C., ils mettent à profit l'affaiblissement de la puissance pharaonique pour s'emparer du pouvoir; ils forment les XVe et XVIe dynasties. Le mouvement nationaliste venu des princes de Thèbes chassera d'Égypte les Hyksos, qui disparaissent dès lors de la scène politique. C'est durant cette période que les Hébreux* s'établiront en Égypte.

HYMEN [imɛn] n. m. Membrane qui, en général, obstrue partiellement le vagin des vierges.

HYMEN [imɛn] ou **HYMÉNÉE** [imene] n. m. (du n. d'une divinité grecque qui présidait au mariage). *Litt.* Mariage.

HYMÉNIUM [imenjɔm] n. m. Chez les champignons, couche formée par les éléments producteurs de spores.

HYMÉNOMYCÈTE n. m. Champignon basidiomycète dont les spores naissent sur un hyménium exposé à l'air, comme le *bolet* et l'*agaric.* (Les *hyménomycètes* forment une sous-classe.)

J. Six

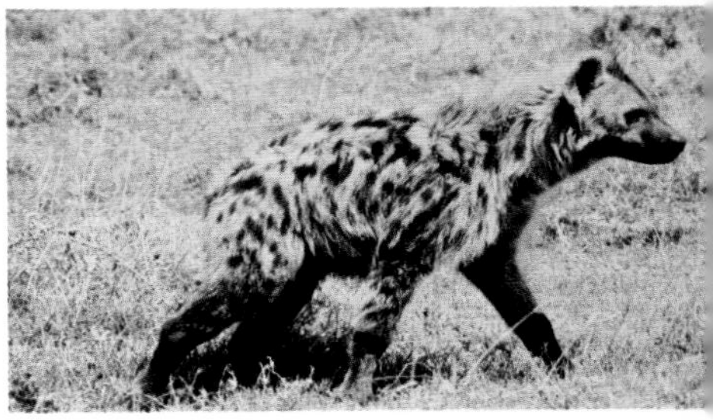

hyène

HYMÉNOPTÈRE adj. et n. m. (gr. *humên,* membrane, et *pteron,* aile). Insecte caractérisé par deux paires d'ailes motrices unies pendant le vol et par l'incapacité de la larve à subvenir seule à ses besoins. (Les *hyménoptères* forment un ordre très vaste, qui compte près de 300 000 espèces et comprend, entre autres, les *abeilles,* les *guêpes* et les *fourmis.*)

HYMETTE *(mont),* montagne de Grèce, près d'Athènes, renommée pour son miel et son marbre.

HYMNE n. m. (gr. *humnos*). Chez les Anciens, chant, poème en l'honneur des dieux et des héros. ‖ Chant national.

HYMNE n. f. Composition poétique religieuse utilisée dans la liturgie chrétienne et souvent mise en musique.

Hymnes à la nuit, recueil de six poèmes de Novalis (1800), inspirés par la mort de Sophie von Kühn. L'appel de l'« invisible » et l'espoir de la réunion dans l'éternité de Dieu se fondent dans un contrepoint musical : illustration

hydroptère Supramar, type RHS 160, pour le transport de passagers

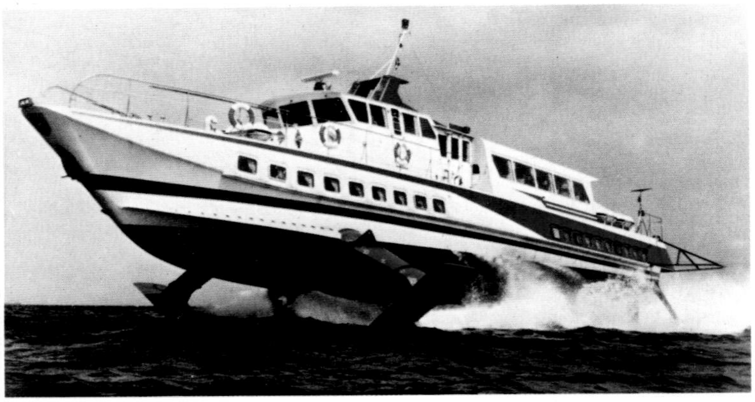

Cantieri Navaltecnica

majeure de la théorie des romantiques allemands (Schlegel, Tieck), qui réclamaient l'union intime de la musique et de la poésie.

HYOÏDE [jɔid] adj. et n. m. (gr. *huoeidês,* qui a l'aspect d'un U). Se dit d'un os en fer à cheval, situé au-dessus du larynx.

HYOÏDIEN, ENNE adj. Relatif à l'os hyoïde.

HYPALLAGE n. f. (gr. *hupallagê*). Procédé par lequel on attribue à certains mots d'une phrase ce qui convient à d'autres. (Ex. : *rendre qqn à la vie* pour *rendre la vie à qqn.*)

HYPERACOUSIE n. f. Sensibilité excessive au bruit.

HYPERAZOTÉMIE n. f. *Méd.* Augmentation pathologique de la quantité de déchets azotés contenus dans le sang. (Signe d'une insuffisance rénale, l'hyperazotémie est mise en évidence par le dosage de l'urée sanguine.)

HYPERBARE adj. Se dit d'une enceinte où la pression est supérieure à la pression atmosphérique.

HYPERBOLE n. f. (gr. *huperbolê,* excès). Procédé qui consiste à exagérer l'expression pour produire une forte impression. (Ex. : *un géant* pour *un homme de haute taille, un pygmée* pour *un petit homme.*) ‖ *Math.* Conique formée des points dont la différence des distances à deux points fixes, ou foyers, est constante.

HYPERBOLIQUE adj. Qui va jusqu'à l'exagération : *expression hyperbolique.* ‖ En forme d'hyperbole : *un miroir hyperbolique.* ‖ *Math.* Relatif à l'hyperbole.

HYPERBOLOÏDE n. m. *Math.* Quadrique à centre, dont les asymptotes forment un cône réel. • *Hyperboloïde de révolution,* surface engendrée par une hyperbole tournant autour d'un de ses axes; solide limité par cette surface.

HYPERCALCÉMIE n. f. Augmentation pathologique du taux de calcium dans le sang.

HYPERCAPNIE n. f. Augmentation pathologique du taux de gaz carbonique dans le sang.

HYPERCHLORHYDRIE n. f. Excès d'acide chlorhydrique dans la sécrétion gastrique.

HYPERCHOLESTÉROLÉMIE n. f. *Méd.* Élévation pathologique du taux du cholestérol sanguin. (C'est un des principaux facteurs de l'artériosclérose.)

HYPERCOMPLEXE adj. *Math.* Se dit de nombres formés avec les *n* nombres réels écrits dans un ordre déterminé.

HYPERCORRECT, E adj. *Ling.* Se dit d'une forme reconstruite dans laquelle on restitue par erreur qqch qu'on croit disparu.

HYPERDULIE n. f. (gr. *huper,* au-delà, et *doulos,* esclave). Culte rendu à la Vierge (par oppos. au culte de DULIE, rendu aux saints).

HYPERÉMOTIVITÉ n. f. *Psychol.* Disposition à réagir de façon excessive aux événements dans le domaine émotionnel.

HYPERESPACE n. m. Espace mathématique fictif à plus de trois dimensions.

HYPERESTHÉSIE n. f. *Psychol.* Sensibilité exagérée.

HYPERFOCAL, E, AUX adj. *Distance hyperfocale,* distance la plus courte à laquelle un objet doit être placé pour qu'un appareil photographique en donne une image nette.

HYPERFOLLICULINIE n. f. Exagération des manifestations physiologiques de la folliculine, due soit à une augmentation du taux sanguin de celle-ci, soit à une diminution du taux sanguin de son antagoniste, la progestérone.

HYPERFONCTIONNEMENT n. m. *Méd.* Fonctionnement exagéré d'un organe.

HYPERFRÉQUENCE n. f. Fréquence très élevée d'un mouvement périodique. ‖ Onde électromagnétique dont la longueur est de l'ordre du centimètre, utilisée notamment dans le radar.

HYPERGENÈSE n. f. Développement anormal d'un élément anatomique.

HYPERGLYCÉMIANT, E adj. Qui provoque l'hyperglycémie.

HYPERGLYCÉMIE n. f. Excès du taux de glucose dans le sang (la normale étant de 1 g par litre).

HYPERGOLIQUE adj. Se dit de l'ensemble du combustible et du comburant d'un moteur-fusée, lorsque la réaction se produit spontanément par simple contact.

HYPÉRICACÉE [iperikase] n. f. Plante dicotylédone dialypétale telle que le *millepertuis.* (Les *hypéricacées* forment une famille.)

HYPÉRIDE, orateur et homme politique athénien (Athènes v. 390 - Cleonai [?] 322 av. J.-C.). Il participe à la résistance contre les Macédoniens avec Démosthène, à qui il s'opposera pour des questions de politique intérieure. Il meurt, victime de la répression macédonienne, après l'issue malheureuse de la guerre lamiaque.

Hyperion *ou l'Ermite de Grèce,* roman en deux parties, de F. Hölderlin (1797-1799) : l'exaltation de l'âme indestructible de la nature, seul refuge de l'homme en quête de la beauté irréalisable et de l'amour impossible.

HYPERKALIÉMIE n. f. Augmentation pathologique du taux de potassium dans le sang.

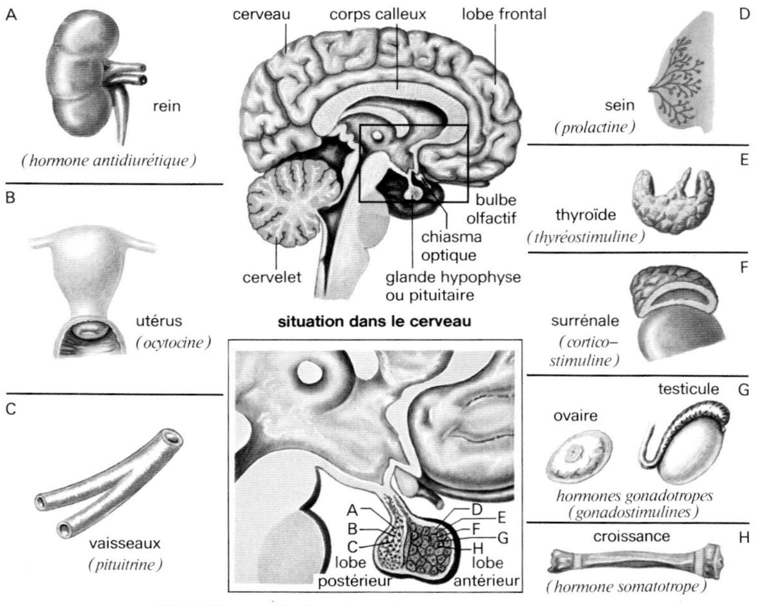
A
rein
(hormone antidiurétique)
B
utérus
(ocytocine)
C
vaisseaux
(pituitrine)
cerveau
corps calleux
lobe frontal
bulbe olfactif
chiasma optique
cervelet
glande hypophyse ou pituitaire
situation dans le cerveau
D
sein
(prolactine)
E
thyroïde
(thyréostimuline)
F
surrénale
(cortico-stimuline)
testicule
G
ovaire
hormones gonadotropes (gonadostimulines)
croissance
H
(hormone somatotrope)
A
B
C
D
E
F
G
H
lobe postérieur
lobe antérieur

l'**hypophyse** et l'action de ses hormones sur les organes

HYPERLIPÉMIE n. f. Élévation pathologique du taux des lipides dans le sang.

HYPERMARCHÉ n. m. Magasin exploité en libre service et présentant une superficie consacrée à la vente supérieure à 2 500 m².

HYPERMÈTRE adj. *Métr. anc.* Qui a un pied de plus que la mesure normale.

HYPERMÉTROPE adj. et n. Atteint d'hypermétropie.

HYPERMÉTROPIE n. f. (gr. *huper,* au-delà, *metron,* mesure, et *ops,* vue). Anomalie de la vision, due habituellement à un défaut de convergence du cristallin, et dans laquelle l'image se forme en arrière de la rétine. (On corrige l'hypermétropie par des verres convergents.)

HYPERMNÉSIE n. f. Exaltation anormale et incoercible de la mémoire.

HYPERNERVEUX, EUSE adj. et n. D'une nervosité excessive.

HYPÉRON n. m. Toute particule subatomique de masse supérieure à celle du proton.

HYPERPLAN n. m. *Math.* Dans un espace vectoriel de dimension *n* rapporté à une origine fixe, ensemble des points dont les *n* coordonnées scalaires vérifient une relation du premier degré.

HYPERPLASIE n. f. Développement excessif d'un tissu par multiplication de ses cellules, avec conservation d'une architecture et d'une capacité fonctionnelle normales.

HYPERRÉALISME n. m. Réalisme quasi photographique, qui tend à donner aux images du monde contemporain une présence hallucinante. (Cette tendance s'est développée aux États-Unis à partir des années 1965-1970.)

HYPERSÉCRÉTION n. f. Sécrétion supérieure à la normale.

HYPERSENSIBILITÉ n. f. Sensibilité extrême.

HYPERSENSIBLE adj. et n. D'une sensibilité extrême.

HYPERSOMNIAQUE adj. Qui souffre d'hypersomnie.

HYPERSOMNIE n. f. *Méd.* Excès de sommeil.

HYPERSONIQUE adj. *Aéron.* Se dit des vitesses correspondant à un nombre de Mach égal ou supérieur à 5 (soit, à 15 °C, environ 6 000 km/h), ainsi que des mouvements effectués à ces vitesses.

HYPERSTATIQUE adj. Se dit d'un corps ou d'un système de corps soumis à des forces dont le calcul ne peut être effectué par les moyens de la statique rationnelle.

HYPERSUSTENTATEUR adj. et n. m. Se dit d'un dispositif assurant l'hypersustentation.

HYPERSUSTENTATION n. f. *Aéron.* Augmentation momentanée de la portance d'une aile à l'aide de dispositifs spéciaux.

HYPERTÉLIE n. f. Résultat nuisible d'une évolution biologique qui dépasse le degré utile.

HYPERTÉLIQUE adj. Qui a dépassé le degré utile, en parlant du développement d'un organe. (Les cornes du *mégacéros* étaient hypertéliques.)

HYPERTENDU, E adj. et n. Dont la tension artérielle est supérieure à la normale.

HYPERTENSEUR adj. m. Qui provoque une hypertension.

HYPERTENSION n. f. Augmentation de la tension des parois d'une cavité, lorsque la pression des liquides qu'elle contient est supérieure à la normale. • *Hypertension artérielle,* élévation au-dessus de la normale de la tension artérielle. ‖ *Hypertension intracrânienne,* élévation de la pression du liquide céphalo-rachidien.

■ L'hypertension peut siéger dans les systèmes artériel ou veineux (veine porte), dans la boîte crânienne ou dans le globe oculaire (glaucome).

• HYPERTENSION ARTÉRIELLE (H. T. A.). On parle d'H. T. A. lorsque la pression artérielle minimale, ou diastolique, prise au repos chez un sujet allongé, dépasse 10 cm de mercure et lorsque la pression artérielle maximale dépasse 16 cm. Il existe deux groupes d'H. T. A.

Les *H. T. A. symptomatiques,* rares, ont une cause parfois curable : sténose congénitale de l'isthme de l'aorte (H. T. A. régressant avec la résection chirurgicale précoce de la sténose), affections endocriniennes (maladie de Cushing, phéochromocytome, etc.), H. T. A. gravidique transitoire non récidivante (toxémie) ou récidivante, néphropathies bilatérales (néphrites aiguës, mal de Bright) ou unilatérales (hydronéphrose, atrophie rénale congénitale, sténose de l'artère rénale, où l'H. T. A. peut régresser après l'ablation du rein malade ou après rétablissement de la circulation artérielle rénale).

L'H. T. A. essentielle ne peut être affirmée qu'après avoir éliminé les causes précitées. Très fréquente, elle atteint surtout l'homme; sa pathogénie est mal connue.

Découverte du fait des troubles qu'elle engendre ou à l'occasion d'un examen systématique, l'H. T. A., lorsqu'elle se révèle, témoigne souvent déjà des complications.

Ces complications peuvent être cardiaques (insuffisance cardiaque gauche ou globale, insuffisance coronarienne), rénales (insuffisance rénale, toujours sévère), cérébrales (céphalées, hémorragie cérébrale ou cérébro-méningée, etc.), oculaires (éblouissements, diminution de l'acuité visuelle) et otologiques (bourdonnements d'oreilles, vertiges).

En dehors d'une action sur sa cause, le traitement de l'H. T. A. repose sur le régime sans sel, sur une stricte hygiène de vie et sur les médicaments hypotenseurs généralement associés aux diurétiques.

HYPERTHERMIE n. f. Syn. de FIÈVRE.

HYPERTHYROÏDIE n. f. Exagération de l'activité de la glande thyroïde, provoquant chez l'homme la maladie de Basedow.

HYPERTONIE n. f. État d'une solution hypertonique. ‖ *Méd.* Augmentation du tonus musculaire.

HYPERTONIQUE adj. Se dit d'une solution dont la pression osmotique est supérieure à celle d'une solution de référence. ◆ adj. et n. *Méd.* Qui est relatif à l'hypertonie musculaire; qui en souffre.

HYPERTROPHIE n. f. Accroissement anormal du tissu d'un organe. ‖ Développement excessif d'un sentiment, d'une activité.

HYPERTROPHIÉ, E adj. Développé anormalement. (Contr. ATROPHIÉ.)

HYPERTROPHIER v. t. Produire l'hypertrophie. ◆ **s'hypertrophier** v. pr. Augmenter de volume par hypertrophie. ‖ Se développer excessivement.

HYPERTROPHIQUE adj. Qui a les caractères de l'hypertrophie; accompagné d'hypertrophie.

HYPERVITAMINOSE n. f. Trouble provoqué par l'absorption excessive d'une vitamine.

HYPHE [if] n. f. (gr. *huphê,* tissu). Filament composé de cellules, qui forme l'appareil végétatif des champignons.

HYPHOLOME [ifɔlɔm] n. m. Champignon à lames, non comestible, poussant en touffes sur les souches. (Famille des agaricacées.)

HYPNAGOGIQUE adj. (gr. *hupnos,* sommeil, et *agein,* conduire). Qui concerne l'endormissement précédant le sommeil véritable.

HYPNE n. f. *Bot.* Mousse très commune.

HYPNOÏDE adj. Se dit d'un état psychique survenant en dehors du sommeil, et dans lequel la pensée fonctionne comme dans le rêve.

HYPNOLOGIE n. f. Branche de la physiologie concernant le sommeil.

HYPNOPOMPIQUE adj. Qui concerne l'état de réveil incomplet qui fait suite au sommeil.

HYPNOSE n. f. (gr. *hupnoûn,* endormir). Baisse du niveau de vigilance provoquée par suggestion et qui est marquée par une dépendance, laquelle peut être utilisée à des fins diverses : analgésie, psychothérapie; la technique provoquant cet état.

HYPNOTIQUE adj. Relatif à l'hypnose : *sommeil hypnotique.* ◆ adj. et n. m. Se dit des médicaments qui provoquent le sommeil.

HYPNOTISER v. t. Soumettre à l'hypnose. ‖ Retenir exclusivement l'attention, obséder : *être hypnotisé par une difficulté.* ◆ **s'hypnotiser** v. pr. Concentrer son attention, ses espoirs sur : *s'hypnotiser sur une idée.*

HYPNOTISEUR n. m. Celui qui hypnotise.

HYPNOTISME n. m. Ensemble des techniques permettant de provoquer un état hypnotique.

HYPOACOUSIE n. f. Diminution de l'acuité auditive.

HYPOCALCÉMIE n. f. Insuffisance du taux de calcium dans le sang.

HYPOCALORIQUE adj. *Méd.* Pauvre en calories.

HYPOCAUSTE n. m. (gr. *hupokauston*). *Archéol.* Système de chauffage à air chaud, installé dans le sol et le sous-sol des thermes romains.

HYPOCENTRE n. m. Région située à une certaine profondeur (en général comprise entre 10 et 100 km, mais allant parfois jusqu'à 700 km), à la verticale de l'épicentre d'un séisme, et d'où partent les ondes sismiques.

HYPOCHLOREUX [ipoklɔrø] adj. m. *Chim.* Se dit de l'anhydride Cl_2O et de l'acide HClO.

HYPOCHLORHYDRIE n. f. Insuffisance de l'acide chlorhydrique dans la sécrétion gastrique.

HYPOCHLORITE n. m. *Chim.* Sel de l'acide hypochloreux. (L'hypochlorite de sodium [NaClO] existe dans l'eau de Javel.)

HYPOCONDRE ou **HYPOCHONDRE** [ipɔkɔ̃dr] n. m. (gr. *hupo,* dessous, et *khondros,* cartilage). Chacune des parties latérales de la région supérieure de l'abdomen.

HYPOCONDRIAQUE ou **HYPOCHONDRIAQUE** adj. et n. Qui souffre d'hypocondrie.

HYPOCONDRIE ou **HYPOCHONDRIE** n. f. Inquiétude pathologique concernant l'état et le fonctionnement des organes.

HYPOCORISTIQUE adj. et n. m. Se dit d'un terme d'affection formé à l'aide de suffixes ou par redoublement. (Ex. : *frérot, fifille.*)

HYPOCRAS [ipɔkras] n. m. (de *Hippocrate*). Boisson tonique, faite avec du vin sucré dans lequel on a fait infuser de la cannelle.

HYPOCRISIE n. f. (gr. *hupokrisis,* mimique). Attitude qui consiste à cacher ses sentiments et à montrer des qualités qu'on n'a pas.

HYPOCRITE adj. et n. Qui a ou manifeste de l'hypocrisie.

HYPOCRITEMENT adv. De façon hypocrite.

HYPOCYCLOÏDAL, E, AUX adj. Qui a la forme d'une hypocycloïde. ‖ Se dit d'un mode d'engrenage dans lequel une roue tourne à l'intérieur d'une roue plus grande.

HYPOCYCLOÏDE n. f. *Math.* Courbe décrite par un point d'un cercle qui roule sans glisser à l'intérieur d'un cercle fixe.

HYPODERME n. m. Partie profonde de la peau, sous le derme, riche en tissu adipeux. ‖ Mouche dont la larve parasite la peau des ruminants.

HYPODERMIQUE adj. Syn. de SOUS-CUTANÉ.

HYPODERMOSE n. f. Affection causée aux animaux, et plus particulièrement aux bovins, par des hypodermes.

HYPOESTHÉSIE n. f. Affaiblissement pathologique de la sensibilité.

HYPOGASTRE n. m. (gr. *hupogastrion*). Partie inférieure de l'abdomen.

HYPOGASTRIQUE adj. De l'hypogastre.

HYPOGÉ, E [ipɔʒe] adj. *Bot.* Qui se développe sous terre.

HYPOGÉE [ipɔʒe] n. m. (gr. *hupo,* dessous, et *gê,* terre). *Archéol.* Caveau des civilisations préhistoriques, protohistoriques et antiques.

HYPOGLOSSE adj. *Anat.* Se dit d'un nerf qui part du bulbe rachidien et innerve les muscles de la langue.

HYPOGLYCÉMIANT, E adj. et n. Qui provoque l'hypoglycémie. (Les hypoglycémiants sont utilisés dans le traitement du diabète.)

HYPOGLYCÉMIE n. f. *Méd.* Insuffisance du taux de glucose dans le sang.

HYPOGYNE adj. *Bot.* Se dit d'une fleur où périanthe et androcée sont insérés au-dessous de l'ovaire. (Contr. ÉPIGYNE.)

HYPOÏDE adj. *Mécan.* Se dit d'un couple d'engrenages coniques à denture spirale, dont les cônes d'origine n'ont pas de sommet commun.

HYPOKALIÉMIE n. f. Insuffisance du taux de potassium dans le sang.

HYPOMANE n. Qui souffre d'hypomanie.

HYPOMANIAQUE adj. Relatif à l'hypomanie.

HYPOMANIE n. f. Excitation psychique, qui rappelle, mais de façon atténuée, l'état maniaque.

HYPONEURIEN, ENNE adj. et n. m. Se dit des animaux dont la chaîne nerveuse est située ventralement, c'est-à-dire de la plupart des invertébrés. (Syn. PROTOSTOMIEN.)

HYPONOMEUTE n. m. Petit papillon dont la chenille est très nuisible, car elle tisse des toiles autour des rameaux des arbres fruitiers et en dévore les feuilles. (On écrit aussi YPONOMEUTE.)

HYPOPHOSPHITE n. m. Sel de l'acide hypophosphoreux.

HYPOPHOSPHOREUX adj. m. Se dit de l'acide le moins oxygéné du phosphore HPO_2H_2.

HYPOPHYSAIRE adj. Relatif à l'hypophyse.

HYPOPHYSE n. f. Glande endocrine située sous l'encéphale et qui produit de nombreuses hormones, en particulier une hormone de croissance, des stimulines qui agissent sur les autres glandes endocrines, une hormone freinant la sécrétion urinaire et une autre faisant contracter les muscles lisses.

■ L'hypophyse comporte deux lobes : l'antéhypophyse et la posthypophyse.

L'*antéhypophyse* (lobe antérieur) sécrète des hormones qui diffèrent par leur type d'action. Les stimulines stimulent la sécrétion d'autres glandes endocrines (thyréostimuline pour la thyroïde, corticostimuline, ou A.C.T.H., pour la sécrétion surrénalienne de corticostéroïdes et d'androgènes, hormones gonadotropes folliculo-stimulante et lutéinisante indispensables au développement et au fonctionnement des gonades. Citons la prolactine, l'hormone mélanotrope, et surtout l'hormone somatotrope indispensable à la croissance.

La *posthypophyse* (lobe postérieur) est un organe de stockage et de libération des hormones sécrétées dans les tissus nerveux de l'hypothalamus (ocytocine et hormone antidiurétique).

Il existe des syndromes d'hypofonctionnement global ou dissocié, d'hyperfonctionnement antéhypophysaire (acromégalie, maladie de Cushing, etc.) et d'hypofonctionnement posthypophysaire (diabète insipide).

Les tumeurs hypophysaires associent des signes de compression des formations de voisinage (céphalées, troubles visuels) et d'hypersécrétion ou d'hyposécrétion hormonales.

HYPOPLASIE n. f. Insuffisance de développement d'un tissu ou d'un organe.

HYPOSÉCRÉTION n. f. Sécrétion inférieure à la normale.

HYPOSODÉ, E adj. *Méd.* Pauvre en sel.

HYPOSPADIAS n. m. *Méd.* Malformation de la verge, dans laquelle l'urètre s'ouvre à la face inférieure de celle-ci et non à son extrémité.

HYPOSTASE n. f. (gr. *hupostasis*, ce qui est posé dessous). *Théol.* et *Philos.* Être existant en soi et par soi; personne.

HYPOSTASIER v. t. *Philos.* Transformer en une substance. ‖ *Péjor.* Changer fictivement qqch en une abstraction ou une entité.

HYPOSTATIQUE adj. *Union hypostatique* (Théol.), union en une seule hypostase des deux natures, divine et humaine, dans le Christ.

HYPOSTYLE adj. Se dit d'une salle dont le plafond est soutenu par des colonnes.

HYPOSULFITE n. m. Sel de l'acide hyposulfureux. (L'hyposulfite de sodium fixe les clichés photographiques.) [Syn. THIOSULFATE.]

HYPOSULFUREUX adj. m. *Acide hyposulfureux* (Chim.), composé de soufre, d'oxygène et d'hydrogène $H_2S_2O_3$. (Syn. THIOSULFURIQUE.)

HYPOTENDU, E adj. et n. Qui a une tension artérielle inférieure à la normale.

HYPOTENSEUR n. m. Médicament qui diminue la tension artérielle.

HYPOTENSIF, IVE adj. Relatif à l'hypotension.

HYPOTENSION n. f. Tension artérielle inférieure à la normale.

HYPOTÉNUSE n. f. (gr. *hupoteinousa pleura*, côté se tendant sous). *Math.* Côté opposé à l'angle droit d'un triangle rectangle. (Le carré de l'hypoténuse est égal à la somme des carrés des deux autres côtés.)

HYPOTHALAMIQUE adj. Relatif à l'hypothalamus.

HYPOTHALAMUS [ipɔtalamys] n. m. Région du diencéphale située à la base du cerveau et où se trouvent de nombreux centres régulateurs des grandes fonctions : faim, soif, activité sexuelle, sommeil-éveil, thermorégulation.

HYPOTHÉCABLE adj. Qui peut être hypothéqué.

HYPOTHÉCAIRE adj. Qui a ou donne droit d'hypothèque : *dette hypothécaire*.

HYPOTHÉCAIREMENT adv. Par hypothèque.

HYPOTHÉNAR adj. inv. et n. m. *Anat.* Se dit d'une éminence, d'une saillie que forment à la partie interne de la paume de la main les trois muscles courts moteurs du petit doigt.

HYPOTHÈQUE n. f. (gr. *hupothêkê*, gage). Droit réel qui garantit le créancier sans déposséder le propriétaire. ‖ Ce qui entrave, ce qui cause préjudice : *une lourde hypothèque pèse sur les négociations*. ● *Prendre une hypothèque sur l'avenir*, disposer d'une chose avant de la posséder.

■ Une hypothèque peut être constituée (en vertu d'une convention, d'un jugement ou de la loi) sur une maison, un terrain, un navire, un aéronef. Les créanciers hypothécaires priment, dans l'ordre de leur *inscription*, tous les autres créanciers; en cas de non-paiement, ils peuvent exiger la vente du bien grevé de l'hypothèque. En cas de vente ou de succession, les nouveaux propriétaires doivent effectuer la *purge* de l'hypothèque.

HYPOTHÉQUER v. t. (conj. **5**). Grever un bien d'une hypothèque pour garantir une créance : *hypothéquer une terre*. ‖ Garantir par une hypothèque : *hypothéquer une créance*. ‖ Engager, lier par qqch qui deviendra une difficulté : *hypothéquer l'avenir*.

HYPOTHERMIE n. f. Abaissement au-dessous de la normale de la température du corps.

HYPOTHÈSE n. f. (gr. *hupothêsis*). Supposition que l'on fait d'une chose possible ou non, et dont on tire une conséquence. ‖ Proposition résultant d'une observation ou d'une induction et devant faire l'objet d'une vérification. ‖ *Épistémol.* Proposition résultant d'une observation ou d'une induction et devant faire l'objet d'une vérification. ‖ *Math.* Ensemble de données à partir duquel on essaie de démontrer par voie logique une proposition nouvelle.

HYPOTHÉTICO-DÉDUCTIF, IVE adj. (pl. *hypothético-déductifs, ives*). Se dit de tout processus de pensée fondé sur une déduction rigoureuse à partir de principes posés. ‖ *Log.* Se dit d'une théorie axiomatique formalisée.

HYPOTHÉTIQUE adj. Fondé sur une hypothèse. ‖ Douteux, incertain.

HYPOTHÉTIQUEMENT adv. Par hypothèse.

HYPOTHYROÏDIE n. f. *Méd.* Insuffisance de fonctionnement de la glande thyroïde, qui provoque le myxœdème, accompagné, chez l'enfant, de nanisme et de déficience intellectuelle.

HYPOTONIE n. f. État d'une solution hypotonique. ‖ Diminution de la tonicité musculaire.

HYPOTONIQUE adj. Se dit d'une solution dont la pression osmotique est inférieure à celle d'une solution de référence. (Les hématies gonflent dans une solution hypotonique.) ◆ adj. et n. Qui est atteint d'hypotonie.

HYPOTROPHIE n. f. Nutrition insuffisante ou amoindrie. ‖ Insuffisance du développement d'un organe ou d'un tissu.

HYPOVITAMINOSE n. f. Carence d'une ou de plusieurs vitamines.

HYPOXIE n. f. Syn. d'ANOXIE.

HYPSOMÈTRE n. m. (gr. *hupsos*, hauteur). Instrument qui permet de déterminer l'altitude d'un lieu par la mesure du point d'ébullition de l'eau.

HYPSOMÉTRIE n. f. Mesure et représentation cartographique du relief terrestre. ‖ Étendue respective des différentes zones d'altitude d'une région.

HYPSOMÉTRIQUE adj. Relatif à l'hypsométrie. ● *Carte hypsométrique*, carte qui représente la répartition des altitudes, en général par des courbes de niveau.

HYRCAN I, II → ASMONÉENS.

HYRY (Antti Kalevi), écrivain finlandais d'expression finnoise (Kuivaniemi 1931). Ses romans et ses nouvelles, qui décrivent minutieusement la réalité quotidienne, rappellent les recherches du nouveau roman français (*Images d'un voyage en train*, 1958; *le Bord du monde*, 1967; *le Pont bouge*, 1975).

HYSOPE n. f. (gr. *hussôpos*). Arbrisseau des régions méditerranéennes et asiatiques, dont l'infusion des fleurs est stimulante. (Famille des labiacées.)

HYSTÉRECTOMIE n. f. (gr. *hustera*, utérus, et *ektomê*, ablation). *Chir.* Ablation de l'utérus.

HYSTÉRÉSIS [isterezis] n. f. Apparition d'un retard dans l'évolution d'un phénomène physique par rapport à un autre dont il dépend. ‖ Propriété des substances ferromagnétiques, pour lesquelles l'induction dépend non seulement du champ magnétisant actuel mais aussi des états magnétiques antérieurs.

HYSTÉRIE n. f. (gr. *hustera*, utérus). Névrose caractérisée par la traduction dans le langage du corps des conflits psychiques (manifestations de conversion) et par un type particulier de personnalité marquée par le théâtralisme, la dépendance et la manipulation de l'entourage. ‖ Vive excitation poussée jusqu'au délire : *l'opinion est frappée d'une hystérie guerrière*.

HYSTÉRIFORME adj. Se dit de symptômes analogues à ceux de l'hystérie.

HYSTÉRIQUE adj. et n. Relatif à l'hystérie; atteint d'hystérie.

HYSTÉROGRAPHIE n. f. Radiographie de l'utérus après injection d'un liquide opaque aux rayons X.

HYSTÉROSALPINGOGRAPHIE n. f. Radiographie de l'utérus et des trompes après injection d'un liquide opaque aux rayons X. (Elle permet le diagnostic des stérilités par oblitération des trompes, et celui des tumeurs de l'utérus.)

Hz, symbole du *hertz*.

I n. m. Neuvième lettre de l'alphabet et la troisième des voyelles. ‖ *Math.* Dans la théorie des nombres complexes, unité dite «imaginaire», dont le carré i^2 est égal à − 1. ‖ Chiffre romain qui vaut un. ‖ Symbole chimique de l'iode. ● *Mettre les points sur les « i »,* s'exprimer de façon claire et minutieuse.

IABLONOVYÏ *(monts),* massif montagneux de la Sibérie méridionale, à l'E. du lac Baïkal; 1 680 m.

IACOPO DELLA QUERCIA, sculpteur italien (Sienne v. 1374-*id.* 1438). Il travaille à Lucques (tombeau d'Ilaria del Carretto, apr. 1405), à Sienne (reliefs et statues de la *Fonte Gaia,* 1409-1419) et à Bologne (bas-reliefs de la Genèse au portail de S. Petronio, à partir de 1425). La torsion des gracieuses figures féminines de Sienne rappelle, derrière l'habillage renaissant, les sources gothiques de son œuvre; le style dépouillé et l'absence d'effets spatiaux des reliefs de S. Petronio, d'inspiration antique, conduisent à une monumentalité très éloignée des recherches florentines contemporaines.

IACOPONE da Todi (Iacopo DEI BENEDETTI, dit), poète italien (Todi, Ombrie, v. 1230 - Collazzone 1306). Ses «laudes» dialoguées forment la première ébauche du théâtre sacré italien.

IAKOUTIE ou **YAKOUTIE,** république autonome de l'U.R.S.S. (R.S.F.S. de Russie), en Sibérie centrale et orientale; 3 103 200 km²; 944 000 hab. Capit. *Iakoutsk* ou *Yakoutsk.* Vaste comme près de six fois la France, couvrant la majeure partie du bassin de la moyenne et de la basse Lena, la République a l'un des climats les plus rigoureux du globe, avec des froids hivernaux intenses (températures moyennes inférieures à 0 °C pendant plus de la moitié de l'année et minimums fréquents de − 30 à − 40 °C). Ainsi s'explique la faiblesse du peuplement (0,2 habitant au kilomètre carré, en moyenne), ponctuel, malgré la richesse du sous-sol (or, charbon, étain, gaz naturel), encore incomplètement prospecté et dont l'exploitation est gênée par l'éloignement des centres de consommation et la difficulté d'établissement des communications.

IAKOUTSK ou **YAKOUTSK,** v. de l'U.R.S.S. (R.S.F.S. de Russie), capit. de la *république autonome de Iakoutie,* sur la rive gauche de la Lena; 170 000 hab. Centrale thermique.

IAMBE [jãb] n. m. (gr. *iambos*). *Métr. anc.* Pied de vers composé d'une brève et d'une longue accentuée. ◆ pl. Pièce de vers satiriques, en alexandrins alternant avec des octosyllabes.

Iambes, poème satirique écrit par A. Chénier (1794) en prison, avant son exécution.

IAMBIQUE adj. Composé d'ïambes.

IAROSLAV Vladimirovitch le Sage (978-Vyssograd 1054), grand-prince de Kiev de 1017 à 1054. Il étendit son autorité jusqu'à la Baltique et donna à la Russie son premier code de justice.

IAROSLAVL, v. de l'U.R.S.S. (R.S.F.S. de Russie), sur la haute Volga, au N.-E. de Moscou; 619 000 hab. Originales églises de la seconde moitié du XVIIᵉ s., entourées de galeries, coiffées de cinq hautes coupoles et de pyramides, avec décor intérieur de fresques. Industries mécaniques et chimiques (raffineries de pétrole).

IAŞI, v. de Roumanie, en Moldavie, près de la frontière soviétique; 298 000 hab. Églises des Trois-Hiérarques et Golia, originales variations sur les types byzantins (XVIIᵉ s.). Musée. Industries textiles, mécaniques et chimiques.

IATROGÈNE adj. Se dit d'une maladie qui est provoquée par un médicament.

IBADAN, v. du sud-ouest du Nigeria, ch.-l. de la Région-Occidentale; 847 000 hab. Université.

IBAGUÉ, v. de Colombie, à l'O. de Bogota; 263 000 hab.

IBÈRE adj. et n. Relatif aux Ibères.

IBÈRES, peuple qui occupait la plus grande partie de la péninsule Ibérique avant la conquête romaine. Peut-être originaires du Sahara, ils s'installèrent dans la péninsule à l'époque néolithique. Leur civilisation, très évoluée et influencée par les Phéniciens de Gadir (Cadix) et par les Grecs d'Emporion (Ampurias), eut son foyer en Andalousie. De là, les Ibères se répandirent dans la vallée de la haute Èbre (VIᵉ s. av. J.-C.), le Languedoc (Vᵉ s.) et la Castille (IIIᵉ s.). Au cœur de la péninsule, ils auraient fusionné avec les Celtes* pour engendrer le peuple des Celtibères.

IBÉRIQUE adj. Relatif à l'Ibérie.

IBÉRIQUE *(péninsule),* partie sud-ouest de l'Europe, partagée entre l'Espagne et le Portugal.

IBÉRIQUES *(monts),* chaîne de montagnes de l'Espagne, séparant la Castille et le bassin de l'Èbre; 2 349 m.

IBÉRIS [iberis] n. m. Plante dont certaines espèces sont cultivées comme ornementales sous le nom de corbeille d'argent. (Famille des crucifères.)

IBERT (Jacques), compositeur français (Paris 1890 - *id.* 1962), directeur de la villa Médicis (1936-1960), auteur d'*Angélique,* opéra bouffe (1926).

IBIDEM adv. (mot lat.). Au même endroit. (Abrév. : *ibid.*)

IBIS [ibis] n. m. (lat. *ibis;* mot gr.). Oiseau de l'ordre des échassiers, à bec long et courbé vers le bas. (L'ibis sacré, que les anciens Égyptiens vénéraient comme une incarnation du dieu Thot, possède un plumage blanc, sauf la tête, le cou et une partie des ailes, qui sont noirs.)

IBIZA, île des Baléares, au S.-O. de Majorque. Ch.-l. *Ibiza* (nécropole carthaginoise, musée). Tourisme.

IBN AL-HAYTHAM ou **ALHAZEN,** physicien et mathématicien arabe (Bassora 965 - Le Caire 1039). Son *Optique,* publiée à Bâle en 1572, contient une description exacte de l'œil et mentionne que la cause de la vision vient de l'objet et non de l'œil; on y trouve les lois de la réflexion et le principe de la chambre noire. C'est à lui que serait due la découverte de la preuve par neuf.

IBN AL-MUQAFFA‘ ('Abd Allāh), écrivain irano-arabe (Djur, auj. Firuzābād, dans le Fārs, 720 - Bassora v. 756), l'un des créateurs, à travers ses adaptations d'œuvres indo-iraniennes (*Livre de Kalīla et Dimna*), de la prose littéraire arabe.

IBN 'ARABĪ, penseur islamique (Murcie 1165-Damas 1240). Tôt initié au soufisme, il voyage beaucoup (Tunis, Le Caire, Jérusalem, La Mecque, Konya, Damas) et laisse une œuvre considérable. Influencé par le néoplatonisme musulman, Djunayd et al-Hallādj, il développe une conception personnelle du voyage de l'homme vers Dieu et en Dieu qui doit conduire à l'union avec Dieu. Son influence sur le soufisme, notamment en Iran et en Anatolie, a été très importante.

IBN BĀDJDJA (Abū Bakr Muhammad ibn Yahyā ibn al-Şā'irh) ou **AVEMPACE de Saragosse,** philosophe arabe (Saragosse fin du XIᵉ s.-Fès 1138). Auteur de commentaires sur les traités d'Aristote, il écrit une *Lettre d'adieux,* sur le but de l'existence et de la connaissance, un *Traité de l'âme* et, surtout, le *Régime du solitaire,* dans lequel il trace l'itinéraire intellectuel qui doit conduire l'homme esprit au plus près de l'Intellect agent (≈ Dieu).

IBN BATTŪTA, voyageur et géographe arabe (Tanger 1304 - au Maroc 1368 ou 1377). De 1325 à 1349, il parcourt le monde arabe et la Perse, visite les comptoirs de l'Afrique orientale, l'Asie Mineure, les territoires de la Horde d'Or, séjourne à Delhi (1333-1342) et atteint la Chine. En 1352-53, il visite les pays du Niger. Le récit de son voyage, d'une exceptionnelle qualité, est achevé en 1356.

IBN GABIROL (Salomon), ou **AVICÉBRON,** philosophe juif espagnol (Málaga v. 1020-Valence 1058). Il a exposé sa doctrine, un panthéisme fondé sur une interprétation d'Aristote, dans la *Source de vie.*

IBN HAZM (Abū Muhammad 'Alī), théologien, historien et poète arabe (Cordoue 994 - près de Badajoz 1064). Il composa un admirable poème *(Collier de la colombe),* dans lequel il s'inspire du *Phèdre* et du *Banquet* de Platon.

IBN KHALDŪN ('Abd al-Rahmān), historien et sociologue arabe (Tunis 1332 - Le Caire 1406).

Véritable condottiere pendant la première partie de sa vie, il est emprisonné en 1375 dans le désert algérien, où il rédige ses *Prolégomènes (al-Muqaddima).* À partir de 1382 il vit au Caire, où il est tour à tour professeur de droit, diplomate et magistrat; il y publie une *Chronique universelle ('Ibar)* et ses *Mémoires* (1395). D'après lui, l'histoire «consiste à méditer, à s'efforcer d'accéder à la vérité, à expliquer avec finesse les causes et les origines des faits, à connaître à fond le pourquoi et le comment des événements ». Il ne s'agit donc pas d'une histoire événementielle, mais d'une science de l'histoire des sociétés humaines qui explique le déterminisme historique. Or ce qui rend certains événements nécessaires et d'autres contingents dans l'évolution des sociétés est la sociabilité : le fait même de la société dont les aspects principaux sont l'économie, la politique et la culture. Ibn Khaldūn est ainsi conduit à jeter les bases de la sociologie comme théorie générale de la société. Sociologie et histoire sont donc fondées d'un même mouvement : celui d'une dialectique à la fois sociale et rationnelle, qui fait de l'interaction des facteurs propres à la société et à l'État le moteur de l'histoire.

IBN MASARRA (Muhammad ibn 'Abd Allāh), philosophe arabe (883 - Sierra de Cordoue 931). Il forme en Espagne une secte sur la base d'une philosophie mystique qui s'inspire d'Empédocle. Il a exercé une influence considérable sur le soufisme* andalou en créant un foyer ésotérique important : l'école d'Almería.

IBN MISKAWAYH (Ahmad ibn Muhammad ibn Ya'qūb), historien et philosophe islamique († Ispahan 1030). Ses ouvrages les plus importants sont la *Réforme des mœurs,* la *Sagesse éternelle* et l'*Expérience des nations.* Le moralisme qu'il y développe tient à la fois de l'*Éthique* à *Nicomaque* et des conceptions évolutionnistes des frères* de la pureté.

IBN SA‘ŪD → 'ABD AL-'AZĪZ III IBN SA'ŪD.

IBN TUFAYL (Abū Bakr Muhammad ibn 'Abd al-Malik) ou **ABUBACER,** philosophe arabe († Marrakech 1186). Il écrit un roman philosophique *Hayy ibn Yaqzān,* dans lequel il montre comment la religion islamique et la philosophie sont les deux aspects d'une seule et même vérité inaccessible au plus grand nombre.

IBN TŪMART (Muhammad) → ALMOHADES.

IBOS, ethnie du sud-est du Nigeria. Elle a fourni les plus gros contingents d'esclaves africains au XVIIIᵉ s. Convertis au christianisme, les Ibos constituèrent un élément très actif du Nigeria* que renforce leur organisation sociale traditionnelle (propriété collective du sol [par village], patrilignage et exogamie). Un mouvement nationaliste ibo, né en 1936, aboutit à des rivalités ethniques et au massacre des Ibos (1966), prélude à la guerre du Biafra*.

IBOS (Pierre) → RIF *(guerre du).*

IBRĀHĪM Iᵉʳ → ARHLABIDES.

IBRAHIM, sultans ottomans → OTTOMANS.

IBRĀHĪM PACHA (Kavála 1789 - Le Caire 1848), général et vice-roi d'Égypte (1848). Il est fils de Méhémet-Ali*. Il bat définitivement les Wahhabites d'Arabie (1816-1819), puis il est envoyé reconquérir la Morée pour le compte des Ottomans (1824-1827); mais la France, la Grande-Bretagne et la Russie défont la flotte turco-égyptienne à Navarin (1827). Par sa campagne victorieuse contre les Ottomans (1831-1833), Ibrāhīm pacha obtient le gouvernement de la Syrie. Il bat de nouveau les Ottomans en 1839, mais l'intervention des puissances européennes l'oblige à quitter la Syrie. Son père lui confie en 1848 le gouvernement de l'Égypte.

IBSEN (Henrik), écrivain norvégien (Skien 1828 - Christiania, auj. Oslo, 1906). Après une adolescence difficile, marquée par une misère sporadique et un intérêt constant pour l'évolution politique des pays scandinaves, il devient régisseur (1851) au Théâtre national de Bergen. Influencé par la lecture des sagas et les théories de Hermann Hettner (le drame historique doit être aussi un drame psychologique pour que l'homme d'aujourd'hui se reconnaisse, et trouve

ibis

Henrik **Ibsen**

ichneumon

une leçon, dans l'histoire), il compose des pièces de tonalité très romantique (*Madame Inger d'Östråt,* 1855; *la Fête à Solhaug,* 1856). Mais la contradiction violente qu'il vit entre son idéal et la réalité quotidienne (difficultés de gestion du Théâtre national de Christiania, dont il a pris la direction en 1857; demi-succès de ses pièces, comme *les Prétendants* en 1864) le pousse à rompre avec son pays : il part pour l'Italie (1864-1868), puis se fixera à Dresde, avant de regagner la Norvège en 1891. Parallèlement, il passe d'une exigence idéaliste (*Brand,* 1866; *Peer Gynt,* 1867) à une évocation des drames de la vie moderne, passage marqué par *Empereur et Galiléen* (1873), annonçant l'ère de l'Idée qui doit unir « l'arbre de la Connaissance et l'arbre de la Croix ». À travers des espaces (la mer) et des situations symboliques (l'ascension de la montagne, le suicide), Ibsen pose désormais un seul et même problème : doit-on préférer la vérité au mensonge qui permet de vivre ? doit-on sacrifier la Vie à l'Idée ? (*Maison* de poupée,* 1879; *les Revenants,* 1881; *le Canard* sauvage,* 1884; *Rosmersholm,* 1886; *la Dame de la mer,* 1888; *Hedda* Gabler,* 1890; *Solness le Constructeur,* 1892; *le Petit Eyolf,* 1894; *Quand nous nous réveillerons d'entre les morts,* 1899). Théâtre d'idées, mais intensément dramatique, l'œuvre d'Ibsen a profondément influencé l'évolution de la scène européenne.

IBYCOS, poète et musicien grec, né à Rhegion au VIe s. av. J.-C., auteur d'hymnes.

ICA, v. du Pérou, au S.-E. de Lima; 109 000 hab.

ICAQUE n. f. Fruit de l'icaquier.

ICAQUIER n. m. Arbrisseau américain de la famille des rosacées, dont le fruit est comestible.

ICARE, fils de Dédale*, dans la mythologie grecque. Il s'évada avec son père du Labyrinthe, où le roi Minos* les avait enfermés, grâce à des ailes de cire et de plumes. Malgré les conseils paternels, il s'éleva trop haut dans le ciel et, la chaleur du soleil ayant fait fondre la cire, il tomba dans la mer.

ICARIE, en grec **Ikariá,** île grecque de la mer Égée.

ICARIEN, ENNE adj. (d'*Icare,* n. pr.). *Colonies icariennes,* colonies communistes fondées aux États-Unis par Étienne Cabet, socialiste utopiste auteur du *Voyage en Icarie* (1842). ‖ *Jeux icariens,* exercice de voltige acrobatique.

ICAZA CORONEL (Jorge), écrivain équatorien (Quito 1906 - *id.* 1978), auteur de romans réalistes sur la vie des travailleurs agricoles de son pays (*la Fosse aux Indiens,* 1934; *Sangs mêlés,* 1937; *l'Homme de Quito,* 1958).

ICBM n. m. (sigle de *Inter Continental Ballistic Missile*). Missile stratégique sol-sol, dont la portée est supérieure à 6 500 km.

ICEBERG [isbɛrg *ou* ajsbɛrg] n. m. (mot angl.; du norvég.). Dans les régions polaires, énorme bloc de glace détaché des glaciers continentaux, flottant sur l'océan, et dont la portion émergée peut atteindre 200 m de haut, les quatre cinquièmes restant immergés.

ICE-CREAM [ajskrim] n. m. (mots angl.) [pl. *ice-creams*]. Crème glacée.

ICHIHARA, v. du Japon (Honshū), sur la baie de Tōkyō; 216 000 hab.

ICHIKAWA, v. du Japon (Honshū), à l'E. de Tōkyō; 364 000 hab.

ICHIM, riv. de l'U. R. S. S., en Sibérie, affl. de l'Irtych (r. g.); 2 450 km.

ICHINOMIYA, v. du Japon (Honshū), au N. de Nagoya; 253 000 hab.

ICHNEUMON [iknømɔ̃] n. m. (gr. *ikhneumôn,* fureteur). Espèce de mangouste de la taille d'un chat, honorée jadis en Égypte parce qu'elle détruisait les reptiles. ‖ Insecte qui pond ses œufs dans les larves d'autres insectes, parfois à travers les écorces d'arbres. (Ordre des hyménoptères.)

ICHTEGEM, comm. de Belgique (Flandre-Occidentale), au S.-E. d'Ostende; 12 400 hab.

ICHTHUS [iktys] n. m. Transcription en caractères romains du monogramme grec du Christ : *Iêsous CHristos THeou Uios Sôtêr* (Jésus-Christ, fils de Dieu, sauveur). [Ces lettres forment le mot grec *ichthus,* « poisson »; de là vient que le *poisson* fut souvent pris comme symbole du Christ.]

ICHTYOCOLLE [iktjɔkɔl] n. f. Colle de poisson fabriquée avec la vessie natatoire de différents poissons cartilagineux, principalement de l'esturgeon.

ICHTYOL [iktjɔl] n. m. (gr. *ikhthus,* poisson). Huile sulfureuse employée dans le traitement de diverses maladies de la peau.

ICHTYOLOGIE [iktjɔlɔʒi] n. f. Partie de la zoologie qui traite des poissons.

ICHTYOLOGIQUE adj. Qui appartient à l'ichtyologie.

ICHTYOLOGISTE n. Spécialiste d'ichtyologie.

ICHTYOPHAGE adj. et n. Qui se nourrit principalement de poisson.

ICHTYORNIS [iktjɔrnis] n. m. (gr. *ikhthus,* poisson, et *ornis,* oiseau). Oiseau fossile du crétacé de l'Amérique du Nord, de la taille d'un pigeon.

ICHTYOSAURE [iktjɔzɔr] n. m. (gr. *ikhthus,* poisson, et *sauros,* lézard). Reptile fossile à aspect de requin, qui vivait au jurassique et atteignait 10 m de long.

ICHTYOSE ou **ICHTHYOSE** [iktjoz] n. f. *Méd.* Maladie de la peau caractérisée par la formation d'écailles et la desquamation de l'épiderme, qui est sec et rugueux.

ICHTYOSTÉGA n. m. Amphibien fossile du dévonien, très voisin des poissons crossoptérygiens et tenu pour l'un des plus anciens vertébrés terrestres.

ICI adv. (lat. *ecce hic,* voici ici). Dans le lieu où l'on se trouve. ‖ Dans ce pays : *les gens d'ici.* ‖ Dans le temps présent : *d'ici à demain.* ● *Ici-bas,* dans ce monde. (Contr. LÀ-HAUT.) ‖ *Par ici,* de ce côté-ci.

Larousse

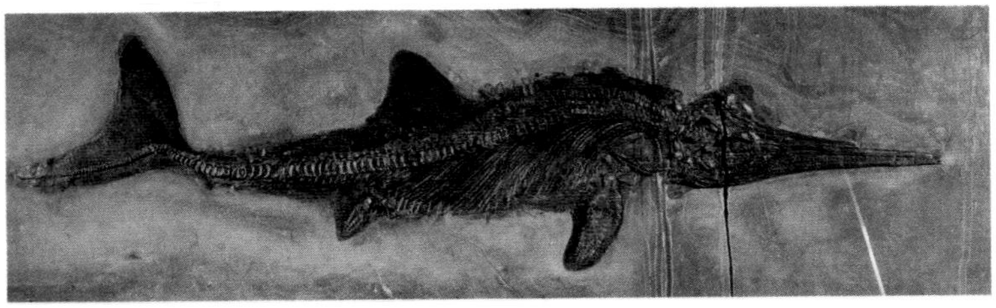

ichtyosaure fossile (Muséum national d'histoire naturelle, Paris)

ICÔNE n. f. (russe *ikona;* gr. *eikonion,* petite image). Image du Christ, de la Vierge et des saints dans les Églises d'Orient de tradition byzantine.

ICONIQUE [ikɔnik] adj. Relatif à l'image.

ICONIUM → KONYA.

ICONOCLASME n. m. Doctrine, rendue officielle dans l'Empire byzantin par les empereurs Léon III l'Isaurien, Constantin V Copronyme et Léon V l'Arménien, qui prohibait comme idolâtres la représentation et la vénération des images du Christ et des saints. (L'orthodoxie fut rétablie en 843 par l'impératrice Théodora.)

ICONOCLASTE n. et adj. (gr. *eikôn,* image, et *klân,* briser). Partisan de l'iconoclasme. ‖ *Fam.* Ennemi de toute tradition.

ICONOGRAPHE n. Spécialiste d'iconographie.

ICONOGRAPHIE n. f. Étude descriptive des différentes représentations figurées d'un même sujet; ensemble classé des images correspondantes. ‖ Étude de la représentation figurée dans une œuvre particulière. ‖ Illustration d'un ouvrage.

ICONOGRAPHIQUE adj. Relatif à l'iconographie.

ICONOLOGIE n. f. Dans la culture et l'art classiques, science et art de se servir des emblèmes, symboles et allégories figuratifs. ‖ Étude de la formation, de la transmission et de la signification profonde des représentations figurées en art.

ICONOLOGIQUE adj. Relatif à l'iconologie.

ICONOSCOPE n. m. Tube de prise de vues équipant les caméras de télévision.

ICONOSTASE n. f. Dans les églises de rite byzantin, cloison percée en général de trois portes, séparant la nef du sanctuaire et ornée d'icônes.

ICOSAÈDRE [ikɔzaɛdr] n. m. (gr. *eikosi,* vingt, et *edra,* face). *Math.* Solide à vingt faces planes. (L'icosaèdre régulier a pour faces vingt triangles équilatéraux égaux.)

ICTÈRE n. m. (gr. *ikteros*). *Méd.* Coloration jaune de la peau, due à la présence dans le sang et dans les tissus, notamment dans la peau, de pigments biliaires. (Syn. fam. : JAUNISSE.)

ICTÉRIQUE adj. et n. Relatif à l'ictère.

ICTINOS, architecte grec → ACROPOLE.

ICTUS [iktys] n. m. (mot lat., *coup*). Affection subite qui frappe le malade comme un coup.

IDAHO, État de l'ouest des États-Unis; 216 412 km²; 943 000 hab. Capit. *Boise.* Montagneux, aride, l'État est faiblement peuplé. L'agriculture associe quelques cultures (pomme de terre, blé) à un élevage extensif. Le sous-sol fournit des minerais de plomb, d'argent et de zinc.

IDE n. m. (lat. *idus;* mot suédois). Poisson d'eau douce de couleur rouge, élevé dans les étangs. (Long. 40 cm; famille des cyprinidés.)

IDÉAL, E, ALS ou **AUX** adj. (bas lat. *idealis*). Qui n'existe que dans la pensée : *monde idéal.* ‖ Qui possède une qualité à un degré parfait : *beauté idéale.*

IDÉAL n. m. (pl. *idéals* ou *idéaux*). Perfection que l'esprit imagine sans pouvoir y atteindre complètement. ‖ Système de valeurs morales et intellectuelles : *réaliser son idéal.* ‖ *Math.* Dans un anneau commutatif (opérations notées additivement et multiplicativement), sous-groupe additif stable pour la multiplication, le produit d'un élément du sous-groupe par un élément quelconque de l'anneau étant contenu dans le sous-groupe. ● *Idéal du Moi* (Psychanal.), v. MOI.

IDÉALEMENT adv. De façon idéale.

IDÉALISATEUR, TRICE adj. Qui idéalise : *schéma idéalisateur.*

IDÉALISATION n. f. Action ou pouvoir d'idéaliser. ‖ *Psychanal.* Processus par lequel l'objet du désir se trouve agrandi dans l'imaginaire et investi par le sujet de qualités qu'il ne possède pas objectivement.

IDÉALISER v. t. Donner un caractère, une perfection idéale à une personne, à une chose : *idéaliser un personnage, un modèle.*

IDÉALISME n. m. Philosophie qui réduit la réalité à l'être et l'être à la pensée : *l'idéalisme hégélien.* ‖ Attitude d'esprit de celui qui aspire à un idéal, souvent utopique.

IDÉALISTE n. et adj. Partisan de l'idéalisme. ‖ Qui poursuit un idéal parfois chimérique.

IDÉALITÉ n. f. Caractère de ce qui est idéal. ● *Idéalité mathématique* (Philos.), statut des objets mathématiques, définis dans le champ de leur utilisation par les règles de leur construction.

Idéalités mathématiques *(les),* œuvre de J.-T. Desanti (1968). Ces « Recherches épistémologiques sur le développement de la théorie des fonctions de variables réelles » s'inscrivent dans la lignée des travaux de Cavaillès* et apportent une contribution importante à l'épistémologie des mathématiques.

IDÉATION n. f. Formation et enchaînement des idées.

IDÉE n. f. (lat. *idea*). Représentation abstraite d'un objet ou d'un rapport : *l'idée du beau, du bien.* ‖ Aperçu élémentaire, approximatif : *Je n'ai aucune idée de l'heure.* ‖ Inspiration, conception littéraire ou artistique : *auteur qui manque d'idées; une idée de génie.* ‖ Manière de voir les choses, opinion, appréciation : *avoir une haute idée de qqn; idées politiques.* ‖ Pensée, esprit : *j'ai dans l'idée qu'il ne viendra pas.* ‖ *Philos.* Forme des êtres et des phénomènes qui contient leur intelligibilité. ● *Avoir idée, une idée, l'idée de,* imaginer, penser à qqch, concevoir le projet de. ‖ *Idée fixe,* pensée dominante, dont on est obsédé. ◆ pl. Visions chimériques : *se faire des idées.*

IDÉE-FORCE n. f. (pl. *idées-forces*). Idée principale, pivot d'un raisonnement et germe d'action.

IDEM [idɛm] adv. (mot lat.). Le même. (S'emploie pour éviter des répétitions et s'abrège ainsi : *id.*)

IDEMPOTENT, E adj. Se dit d'une matrice carrée égale à toutes ses puissances.

IDENTIFIABLE adj. Qui peut être identifié.

IDENTIFICATION n. f. Action d'identifier, de s'identifier : *l'identification d'un accusé; l'identification de la pensée et de l'être.* ‖ *Psychanal.* Processus psychique par lequel le sujet s'assimile soit à une autre personne, soit à un objet d'amour.

IDENTIFIER v. t. Rendre ou déclarer identique : *identifier deux genres.* ‖ Établir l'identité de qqn : *l'anthropométrie permet d'identifier les criminels; identifier un tableau.* ‖ Déterminer la nature d'une chose : *identifier des plantes.* ◆ **s'identifier** v. pr. [**à, avec**]. Se pénétrer des sentiments d'un autre : *un romancier s'identifie à ses personnages.*

IDENTIQUE adj. (lat. *idem,* le même). Qui ne diffère en rien d'un autre, qui présente avec qqn, avec qqch, une parfaite ressemblance : *deux vases identiques; mon opinion est identique à la vôtre.*

IDENTIQUEMENT adv. De façon identique.

IDENTITÉ n. f. (bas lat. *identitas;* de *idem,* le même). Ce qui fait qu'une chose est de même nature qu'une autre : *identité de vues, de goûts.* ‖ Ensemble des circonstances qui font qu'une personne est bien telle personne déterminée : *vérifier l'identité de qqn.* ‖ *Math.* Égalité (qui se note $\equiv$) dont les deux membres prennent des valeurs numériques égales pour tout système de valeurs attribuées aux lettres. (L'*identité* diffère de l'*équation,* qui n'est vérifiée que pour certaines valeurs attribuées aux lettres.) ● *Carte d'identité,* pièce officielle, comportant photographie et indications d'état civil. ‖ *Identité judiciaire,* service ayant pour objet de classer le signalement anthropométrique des personnes mises en état d'arrestation. ‖ *Plaque d'identité,* plaque métallique portée en opérations par les militaires. ‖ *Principe d'identité,* principe fondamental de la logique traditionnelle, selon lequel toute chose est identique à elle-même (« A est A »).

IDÉOGRAMME n. m. (gr. *idea,* idée, et *gramma,* signe). *Ling.* Signe graphique qui représente le sens du mot et non les sons.

IDÉOGRAPHIE n. f. Représentation directe du sens des mots par des signes graphiques.

IDÉOGRAPHIQUE adj. Qui concerne l'idéographie : *écriture idéographique.*

IDÉOLOGIE n. f. (gr. *idea,* idée, et *logos,* science). Science des idées. ‖ Ensemble d'idées, d'opinions constituant une doctrine. ‖ *Péjor.* Doctrine qui prône un idéal irréalisable. ‖ *Philos.* Ensemble des représentations cohérentes dans lesquelles une classe sociale se reconnaît et dont elle se sert dans sa lutte contre une autre classe pour imposer sa domination. (On parle d'*idéologie bourgeoise, idéologie ouvrière,* etc.)

Idéologie allemande *(l'),* œuvre de Marx et d'Engels, écrite en 1845-46, dans laquelle les auteurs règlent leurs comptes avec leur « conscience philosophique d'autrefois » en critiquant

Lauros-Giraudon

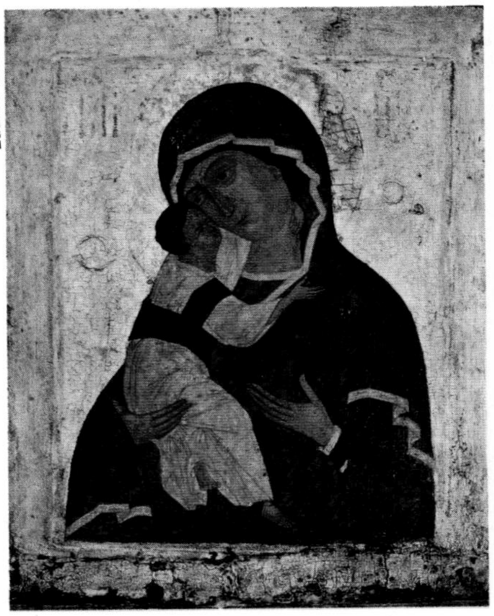

icône : *Vierge de Tendresse de Vladimir,* école de Moscou, XVe s. (Musée des icônes de Recklinghausen.)

la gauche hégélienne et en posant les premiers jalons de ce qui deviendra le matérialisme* historique.

Idéologie et utopie (1929), œuvre de Karl Mannheim, qui pose les fondements de la sociologie de la connaissance. L'auteur développe l'idée que les idéologies n'ont d'autres fonctions que de préserver les intérêts du groupe dominant. En ce sens, elles légitiment le conservatisme. Quant aux utopies, elles constituent la réponse des groupes opprimés.

IDÉOLOGIQUE adj. Relatif à l'idéologie.

IDÉOLOGISATION n. f. *Sociol.* Processus à la faveur duquel un groupe social se reconnaît dans un ensemble plus ou moins cohérent de représentation relative à son rôle ou à son statut historique.

IDÉOLOGUE n. Personne qui s'attache de manière systématique à une doctrine philosophique ou sociale. ‖ Rêveur qui poursuit un idéal irréalisable. ◆ pl. Nom donné à un groupe de philosophes (Destutt de Tracy, Cabanis) qui, à la fin du XVIIIe s. et au début du XIXe, continuent la tradition du sensualisme de Condillac.

IDÉOMOTEUR, TRICE adj. Se dit d'un processus par lequel toutes nos représentations se prolongent en mouvements plus ou moins achevés.

IDES [id] n. f. pl. (mot lat.). Quinzième jour du mois de mars, de mai, de juillet et d'octobre, et treizième jour des autres mois, dans le calendrier romain.

IDHRA → HYDRA.

IDI-AMIN-DADA *(lac),* nom donné de 1973 à 1979 au lac Édouard*.

IDIOLECTE n. m. Ensemble des habitudes verbales d'un individu.

IDIOMATIQUE adj. Relatif aux idiomes : *expression idiomatique.*

IDIOME [idjom] n. m. (gr. *idiôma*). Langue propre à une communauté linguistique étendue (nation, peuple, région).
IDIOPATHIE [idjɔpati] n. f. (gr. *idios,* particulier, et *pathos,* maladie). Maladie qui a son existence propre et n'est point la conséquence d'une autre.
IDIOPATHIQUE adj. Relatif à l'idiopathie.
IDIOSYNCRASIE n. f. (gr. *idios,* particulier, et *sugkrasis,* mélange). Réaction individuelle propre à chaque homme.
IDIOT, E adj. et n. (gr. *idiôtês,* ignorant). Stupide, dépourvu d'intelligence, de bon sens. ‖ *Méd.* Atteint d'idiotie.
Idiot *(l'),* roman de Dostoïevski (1868). Le prince Mychkine, descendant dégénéré d'une noble famille, échoue dans l'application de son idéal de bonté et de sacrifice à l'égard de Nastasia Philippovna, jeune demi-mondaine qu'il veut tirer de la médiocrité morale où elle est contrainte de vivre.
Idiot de la famille *(l'), Gustave Flaubert 1821-1857,* ouvrage de J.-P. Sartre, en trois volumes (1971-72) : l'étude clinique, biographique et esthétique de l'auteur de *Madame Bovary* comme prétexte à une autoanalyse intellectuelle, qui prolonge l'autobiographie amorcée avec *les Mots.*
IDIOTEMENT adv. De façon idiote.
IDIOTIE [idjɔsi] n. f. Absence totale d'intelligence. ‖ *Fam.* Acte, parole qui dénote un esprit borné; action inconsidérée : *faire, dire des idioties.* ‖ *Méd.* Déficit intellectuel sévère d'origine organique ou psychique, défini par un quotient intellectuel ne dépassant pas 20 et entraînant l'incapacité d'acquisition du langage. (C'est le degré le plus grave de l'arriération.)
IDIOTISME n. m. (gr. *idios,* particulier). Expression ou construction particulière à une langue. (Les idiotismes du français sont des gallicismes.)
IDJIL *(Kedia d'),* massif de Mauritanie. Minerai de fer.
IDLEWILD, quartier du sud-est de New York, dans Queens. Aéroport international J. F. Kennedy.
IDOINE [idwan] adj. (lat. *idoneus*). *Litt.* Convenable, propre à qqch : *trouver une solution idoine.*
IDOLÂTRE adj. et n. (gr. *eidôlolatrês*). Qui adore les idoles. ‖ Qui aime avec excès, qui voue une sorte de culte à qqn ou qqch.
IDOLÂTRER v. t. Aimer avec passion.
IDOLÂTRIE n. f. Adoration des idoles. ‖ Amour excessif.
IDOLÂTRIQUE adj. Relatif à l'idolâtrie.
IDOLE n. f. (gr. *eidôlon,* image). Image ou représentation d'une divinité et qui est l'objet d'un culte d'adoration. ‖ Personne qui est l'objet d'un culte passionné, et en particulier vedette de la chanson ou de music-hall.
IDOMÉNÉE, roi légendaire de Crète, petit-fils de Minos*, un des héros de la guerre de Troie : un vœu imprudent l'amena à sacrifier son propre fils.
Idoménée, roi de Crète, opéra en trois actes, livret de Varesco, musique de W. A. Mozart (1781). Inspiré d'une tragédie lyrique française de Danchet et Campra, l'ouvrage fait appel à un récitatif dramatique et à de très beaux chœurs.
IDRIS Ier, II → IDRISIDES.
IDRIS Ier (Djaraboub 1890 - Le Caire 1983), roi de Libye de 1951 à 1969. Muḥammad Idrīs al-Mahdī al-Sanūsī, chef de la confrérie des Senoussis* en 1917, se réfugie en Égypte (1923) lors de l'occupation de la Cyrénaïque par les Italiens. Les Anglais le rétablissent émir de Cyrénaïque en 1947. Roi de la Fédération libyenne à partir de 1951, il coopère avec les puissances occidentales. Il est renversé par Kadhafi* en 1969.
IDRISI (al-) ou **EL-EDRISI,** géographe arabe (Ceuta v. 1099 - en Sicile entre 1165 et 1186). Il réalisa une représentation circulaire de la Terre, qui servit de base cartographique pendant des siècles.
IDRISIDES, dynastie ʿalide* du Maroc (789-985). IDRIS Ier († 791) échappe au massacre de sa famille par les ʿAbbāssides en 786 et gagne le Maghreb. Il s'installe à Walīla (Volubilis) et est reconnu, en 789, imām par plusieurs tribus berbères de la région. Ces dernières prêtent serment à son fils, Idrīs II, né quelques mois après la mort de son père. — IDRIS II († 828) s'installe à Fès* en 808-09, où s'établissent des Arabes venus de Kairouan et d'Andalousie. Le partage du royaume entre ses fils entraîne la décadence de la dynastie. Les principautés idrīsides subsistent jusqu'à la soumission de Fès aux Fāṭimides* (917). Les derniers Idrīsides, refoulés dans les montagnes du Nord-Ouest, exercent le pouvoir jusqu'en 985, tantôt au nom des Fāṭimides, tantôt au nom des Omeyyades d'Espagne.
I. D. S., abrév. de INITIATIVE* de DÉFENSE STRATÉGIQUE.
IDUMÉE → ÉDOMITES.
IDYLLE n. f. (it. *idillio;* mot gr.). Amour tendre et naïf. ‖ Relation quelconque dans un climat de

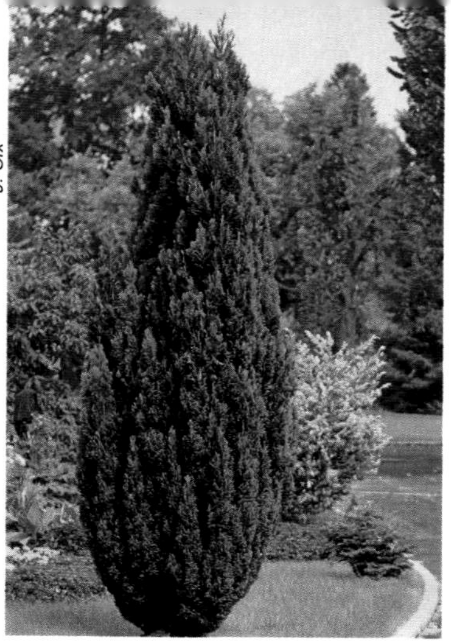
J. Six
◁ if

bonne entente. ‖ *Littér.* Petit poème à sujet pastoral, et généralement amoureux.
Idylles *(les),* poèmes de Théocrite (IIIe s. av. J.-C.), qui comprennent des chansons amoureuses, des mimes dialogués, des poèmes rustiques.
Idylles du roi *(les),* de Tennyson (1859-1885), suite de dix poèmes inspirés par les légendes médiévales de la Table ronde.
IDYLLIQUE adj. Merveilleux, idéal et naïf : *description idyllique.*
IELETS, v. de l'U. R. S. S. (R. S. F. S. de Russie), au S. de Moscou; 113 000 hab.
IELGAVA ou **JELGAVA,** v. de l'U. R. S. S. (Lettonie), au S.-O. de Riga; 69 000 hab. Construction automobile.
IÉNA, en all. **Jena,** v. du sud de l'Allemagne démocratique, sur la Saale; 103 000 hab. Église Saint-Michel, surtout du XVe s. Instruments de précision et d'optique. — Victoire de Napoléon sur les Prussiens le 14 octobre 1806. (V. COALITION [*quatrième*].)
IENISSEI, fl. de l'U. R. S. S.; 3 354 km. Il traverse la Sibérie du S. au N., de la Mongolie à l'océan Arctique (mer de Kara), en séparant la plaine de la Sibérie occidentale des plateaux de la Sibérie centrale. Ses principaux affluents, tous de la rive droite, sont l'Angara (ou Toungouska supérieure), la Toungouska moyenne et la Toungouska inférieure. L'Ienisseï, gelé l'hiver, a vu son régime (avec de désastreuses inondations de printemps) partiellement régularisé par la construction de gigantesques aménagements hydroélectriques (dont celui de Krasnoïarsk, principale ville traversée).
IERMAK Timofeïevitch († 1585), ataman cosaque. Au service des Stroganov (industriels de l'Oural), il bat le khān de Sibérie (1582). Il reçoit alors des renforts du tsar et conquiert la Sibérie occidentale.
IESSENINE → ESSENINE.
IEVPATORIA, anc. **Eupatoria,** port de l'U. R. S. S. (Ukraine), sur la côte ouest de la Crimée; 79 000 hab.
IEVTOUCHENKO → EVTOUCHENKO.
IEYASU (1542-1616), fondateur de la dynastie shōgunale des Tokugawa*. En 1600, à Sekigahara, il triomphe des armées de Hideyoshi et se proclame shōgun héréditaire. En démantelant la puissance des daimyō et en fermant le Japon à toute influence étrangère, il définit la politique qui sera celle de son pays jusqu'en 1867.
IF n. m. (mot gaul.). Arbre gymnosperme à feuillage persistant et à baies rouges, souvent cultivé, mais poussant spontanément dans les montagnes calcaires. (Il peut atteindre 15 m de haut et vivre plusieurs siècles.) ‖ Instrument servant à égoutter les bouteilles.
IF, îlot calcaire de la Méditerranée, en face de Marseille.
IFE, v. du sud-ouest du Nigeria; 176 000 hab. Université. — Ancienne capitale spirituelle des Yoroubas, Ife demeure de nos jours une ville sainte. Elle a été le foyer d'une civilisation ancienne — attestée par la découverte, en 1938, de plusieurs têtes de laiton, grandeur nature et fondues à cire perdue —, dont l'épanouissement se situe vers le XIIIe s. Sérénité, naturalisme idéalisé et minutie du détail (figuration des scarifications) sont les caractères majeurs de ces têtes, probables portraits de chefs, qui révèlent aussi une extraordinaire maîtrise technique transmise aux fondeurs du royaume du Bénin*. Les sanctuaires d'Ife et de la région ont également livré des têtes en terre cuite, des sièges et des autels sculptés en pierre et de nombreux tessons de céramique.
IFNI, ancien territoire espagnol d'Afrique, rétrocédé au Maroc en 1969. Les Espagnols, dont les droits sur la région avaient été reconnus en 1860, l'occupent effectivement en 1934. En 1958, Ifni est constitué en province espagnole, séparée du Sahara* occidental.

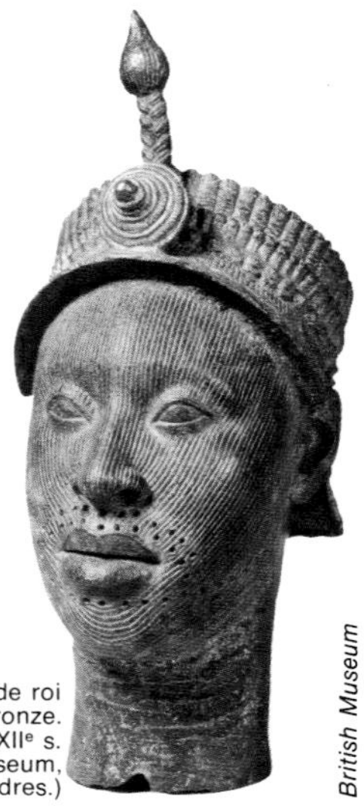
Ife : tête de roi en bronze. Xe-XIIe s. (British Museum, Londres.)
British Museum

IFRIQIYA, nom donné par les Arabes à l'est de l'Afrique du Nord (Tunisie et est du Constantinois). L'Ifriqiya eut pour capitale Kairouan*, éclipsée à l'époque fāṭimide par Mahdia, puis par Tunis* (à partir de 1159). Elle faisait figure de foyer de culture arabe, puis arabo-andalouse, face au Maghreb berbère.
IGARKA, port de l'U. R. S. S. (R. S. F. S. de Russie) sur l'Ienisseï, dans l'Arctique; 20 000 hab.
IGHIL IZANE → RELIZANE.
IGLOO [iglu] n. m. (mot esquimau). Habitation en forme de coupole que les Esquimaux construisaient avec des blocs de neige compacte.
IGLS, station de sports d'hiver (alt. 900-2 247 m) d'Autriche, dans le Tyrol, près d'Innsbruck; 1 300 hab.
IGNACE d'Antioche *(saint),* auteur chrétien, mort martyr, à Rome, v. 107, sous Trajan. On a de cet évêque d'Antioche sept lettres dans lesquelles il combat le docétisme* et pose le principe d'un évêque unique à la tête de chaque communauté importante.
IGNACE DE LOYOLA *(saint),* fondateur de la Compagnie de Jésus* (Azpeitia 1491? - Rome 1556). Gentilhomme basque au service de la Navarre, il se convertit. À Paris, où il poursuit ses études, il jette les bases, en 1534, avec sept compagnons, de la Compagnie de Jésus, qui est constituée juridiquement en 1540 et dont Ignace est le premier préposé général. Quand il meurt, la Compagnie a pris déjà une extension considérable. L'œuvre écrite d'Ignace comporte surtout les *Exercices spirituels,* qui ont servi de guide à d'innombrables retraitants. Béatifié en 1609, Ignace fut canonisé en 1621.
IGNAME [iɲam] n. f. (mot esp.). Plante grimpante des régions chaudes, au gros rhizome comestible *(Dioscorea batatas).*

igname
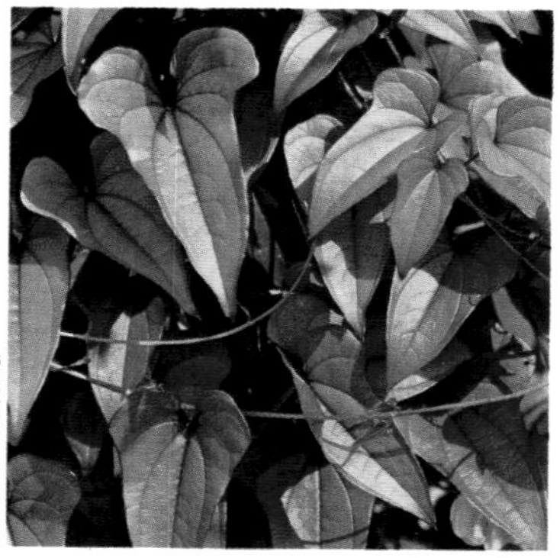
C. Nardin-Jacana

IGNARE [iɲar] adj. et n. (lat. *ignarus*). Ignorant, sans instruction.
IGNÉ, E [igne *ou* iɲe] adj. (lat. *igneus;* de *ignis,* feu). Qui a les qualités du feu : *matière ignée.*
IGNIFUGATION n. f. Action d'ignifuger, fait d'être ignifugé.
IGNIFUGE adj. et n. m. Propre à rendre ininflammables les objets combustibles.
IGNIFUGER [ignifyʒe *ou* iɲifyʒe] v. t. (conj. **1**). Rendre ininflammable : *les décors de théâtre doivent être ignifugés.*
IGNIPUNCTURE [ignipɔ̃ktyr] n. f. Cautérisation par une aiguille rougie à blanc.
IGNITION n. f. (lat. *ignis,* feu). État des corps en combustion.

IGNITRON n. m. *Électr.* Tube redresseur à gaz, dont la cathode est formée de mercure, et dans lequel l'amorçage est renouvelé, au début de l'une des alternances, grâce à une électrode spéciale. (Les ignitrons sont utilisés pour la soudure, la commande des laminoirs et la traction ferroviaire.)
IGNOBLE [iɲɔbl] adj. (lat. *ignobilis,* non noble). Qui est d'une bassesse écœurante; abject, sordide : *conduite ignoble.*
IGNOBLEMENT adv. De façon ignoble.
IGNOMINIE [iɲɔmini] n. f. (lat. *ignominia*). *Litt.* État de celui qui a perdu tout honneur pour avoir commis une action infamante; cette action : *la torture est une ignominie.*
IGNOMINIEUSEMENT adv. *Litt.* Avec ignominie.
IGNOMINIEUX, EUSE adj. *Litt.* Qui cause de l'ignominie; infamant.
IGNORANCE n. f. Défaut général de connaissances; manque de savoir. ‖ Défaut de connaissance d'un objet déterminé : *l'ignorance des mathématiques.*
IGNORANT, E adj. et n. Qui manque de connaissances, de savoir. ‖ Qui n'est pas instruit de certaines choses : *ignorant d'une nouvelle.*
IGNORANTIN adj. et n. m. Nom que l'on donnait par dérision aux frères des Écoles chrétiennes.
IGNORÉ, E adj. Inconnu, méconnu.
IGNORER v. t. (lat. *ignorare*). Ne pas savoir, ne pas connaître : *nul n'est censé ignorer la loi.* ‖ Ne pas connaître par expérience; ne pas pratiquer : *ignorer les difficultés de la vie.* ‖ Manifester à l'égard de qqn une indifférence complète.
IGNY (91430), comm. de l'Essonne, à 3 km au N.-O. de Palaiseau, sur la Bièvre; 9 682 hab. École d'horticulture.
IGUAÇU, en esp. **Iguazú,** riv. de l'Amérique du Sud, affl. du Paraná (r. g.), séparant dans sa partie aval le Brésil et l'Argentine; 1 320 km. Grandes chutes.
IGUANE [igwan] n. m. (esp. *iguana,* mot des Caraïbes). Reptile saurien de l'Amérique tropi-

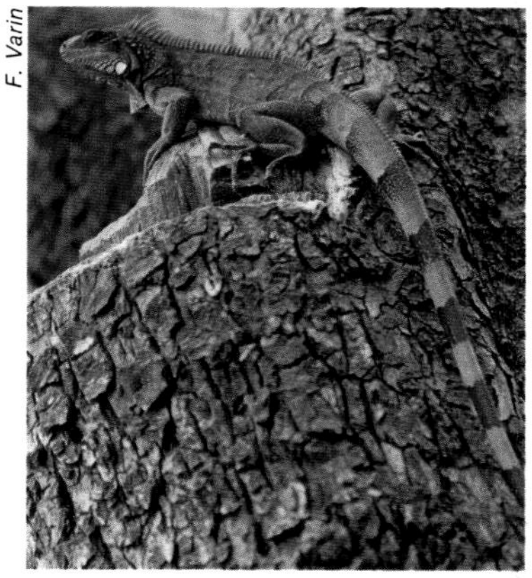
F. Varin
iguane

cale, atteignant 1,50 m de long, portant une crête dorsale d'écailles pointues, herbivore. (Sa chair est estimée.)
IGUANODON [igwanɔdɔ̃] n. m. Reptile dinosaurien de l'époque crétacée, long de 10 m, à démarche bipède.
IGUE [ig] n. f. *Dialect.* Aven.
IHOLDY (64640), ch.-l. de cant. des Pyrénées-Atlantiques, à 20,5 km au N. de Saint-Jean-Pied-de-Port; 505 hab.
I. H. S., monogramme grec de *Jésus,* que l'Église latine a interprété : *Iesus, Hominum Salvator* (Jésus, sauveur des hommes).
IJEVSK, v. de l'U. R. S. S. (R. S. F. S. de Russie), capit. de la république autonome des Oudmourtes, à l'O. de l'Oural; 594 000 hab. Construction automobile.
IJMUIDEN, port des Pays-Bas (Hollande-Septentrionale), sur la mer du Nord, partie de la comm. de Velsen*. Avant-port d'Amsterdam. Pêche. Sidérurgie.
IJSSEL ou **YSSEL,** bras nord du delta du Rhin (Pays-Bas), qui rejoint l'IJsselmeer.
IJSSELMEER, parfois **LAC D'IJSSEL,** partie du Zuiderzee qui n'a pas été asséchée.
IKEBANA n. m. (mot jap.). Art floral japonais dont les règles essentielles, codifiées depuis le VIIe s., obéissent à une symbolique précise.
IKEDA HAYATO, homme politique japonais (Hiroshima 1899 - Tōkyō 1965). Libéral-démocrate, il a été Premier ministre de 1960 à 1964.
IKE NO TAIGA, peintre japonais (1723-1776). Libérée de certaines règles, la peinture chinoise du Sud, de l'époque des Yuan et des Ming, a

été l'une de ses sources d'inspiration (dite «bunjin-ga» au Japon). Il conserve, cependant, toute sa personnalité et réalise de nombreux paysages des plus beaux sites du Japon, empreints de lyrisme et de poésie. La connaissance de la peinture occidentale l'amène à créer des effets de lumière et à accentuer la profondeur de ses paysages, auxquels sont souvent associées de belles et expressives calligraphies.

IL, pron. pers. masc. de la 3ᵉ pers. du sing.

ILA, v. du Nigeria, près d'Oshogbo; 155 000 hab.

ILANG-ILANG [ilɑ̃ilɑ̃] n. m. (pl. *ilangs-ilangs*). Arbre cultivé en Indonésie et à Madagascar pour ses fleurs, utilisées en parfumerie. (Famille des anonacées.) [On écrit aussi YLANG-YLANG.]

ÎLE n. f. (lat. *insula*). Étendue de terre entourée d'eau de tous côtés. ● *Île flottante,* entremets constitué d'une meringue cuite au four servie sur une crème.

ILÉAL, E, AUX adj. Relatif à l'iléon.

Île au trésor *(l'),* roman de R. L. Stevenson (1883). Honnêtes bourgeois et forbans endurcis rivalisent dans la conquête d'une carte, qui conduit à l'or enfoui d'un pirate, puis dans la possession du trésor : à travers les yeux d'un enfant, héros du récit, la mise en perspective des désirs et des déceptions adultes.

ÎLE-AUX-MOINES (L') [56780], comm. du Morbihan, formée par la principale île du golfe du Morbihan; 590 hab.

ÎLE-BOUCHARD (L') [37220], ch.-l. de cant. d'Indre-et-Loire, sur la Vienne, à 16 km à l'E. de Chinon; 1 796 hab. Églises médiévales.

ÎLE-DE-FRANCE, anc. prov. de France, au N.-E. de Paris, délimitée au S. par la vallée de la Marne, au S.-O. par la Seine, entre le confluent de la Marne et celui de l'Oise, qui limite l'Île-de-France à l'O. La vallée de l'Aisne constitue la bordure nord de l'Île-de-France, qui se termine à l'E. par la *côte de l'Île-de-France,* dominant la Champagne.

En 1976, le nom d'*Île-de-France* a été donné à l'ancienne Région parisienne, Région administrative regroupant les départements suivants : Essonne, Hauts-de-Seine, Paris, Seine-et-Marne, Seine-Saint-Denis, Val-de-Marne, Val-d'Oise et Yvelines; 12 012 km²; 10 073 059 hab. *(Franciliens).* La Région regroupe ainsi, sur moins de 2,5 p. 100 du territoire national, près du cinquième de la population française, la quasi-totalité se concentrant à Paris* et dans sa banlieue. (V. ill. à l'art. PARIS.)

ILÉITE n. f. Inflammation de l'iléon.

ILÉO-CÆCAL, E, AUX [ileosekal] adj. Relatif à la fois à l'iléon et au cæcum.

ILÉON n. m. (gr. *eilein,* enrouler). Troisième partie de l'intestin grêle, entre le jéjunum et le gros intestin.

ÎLE-ROUSSE (L') [20220], ch.-l. de cant. de la Haute-Corse, sur la côte nord-ouest de l'île; 2 632 hab. *(Isolani).* Tourisme.

ÎLE-SAINT-DENIS (L') [93450], comm. de Seine-Saint-Denis, à 5 km au N. de Paris; 7 435 hab.

ILESHA, v. du sud-ouest du Nigeria; 224 000 hab.

ÎLE-TUDY (29157), comm. du sud du Finistère; 552 hab. Station balnéaire.

ILÉUS [ileys] n. m. *Méd.* Obstruction de l'intestin. (Syn. OCCLUSION INTESTINALE.)

Il faut qu'une porte soit ouverte ou fermée, «proverbe» dramatique de Musset (1845).

ILI, riv. de l'Asie centrale (Chine [Sin-kiang] et U.R.S.S. [Kazakhstan]), tributaire du lac Balkhach; 1 439 km.

Iliade *(l'),* poème épique en vingt-quatre chants, attribué à Homère. C'est le récit d'un épisode de la guerre de Troie : Achille, qui s'était retiré sous sa tente après une querelle avec Agamemnon, revient au combat pour venger son ami Patrocle, tué par Hector. Après avoir vaincu Hector, Achille traîne son cadavre autour du tombeau de Patrocle puis le rend à Priam, venu réclamer le corps de son fils. Poème guerrier, *l'Iliade* contient aussi des scènes grandioses (funérailles de Patrocle) et émouvantes (adieux d'Hector et d'Andromaque).

ILIAQUE adj. (lat. *ilia,* flancs). Relatif aux flancs. ● *Fosse iliaque,* l'une des deux régions latérales et inférieures de la cavité abdominale. ‖ *Os iliaque,* l'un des deux os formant la ceinture pelvienne, résultant de la soudure de l'ilion, de l'ischion et du pubis.

ÎLIEN, ENNE adj. et n. Habitant d'une île (du littoral breton surtout).

ILION n. m. L'un des trois éléments de l'os iliaque, large et plat, formant la saillie de la hanche.

ILION, autre nom de TROIE*.

ILIOUCHINE (Sergueï Vladimirovitch), ingénieur soviétique de l'aéronautique (Diljalevo, près de Vologda, 1894 - Moscou 1977). Après avoir réalisé un chasseur d'assaut, il se spécialisa dans la construction de divers grands appareils de transport.

ILKHÂNS, dynastie mongole qui régna sur l'Iran et sur la Mésopotamie de 1251 à 1335. Hūlāgū* et ses successeurs portent le titre d'«ilkhān» (khān subordonné), car ils reconnaissent l'autorité du grand khān des Mongols jusqu'en 1295. Rhāzān Maḥmūd (de 1295 à 1304) adopte l'islām; jusqu'alors, les Ilkhāns avaient favorisé le bouddhisme et le christianisme nestorien. La dynastie s'éteint en 1335.

ILL, riv. d'Alsace, qui coule vers le nord, entre les Vosges et le Rhin, qu'elle rejoint (r. g.) après être passée à Mulhouse et Strasbourg; 208 km.

ILLAMPU, sommet des Andes boliviennes, près de La Paz; 6 550 m.

ILLE, riv. d'*Ille-et-Vilaine,* qui rejoint la Vilaine (r. dr.) à Rennes; 45 km.

ILLE-ET-VILAINE (35), département de la Région Bretagne; 6 775 km²; 749 764 hab. Ch.-l. *Rennes.* Ch.-l. d'arr. *Fougères, Redon* et *Saint-Malo.*

Correspondant à la partie orientale de la Bretagne, le département, le moins maritime et le moins celte de la Région, est occupé en majeure partie par le bassin de Rennes, zone déprimée schisteuse, séparée du littoral de la Manche (bas et sableux sur la baie du Mont-Saint-Michel, plus rocheux et plus élevé de Cancale à Saint-Malo) par une bande de basses collines, alors qu'au sud la Vilaine doit entailler, vers l'Atlantique, une série de plateaux de roches dures (grès).

À une courte phase de dépeuplement (de la fin du XIXᵉ s. à la fin de la Première Guerre mondiale) ont succédé entre les deux guerres une légère reprise puis une progression particulièrement sensible depuis une quinzaine d'années. Aujourd'hui, la densité de population a franchi le seuil des 100 habitants au kilomètre carré, dépassant donc légèrement la moyenne nationale. Cette progression est largement liée à l'essor de Rennes, dont l'agglomération regroupe environ le tiers de la population départementale. L'agriculture emploie encore près de 20 p. 100 de la population active, fondée sur les céréales (blé, betterave, maïs) et les plantes fourragères, qui alimentent un important élevage bovin et porcin. L'industrie est surtout liée à l'agriculture, en dehors des villes (Rennes, Fougères, Saint-Malo, Redon), où elle est d'ailleurs partiellement en crise (chaussures); elle occupe près du tiers de la population active. Le secteur tertiaire est largement prépondérant, notamment grâce au poids de Rennes, capitale régionale, notable centre de services de haut niveau (université), et grâce au tourisme balnéaire (de Dinard à Cancale), plus actif que la pêche — en déclin — sur le littoral.

ILLÉGAL, E, AUX adj. (lat. *illegalis;* de *lex, legis,* loi). Contraire à une loi.

ILLÉGALEMENT adv. De façon illégale.

ILLÉGALITÉ n. f. Caractère de ce qui est contraire à la loi; acte illégal : *illégalité d'une convention; commettre une illégalité.*

ILLÉGITIME adj. (lat. *illegitimus*). Qui se situe hors des institutions établies par la loi : *union illégitime.* ‖ Qui n'est pas fondé, justifié : *prétention illégitime.* ● *Enfant illégitime,* enfant né hors mariage et qui n'a pas été légitimé.

ILLÉGITIMEMENT adv. De façon illégitime.

ILLÉGITIMITÉ n. f. Défaut de légitimité.

ILLE-SUR-TÊT (66130), comm. des Pyrénées-Orientales, à 19 km au N.-E. de Prades; 5 259 hab. Vestiges médiévaux, église du XVIIᵉ s.

ILLETTRÉ, E adj. et n. Qui ne sait ni lire ni écrire. ‖ Sans culture, très ignorant.

ILLETTRISME n. m. Fait d'être illettré.

ILLICH (Ivan), essayiste américain d'origine autrichienne (Vienne 1926). Prêtre, il fonde, en 1960, à Cuernavaca (Mexique), une université libre pour étudier les problèmes d'éducation et d'indépendance culturelle du tiers monde. Il revient à l'état laïque après un conflit avec le Vatican (1969). I. Illich a développé dans de nombreux essais une critique radicale de la société industrielle.

Selon lui, le développement technique exagéré de notre monde contemporain ne profite qu'à quelques privilégiés; il constitue une aliénation pour la majorité des hommes et creuse les distances sociales. Il montre que l'école est devenue antiéducative, car elle a pour but de fournir des consommateurs disciplinés à une technocratie chaque jour plus dévorante (*Une société sans école,* 1971). Il radicalise sa critique de la société industrielle (*la Convivialité,* 1973), montre le monopole de la profession médicale sur le comportement des hommes (*Némésis médicale, l'expropriation de la santé,* 1975) et dénonce la rôle assigné aux femmes dans la société moderne (*le Genre vernaculaire,* 1983).

Ivan **Illich**

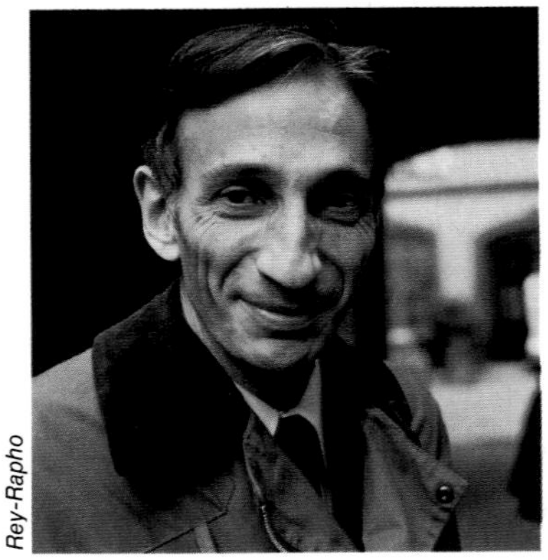

Rey-Rapho

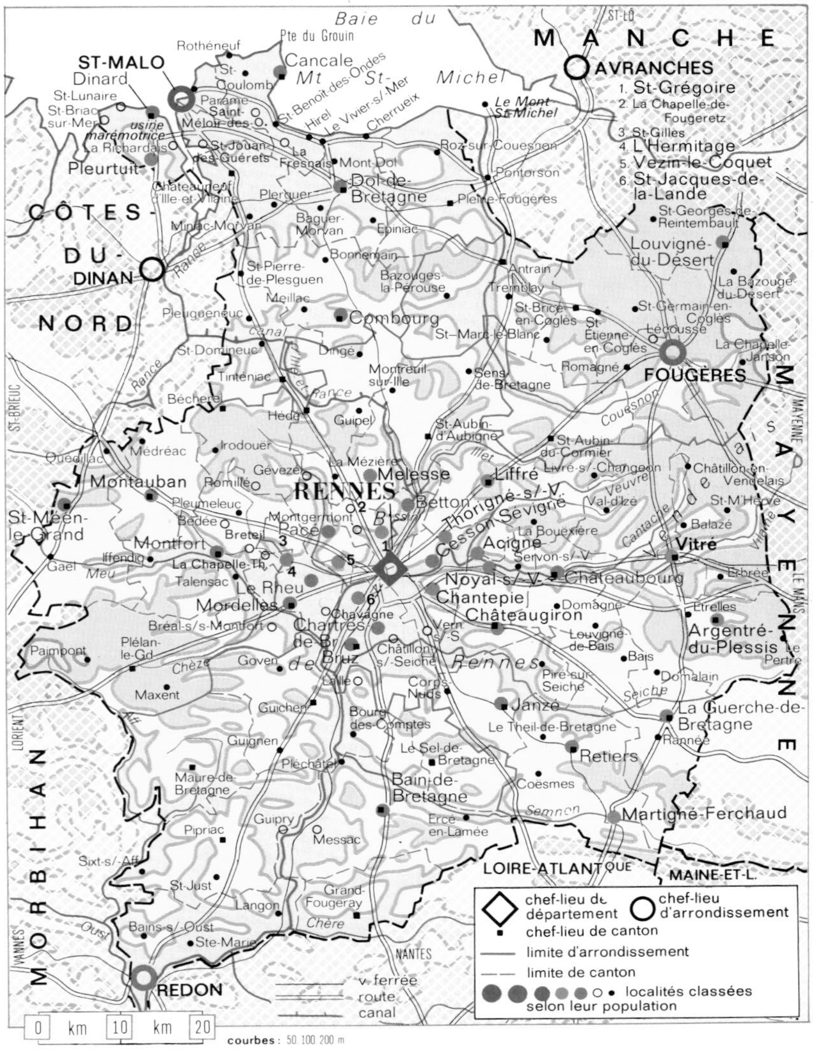

ILLE-ET-VILAINE

ILLICITE adj. (lat. *illicitus*). Défendu par la morale ou par la loi; interdit : *gain illicite.*

ILLICITEMENT adv. De manière illicite.

ILLICO [illiko] adv. (mot lat.). *Fam.* Sur-le-champ, immédiatement : *partir illico.*

ILLIERS-COMBRAY (28120), ch.-l. de cant. d'Eure-et-Loir, à 25 km au S.-O. de Chartres, sur le Loir; 3 453 hab.

ILLIMITÉ, E adj. Sans limites, infini.

ILLINOIS, État du centre-est des États-Unis; 146 075 km²; 11 418 500 hab. Capit. *Springfield.* Atteignant, au S., la vallée de l'Ohio, au N., le lac Michigan et bordé, à l'O., par le Mississippi, l'Illinois est dominé par l'agglomération de Chicago, qui regroupe approximativement la moitié de la population de l'État et explique l'importance de la production industrielle, d'où émergent la métallurgie, les constructions mécaniques et électriques, puis la chimie et l'édition. L'industrie alimentaire, également développée, est liée au maintien d'un notable secteur agricole, fournissant céréales (maïs, puis blé, orge, avoine) et soja, partiellement destinés aussi à l'alimentation des troupeaux bovins et porcins.

ILLISIBILITÉ n. f. Caractère de ce qui est illisible.

ILLISIBLE adj. Qu'on ne peut lire, indéchiffrable : *écriture illisible.* ‖ Qu'on ne peut comprendre à la lecture : *roman illisible.*

ILLISIBLEMENT adv. De façon illisible.

ILLITE n. f. Minéral argileux potassique à structure feuilletée.

ILLKIRCH-GRAFFENSTADEN (67400), ch.-l. de cant. du Bas-Rhin, banlieue sud de Strasbourg; 21 146 hab. Constructions mécaniques.

ILLNAU, v. de Suisse (cant. de Zurich), à l'E. de Zurich; 17 788 hab.

ILLOCUTIONNAIRE ou **ILLOCUTOIRE** adj. *Ling.* Se dit de tout acte de parole réalisant en même temps l'action indiquée par le mot.

ILLOGIQUE adj. Qui n'est pas logique : *conclusion illogique; esprit illogique.*

ILLOGIQUEMENT adv. De façon illogique.

ILLOGISME n. m. Caractère de ce qui est illogique; chose illogique.

ILLUMINATION n. f. Vif éclairage. ‖ Ensemble des lumières disposées pour décorer les rues, ou éclairer les monuments publics. ‖ Idée soudaine.

Illuminations, recueil de poèmes en prose, de Rimbaud, publiés dans *la Vogue* (1886) et, la même année, en plaquette par Verlaine. Dans la tonalité dense et fraîche des «enluminures» de livres enfantins ou de la peinture naïve, toute la jeunesse de la poésie moderne qui jaillit de cris de révolte, d'aphorismes ironiques, du bariolage violent de la vieille rhétorique.

ILLUMINÉ, E n. et adj. Personne qui suit aveuglément ses intuitions ou une doctrine considérée comme révélée, visionnaire. ● *Les illuminés de Bavière,* société secrète allemande du XVIIIᵉ s.

ILLUMINER v. t. (lat. *illuminare*). Éclairer d'une vive lumière. ‖ Orner d'illuminations. ◆ **s'illuminer** v. pr. Prendre un certain éclat : *à cette nouvelle, son visage s'illumina.*

ILLUMINISME n. m. Doctrine de certains mouvements religieux marginaux, fondée sur la croyance à une illumination intérieure ou à des révélations inspirées directement par Dieu. ‖ Mouvement de renouveau scientifique, philosophique et littéraire en Italie, au XVIIIᵉ s.

ILLUSION [illyzjɔ̃] n. f. (lat. *illusio;* de *illudere,* se jouer de). Erreur de perception (ou de l'esprit) qui fait prendre l'apparence pour la réalité : *le mirage est une illusion de la vue.* ‖ Croyance fausse, idée erronée : *se nourrir d'illusions.* ● *Illusion de Delbœuf,* illusion optico-géométrique qui fait apparaître inégaux deux cercles égaux dont l'un est situé dans un troisième plus grand. || *Illusion de Müller-Lyer,* illusion optico-géométrique qui fait apparaître inégales deux droites égales, dont les extrémités sont complétées par deux petits segments, ayant sur l'une une forme concave, sur l'autre une forme convexe. || *Illusion optico-géométrique,* erreur de la perception visuelle de figures géométriques, se manifestant chez tous les individus par une surestimation ou une sous-estimation systématiques de longueur, de surface, de direction ou d'incurvation (illusion de Delbœuf, d'Oppel-Kundt, du trapèze, de Müller-Lyer), des angles, de la verticale, etc. || *Illusion d'optique,* erreur relative à la forme, aux dimensions, à la couleur des objets. || *Se faire illusion, des illusions,* se tromper.

ILLUSIONNER v. t. Produire de l'illusion, tromper par une idée erronée : *chercher à illusionner qqn.* ◆ **s'illusionner** v. pr. Se faire illusion, s'abuser, se tromper.

ILLUSIONNISME n. m. Art de produire des phénomènes paraissant en contradiction avec les lois naturelles. || *Bx-arts.* Pratique baroquisante d'effets accentués de perspective, de luminisme, de trompe-l'œil.

ILLUSIONNISTE n. Personne qui exécute des expériences d'illusionnisme.

Illusions perdues, roman de Balzac, en trois parties : *les Deux Poètes,* 1837; *Un grand homme de province à Paris,* 1839; *les Souffrances de l'inventeur,* 1843. Deux amis d'Angoulême se sentent du génie : l'un, poète, Lucien de Rubempré, espère, grâce à son aristocratique maîtresse, faire la conquête de Paris; l'autre, David Séchard, recherche un procédé de fabrication du papier qui révolutionnera l'industrie. Le mépris des salons nobles et élégants, la misère, les dettes, les compromissions et les complots de l'édition et de la presse conduisent Lucien au désespoir et au suicide, lorsqu'il rencontre, sous l'habit du prêtre espagnol Carlos Herrera, l'ancien forçat Vautrin, à qui il se vend corps et âme. David, qui conclut un marché de dupe avec des financiers, choisit un bonheur familial et obscur avec la sœur de Lucien.

ILLUSOIRE adj. Propre à tromper par une fausse apparence, qui ne se réalise pas : *il est illusoire d'espérer le succès.*

ILLUSOIREMENT adv. D'une façon illusoire.

ILLUSTRATEUR, TRICE n. Artiste qui dessine les illustrations d'ouvrages.

ILLUSTRATION n. f. Action d'illustrer, de rendre clair : *ceci peut servir d'illustration à sa thèse.* || Image figurant dans le texte d'un livre, d'un journal.

ILLUSTRE adj. (lat. *illustris*). Qui est d'un renom éclatant, célèbre : *famille illustre.*

ILLUSTRÉ, E adj. Orné de gravures, d'images, de photographies : *livre illustré.*

ILLUSTRÉ n. m. Journal, revue contenant des récits accompagnés de dessins.

ILLUSTRER v. t. (lat. *illustrare*). Orner un livre d'images, de gravures, de dessins. || Rendre plus clair par des notes, des exemples. || *Litt.* Rendre illustre, célèbre : *auteur qui illustre son pays par ses ouvrages.* ◆ **s'illustrer** v. pr. Se distinguer.

Illustre-Théâtre (l'), troupe de comédiens, dans laquelle Molière débuta comme acteur.

ILLUSTRISSIME adj. Titre donné à certains dignitaires ecclésiastiques.

ILLUVIAL, E, AUX adj. Qui résulte de l'illuviation.

ILLUVIATION n. f. *Pédol.* Processus d'accumulation, dans un horizon du sol, d'éléments dissous dans un autre horizon.

ILLUVIUM [illyvjɔm] n. m. *Pédol.* Horizon d'un sol caractérisé par la précipitation, sous forme de concrétions ou de croûtes, d'éléments provenant des autres horizons.

ILLYÉS (Gyula), écrivain hongrois (Rácegres 1902 - Budapest 1983). Admirateur à la fois de la culture française et de l'âme populaire de son pays, il unit l'influence surréaliste aux traditions du terroir, dans ses recueils lyriques (*le Poids de la terre,* 1928; *Des Huns à Paris,* 1946; *Patrie en haut,* 1973), ses récits (*Ceux des pusztas,* 1936; *Radicelles,* 1971) et son théâtre (*le Favori,* 1963).

Gyula **Illyés**

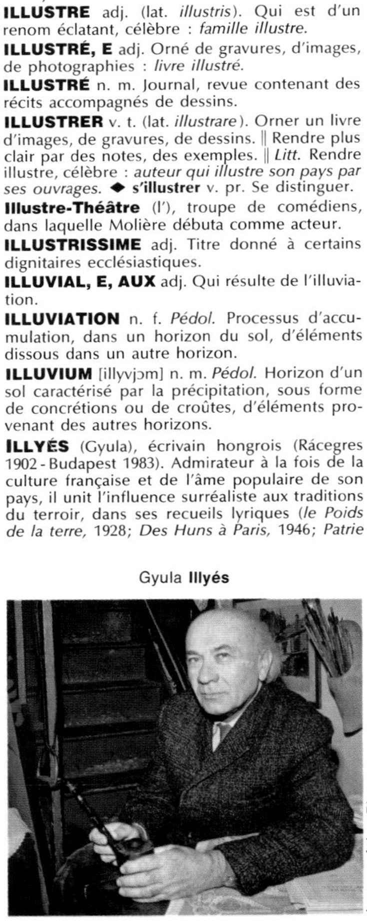

Lauros-Atlas-Photo

ILLYRIE, région montagneuse de la côte septentrionale de l'Adriatique. Après avoir contribué au peuplement de l'Italie primitive, l'Illyrie fut colonisée par les Grecs, qui fondèrent des comptoirs à Epidamnos (627 av. J.-C.), Apollonia (600), Corcyre la Noire. Au IIIe s. av. J.-C., l'État illyrien devint redoutable par ses pirateries, qui attirèrent, en 229, les ripostes romaines : au cours de deux guerres, dites « illyriennes » (229-28 et 220-19), Rome imposa son protectorat à la Parthinie, l'Atintanie, Oricos, Apollonia, Epidamnos et Corcyre, mais elle ne conserva que les trois derniers de ces comptoirs à la paix de Phoinikê (205). Après de longues luttes contre les Dalmates et les Liburnes, Rome soumit l'Illyrie, en 33 av. J.-C., et l'érigea en province sénatoriale (de l'Istrie à la Macédoine et au Danube; 27 av. J.-C.) puis en province impériale (17 av. J.-C.). Les révoltes dalmato-pannoniennes de 6-9 apr. J.-C. amenèrent Auguste à constituer les deux provinces autonomes de Pannonie et de Dalmatie : le nom d'*Illyricum* s'appliquait alors à l'ensemble formé par la Dalmatie, la Mésie et la Pannonie. Lors du partage impérial de 379, entre Gratien et Théodose, apparaissent l'*Illyricum occidental* (Pannonies), rattaché au préfet du prétoire d'Italie et occupé par les Ostrogoths à la fin du IVe s., et l'*Illyricum oriental* (Dacie et Macédoine, capit. Thessalonique), qui survit jusqu'à la création des thèmes de Thrace (687) et d'Hellade (v. 695).

ILLYRIE *(royaume d'),* royaume formé en 1815 avec les Provinces Illyriennes de langue slovène. Ce n'était qu'une fiction de chancellerie, qui disparut en 1849.

ILLYRIEN, ENNE adj. et n. De l'Illyrie.

Illyriennes *(Provinces),* nom porté, entre 1809 et 1814, par un gouvernement dépendant de l'Empire français et qui était composé de la Dalmatie, de l'Istrie, de Raguse, de la Carinthie, du Frioul, de la Carniole. Sa capitale était *Laibach (Ljubljana).*

ILLZACH (68110), ch.-l. de cant. du Haut-Rhin, banlieue nord de Mulhouse; 11 646 hab.

ILMEN, lac du nord-ouest de l'U. R. S. S., au S.-E. de Leningrad; 982 km^2.

ILMÉNITE n. f. (de *Ilmen,* n. géogr.). Oxyde naturel de fer et de titane, que l'on trouve dans certains schistes cristallins.

Il ne faut jurer de rien, comédie en trois actes, en prose, d'Alfred de Musset (1836).

ILOILO, port des Philippines, sur l'île de Panay; 245 000 hab.

ILORIN, v. du Nigeria; 282 000 hab.

ÎLOT n. m. Petite île. || Groupe de maisons délimité par des rues ou d'autres espaces non construits : *îlot insalubre.* || *Mar.* Bloc formé par la superstructure d'un porte-aéronefs. ● *Îlots de Langerhans* (Anat.), petits groupes de cellules endocrines disséminés dans le pancréas et sécrétant l'insuline. || *Îlot de résistance,* petit groupe d'hommes isolés dans un ensemble hostile.

ÎLOTAGE n. m. Division d'une ville ou d'un quartier en circonscriptions placées sous le contrôle d'un îlotier.

ILOTE n. m. (gr. *heilôs, heilôtos*). Homme réduit au dernier degré de misère, de servilité ou d'ignorance. || *Hist.* Esclave d'État à Sparte. (En ce sens, on écrit aussi HILOTE.)

ÎLOTIER n. m. Agent de police responsable du maintien de l'ordre dans un îlot de maisons.

ILOTISME n. m. État de servilité et d'ignorance. || *Hist.* Condition d'ilote. (On écrit aussi, dans ce sens, HILOTISME.)

ILTUTMICH (Chams al-Dīn) → DELHI *(sultanat de).*

IMABARI, port du Japon (Shikoku), sur la mer Intérieure; 123 000 hab. Textile.

IMAGE n. f. (lat. *imago*). Représentation d'une personne ou d'une chose par la peinture, la sculpture, le dessin, la photographie, le film, etc. || Représentation imprimée d'un sujet quelconque. || Reproduction visuelle d'un objet par un miroir, un instrument d'optique. || Représentation mentale d'un être ou d'une chose. || Ressemblance; ce qui imite, reproduit; aspect : *cet enfant est l'image de son père; il est l'image même du désespoir.* || Métaphore, procédé par lequel on rend les idées plus vives, en prêtant à l'objet une forme plus sensible : *mot qui fait image.* || *Math.* Dans l'application de l'ensemble E dans l'ensemble F, élément de F qui correspond à un élément donné de E. ● *Image d'Épinal,* type d'images populaires de style naïf qui étaient diffusées par les colporteurs et dont beaucoup, au XIXe s., étaient imprimées à Épinal; récit héroïque ou élogieux, de caractère simpliste. || *Image de marque,* représentation favorable que se donne, vis-à-vis du public, une firme, une personnalité. || *Image mentale,* représentation psychique d'un objet absent.

IMAGÉ, E adj. Orné d'images, de métaphores : *style imagé.*

IMAGERIE n. f. Ensemble d'images représentant des faits, des personnages, etc. || Art, fabrication, commerce des images populaires (XIVe-XIXe s.). || Ensemble d'images obtenues à partir de différents types de rayonnement (lumière, infrarouge, ultrasons, rayons X, etc.) : *imagerie médicale, spatiale.*

Images de voyages, par Heinrich Heine (1826-1831), récits pleins de rêveries spirituelles, fantaisistes ou douloureuses *(Tambour Legrand, Voyage dans le Harz).*

IMAGIER n. m. Marchand qui vend des estampes, des images. || Au Moyen Âge, peintre ou sculpteur.

IMAGINABLE adj. Qui peut être imaginé.

IMAGINAIRE adj. (lat. *imaginarius*). Qui n'existe que dans l'esprit, sans réalité, fictif : *une crainte imaginaire.* || *Math.* Se dit de la partie d'un nombre complexe qui est le produit d'un nombre réel par *i.* ● *Malade imaginaire,* personne qui se croit malade sans l'être.

IMAGINAIRE n. m. Domaine de l'imagination. || *Psychanal.* Selon J. Lacan, ce qui reflète le désir dans l'image que le sujet a de lui-même, par opposition au symbolique.

IMAGINAL, E, AUX adj. Qui se rapporte à l'adulte (imago) chez les insectes.

IMAGINATIF, IVE adj. et n. Qui imagine aisément, capable d'invention.

IMAGINATION n. f. Faculté de se représenter par l'esprit des objets, d'évoquer des images : *avoir l'imagination vive.* || Faculté d'inventer, de créer, de concevoir : *artiste qui a beaucoup d'imagination.* || Opinion sans fondement, idée absurde : *c'est une pure imagination.*

IMAGINER v. t. (lat. *imaginari*). Se représenter qqch dans l'esprit : *imaginer un colosse de six pieds.* || Inventer qqch de nouveau : *Torricelli imagina le baromètre.* ◆ **s'imaginer** v. pr. Se représenter qqch, concevoir. || Se figurer, croire sans fondement : *il s'imagine être un savant.*

IMAGO [imago] n. m. (mot lat., *image*). Insecte adulte, arrivé à son complet développement et apte à se reproduire.

IMAGO [imago] n. f. *Psychanal.* Représentation inconsciente qui régit les rapports du sujet à son entourage.

Imago, « modern dance work » de Alwin Nikolaïs, forme exemplaire d'une réalisation de « théâtre de la danse » (New York, 1963).

IMÂM [imam] n. m. (mot ar.). Chef religieux musulman. || Titre de certains souverains musulmans.

IMÂMAT n. m. Dignité d'imâm.

I. M. A. O., sigle de INHIBITEUR DE LA MONO-AMINE-OXYDASE, groupe de médicaments psychotropes employés contre les dépressions.

IMBÂBA → EMBABÈH.

IMBATTABLE adj. Qui ne peut être battu : *coureur imbattable.*

IMBÉCILE adj. et n. (lat. *imbecillus,* faible). Dépourvu d'intelligence, stupide, sot. || *Méd.* Atteint d'imbécillité.

IMBÉCILEMENT adv. Avec imbécillité.

IMBÉCILLITÉ n. f. Sottise, bêtise : *faire des imbécillités.* || *Méd.* Arriération mentale sévère définie par un quotient intellectuel compris entre 20 et 50, et un âge mental se situant entre 2 et 7 ans à l'âge adulte.

IMBERBE adj. (lat. *imberbis*). Qui est sans barbe.

IMBIBER v. t. (lat. *imbibere*). Mouiller, pénétrer profondément d'un liquide : *imbiber d'eau une éponge.*

IMBIBITION n. f. Action d'imbiber, de s'imbiber.

IMBRICATION n. f. État de choses imbriquées. || Liaison étroite, intime.

IMBRIQUÉ, E adj. (lat. *imbricatus*). Se dit de choses qui se recouvrent en partie, à la façon des tuiles sur un toit; entremêlé, enchevêtré.

IMBRIQUER v. t. Disposer des choses de façon à les faire chevaucher. ◆ **s'imbriquer** v. pr. Être lié de manière étroite.

IMBROGLIO [ɛ̃brɔljo] n. m. (mot it.). Situation confuse, embrouillement : *démêler un imbroglio.* || Pièce de théâtre dont l'intrigue est très compliquée.

IMBROS → IMROZ.

IMBRÛLÉ, E adj. et n. m. Se dit d'un corps combustible qui, dans une combustion, s'est incomplètement combiné à l'oxygène de l'air.

IMBU, E adj. (part. pass. de l'anc. fr. *imboire*). Rempli, pénétré profondément : *imbu de préjugés.*

IMBUVABLE adj. Qui n'est pas buvable : *l'eau de mer est imbuvable.* || *Fam.* Insupportable : *un homme imbuvable.*

IMÉRINA, partie la plus élevée du plateau central de Madagascar, habitée par les *Mérinas.*

Im-Fout, barrage d'irrigation du Maroc, sur l'Oum er-Rebia, au S.-E. de Casablanca.

IMHOTEP, lettré, savant et architecte égyptien actif v. 2778 av. J.-C. Divinisé à la basse-époque, il a été conseiller politique du pharaon Djoser pour qui il édifie le complexe funéraire de Saqqarah : première architecture lithique d'Égypte.

IMIPRAMINE n. f. Médicament antidépresseur (thymoanaleptique) tricyclique.

IMITABLE adj. Qui peut être imité.

IMITATEUR, TRICE adj. et n. Qui imite.

IMITATIF, IVE adj. De la nature de l'imitation : *harmonie imitative.*

IMITATION n. f. Action d'imiter; chose ou objet produits en imitant : *avoir la manie de l'imitation.* || Matière ouvrée qui imite une matière plus riche : *bijoux en imitation.* || *Mus.* Terme désignant une écriture fondée sur la répétition d'un court motif traité dans le style contrapuntique. ● *À l'imitation de,* sur le modèle de.

Imitation de Jésus-Christ, ouvrage anonyme du XVe s., écrit en latin et attribué à Thomas a Kempis. C'est un directoire spirituel qui a eu une influence considérable dans l'Église et a été l'objet de nombreuses traductions.

Imitation de Notre-Dame la Lune *(l'),* recueil poétique de Jules Laforgue (1886) : un remède à l'angoisse cherché dans l'ironie du *Pierrot* et un exercice de style qui multiplie les combinaisons de rythmes et de rimes.

IMITER v. t. (lat. *imitari*). Faire ou s'efforcer de faire exactement ce que fait une personne, un animal : *imiter un ami.* || Reproduire exactement, copier, prendre pour modèle : *imiter une signature; imiter un romancier.* || Produire le même effet : *le cuivre doré imite l'or.*

IMMACULÉ, E adj. (lat. *immaculatus*). Sans une tache : *blancheur immaculée.* ● *Immaculée Conception de la Vierge Marie,* privilège selon lequel la Vierge Marie a été préservée du péché originel, dogme défini par Pie IX en 1854.

IMMANENCE n. f. État de ce qui est immanent.

IMMANENT, E adj. (lat. *immanens*). *Philos.* Se dit de ce qui est interne à un être ou à l'expérience. ● *Justice immanente,* justice qui résulte du cours naturel des choses et qui se manifeste un jour ou l'autre.

IMMANENTISME n. m. Doctrine métaphysique selon laquelle la présence du divin est ressentie par l'homme, mais ne peut faire l'objet d'aucune connaissance claire.

IMMANGEABLE [ɛ̃mɑ̃ʒabl] adj. Qui n'est pas bon à manger.

IMMANQUABLE [ɛ̃mɑ̃kabl] adj. Qui ne peut manquer d'arriver, d'atteindre son but.

IMMANQUABLEMENT adv. Infailliblement.

IMMATÉRIALITÉ n. f. Qualité, état de ce qui est immatériel : *l'immatérialité des fantômes.*

IMMATÉRIEL, ELLE adj. Qui n'a pas de consistance matérielle.

IMMATRICULATION n. f. Action d'immatriculer, fait d'être immatriculé : *immatriculation d'un soldat, d'une automobile.*

IMMATRICULER v. t. (lat. *immatriculare;* bas lat. *matricula,* registre). Inscrire sur la matricule, sur un registre public.

IMMATURATION n. f. *Psychol.* Trouble du processus de maturation, s'exprimant par un désordre intellectuel, affectif, émotionnel ou psychomoteur.

IMMATURE adj. Qui n'est pas mûr. || Qui n'a pas encore atteint la maturité intellectuelle.

IMMATURITÉ n. f. État de ce qui ou de celui qui est immature.

IMMÉDIAT, E adj. (bas lat. *immediatus;* de *medius,* au milieu). Qui précède ou qui suit sans qu'il y ait d'intermédiaire, direct, instantané : *successeur immédiat; soulagement immédiat.* ● *Analyse immédiate* (Chim.), séparation des constituants d'un mélange.

IMMÉDIAT n. m. *Dans l'immédiat,* pour le moment.

IMMÉDIATEMENT adv. À l'instant même.

IMMÉDIATETÉ n. f. *Philos.* Caractère de ce qui est immédiat.

IMMELMANN [imɛlman] n. m. (du n. de son inventeur, l'as de la chasse allemande Max *Immelmann* [1890-1916]). Figure d'acrobatie aérienne consistant en un demi-looping vertical suivi d'un demi-tonneau.

IMMÉMORIAL, E, AUX adj. Qui remonte à la plus haute antiquité, très éloigné dans le passé : *usage immémorial.*

IMMENSE adj. (lat. *immensus*). Qui est presque sans bornes, sans mesure; considérable : *la mer immense; fortune immense.*

IMMENSÉMENT adv. De façon immense.

IMMENSITÉ n. f. Très vaste étendue : *l'immensité des mers.* || Très grande quantité.

IMMERGÉ, E adj. Qui est sous l'eau.

IMMERGER v. t. (lat. *immergere*) [conj. **1**]. Plonger entièrement dans un liquide, particulièrement dans la mer : *immerger un sous-marin.*

IMMÉRITÉ, E adj. Que l'on n'a pas mérité.

IMMERSION n. f. (lat. *immersio*). Action de plonger un corps dans un liquide : *l'immersion d'un câble.* || *Astron.* Début de l'occultation d'un astre.

IMMETTABLE [ɛ̃mɛtabl] adj. Se dit d'un vêtement qu'on ne peut ou n'ose plus porter.

IMMEUBLE n. m. (lat. *immobilis,* immobile). Bâtiment d'une certaine importance et, *spécialem.*, bâtiment divisé, à la construction, en appartements pour particuliers ou aménagé à usage de bureaux : *vendre un immeuble.*

IMMEUBLE n. m. et adj. *Dr.* Bien qui ne peut être déplacé *(immeuble par nature)* ou que la loi considère comme tel *(immeuble par destination).*

IMMIGRANT, E adj. et n. Qui vient de l'étranger dans un pays pour y habiter.

IMMIGRATION n. f. Action d'immigrer.

IMMIGRÉ, E adj. et n. Qui a immigré.

IMMIGRER v. i. (lat. *immigrare*). Venir dans un pays pour s'y fixer d'une manière temporaire ou définitive.

IMMINENCE n. f. Caractère de ce qui est imminent : *l'imminence du danger.*

IMMINENT, E adj. (lat. *imminens*). Qui est près de se produire, qui est pour un avenir très proche : *ruine imminente; départ imminent.*

IMMINGHAM, port pétrolier, charbonnier et minéralier (fer) de Grande-Bretagne (Humberside), sur la mer du Nord, au S.-E. d'Hull.

IMMISCER (S') [simise] v. pr. (lat. *immiscere*) [conj. **1**]. Intervenir de manière indiscrète : *s'immiscer dans les affaires d'autrui.*

IMMIXTION [imiksjɔ̃] n. f. (bas lat. *immixtio*). Action de s'ingérer dans les affaires d'autrui.

IMMOBILE adj. (lat. *immobilis*). Qui ne se meut pas, qui demeure fixe.

IMMOBILIER, ÈRE adj. Qui est composé, qui s'occupe de biens immeubles. ● *Saisie immobilière,* qui a pour objet un immeuble.

IMMOBILIER n. m. Activité économique concernant la vente ou la location des logements.

IMMOBILISATION n. f. Action d'immobiliser, d'être immobilisé : *l'immobilisation d'un navire à cause d'avaries.* ‖ *Dr.* Élément non circulant de l'actif d'une entreprise (bâtiments, terrains, machines et matériel, brevets, fonds de commerce, etc.).

IMMOBILISER v. t. Rendre immobile, empêcher d'agir, arrêter tous les mouvements : *immobiliser des troupes; immobiliser la jambe d'un malade.* ‖ Investir des disponibilités.

IMMOBILISME n. m. Opposition systématique à tout progrès, à toute innovation.

IMMOBILISTE adj. et n. Qui fait preuve d'immobilisme.

IMMOBILITÉ n. f. État d'une personne, d'une chose qui ne bouge pas, qui n'avance pas.

IMMODÉRÉ, E adj. Qui dépasse la mesure : *un prix immodéré; des prétentions immodérées.*

IMMODÉRÉMENT adv. De façon immodérée.

IMMODESTE adj. *Litt.* Qui manque de modestie, de pudeur.

IMMODESTIE n. f. *Litt.* Manque de pudeur.

IMMOLATEUR n. m. Celui qui immole.

IMMOLATION n. f. Action d'immoler.

IMMOLER v. t. (lat. *immolare*). Offrir en sacrifice un animal ou un être humain. ‖ *Litt.* Faire périr, massacrer : *la guerre immole d'innombrables victimes.* ‖ *Litt.* Sacrifier qqn ou qqch en considération de : *il est immolé aux intérêts de sa famille.*

IMMONDE adj. (lat. *immundus;* de *mundus,* net). D'une saleté qui soulève le dégoût : *un taudis immonde.* ‖ D'une bassesse ignoble, dégoûtant : *des propos immondes.*

IMMONDICES n. f. pl. (lat. *immunditiae*). Ordures ménagères; déchets de toute nature.

IMMORAL, E, AUX adj. Qui se conduit contrairement aux règles de la morale; qui est contraire aux bonnes mœurs.

IMMORALEMENT adv. De façon immorale.

IMMORALISME n. m. Tendance à élaborer des principes de vie contraires aux valeurs morales ambiantes.

IMMORALISTE n. et adj. Qui fait preuve d'immoralisme.

IMMORALITÉ n. f. Caractère de ce qui est immoral; acte immoral.

IMMORTALISER v. t. Rendre à jamais illustre dans la mémoire des hommes.

IMMORTALITÉ n. f. (lat. *immortalitas;* de *mors, mortis,* mort). Qualité, état de celui ou de ce qui est immortel : *l'immortalité de l'âme.* ‖ Durée éternelle dans le souvenir des hommes.

IMMORTEL, ELLE adj. (lat. *immortalis*). Qui n'est point sujet à la mort : *les dieux immortels.* ‖ Qu'on suppose devoir durer toujours. ‖ Dont le souvenir reste dans la mémoire des hommes : *gloire immortelle.*

IMMORTEL n. m. *Fam.* Académicien.

IMMORTELLE n. f. Nom donné à plusieurs plantes dont les fleurs persistent longtemps *(statices,* à fleurs bleues; *hélichrysums,* à fleurs jaunes). ‖ Fleur de ces plantes.

IMMOTIVÉ, E adj. Sans motif, injustifié : *accusation immotivée.*

IMMUABILITÉ n. f. → IMMUTABILITÉ.

IMMUABLE adj. Qui n'est pas sujet à changer, constant : *un horaire immuable.*

IMMUABLEMENT adv. De façon immuable.

IMMUN, E adj. et n. Se dit d'un sujet immunisé ou d'une substance conférant l'immunité.

IMMUNISANT, E adj. Qui immunise.

IMMUNISATION n. f. Action d'immuniser, fait d'être immunisé.

IMMUNISER v. t. (lat. *immunis,* exempt). Rendre réfractaire à une maladie. ‖ Mettre à l'abri d'un mal, d'une passion, d'une influence nocive.

IMMUNITAIRE adj. Relatif à l'immunité d'un organisme.

IMMUNITÉ n. f. (lat. *immunitas;* de *munus, muneris,* charge). *Biol.* Résistance naturelle ou acquise d'un organisme vivant à un agent infectieux (microbes) ou toxique (venins, toxines de champignons). ‖ *Dr.* Exemption d'impôts, de devoirs, de charges, etc. ● *Immunité de juridiction* (Dr.), privilège des agents diplomatiques étrangers, en vertu duquel ceux-ci ne peuvent être déférés aux juridictions de l'État dans lequel ils sont en poste. ‖ *Immunité parlementaire,* privilège selon lequel les parlementaires ne peuvent être poursuivis sans l'autorisation de l'Assemblée.

■ *(Biol.)* L'état de protection vis-à-vis de certaines maladies infectieuses peut être naturel, héréditaire et spécifique de l'espèce (ainsi l'homme est réfractaire à certaines maladies animales), ou acquis, par un premier contact avec la maladie ou par vaccination*. Cependant, le concept d'immunité s'est élargi et intéresse toutes les réactions d'un organisme vivant à l'introduction d'une substance étrangère, ou *antigène.* On distingue deux types de réactions immunitaires.

● L'*immunité humorale* se traduit par l'apparition d'*anticorps* circulants. Ces corps sont des gammaglobulines* de trois types principaux : gamma G, gamma A et gamma M, réunis sous le terme d'« immunoglobulines ». L'immunité conférée après une infection bactérienne ou virale relève d'un tel mécanisme.

● L'*immunité cellulaire* (ou d'hypersensibilité retardée) se manifeste sans anticorps décelables. Elle ne peut être transférée que par des cellules. Elle se traduit par l'apparition d'une réactivité spéciale de l'organisme, surtout étudiée au niveau de la peau (telle la cuti-réaction tuberculinique). Les phénomènes de rejet de greffes, les eczémas de contact relèvent en grande partie d'un tel mécanisme.

IMMUNOCOMPÉTENT, E adj. Se dit d'un leucocyte, d'une cellule doués de propriétés immunitaires.

IMMUNODÉFICITAIRE adj. Relatif à une déficience des mécanismes immunitaires.

IMMUNODÉPRESSEUR n. m. Substance ou agent physique qui diminue les réactions immunitaires (corticoïdes, radiations ionisantes). [Syn. IMMUNOSUPPRESSEUR.]

IMMUNODÉPRESSIF, IVE adj. Relatif aux immunodépresseurs.

IMMUNOGÈNE adj. Qui produit l'immunité.

IMMUNOGLOBULINE n. f. Globuline plasmatique douée de propriétés immunitaires dues aux anticorps dont elle est le support matériel.

IMMUNOLOGIE n. f. Partie de la biologie et de la médecine qui étudie les phénomènes d'immunité.

IMMUNOSUPPRESSEUR n. m. Syn. de IMMUNODÉPRESSEUR.

IMMUNOTHÉRAPIE n. f. Traitement consistant à provoquer ou à augmenter l'immunité de l'organisme.

IMMUTABILITÉ ou **IMMUABILITÉ** n. f. (lat. *immutabilitas;* de *mutare,* changer). Qualité de ce qui est immuable. ‖ *Dr.* Caractère des conventions juridiques qui ne peuvent être modifiées par la volonté des contractants.

IMOLA, v. d'Italie (Émilie), au S.-E. de Bologne; 58 000 hab.

IMPACT [ɛ̃pakt] n. m. (lat. *impactus;* de *impingere,* heurter). Collision de deux ou plusieurs corps. ‖ Influence décisive de qqn ou de qqch sur le déroulement de l'histoire, des événements. ‖ Effet d'une action : *impact d'une campagne publicitaire.* ● *Angle d'impact,* syn. d'ANGLE DE CHUTE. (V. TIR.) ‖ *Étude d'impact* (Écon.), étude accompagnant les grands travaux et portant sur les conséquences de ceux-ci sur l'environnement. ‖ *Impact d'un test psychologique,* son objectif, ce qu'il est censé révéler. ‖ *Point d'impact,* point où la trajectoire d'un projectile rencontre le terrain ou l'objectif.

IMPACTION n. f. *Méd.* Rupture d'un os avec enfoncement d'un côté et saillie de l'autre.

IMPAIR, E adj. (lat. *impar*). Se dit d'un nombre entier qui n'est pas divisible par deux. ‖ Qui est exprimé par un nombre, un chiffre impair. (Les nombres impairs sont ceux qui se terminent par 1, 3, 5, 7 et 9.) ● *Fonction impaire* (Math.), fonction qui change de signe en même temps que la variable. ‖ *Organes impairs* (Anat.), organes qui n'ont pas de symétrique (estomac, foie, etc.).

IMPAIR n. m. Maladresse choquante, gaffe, bourde : *commettre un impair.*

IMPALA [impala] n. m. Antilope d'Afrique australe dont le mâle porte des cornes en forme de lyre.

IMPALPABLE adj. (de *palper*). Si fin, si ténu qu'on ne le sent pas au toucher.

IMPALUDATION n. f. Contamination par le paludisme.

IMPALUDÉ, E adj. Atteint par le paludisme.

IMPANATION n. f. *Théol.* Syn. de CONSUBSTANTIATION.

IMPARABLE adj. Impossible à parer, à arrêter.

IMPARDONNABLE adj. Qui ne mérite pas de pardon : *erreur impardonnable.*

IMPARFAIT, E adj. Qui a des défauts : *ouvrage imparfait.*

IMPARFAIT n. m. *Ling.* Temps passé du verbe, qui indique la répétition, l'habitude, ou qui marque une action qui n'était pas achevée quand une autre a eu lieu.

IMPARFAITEMENT adv. De façon imparfaite.

IMPARIDIGITÉ adj. et n. m. Se dit de tout mammifère à sabots ayant un nombre impair de doigts à chaque patte (cheval, rhinocéros, etc.).

IMPARIPENNÉ, E adj. *Bot.* Se dit des feuilles pennées terminées par une foliole impaire.

IMPARISYLLABIQUE adj. et n. m. *Ling.* Se dit des mots latins qui ont au génitif singulier une syllabe de plus qu'au nominatif.

IMPARITÉ n. f. Caractère de ce qui est impair.

IMPARTAGEABLE adj. Qui ne peut être partagé.

IMPARTIAL, E, AUX adj. Qui ne sacrifie point la justice, la vérité à des considérations particulières, équitable, objectif : *jugement impartial.*

IMPARTIALEMENT adv. Sans partialité.

IMPARTIALITÉ n. f. Caractère, qualité de celui ou de ce qui est impartial.

IMPARTIR v. t. (lat. *impartiri,* accorder). *Dr.* et *litt.* Attribuer, accorder : *impartir un délai.*

IMPASSE n. f. *(in* priv., *et passer).* Rue, ruelle sans issue. ‖ Situation sans issue favorable : *les pourparlers de paix sont dans une impasse.* ‖ *Jeux.* Tentative pour faire une levée avec une carte inférieure à celle que possède l'adversaire, en tablant sur la position de cette carte. ● *Faire une impasse* (Fam.), à un examen, négliger une des matières au programme en espérant être interrogé sur une autre. ‖ *Impasse budgétaire,* fraction des dépenses de l'État que l'on espère couvrir par des ressources de trésorerie.

IMPASSIBILITÉ n. f. Caractère ou état de celui qui est impassible.

IMPASSIBLE adj. (bas lat. *impassibilis;* de *pati,* souffrir). Qui ne manifeste aucun trouble, aucune émotion, aucun sentiment : *rester impassible en présence d'un danger.*

IMPASSIBLEMENT adv. Avec impassibilité.

IMPATIEMMENT [ɛ̃pasjamɑ̃] adv. Avec impatience.

IMPATIENCE [ɛ̃pasjɑ̃s] n. f. Manque de patience; incapacité à supporter qqn, qqch, à se contraindre ou à attendre : *témoigner de l'impatience.*

IMPATIENT, E adj. (lat. *impatiens;* de *pati,* endurer). Qui manque de patience; qui désire avec empressement : *être impatient de partir.*

IMPATIENTE ou **IMPATIENS** n. f. *Bot.* Autre nom de la *balsamine.*

IMPATIENTER v. t. Faire perdre patience : *vous nous impatientez avec vos niaiseries.* ◆ **s'impatienter** v. pr. Perdre patience.

IMPATRONISATION n. f. *Litt.* Action de s'impatroniser.

IMPATRONISER (S') v. pr. *Litt.* S'établir avec autorité quelque part, s'y poser en maître.

IMPAVIDE adj. (lat. *impavidus*). *Litt.* Sans peur, intrépide, inébranlable.

IMPAYABLE adj. *Fam.* Comique ou bizarre : *aventure impayable.*

IMPAYÉ, E adj. Qui n'a pas été payé.

IMPAYÉ n. m. Dette, traite, effet non payé.

IMPEACHMENT [impitʃmɛnt] n. m. Mise en accusation, devant le Sénat, du président ou d'un haut fonctionnaire des États-Unis.

IMPECCABLE [ɛ̃pɛkabl] adj. (lat. *peccare,* pécher). Sans défaut, irréprochable, parfait : *parler un français impeccable.* ‖ *Théol.* Incapable de pécher.

IMPECCABLEMENT adv. De façon irréprochable, sans défaut.

IMPÉCUNIEUX, EUSE adj. (lat. *pecunia,* argent). *Litt.* Qui manque d'argent.

IMPÉCUNIOSITÉ n. f. *Litt.* Manque d'argent.

IMPÉDANCE [ɛ̃pedɑ̃s] n. f. (mot angl.). *Phys.* Rapport de l'amplitude complexe d'une grandeur sinusoïdale (tension électrique, pression acoustique) à l'amplitude complexe de la grandeur induite (courant électrique, flux de vitesse). [Le module se mesure en ohms.]

IMPEDIMENTA [ɛ̃pedimɛ̃ta] n. m. pl. (mot lat., *bagages*). Autref., bagages et charrois qui retardaient la marche des armées. ‖ *Litt.* Ce qui entrave l'activité, le mouvement.

IMPÉNÉTRABILITÉ n. f. Caractère de ce qui ne peut être compris. ‖ Propriété en vertu de laquelle deux corps ne peuvent occuper en même temps le même lieu dans l'espace.

IMPÉNÉTRABLE adj. (lat. *penetrare,* pénétrer). Qui ne peut être pénétré, traversé : *cuirasse impénétrable.* ‖ Qu'on ne peut comprendre, saisir : *mystère impénétrable.*

IMPÉNITENCE n. f. Refus de se repentir.

IMPÉNITENT, E adj. (lat. *impaenitens;* de *paenitere,* se repentir). Qui persiste dans une habitude : *un buveur impénitent.* ‖ Qui refuse de se repentir.

IMPENSABLE adj. Qu'il est impossible d'imaginer, extraordinaire.

IMPENSES [ɛ̃pɑ̃s] n. f. pl. (lat. *impensa*). *Dr.* Dépenses faites sur un immeuble par une personne qui en a la jouissance sans en être propriétaire.

IMPER n. m. *Fam.* Abrév. de IMPERMÉABLE.

IMPÉRATIF, IVE adj. (lat. *imperativus;* de *imperare,* commander). Qui a le caractère du commandement; qui exprime un ordre absolu, impérieux : *ton impératif; consigne impérative.* ‖ Qui s'impose comme une nécessité absolue : *des besoins impératifs.*

IMPÉRATIF n. m. Nécessité absolue : *être soumis à des impératifs économiques.* ‖ *Ling.* Mode du verbe qui exprime l'action avec commandement, exhortation, etc. ● *Impératif catégorique,* selon Kant, commandement moral inconditionné qui est à lui-même sa propre fin (par oppos. à IMPÉRATIF HYPOTHÉTIQUE, commandement conditionné d'une action morale possible en vue d'une fin).

IMPÉRATIVEMENT adv. De façon impérative.

IMPÉRATRICE n. f. Femme d'un empereur. ‖ Souveraine d'un empire.

Impératrice rouge *(l'),* film américain de Josef von Sternberg (1934). La vie romancée et fortement stylisée de Catherine de Russie. Un sujet-prétexte qui permit à Josef von Sternberg d'exprimer ses idées sur la mise en scène de cinéma et de créer un univers baroque, tumultueux, étrange et vénéneux, où les décors prennent autant d'importance que l'héroïne principale, incarnée par Marlène Dietrich.

IMPERCEPTIBILITÉ n. f. Caractère de ce qui est imperceptible.

IMPERCEPTIBLE adj. (lat. *imperceptibilis;* de *percipere,* percevoir). Qui échappe à nos sens; qui est trop petit pour être vu. ‖ Qui échappe à notre attention : *progrès imperceptible.*

IMPERCEPTIBLEMENT adv. De façon imperceptible.

IMPERDABLE adj. Qui ne peut être perdu.

IMPERFECTIBLE adj. Qui n'est pas perfectible.

IMPERFECTIF adj. et n. m. *Ling.* Syn. de NON-ACCOMPLI.

IMPERFECTION n. f. (bas lat. *imperfectio*). Caractère, détail imparfait de qqn, de qqch : *les imperfections d'un ouvrage.*

IMPERFORATION n. f. *Méd.* État d'une partie naturelle qui devrait être ouverte et qui est fermée : *imperforation de l'anus.*

IMPERIA, v. d'Italie (Ligurie), ch.-l. de prov., sur le golfe de Gênes; 41 000 hab. Tourisme.

IMPÉRIAL, E, AUX adj. (lat. *imperium,* empire). Qui appartient à un empereur ou à un empire : *dignité impériale.* ‖ Se dit de qqn qui montre beaucoup d'autorité et de présence. ● *Couronne impériale* (Bot.), nom usuel de la *fritillaire.*

IMPÉRIALE n. f. Étage supérieur d'une diligence, d'un tramway, d'un autobus, d'une voiture à voyageurs. ‖ Petite touffe de barbe sous la lèvre inférieure.

IMPÉRIALEMENT adv. De façon impériale.

IMPÉRIALISME n. m. Politique d'expansion d'un État dans le domaine continental, colonial, maritime ou économique, tendant à mettre d'autres États sous sa dépendance; selon les marxistes, stade suprême du capitalisme caractérisé par la domination des monopoles, le développement des sociétés multinationales, et la multiplication des formes de la guerre. ‖ Tendance à dominer moralement son entourage.

■ Inspirée de J. A. Hobson et de R. Hilferding, forgée par R. Luxemburg et Lénine, la théorie de l'impérialisme s'efforce d'expliquer le développement du capitalisme parvenu à son stade suprême et d'en dégager les orientations principales d'une politique marxiste. Des cinq caractères économiques fondamentaux de l'impérialisme (v. art. suiv.), Lénine déduit la nécessité, pour les pays capitalistes, des guerres de conquête. Exaspérés et épuisés par ces guerres, les peuples ne peuvent que se rebeller et, dès lors, la révolution est à l'ordre du jour. Le mode de production* capitaliste est contraint à se transformer pour se maintenir. Par là même, il suscite chez ceux qui luttent contre lui de nouvelles recherches. Les principaux théoriciens contemporains de l'impérialisme sont, outre Mao Tsö-tong, P. A. Baran, P. M. Sweezy, S. Amin et C. Bettelheim.

Impérialisme, stade suprême du capitalisme *(l')*, ouvrage de Lénine, publié en 1917. La concentration de la production — avec, comme conséquence, les monopoles —, la fusion du capital bancaire et du capital industriel constituant une oligarchie financière, l'exportation des capitaux, la formation de firmes multinationales monopolistes et la lutte mondiale pour la possession des marchés constituent, selon l'auteur, les cinq caractères économiques fondamentaux de l'impérialisme.

IMPÉRIALISTE adj. et n. Qui relève de l'impérialisme.

IMPÉRIAUX n. m. pl. *Hist.* Nom donné aux soldats de l'Empire germanique depuis le XVe s. jusqu'au début du XIXe s.

IMPÉRIEUSEMENT adv. De façon impérieuse.

IMPÉRIEUX, EUSE adj. (lat. *imperiosus;* de *imperium,* empire). Autoritaire; qui commande avec énergie, sans qu'il soit possible de répliquer : *un ton impérieux.* ‖ Irrésistible, pressant : *nécessité impérieuse.*

IMPÉRISSABLE adj. Qui ne saurait périr; qui dure très longtemps : *gloire impérissable.*

IMPÉRITIE [ɛ̃perisi] n. f. (lat. *imperitia;* de *peritus,* expérimenté). *Litt.* Manque de capacité dans la fonction qu'on exerce.

IMPERIUM [ɛ̃perjɔm] n. m. *Antiq. rom.* Terme qui caractérisait le pouvoir, dans le domaine politique, judiciaire et militaire, de celui qui gouvernait l'État (consul, préteur, dictateur et, plus tard, empereur). [Il s'opposait à la *potestas,* qui désignait le pouvoir administratif.]

IMPERMÉABILISANT adj. et n. m. Se dit d'un produit qui, en durcissant, forme une pellicule imperméable sur la surface d'un corps.

IMPERMÉABILISATION n. f. Opération qui imperméabilise un tissu.

IMPERMÉABILISER v. t. Rendre imperméable à l'eau, à la pluie : *imperméabiliser un tissu.*

IMPERMÉABILITÉ n. f. Qualité de ce qui est imperméable.

IMPERMÉABLE adj. Se dit des corps qui ne se laissent pas traverser par les liquides : *l'argile est imperméable.* ‖ Qui ne se laisse pas toucher par un conseil, une suggestion : *imperméable à certaines influences.*

IMPERMÉABLE n. m. Manteau apprêté de manière à être imperméable.

IMPERSONNALITÉ n. f. Caractère de ce qui est impersonnel.

IMPERSONNEL, ELLE adj. Qui n'appartient à personne en propre : *la loi est impersonnelle.* ‖ Peu original, banal : *style impersonnel.* ‖ *Ling.* Se dit d'un verbe qui n'a que la 3e pers. du sing., représentant un sujet neutre indéterminé *(il faut, il pleut, il neige, il tonne,* etc.) ou d'une construction où le sujet, placé après le verbe, est remplacé devant le verbe par un pronom neutre de la 3e pers. *(il est arrivé un événement extraordinaire).* ● *Modes impersonnels,* l'infinitif et le participe, ainsi nommés parce qu'ils n'expriment pas la personne grammaticale.

IMPERSONNELLEMENT adv. De façon impersonnelle.

IMPERTINEMMENT [ɛ̃pɛrtinamɑ̃] adv. Avec impertinence; insolemment.

IMPERTINENCE n. f. Manière arrogante de parler, d'agir : *rien n'égale son impertinence.* ‖ Parole, action déplacée ou offensante : *dire des impertinences.*

IMPERTINENT, E adj. et n. (lat. *pertinens,* qui convient). Qui parle, agit d'une manière blessante, par irrespect ou familiarité; effronté, déplacé, désinvolte.

IMPERTURBABILITÉ n. f. État de celui ou de ce qui est imperturbable.

IMPERTURBABLE adj. (lat. *perturbare,* troubler). Que rien ne peut émouvoir.

IMPERTURBABLEMENT adv. De façon imperturbable.

IMPESANTEUR n. f. Syn. de APESANTEUR.

IMPÉTIGINEUX, EUSE adj. *Méd.* Qui ressemble à l'impétigo ou qui en a les caractères.

IMPÉTIGO [ɛ̃petigo] n. m. (mot lat.; de *impetere,* attaquer). Affection contagieuse de la peau, due au streptocoque ou au staphylocoque, caractérisée par l'éruption de pustules qui, desséchées, forment des croûtes. (Syn. GOURME.)

IMPÉTRANT, E n. (lat. *impetrare,* obtenir). *Dr.* Personne qui obtient un titre, un diplôme, une charge, etc.

IMPÉTRATION n. f. *Dr.* Action par laquelle on obtient une grâce, un bénéfice.

IMPÉTUEUSEMENT adv. Avec impétuosité.

IMPÉTUEUX, EUSE adj. (lat. *impetuosus;* de *impetus,* impulsion). Qui se manifeste avec violence et rapidité : *rythme, torrent impétueux.* ‖ Se dit de qqn qui a de la fougue dans son attitude; bouillant, ardent.

IMPÉTUOSITÉ n. f. *Litt.* Caractère de ce qui est impétueux; violence, furie.

IMPHAL, v. de l'Inde, capit. de l'État de Manipur; 156 000 hab.

IMPHY (58160), ch.-l. de cant. de la Nièvre, sur la Loire, à 11 km au S.-E. de Nevers; 4 930 hab. Métallurgie.

IMPIE [ɛ̃pi] adj. et n. (lat. *impius*). *Litt.* Qui méprise la religion, athée, incroyant.

IMPIÉTÉ n. f. *Litt.* Mépris pour les choses religieuses; parole, action impie.

IMPITOYABLE adj. Qui est sans pitié : *juge impitoyable.* ‖ Qui ne fait grâce de rien : *critique impitoyable.*

IMPITOYABLEMENT adv. Sans pitié.

IMPLACABILITÉ n. f. Caractère d'une personne, d'une chose implacable.

IMPLACABLE adj. (lat. *placare,* apaiser). Dont on ne peut apaiser la violence, la dureté, l'inhumanité : *haine implacable.*

IMPLACABLEMENT adv. De façon implacable.

IMPLANT n. m. *Méd.* Pastille ou pellet chargé de médicament, que l'on place dans le tissu cellulaire sous-cutané, où il se résorbe lentement. ● *Implant dentaire,* plaque ou grille introduite au contact de l'os maxillaire pour soutenir une prothèse dentaire.

IMPLANTATION n. f. Action d'implanter ou de s'implanter. ‖ Disposition des postes de travail à l'intérieur d'un local préexistant ou en cours d'aménagement à usage soit de bureaux, soit d'ateliers. ‖ Manière dont les cheveux sont plantés. ‖ *Méd.* Intervention consistant à placer un implant sous la peau.

IMPLANTER v. t. (lat. *implantare,* placer). Introduire, fixer dans. ‖ Installer dans une région une industrie, un organisme, de la main-d'œuvre. ‖ Matérialiser par un piquetage le gabarit en plan d'un ouvrage à édifier. ◆ **s'implanter** v. pr. Se fixer, s'installer.

IMPLANTOLOGIE n. f. Partie de l'odontostomatologie qui se rapporte aux implants dentaires.

IMPLEXE adj. (lat. *implexus,* compliqué). Se dit des ouvrages littéraires où les circonstances sont nombreuses et compliquées (vx).

IMPLICATION n. f. Ce qui est impliqué, contenu dans qqch; conséquence : *les implications politiques d'un traité de commerce.* ‖ *Dr.* État d'une personne impliquée dans une affaire criminelle. ‖ *Log.* et *Math.* Liaison de deux propositions par *si... alors,* du type « s'il est vrai que A = B et B = C, alors A = C ». (La première proposition est appelée *antécédent,* la seconde *conséquent.*) [Syn. IMPLICATION MATÉRIELLE.]

IMPLICITE adj. (lat. *implicitus*). Qui est contenu dans une proposition sans être exprimé en termes précis, formels; qui est la conséquence nécessaire : *clause, condition, volonté implicite.*

IMPLICITEMENT adv. De façon implicite.

IMPLIQUER v. t. (lat. *implicare,* envelopper). Compromettre, engager dans une affaire fâcheuse, mettre en cause : *être impliqué dans une escroquerie.* ‖ Avoir pour conséquence logique ou inéluctable : *ces propos impliquent un refus de votre part.* ‖ *Log.* Entraîner une implication. ◆ **s'impliquer** v. pr. Fam. *S'impliquer dans qqch,* s'y donner à fond.

IMPLORANT, E adj. *Litt.* Qui implore : *voix implorante.*

IMPLORATION n. f. Action d'implorer.

IMPLORER v. t. Demander avec insistance, en faisant appel à la pitié : *implorer le pardon.*

IMPLOSER v. i. Faire implosion.

IMPLOSION n. f. Irruption brutale et rapide d'un fluide dans une enceinte qui se trouve à une pression beaucoup plus faible que la pression du milieu extérieur, et qui, de ce fait, est détruite.

IMPLUVIUM [ɛ̃plyvjɔm] n. m. (mot lat.). Dans l'atrium des maisons romaines, bassin situé sous l'ouverture du toit *(compluvium)* et où étaient recueillies les eaux de pluie.

IMPOLARISABLE adj. Se dit d'une pile électrique qui ne peut être polarisée.

IMPOLI, E adj. et n. Qui manque de politesse; discourtois.

IMPOLIMENT adv. Avec impolitesse.

IMPOLITESSE n. f. Manque de politesse; action, parole impolie.

IMPOLITIQUE adj. Qui manque d'habileté politique, d'opportunité.

IMPONDÉRABILITÉ n. f. Qualité de ce qui ne peut être pesé.

IMPONDÉRABLE adj. Se dit de toute chose qui n'a pas de poids décelable.

IMPONDÉRABLE n. m. Circonstance difficile à évaluer, à prévoir, parce que due au hasard : *les impondérables de la politique.*

IMPOPULAIRE adj. Qui n'est pas conforme aux désirs de la population; qui n'est pas aimé du grand nombre : *loi impopulaire.*

IMPOPULARITÉ n. f. Caractère de ce qui est impopulaire : *l'impopularité d'une mesure fiscale, d'un gouvernement.*

IMPORT n. m. En Belgique, montant : *une facture d'un import de deux mille francs.*

IMPORTABLE adj. (de *importer*). Qu'il est permis ou possible d'importer.

IMPORTABLE adj. (de *porter*). Se dit d'un vêtement qu'on ne peut ou n'ose pas porter.

IMPORTANCE n. f. Caractère d'une chose considérable, soit par elle-même, soit par les suites qu'elle peut avoir; intérêt, conséquence, portée : *affaire de haute importance.* ‖ Autorité, crédit, influence : *sa place lui donne beaucoup d'importance.* ● *D'importance,* important, considérable : *une affaire d'importance.*

IMPORTANT, E adj. Qui est considérable en valeur, en nombre, en quantité, de conséquence : *avis important.* ‖ Qui jouit d'une certaine autorité, qui joue un grand rôle sur le plan social, intellectuel. ◆ adj. et n. *Péjor.* Qui veut paraître plus considérable qu'il n'est.

IMPORTANT n. m. Le point essentiel : *l'important est de...*

IMPORTATEUR, TRICE adj. et n. Qui fait le commerce d'importation.

IMPORTATION n. f. Action d'importer. ◆ pl. Marchandises importées.

IMPORTER v. t. (lat. *importare,* porter dans). Introduire dans un pays des marchandises provenant de pays étrangers. ‖ Introduire dans un pays des manières d'être étrangères.

IMPORTER v. i. et t. ind. [à] (it. *importare,* être d'importance) [ne s'emploie qu'à l'inf. et aux 3es pers.]. Avoir de l'importance, présenter de l'intérêt : *que vous importe son opinion?; Il importe surtout d'être en bonne santé.* ● *N'importe où, quand, comment,* en un lieu, un temps, d'une manière indéfinis. ‖ *N'importe qui, quoi, lequel,* personne ou chose indéfinie. ‖ *Peu importe, qu'importe?,* marquent l'indifférence.

IMPORT-EXPORT n. m. Commerce de produits importés et exportés.

IMPORTUN, E [ɛ̃pɔrtœ̃, -yn] adj. et n. (lat. *importunus,* difficile à aborder). *Litt.* Qui ennuie par ses assiduités, ses demandes, etc., en intervenant mal à propos; fâcheux. ‖ Qui gêne, qui incommode par son action répétée ou hors de propos : *une question importune.*

IMPORTUNÉMENT adv. De façon importune.

IMPORTUNER v. t. Causer du désagrément, de l'ennui, incommoder, ennuyer : *importuner qqn de sollicitations.*

IMPORTUNITÉ n. f. *Litt.* Caractère de ce qui est importun.

IMPOSABLE adj. Soumis à l'impôt : *revenu imposable.*

IMPOSANT, E adj. Qui impressionne par la grandeur, le nombre, la force.

IMPOSÉ, E adj. et n. Soumis à l'impôt. ‖ Se dit de figures obligatoires dans un concours de patinage artistique, de gymnastique, etc. ● *Prix, tarif imposé,* prix que le commerçant doit respecter strictement.

IMPOSER v. t. (lat. *imponere,* placer sur). Charger, frapper d'un impôt, prélever une taxe : *imposer les contribuables.* ‖ Mettre un impôt sur : *imposer les boissons.* ‖ Obliger à accepter, à faire, à subir; ordonner qqch de pénible : *imposer sa volonté, de dures conditions.* ● *Imposer les mains* (Liturg.), mettre les mains sur qqn pour le bénir. ‖ *Imposer une page* (Impr.), en faire l'imposition. ‖ *Imposer le respect,* inspirer un sentiment de respect. ‖ *Imposer silence,* faire taire. ◆ v. t. ind. *En imposer à,* inspirer le respect, la soumission, la crainte : *il en impose à ses subordonnés.* ‖ *S'en laisser imposer,* se laisser tromper par les apparences. ◆ **s'imposer** v. pr. Se faire accepter par une sorte de contrainte, par le respect qu'on inspire ou par sa valeur : *s'imposer dans une société.* ‖ Avoir un caractère de nécessité, devenir une obligation : *des sacrifices s'imposent.*

IMPOSEUR n. m. et adj. *Impr.* Ouvrier typographe chargé de l'imposition.

IMPOSITION n. f. Syn. de IMPÔT. ‖ Détermination technique de l'assiette d'un impôt (vx). ‖ *Impr.* Mise en place des pages de composition typographique dans les formes, en observant des blancs déterminés et de telle façon que le cahier obtenu après pliage de la feuille imprimée présente une pagination suivie. ● *Imposition des mains,* action du prêtre, du pasteur, etc., qui impose les mains.

IMPOSSIBILITÉ n. f. Caractère de ce qui est impossible; chose impossible.

IMPOSSIBLE adj. Qui ne peut se produire, être fait : *la guerre lui paraît impossible; un projet impossible.* ‖ *Fam.* Bizarre, extravagant : *des goûts impossibles.* ‖ *Fam.* Très pénible, très désagréable : *mettre qqn dans une situation impossible.* ‖ *Fam.* Insupportable : *un enfant impossible.* ◆ n. m. Ce qui est presque impossible : *tenter l'impossible.* ● *Par impossible,* dans un cas considéré comme improbable.

IMPOSTE n. f. (it. *imposta*). *Archit.* Pierre en saillie, moulurée, couronnant le piédroit d'une arcade et supportant la retombée de l'arc. ‖ *Menuis.* Partie fixe ou mobile, vitrée ou non, occupant le haut d'une baie au-dessus du ou des battants qui constituent la porte ou la fenêtre proprement dite.

IMPOSTEUR n. m. (bas lat. *impostor;* de *imponere,* tromper). *Litt.* Homme qui trompe par de fausses apparences, par des mensonges.

IMPOSTURE n. f. *Litt.* Action de tromper par de fausses apparences ou de fausses imputations, en particulier en cherchant à se faire passer pour ce qu'on n'est pas.

IMPÔT n. m. (lat. *impositum,* placé sur). Contribution exigée pour assurer le fonctionnement de l'État et des collectivités locales. ● *Impôt direct,* celui qui est perçu directement par l'Administration sur les revenus des personnes physiques, sur les bénéfices industriels et commerciaux. ‖ *Impôt indirect,* celui qui est perçu, notamment, sur les biens de consommation, par exemple les carburants. ‖ *Impôt progressif,* impôt dont le taux croît en même temps que la matière imposable. ‖ *Impôt proportionnel,* impôt dont le taux reste constant. ‖ *Impôt de quotité,* impôt calculé en appliquant un taux préalable à la matière imposable. ‖ *Impôt de répartition,* impôt direct obtenu en répartissant le montant attendu de la contribution entre les contribuables concernés. ‖ *Impôt du sang,* obligation du service militaire (vx).

■ L'objectif de l'impôt est de réaliser un prélèvement autoritaire de ressources permettant à l'État et aux collectivités publiques de faire face à leurs charges. Il peut, par ailleurs, avoir des buts annexes, notamment l'exercice d'une action sur l'économie et la correction des inégalités sociales. L'impôt est la ressource budgétaire la plus importante (v. BUDGET) et il est censé, en stricte orthodoxie budgétaire, couvrir les dépenses normales de l'État et des collectivités locales.

Il est possible, dans tout système fiscal, *d'asseoir* l'impôt sur un ou sur plusieurs éléments ou faits générateurs. L'impôt peut frapper le *capital,* atteignant celui-ci de loin en loin (par exemple, par des droits de mutation et de succession) ou régulièrement (impôt annuel sur le patrimoine), il peut toucher *l'augmentation du patrimoine* (impôt sur les plus-values) ou frapper certaines réserves des sociétés, etc. *L'impôt sur le revenu* atteint une ressource susceptible de renouvellement, que le revenu provienne d'un travail ou de la possession d'un capital (loyer, dividende). *L'impôt sur la dépense* (parfois assimilé à un impôt sur le revenu dans la mesure où la dépense est normalement assurée par celui-ci) est un impôt frappant un comportement particulier, l'attitude de consommateur du contribuable.

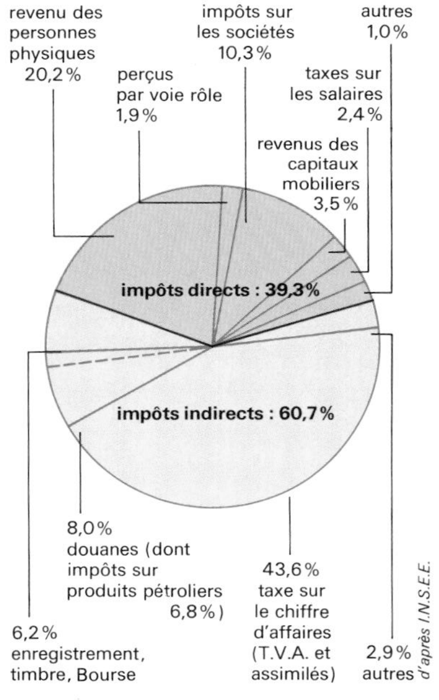
revenu des personnes physiques 20,2 %
perçus par voie rôle 1,9 %
impôts sur les sociétés 10,3 %
autres 1,0 %
taxes sur les salaires 2,4 %
revenus des capitaux mobiliers 3,5 %
impôts directs : 39,3 %
impôts indirects : 60,7 %
8,0 % douanes (dont impôts sur produits pétroliers 6,8 %)
6,2 % enregistrement, timbre, Bourse
43,6 % taxe sur le chiffre d'affaires (T.V.A. et assimilés)
2,9 % autres
d'après I.N.S.E.E.

impôts : structure des recettes fiscales en France en 1981

En France, les impôts sont constitutifs de recettes d'une importance variée. En tête viennent les *taxes sur le chiffre d'affaires,* parmi lesquelles, essentiellement, la taxe à la valeur ajoutée (T.V.A.), puis les *impôts sur le revenu* (et les autres impôts sur rôle) et *l'impôt sur les sociétés,* les *impôts sur le capital* représentant une faible part des recettes fiscales.

● *L'impôt sur le revenu.* Impôt unique, au taux progressif, il est établi sur la base du foyer. Chaque chef de famille y est assujetti à raison de ses revenus personnels, de ceux de son épouse et de ses enfants considérés à charge. L'impôt est calculé sur le revenu net global annuel, dont sont défalqués les déficits et les charges, s'il en existe. Les revenus pris en considération sont essentiellement les revenus

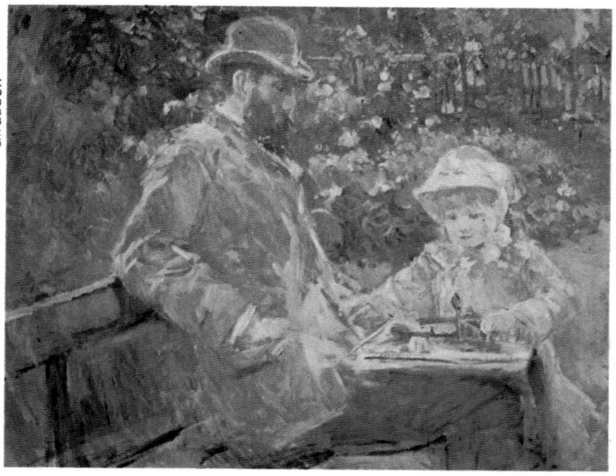

Giraudon

Berthe Morisot : *Eugène Manet et sa fille,* 1870. (Coll. privée, Paris.)

IMPRESSIONNISME

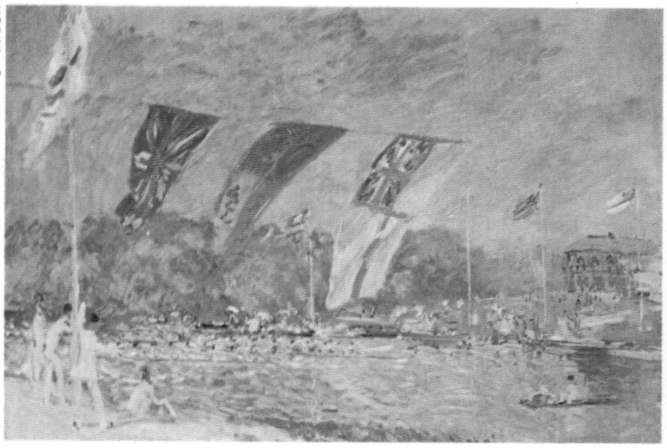

Giraudon

Alfred Sisley : *les Régates,* v. 1874. (Musée du Louvre, Paris.)

Claude Monet : *le Pont de chemin de fer à Argenteuil,* v. 1873. (Musée du Louvre.)

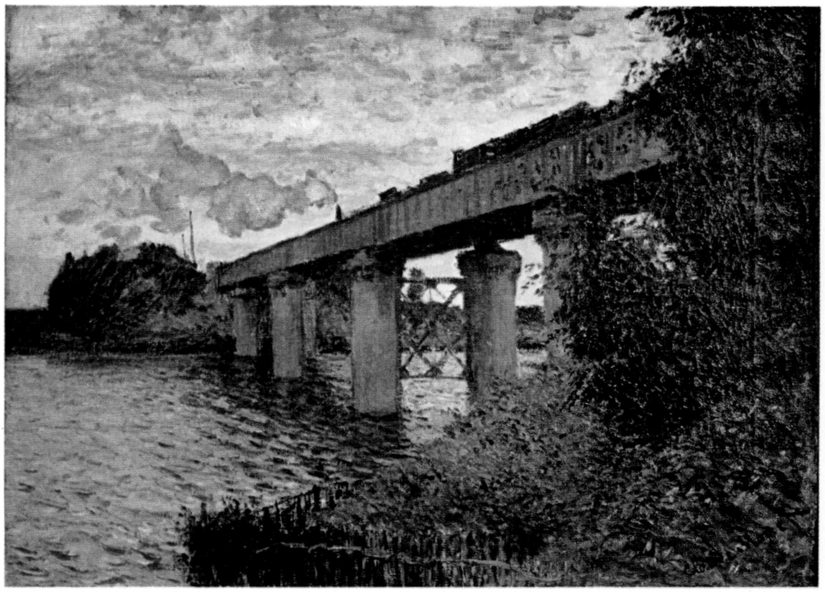

Giraudon

fonciers, les bénéfices industriels et commerciaux, les rémunérations des gérants et associés, les bénéfices de l'exploitation agricole, les traitements et salaires, les pensions et rentes viagères, les bénéfices des professions non commerciales, les revenus de valeurs et capitaux mobiliers, des créances, dépôts, comptes courants, les plus-values, les revenus encaissés hors de France.

Pour proportionner l'impôt sur le revenu à la structure de la famille, un mécanisme permet d'alléger la charge des familles ayant des enfants. Le célibataire, ou divorcé, ou veuf, sans enfant à charge, a une part; le marié, sans enfant à charge, a deux parts; le célibataire (ou divorcé ou veuf), ayant un enfant à charge, a deux parts; le marié, ayant un enfant à charge, a deux parts et demie; le marié, ayant deux enfants à charge a trois parts; le nombre étant augmenté d'une demi-part par enfant à charge (système du quotient familial). Depuis 1980, le contribuable ayant au moins trois enfants à charge bénéficie d'une demi-part supplémentaire.

• *L'impôt sur les sociétés.* Pour calculer le montant de l'impôt, on soumet le bénéfice imposable de la personne morale à un taux qui est de 50 p. 100 du bénéfice net réalisé, taux réduit pour certaines catégories de profits (plus-values de cession). Un *crédit d'impôt,* ou *avoir fiscal,* tend d'éviter la double imposition (du bénéfice net de la société d'abord et de son montant distribué à l'actionnaire ensuite).

• *L'impôt de solidarité sur la fortune (I. S. F.).* Institué en France en 1988, il s'agit d'un impôt sur le capital à l'exclusion des biens professionnels et des œuvres d'art. (Il a remplacé l'*impôt sur les grandes fortunes* [*I. G. F.*], en vigueur de 1982 à 1986.)

• La *T. V. A.* Elle frappe, à chaque stade de l'élaboration d'un bien ou d'un service, la valeur ajoutée par chacune de ces opérations. Le taux normal de la taxe est de 17,60 p. 100; le taux réduit (7 p. 100) frappe des produits de première nécessité; le taux intermédiaire (23 p. 100) affecte certains produits et services; la taxe au taux majoré de 33,33 p. 100 atteint des consommations de luxe ou considérées comme telles.

• Les *impôts locaux.* Ils sont constitués par la taxe foncière des propriétés bâties et des propriétés non bâties, la taxe d'habitation, la taxe professionnelle, des taxes communales et départementales et des impôts indirects locaux.

• La *liquidation et la perception de l'impôt.* On distingue essentiellement les *impôts de répartition* et les *impôts de quotité.* Dans le premier cas, le rendement global est connu d'avance et son montant réparti entre les redevables (ce système, dans l'ensemble, n'a plus cours, sauf pour les impôts locaux). Dans le cas des impôts de quotité, on fixe un taux de l'impôt, égal pour tous les contribuables (ou, au moins, égal à l'intérieur d'un même groupe de redevables), et l'on obtient ainsi le rendement total de l'impôt.

Celui-ci peut être perçu grâce à l'établissement d'un *rôle,* ou, au contraire, sans rôle. Les impôts directs sont mis en recouvrement grâce à l'émission d'un rôle, le contribuable en étant prévenu par un « avertissement ». En principe, le recouvrement de l'impôt se fait par paiement volontaire du contribuable, mais, en cas de refus, des procédures de contrainte peuvent s'appliquer. Les créances du Trésor sont protégées par des garanties particulières. Dans certains cas (impôt frappant les baux d'habitation), la liquidation est faite par l'assujetti lui-même, qui doit calculer le montant de son impôt et le verser simultanément.

• La *politique fiscale.* La pression fiscale (impôts et cotisations sociales) se situe en France à un niveau élevé, de l'ordre de 45 p. 100 du produit national brut : la France est parmi les pays assez fortement imposés. L'impôt sur le revenu représente une part relativement faible de l'ensemble des prélèvements obligatoires, moins élevée que dans la plupart des pays industriels (le quotient familial fait du système français, pour les familles disposant de revenus élevés, un régime favorable aux foyers chargés d'enfants).

Les problèmes de l'incidence économique de l'impôt, c'est-à-dire de l'impact de l'impôt sur le comportement des redevables, sont constitutifs de la « théorie économique de l'impôt » et de l'« économie financière ». L'impôt peut servir des « politiques économiques » (relance ou freinage de la consommation ou des investissements) et dépasser largement ses objectifs purement financiers (qui étaient les siens, au XIXe s., quand l'État avait un rôle plus limité qu'il ne l'a aujourd'hui). Il réalise notamment d'importants transferts* sociaux. Certains voudraient voir accroître ces effets. Le concept d'impôt négatif sur le revenu a été introduit, notamment par M. Friedman*, comme paraissant (par le transfert qu'il réaliserait) apporter une solution au problème de la pauvreté.

IMPOTENCE n. f. État d'une personne impotente.

IMPOTENT, E adj. et n. (lat. *impotens,* impuissant). Qui ne marche, ne remue les membres qu'avec difficulté.

IMPRATICABILITÉ n. f. Caractère, état de ce qui est impraticable.

IMPRATICABLE adj. Où l'on ne peut pas passer. ‖ Qu'on ne peut mettre à exécution; irréalisable : *projet impraticable.*

IMPRÉCATION n. f. (lat. *imprecatio;* de *precari,* prier). *Litt.* Malédiction proférée contre qqn.

IMPRÉCATOIRE adj. *Litt.* Qui a la forme d'une imprécation.

IMPRÉCIS, E adj. Qui manque de précision; vague, approximatif.

IMPRÉCISION n. f. Manque de précision.

IMPRÉGNATION n. f. Action d'imprégner, d'être imprégné : *imprégnation des bois, des esprits.*

IMPRÉGNER v. t. (bas lat. *impraegnare,* féconder) [conj. **5**]. Faire pénétrer un liquide, une odeur dans un corps : *imprégner une étoffe d'un liquide.* • *Être imprégné de,* être pénétré profondément de : *être imprégné de préjugés.*

IMPRENABLE adj. Qui ne peut être pris : *citadelle imprenable.* • *Vue imprenable,* vue qui ne peut pas être masquée par des constructions nouvelles.

IMPRÉPARATION n. f. Manque de préparation.

IMPRÉSARIO ou **IMPRESARIO** [ɛ̃presarjo] n. m. (mot it.; de *impresa,* entreprise) [pl. *imprésarios* ou *impresarii*]. Celui qui est chargé des intérêts d'un acteur, d'un groupe d'artistes.

IMPRESCRIPTIBILITÉ n. f. Caractère de ce qui est imprescriptible.

IMPRESCRIPTIBLE adj. Qui n'est pas susceptible de prescription; qui ne peut être caduc, dont on ne peut être privé.

IMPRESSION n. f. (lat. *impressio,* application). Effet produit sur l'esprit de qqn; sensation, sentiment : *impression de froid; ressentir une vive impression.* ‖ Empreinte, marque : *l'impression d'un cachet.* ‖ Édition : *la dernière impression d'un livre.* ‖ Première couche de peinture, de vernis, etc., appliquée sur un subjectile absorbant. ‖ Action d'imprimer; son résultat. • *Avoir l'impression de* ou *que,* avoir la sensation, le sentiment vrai ou faux de ou que; croire, s'imaginer : *avoir l'impression de tomber, que l'on se trompe.* ‖ *Bonne, mauvaise impression,* sentiment favorable ou défavorable. ‖ *Faire impression sur,* agir vivement sur, provoquer l'admiration, l'étonnement.

■ Limité à l'origine à la confection de livres en typographie, le domaine de l'impression s'est constamment étendu. Actuellement, il est possible d'imprimer sur n'importe quel support, papier ou carton, métal, pellicule cellulosique ou plastique, tissu, bois ou cuir, verre ou céramique, objets de formes diverses.

coupes des formes
de trois grands procédés d'**impression**

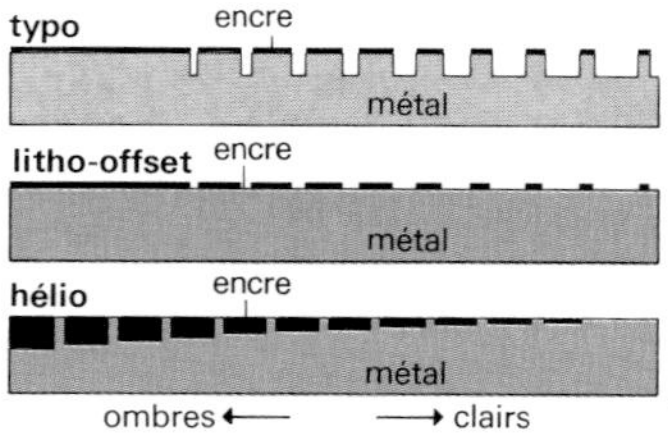

On imprime avec une *forme d'impression,* dont l'image imprimante est encrée, puis décalquée sur le support d'impression dans une machine, ou presse à imprimer. La forme d'impression peut comprendre un texte obtenu par les techniques de la composition et/ou des illustrations, obtenues par la photogravure. Il existe trois grandes familles de formes. Dans les *formes en relief,* les parties qui ne doivent pas imprimer sont creusées ou supprimées : c'est le cas des caractères d'imprimerie, des bois gravés, des clichés typographiques; les éléments imprimants sont tous à la même hauteur et reçoivent une couche d'encre d'épaisseur uniforme. Dans les *formes en creux,* les éléments imprimants sont creusés par morsure à l'acide ou par enlèvement de métal; on les emplit d'encre, qui se dépose sur le support en épaisseur variable selon leur profondeur. Sur les *formes planographiques,* éléments imprimants et non imprimants sont au même niveau; une différenciation physico-chimique fait que l'encre est acceptée par les uns et repoussée par les autres. Une quatrième famille est celle des *formes perméables* ou *poreuses,* comme le fin tamis de la sérigraphie, à travers les mailles duquel l'encre passe. Le transfert de l'encre de la forme au support peut se faire par contact direct : en typographie, avec forme en relief; en taille-douce ou en héliogravure, avec forme en creux; en lithographie, avec forme plane; en sérigraphie, avec forme perméable. Ce transfert peut aussi se faire : soit par double transfert, un premier décalque étant réalisé sur un intermédiaire, cylindre garni de caoutchouc (offset avec forme plane, typo indirecte ou letterset avec forme en léger relief); soit sans contact, par déplacement des particules d'encre sous l'action de forces électrostatiques en xérographie. L'impression peut aussi se faire sans passer par l'intermédiaire d'une forme d'impression, par projection de fines gouttelettes d'encre (impression au jet d'encre). D'autre part, on peut donner à l'imprimé un relief encré ou non par timbrage, gaufrage, estampage.

Les *encres d'imprimerie* ont des formulations adaptées à la fois au support à imprimer, à la presse et à l'usage final des imprimés. Leur colorant, finement broyé, est enrobé dans un liant qui assure leur fixation sur le support, et un solvant leur donne la fluidité nécessaire. Elles doivent sécher par accrochage ou par pénétration dans le support, par oxydation de leur liant, par évaporation de leur solvant. Des encres spéciales contiennent de fines particules métalliques (encres bronze) ou d'oxyde de fer (encres magnétiques) ou encore des poudres d'émail (encres céramiques); d'autres possèdent un produit fluorescent (encres luminescentes). Les vernis, qui servent à la protection ou à la décoration de l'imprimé, sont des encres sans colorant.

Les *papiers* font partie de la catégorie impression-écriture. Selon leur aspect de surface, on distingue : le papier *bouffant,* pour impression de textes seuls; le papier *satiné,* comme le papier journal; le papier *surglacé,* à surface plus lisse; les papiers *couchés,* qui ont reçu une couche de produits minéraux (kaolin, blanc de baryte, etc.).

IMPRESSIONNABILITÉ n. f. Caractère d'une personne, d'une chose impressionnable.

IMPRESSIONNABLE adj. Facile à toucher, à émouvoir; émotif, sensible. ‖ *Phot.* Qui peut être impressionné.

IMPRESSIONNANT, E adj. Qui impressionne.

IMPRESSIONNER v. t. Produire une vive impression; émouvoir, frapper : *spectacle qui impressionne.* ‖ *Phot.* En parlant d'un rayonnement, laisser une trace sur un support.

IMPRESSIONNISME n. m. École picturale qui se manifesta notamment, de 1874 à 1886, par huit expositions publiques à Paris, et qui a pratiquement marqué la rupture de l'art moderne avec l'académisme officiel. ‖ Tendance générale, en art, à noter les impressions fugitives, la mobilité des phénomènes, plutôt que l'aspect stable et conceptuel des choses.

■ Poursuivant les recherches à la fois de Delacroix, de Constable, de Turner, de Courbet, de Daubigny, de Boudin ou de Jongkind, mais aussi abordant de manière nouvelle les problèmes picturaux, ce mouvement artistique apporte, dans le dernier tiers du XIXe s., les premiers bouleversements de l'art moderne. Avec le parti pris de travailler sur le motif, en plein air, et la primauté accordée à la sensation de l'artiste, le temps est introduit dans la peinture : tout ce qui

Auguste Renoir :
*le Moulin de
la Galette*, 1876.
(Musée du Jeu
de paume, Paris.)

Camille Pissarro : *Jeune Fille à la baguette.
Paysanne assise*, 1881.
(Musée du Louvre, Paris.)

IMPRESSIONNISME

Édouard Degas :
Danseuses bleues,
v. 1890.
(Musée du Louvre,
Paris.)

IMPRIMANTE n. f. Organe périphérique d'un ordinateur, généralement constitué d'une machine qui permet de sortir les résultats sur papier.

IMPRIMATUR [ɛ̃primatyr] n. m. inv. (mot lat., *qu'il soit imprimé*). Permission d'édition d'un ouvrage, donnée par l'autorité ecclésiastique.

IMPRIMÉ n. m. Livre, papier imprimé. ‖ Article textile présentant des dessins obtenus par impression.

IMPRIMER v. t. (lat. *imprimere*). Arts graph. Reporter sur un papier, un tissu, etc., des caractères ou des dessins gravés et portés par des formes ou des clichés enduits d'encre : *imprimer un livre*. ‖ Faire paraître, publier : *un journal ne peut pas tout imprimer*. ‖ Communiquer : *imprimer un mouvement de rotation à un volant*. ‖ *Litt*. Faire, laisser une empreinte sur qqch : *imprimer la marque de ses pas dans la neige*. ‖ *Litt*. Faire impression dans l'esprit, dans le cœur, inspirer : *imprimer la crainte, le respect*.

IMPRIMERIE n. f. Ensemble des techniques et métiers qui concourent à la fabrication d'ouvrages imprimés. ‖ Établissement où l'on imprime.

Imprimerie nationale, établissement de l'État assurant l'impression des actes administratifs de la République française et de divers ouvrages

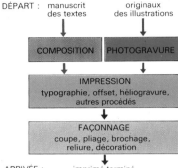

DÉPART : manuscrit des textes — originaux des illustrations

COMPOSITION | PHOTOGRAVURE

IMPRESSION
typographie, offset, héliogravure, autres procédés

FAÇONNAGE
coupe, pliage, brochage, reliure, décoration

ARRIVÉE : imprimé terminé
les métiers de l'**imprimerie**

IMPROPRE adj. (lat. *improprius*). Qui ne convient pas, inadéquat : *terme impropre à traduire une idée*.

IMPROPREMENT adv. De façon impropre.

IMPROPRIÉTÉ n. f. Caractère impropre, en parlant du langage; emploi impropre.

IMPROUVABLE adj. Qui ne peut être prouvé.

IMPROVISATEUR, TRICE adj. et n. Qui improvise.

IMPROVISATION n. f. Action, art d'improviser : *être doué pour l'improvisation*. ‖ Ce qu'on improvise : *une brillante improvisation*.

IMPROVISER v. t. et i. (it. *improvvisare*). Composer sur-le-champ, organiser rapidement et sans préparation qqch (texte, discours, morceau musical, décision, etc.).

IMPROVISTE (À L') loc. adv. (it. *improvvisto*). D'une façon inattendue, subitement : *arriver à l'improviste*.

IMPRUDEMMENT adv. Avec imprudence.

IMPRUDENCE n. f. Défaut d'une personne qui ne prévoit pas les conséquences de ses actes; l'acte lui-même. ‖ *Dr*. Faute involontaire, consistant généralement en un manque de précautions, qui peut entraîner la mise en cause de la responsabilité civile et même pénale de son auteur.

IMPRUDENT, E adj. et n. Qui manque de prudence, aventureux.

IMPUBÈRE adj. (lat. *impubes*). Qui n'a pas encore atteint l'âge de la puberté.

IMPUBLIABLE adj. Qu'on ne peut publier.

IMPUDEMMENT [ɛ̃pydamɑ̃] adv. Avec impudence.

IMPUDENCE n. f. Insolence extrême qui indigne; action, parole impudente : *il a eu l'impudence de soutenir cela!*

IMPUDENT, E adj. et n. (lat. *impudens*; de *pudere*, avoir honte). D'une insolence cynique.

IMPUDEUR n. f. Manque de pudeur, de retenue, indécence.

IMPUDICITÉ n. f. *Litt*. Caractère d'une personne ou d'une chose impudique.

IMPUDIQUE adj. et n. Qui blesse la pudeur; indécent.

IMPUDIQUEMENT adv. De façon impudique.

IMPUISSANCE n. f. Manque de force, de moyens pour faire une chose. ‖ Incapacité (organique ou psychique) pour l'homme d'accomplir l'acte sexuel par suite d'inhibition survenant à l'une quelconque de ses phases.

■ L'inhibition provoquant l'impuissance peut survenir à toutes les phases de l'acte sexuel : érection, intromission, orgasme, éjaculation (absente ou précoce), et, plus rarement, au niveau même de l'absence de libido. On distingue l'impuissance primaire (le sujet n'a jamais eu un rapport sexuel satisfaisant) et l'impuissance secondaire, temporaire ou sélective (elle ne se produit qu'avec certains partenaires). L'impuissance est le symptôme d'une maladie organique (diabète, cirrhose) ou psychique. Cependant, les cas où l'on peut incriminer une cause organique sont relativement rares par rapport aux causes d'origine psychique. Les psychanalystes ont montré que celles-ci étaient liées au complexe de castration ou à des perturbations plus sévères, de l'ordre de la psychose ou de la névrose grave.

IMPUISSANT, E adj. et n. Qui manque du pouvoir, de la force nécessaire pour faire qqch : *il a été impuissant à me persuader*. ‖ Se dit d'un homme incapable d'accomplir l'acte sexuel.

IMPULSER v. t. Pousser qqch dans un certain sens.

IMPULSIF, IVE adj. et n. (bas lat. *impulsivus*; de *impellere*, pousser). Qui cède à ses impulsions.

IMPULSION n. f. Acte soudain et irrésistible qui échappe au contrôle du sujet. ‖ Force dont la durée d'application est très courte et qui provoque le mouvement d'un corps; mouvement que

est changeant (ciels, eaux, feuillages...), tout ce qui transforme la nature et les choses (lumière, climat, saison, heure...), tout ce qui est transitoire (neiges, brouillards, aurores, crépuscules...) est au centre des préoccupations des impressionnistes. Renonçant à dessiner les contours et bannissant le noir, les « terres », les gris et les blancs purs, ils recherchent des « vibrations colorées » (Jules Laforgue) en juxtaposant des touches de plus en plus fragmentées de couleurs primaires et de leurs complémentaires; le mélange n'est pas obtenu sur la palette mais naît d'une sensation optique qui tend à dissoudre les formes. Si Manet* (fidèle à une peinture plus sombre) et Degas* (fidèle au travail d'atelier) jouent un rôle important dans la nouvelle peinture, les impressionnistes à proprement parler (ils se disent d'abord « réalistes ») sont ceux qui, après l'académie Suisse (Monet*, Pissarro*, Cézanne*) ou l'atelier Gleyre (Bazille*, Sisley*, Monet, Renoir*), se retrouvent, en 1863, au Salon des refusés (où Manet, avec le scandale du *Déjeuner sur l'herbe*, fait figure, malgré lui, de chef de file), puis créent, en 1874, une société anonyme qui organise les expositions impressionnistes (c'est sans doute la toile de Monet *Impression, soleil levant* [1872, musée Marmottan, Paris] qui suggère à un critique le nom donné par dérision aux exposants). À ces artistes se joignent des peintres tels que Berthe Morisot*, Mary Cassatt (1845-1926), dont l'œuvre témoigne de l'influence de Degas et de l'estampe japonaise, Armand Guillaumin (1841-1927), qui annonce le fauvisme par son ardeur chromatique, Albert Lebourg (1849-1928), aux paysages fins et lumineux, ou Forain*. Malgré les efforts du marchand Paul Durand-Ruel, dès 1870, le discrédit dans lequel critiques et public tiennent les impressionnistes dure longtemps, et, en 1894 encore, l'État refuse une partie des toiles léguées par Gustave Caillebotte (1848-1894), bon peintre réaliste mais aussi soutien dévoué du groupe.

Lorsque le succès commence à apparaître, déjà des divergences ont désuni le mouvement : certains renoncent aux expositions impressionnistes tandis que d'autres s'y introduisent (tels Gauguin* dès la 4e exposition, en 1879, Seurat* et Signac [v. NÉO-IMPRESSIONNISME] lors de la dernière exposition, en 1886). À vrai dire, l'impressionnisme n'a pas été une école, mais plutôt une recherche commune qui a marqué les plus fortes personnalités sans entraver l'expression de leur génie propre, qu'il s'agisse de Renoir, de Monet, qui porte à son point ultime la fluidité colorée avec ses séries de *Nymphéas* (1899-1926), ou de Cézanne, qui ouvre la voie à l'art du XXe s. Enfin, pour Toulouse-Lautrec*, Van Gogh* ou Bonnard*, comme pour de nombreux peintres à l'étranger, l'impressionnisme sera un point de départ.

IMPRESSIONNISTE adj. et n. Qui relève de l'impressionnisme.

IMPRÉVISIBILITÉ n. f. Caractère de ce qui est imprévisible.

IMPRÉVISIBLE adj. Qu'on ne peut prévoir.

IMPRÉVISION n. f. Manque de prévision.
● *Théorie de l'imprévision* (Dr.), théorie élaborée par les tribunaux administratifs, selon laquelle les clauses financières d'un contrat de longue durée peuvent être révisées en raison d'un bouleversement de la situation économique (d'une guerre notamment).

IMPRÉVOYANCE n. f. Défaut de prévoyance.

IMPRÉVOYANT, E adj. et n. Qui manque de prévoyance.

IMPRÉVU, E adj. et n. m. Qui arrive sans avoir été prévu et déconcerte : *événement imprévu*; *faire la part de l'imprévu*.

IMPRIMABILITÉ n. f. Ensemble des propriétés d'un support à imprimer.

IMPRIMABLE adj. Qui mérite d'être imprimé; qui peut l'être.

publiés pour le compte de l'État et de quelques particuliers autorisés. Son origine remonte à François Ier, qui désigna, en 1538, un « imprimeur du roy », et à Louis XIII, qui créa, en 1620, au Louvre, un petit atelier de typographie, devenu, en 1640, l'*Imprimerie royale*.

IMPRIMEUR n. m. Personne qui dirige une imprimerie. ‖ Ouvrier employé dans une imprimerie à l'impression du papier. ‖ Ouvrier travaillant à l'impression des tissus.

IMPROBABILITÉ n. f. Caractère de ce qui est improbable.

IMPROBABLE adj. Qui a peu de chances de se réaliser : *hypothèse improbable*.

IMPROBATEUR, TRICE adj. *Litt*. Qui désapprouve.

IMPROBATION n. f. (lat. *improbatio*, désapprobation). *Litt*. Action de ne pas approuver.

IMPROBITÉ n. f. *Litt*. Défaut de probité.

IMPRODUCTIF, IVE adj. et n. Qui ne produit rien; stérile.

IMPRODUCTIVITÉ n. f. Caractère, état de celui, de ce qui est improductif.

IMPROMPTU, E adj. (lat. *in promptu*, sous la main). *Litt*. Fait sur-le-champ, non préparé, improvisé : *dîner impromptu*. ◆ adv. Sur-le-champ.

IMPROMPTU n. m. *Littér*. Pièce de vers improvisée. ‖ *Mus*. Pièce musicale de caractère, de forme indéterminée.

Impromptu de Versailles (l'), comédie en un acte et en prose, de Molière (1663) : c'est une réponse aux attaques suscitées par le succès de l'*École des femmes* et auxquelles la *Critique de l'École des femmes* » (1663) n'avait pas imposé silence. Se représentant au cours d'une répétition avec ses comédiens, Molière critique le jeu des acteurs de l'Hôtel de Bourgogne* et défend sa conception de la comédie de caractère.

IMPRONONÇABLE adj. Impossible à prononcer.

cette force provoque. ‖ Grandeur physique dont la valeur n'est appréciable que pendant une courte durée. ‖ Groupe d'oscillations à très haute fréquence, utilisées en électronique, qui se succèdent périodiquement dans le temps. ● *Impulsion d'une force,* produit de l'intensité de cette force par l'intervalle de temps pendant lequel elle agit.

IMPULSIVEMENT adv. De façon impulsive.

IMPULSIVITÉ n. f. Tendance à être la proie d'impulsions.

IMPUNÉMENT adv. Sans être puni : *se moquer impunément de qqn.*

IMPUNI, E adj. (lat. *impunitus*). Qui demeure sans punition.

IMPUNITÉ n. f. Absence de punition.

IMPUR, E adj. Qui n'est pas pur; qui est altéré par quelque mélange : *des eaux impures.* ‖ Contraire à la chasteté : *des désirs impurs.*

IMPURETÉ n. f. Ce qu'il y a d'impur, d'étranger dans une chose : *l'impureté de l'air.* ‖ Acte contraire à la chasteté.

IMPUTABILITÉ n. f. Caractère de ce qui est imputable. ‖ *Dr.* Possibilité de considérer une personne comme l'auteur d'une infraction.

IMPUTABLE adj. Qui peut, qui doit être imputé, attribué : *un abus imputable à une mauvaise administration.* ‖ Qui doit être prélevé : *somme imputable sur une réserve.*

IMPUTATION n. f. Accusation, souvent portée sans preuve. ‖ *Dr.* Prise en compte, pour calculer la part d'un héritier, des libéralités effectuées antérieurement en sa faveur. ‖ *Fin.* Application d'une dépense au chapitre du budget qui doit régulièrement la supporter.

IMPUTER v. t. (lat. *imputare,* porter en compte). Attribuer à qqn, à qqch la responsabilité de : *imputer un vol à qqn.* ‖ Porter au compte de : *imputer une dépense sur un chapitre du budget.*

IMPUTRESCIBILITÉ n. f. Qualité de ce qui est imputrescible.

IMPUTRESCIBLE adj. Qui ne peut se putréfier : *bois imputrescible.*

IMROZ, en grec **Imbros,** île turque de la mer Égée, près des Dardanelles.

In, symbole chimique de l'*indium.*

IN- [ĭ devant une consonne, in devant une voyelle ou un h muet], préfixe privatif d'origine latine, qui indique soit suppression ou négation, soit mélange, position inférieure ou supérieure. (Prend la forme *il* devant un radical commençant par un *l; im,* devant un *b,* un *m* ou un *p; ir,* devant un *r.*)

IN [in] adj. inv. (angl., *dedans). Fam.* À la mode.

I. N. A., sigle de INSTITUT NATIONAL DE L'AUDIO-VISUEL*.

INABORDABLE adj. Que l'on ne peut aborder; inaccessible : *côte inabordable; homme inabordable.* ‖ D'un prix très élevé : *denrée inabordable.*

INABOUTI, E adj. Qui n'a pas abouti : *projet inabouti.*

INABRITÉ, E adj. Qui n'est pas protégé par un abri : *mouillage inabrité.*

INABROGEABLE adj. Qu'on ne peut abroger.

INACCENTUÉ, E adj. *Ling.* Qui n'est pas accentué, atone : *pronom inaccentué.*

INACCEPTABLE adj. Qu'on ne peut, qu'on ne doit pas accepter.

INACCEPTATION n. f. Refus d'accepter.

INACCESSIBILITÉ n. f. Caractère, état de ce qui est inaccessible.

INACCESSIBLE adj. Dont l'accès est impossible : *île inaccessible.* ‖ Qui n'est pas atteint par certains sentiments : *inaccessible à la pitié.* ‖ Qu'on ne peut comprendre, connaître : *poème inaccessible.*

INACCOMPLI, E adj. *Litt.* Non accompli.

INACCOMPLISSEMENT n. m. *Litt.* Défaut d'accomplissement.

INACCORDABLE adj. Qu'on ne peut accorder : *demande inaccordable.* ‖ Qu'on ne peut mettre d'accord : *intérêts inaccordables.*

INACCOUTUMÉ, E adj. Inhabituel, insolite.

INACHEVÉ, E adj. Qui n'a pas été achevé.

INACHÈVEMENT n. m. État de ce qui n'est pas achevé.

INACTIF, IVE adj. Qui n'a pas d'activité, désœuvré, oisif : *rester inactif.* ‖ Qui n'est pas efficace : *un remède inactif.* ◆ n. Personne n'appartenant pas à la population active d'un pays. (Contr. ACTIF.)

INACTINIQUE adj. *Phys.* Se dit de la lumière qui n'a pas d'action chimique.

INACTION n. f. Absence d'action, de travail, d'activité.

INACTIVATION n. f. *Biol.* Destruction du pouvoir pathogène d'une substance ou d'un micro-organisme.

INACTIVER v. t. Produire l'inactivation.

INACTIVITÉ n. f. Défaut d'activité, état de repos, immobilité. ‖ *Dr.* État d'un fonctionnaire qui n'est plus en activité.

INACTUALITÉ n. f. Caractère inopportun, anachronique.

INACTUEL, ELLE adj. Qui ne convient pas au moment présent.

INADAPTABLE adj. Qui n'est pas adaptable.

INADAPTATION n. f. Défaut d'intégration aux exigences sociales. ‖ *Hydrogr.* Dans une région, absence de relation entre le tracé des cours d'eau et la structure du relief.

INADAPTÉ, E adj. et n. Qui n'est pas adapté. ● *Enfance inadaptée,* ensemble des enfants présentant soit un handicap physique, soit une déficience intellectuelle ou des troubles du caractère qui nécessitent des mesures éducatives spéciales.

INADÉQUAT, E adj. Qui n'est pas adéquat.

INADÉQUATION n. f. Caractère de ce qui n'est pas adéquat.

INADMISSIBILITÉ n. f. État de ce qui ne peut ou ne doit pas être admis.

INADMISSIBLE adj. Qu'on ne saurait admettre, inacceptable.

INADVERTANCE n. f. (lat. *adverterer,* tourner son attention vers). *Litt.* Résultat de l'inattention, de l'étourderie. ● *Par inadvertance,* par inattention.

INAFFECTIF, IVE adj. et n. *Psychol.* Qui témoigne de l'inaffectivité.

INAFFECTIVITÉ n. f. *Psychol.* Absence apparente de sentiments.

INALIÉNABILITÉ n. f. *Dr.* Caractère d'un bien qui ne peut être transféré à un autre propriétaire : *l'inaliénabilité du domaine public.*

INALIÉNABLE adj. *Dr.* Qu'on ne peut vendre ou hypothéquer.

INALIÉNATION n. f. *Dr.* État de ce qui n'est pas aliéné : *inaliénation d'un domaine.*

INALTÉRABILITÉ n. f. Qualité de ce qui est inaltérable, incorruptible.

INALTÉRABLE adj. Qui ne peut être altéré : *l'or est inaltérable à l'air.* ‖ Qui ne peut être amoindri, éternel : *amitié inaltérable.*

INALTÉRÉ, E adj. Qui n'a subi aucune altération.

INAMICAL, E, AUX adj. Contraire à l'amitié, discourtois, hostile.

INAMISSIBLE adj. *Théol.* Qui ne peut se perdre : *grâce inamissible.*

INAMOVIBILITÉ n. f. *Dr.* Garantie accordée à certains titulaires de fonctions publiques, notamment les magistrats, de conserver l'exercice de celles-ci ou de n'en être privé qu'au terme de procédures particulières.

INAMOVIBLE adj. Qui ne peut être destitué ou déplacé par voie administrative : *juge inamovible.*

INANALYSABLE adj. Qu'on ne peut analyser.

INANIMÉ, E adj. Qui par nature est sans vie : *corps inanimé.* ‖ Qui n'a plus vie ou qui est sans connaissance : *tomber inanimé.* ‖ *Ling.* Se dit des noms désignant des choses.

INANITÉ n. f. (lat. *inanitas;* de *inanis,* vide). État de ce qui est vain, inutile, vanité : *l'inanité de certains efforts.*

INANITION n. f. Privation totale ou partielle d'aliments : *mourir d'inanition.*

INAPAISABLE adj. Qui ne peut être apaisé.

INAPAISÉ, E adj. *Litt.* Qui n'a pas été ou qui ne s'est pas apaisé.

INAPERÇU, E adj. *Passer inaperçu,* ne pas se faire remarquer.

INAPPÉTENCE n. f. Défaut d'appétit; dégoût pour les aliments. ‖ Manque d'entrain.

INAPPLICABLE adj. Qui ne peut être appliqué : *loi inapplicable.*

INAPPLICATION n. f. Absence de mise en pratique. ‖ Défaut d'application, d'attention.

INAPPLIQUÉ, E adj. Qui manque d'application, de soin, d'attention.

INAPPRÉCIABLE adj. Dont on ne saurait estimer la valeur; inestimable, précieux.

INAPPRÉCIÉ, E adj. Qui n'est pas apprécié.

INAPPRIVOISABLE adj. Qu'on ne peut apprivoiser, sauvage.

INAPPRIVOISÉ, E adj. Qui n'est pas apprivoisé.

INAPTE adj. et n. Qui manque d'aptitude, de capacité, incapable : *inapte aux affaires.*

INAPTITUDE n. f. Défaut d'aptitude, incapacité.

INARI, lac du nord de la Finlande; 1 085 km².

INARRANGEABLE adj. Qu'on ne peut arranger.

INARTICULÉ, E adj. Émis sans netteté : *pousser des cris inarticulés.*

INASSIMILABLE adj. Qu'on ne peut assimiler.

INASSOUVI, E adj. *Litt.* Qui n'est pas assouvi, insatisfait : *faim, vengeance inassouvie.*

INASSOUVISSEMENT n. m. *Litt.* État de ce qui n'est pas ou ne peut pas être assouvi.

INATTAQUABLE adj. Qu'on ne peut pas attaquer, contester.

INATTENDU, E adj. Qu'on n'attendait pas; qui surprend, imprévu : *une visite inattendue.*

INATTENTIF, IVE adj. Qui ne prête pas attention, étourdi.

INATTENTION n. f. Manque d'attention, distraction, étourderie.

INAUDIBLE adj. Qui ne peut être perçu par l'ouïe : *vibrations inaudibles.*

INAUGURAL, E, AUX adj. Qui concerne l'inauguration : *séance inaugurale d'un congrès.*

INAUGURATION n. f. Cérémonie par laquelle on procède officiellement à la mise en service d'un bâtiment, à l'ouverture d'une exposition, etc. ‖ Commencement, début.

INAUGURER v. t. (lat. *inaugurare,* prendre les augures en commençant un acte). Faire l'inauguration d'un monument, d'un établissement, d'une exposition, etc. ‖ Marquer le début de qqch : *événement qui inaugura une ère de troubles.* ‖ Entreprendre pour la première fois.

INAUTHENTICITÉ n. f. Manque d'authenticité.

INAUTHENTIQUE adj. Qui n'est pas authentique.

INAVOUABLE adj. Qui ne peut être avoué.

INAVOUÉ, E adj. Qui n'est pas avoué, secret.

IN-BORD [inbɔrd] n. m. inv. *Mar.* Moteur placé à l'intérieur de la coque, dans le cas d'une embarcation de très faible tonnage.

De Kerléodec-Atlas-Photo

inca : ruines de Pisac, cité inca située au nord-est de Cuzco (Pérou)

INCA adj. Relatif aux Incas, à l'Empire inca.

INCA (EMPIRE), empire de l'Amérique précolombienne, qui fut constitué dans la région andine. À l'apogée de sa puissance (XVᵉ s.), il s'étendait depuis le sud de la Colombie jusqu'au Chili central. Son centre symbolique était Cuzco. L'un des éléments d'unification de l'Empire inca était la religion, le culte obligatoire de Uiracocha, dieu suprême et créateur de toutes choses, et celui du Soleil — père de l'Inca —, de la Lune et des autres astres divinisés. L'autorité du souverain, l'Inca, était absolue et s'appuyait sur la caste dirigeante des nobles et des prêtres, et sur une organisation administrative très rigide, qui réglait l'existence de l'individu jusqu'à sa mort. L'Empire inca s'écroula en 1532 sous les coups de l'Espagnol F. Pizarro*.
ART. Dans une région ayant eu dès le IIᵉ millénaire des cultures avancées, telle celle de Kotosh*, et héritière des traditions des civilisations anciennes (Chavín*, Mochica*, Chimú, Nazca*, Tiahuanaco*, Huari*), l'Empire inca se développe à partir du XIIᵉ s. et sa phase de grande expansion commence en 1438. Elle coïncide avec un remarquable essor de l'architecture, caractérisée par la forme trapézoïdale des portes, des fenêtres et des niches et par la perfection de la construction en pierres ajustées sans mortier. Il semble que l'emploi d'appareils différents (mégalithique, cellulaire, etc.) corresponde à la destination des bâtiments. Parmi les plus beaux exemples, citons Cuzco* et Machu Picchu*. Les Incas réutilisent et aménagent de nombreuses installations hydrauliques. Leur céramique, fabriquée sans tour, est souvent décorée de motifs géométriques en noir et blanc sur fond rouge; un aryballe à deux anses latérales et à long col étroit est le type le plus typiques des Incas. La métallurgie du fer leur est inconnue, mais ils maîtrisent parfaitement celle de l'or, de l'argent, du cuivre et de l'étain, avec lesquels ils réalisent divers alliages. Le tissage connaît une production quasi industrielle de belle qualité, mais dont la décoration géométrique est assez monotone.

INCALCULABLE adj. Qu'on ne peut calculer : *le nombre des étoiles est incalculable.* ‖ Difficile

ou impossible à apprécier, à prévoir : *des pertes, des difficultés incalculables.*

INCANDESCENCE n. f. État d'un corps qu'une température élevée rend lumineux.

INCANDESCENT, E [ɛ̃kɑ̃dɛsɑ̃, -ɑ̃t] adj. (lat. *incandescens,* qui est en feu). Qui est en incandescence : *un charbon incandescent.*

INCANTATION n. f. (lat. *incantare,* prononcer des formules magiques). Formule magique, chantée ou récitée, pour obtenir un effet surnaturel.

INCANTATOIRE adj. Relatif à l'incantation : *paroles incantatoires.*

INCAPABLE adj. et n. Qui n'est pas capable de faire une chose, qui n'en a pas l'aptitude : *il est incapable de marcher; incapable de lâcheté.* ‖ (Sans compl.) Qui manque de capacité, d'aptitude, d'habileté : *un homme tout à fait incapable.* ● *Incapable majeur* (Dr.), personne dont la capacité juridique est réduite ou supprimée du fait de l'altération de ses facultés. (L'incapable majeur peut être sous la sauvegarde de justice, en tutelle ou en curatelle.)

INCAPACITANT, E adj. et n. m. *Mil.* Se dit d'un produit chimique non mortel qui provoque chez l'homme une incapacité immédiate et temporaire en paralysant certains organes ou en annihilant la volonté de combattre.

INCAPACITÉ n. f. Défaut de capacité, inaptitude, incompétence. ‖ *Dr.* Inaptitude légale à jouir d'un droit ou à l'exercer sans assistance ou sans autorisation. ● *Incapacité de travail,* état d'une personne qu'un accident ou une maladie empêche de travailler.

INCARCÉRATION n. f. Action d'incarcérer; emprisonnement : *l'incarcération d'un criminel.*

INCARCÉRER v. t. (lat. *carcer,* prison) [conj. **5**]. Mettre en prison, écrouer, emprisonner.

INCARNADIN, E adj. *Litt.* D'une couleur plus faible que l'incarnat ordinaire.

INCARNAT, E [ɛ̃karna, -at] adj. et n. m. (it. *incarnato;* de *carne,* chair). Qui est d'un rouge clair et vif.

INCARNATION n. f. Manifestation extérieure et visible : *Il est l'incarnation de tout ce que je déteste.* ‖ Acte par lequel un être spirituel s'incarne dans le corps d'un être animé. ‖ *Théol.* Mystère de Dieu fait homme en Jésus-Christ. (Dans ce sens, prend une majuscule.)

INCARNÉ, E adj. *Théol.* Qui s'est fait homme : *le Verbe incarné.* ● *Ongle incarné,* ongle qui s'enfonce dans la chair, surtout au pied, et y détermine une plaie.

INCARNER v. t. (bas lat. *incarnare;* de *caro, carnis,* chair). Donner une forme matérielle et visible à : *magistrat qui incarne la justice.* ‖ Interpréter le rôle d'un personnage à la scène ou sur l'écran. ● *C'est le diable incarné,* c'est une personne très méchante. ‖ *C'est le vice incarné,* il est extrêmement vicieux. ◆ **s'incarner** v. pr. Prendre un corps de chair, en parlant d'une divinité. ‖ Prendre le caractère, l'esprit d'une personne.

INCARTADE n. f. (it. *inquartata,* sorte de coup d'épée). Léger écart de conduite, extravagance : *faire mille incartades.*

INCARVILLE (27400 Louviers), comm. de l'Eure; 1125 hab. Produits pharmaceutiques.

INCAS, peuple de l'Amérique précolombienne, dont descendent les actuels Quechuas* (→ INCA [Empire]).

INCASSABLE adj. Qui ne peut se casser.

INCE (Thomas Harper), cinéaste et producteur américain (Newport 1882 - Hollywood 1924). Il est, avec D. W. Griffith, le fondateur de la dramaturgie du film. Réalisateur prolifique, producteur éclairé et superviseur — il dirigea à partir de 1912 une équipe de réalisateurs très actifs tout en continuant à tourner ses propres films —, il se spécialisa dans les westerns et les films d'aventures : *la Colère des dieux* (1914), *le Désastre* (1914), *l'Honneur japonais* (1914), *Civilisation* (1916), *Pour sauver sa race* (1916).

INCENDIAIRE n. Auteur volontaire d'un incendie. ◆ adj. Destiné à provoquer un incendie : *projectile incendiaire.* ‖ Propre à enflammer les esprits, séditieux : *propos incendiaires.*

INCENDIE [ɛ̃sɑ̃di] n. m. (lat. *incendium*). Grand feu qui se propage et fait des ravages.

INCENDIÉ, E adj. Détruit par un incendie : *ville incendiée.* ◆ adj. et n. Dont la propriété a été en proie à un incendie.

INCENDIER v. t. Brûler, détruire par le feu : *incendier une forêt.* ● *Incendier qqn* (Fam.), l'accabler de reproches, d'injures.

INCERTAIN, E adj. Qui n'est pas certain, indéterminé, douteux, vague : *fait incertain; à une époque incertaine; une couleur incertaine.* ‖ Variable : *temps incertain.*

INCERTAIN n. m. *Bours.* En matière de changes, cours d'une monnaie étrangère exprimé en unités de la monnaie nationale.

INCERTITUDE n. f. État d'une chose ou d'une personne incertaine; point sur lequel il y a des doutes : *être dans l'incertitude; l'incertitude d'une nouvelle, du temps.* ● *Principe d'incertitude,* principe énoncé par Heisenberg, selon lequel, en microphysique, il est impossible d'attribuer simultanément à une particule, à un instant donné, une position et une quantité de mouvement infiniment précises. ◆ pl. Hésitations.

INCESSAMMENT adv. Sans délai, au plus tôt.

INCESSANT, E adj. Qui ne cesse pas; qui dure constamment, continuel, ininterrompu : *un vacarme incessant.*

INCESSIBILITÉ n. f. *Dr.* Qualité des biens incorporels incessibles.

INCESSIBLE adj. *Dr.* Qui ne peut être ni cédé ni mis en gage.

INCESTE [ɛ̃sɛst] n. m. (lat. *incestus;* de *castus,* chaste). Relations sexuelles entre un homme et une femme liés par un degré de parenté, prohibées par les lois d'une société donnée.

INCESTE adj. et n. Qui s'est rendu coupable d'inceste (vx).

INCESTUEUX, EUSE adj. et n. Coupable d'inceste. ◆ adj. Entaché d'inceste : *union incestueuse.* ‖ Issu d'un inceste : *un enfant incestueux.*

INCHANGÉ, E adj. Qui n'a subi aucun changement : *situation inchangée.*

INCHAUFFABLE adj. Qu'on ne peut chauffer.

INCHAVIRABLE adj. Qui ne peut chavirer.

INCHEVILLE (76117), comm. de la Seine-Maritime; 1 673 hab. Cycles.

INCHOATIF, IVE [ɛ̃kɔatif, -iv] adj. et n. m. *Ling.* Se dit d'un verbe qui exprime un commencement d'action, comme *vieillir, verdir,* etc.

INCHON ou **IN-C'ÕN** ou **CHEMULPO,** port de la Corée du Sud, au S.-O. de Séoul, sur la mer Jaune; 1 084 000 hab.

INCIDEMMENT [ɛ̃sidamɑ̃] adv. De façon incidente, accidentellement : *parler incidemment d'un projet.*

INCIDENCE n. f. Direction suivant laquelle un corps en rencontre, en frappe un autre. ‖ Répercussion que peut avoir un fait précis sur le déroulement d'une action. ● *Angle d'incidence,* ou *incidence,* angle que fait la direction d'un corps en mouvement ou d'un rayon lumineux avec la normale à une surface au point de rencontre. ‖ *Incidence fiscale,* conséquence économique de l'impôt. ‖ *Point d'incidence,* point de rencontre d'un corps en mouvement ou d'un rayon incident avec une surface.

INCIDENT, E adj. (lat. *incidere,* tomber sur). Se dit d'un corps, d'un rayonnement qui se dirige vers un autre corps avec lequel il interagit. ‖ Qui se produit par hasard; accessoire, occasionnel : *remarque incidente.*

INCIDENT n. m. Événement, le plus souvent fâcheux, qui survient au cours d'un fait principal, d'une affaire, d'une entreprise, etc., et les trouble. ‖ Difficulté peu importante, mais dont les conséquences peuvent être graves : *incident diplomatique.* ‖ *Dr.* Question soulevée au cours d'un procès déjà ouvert.

INCIDENTE n. f. *Ling.* Partie non essentielle d'une idée ou d'une proposition.

INCINÉRATEUR n. m. Appareil servant à incinérer.

INCINÉRATION n. f. Action de réduire ou d'être réduit en cendres : *l'incinération du bois.* ● *Incinération des cadavres,* syn. de CRÉMATION.

INCINÉRER v. t. (lat. *incinerare;* de *cinis, cineris,* cendre) [conj. **5**]. Mettre, réduire en cendres : *incinérer des ordures.*

INCIPIT [ɛ̃sipit] n. m. inv. (mot lat., *il commence*). Premiers mots d'un ouvrage.

INCISE n. f. *Ling.* Petite phrase formant un sens à part, et intercalée au milieu d'une autre. (Ex. : *L'homme,* DIT-ON, *est raisonnable.*)

INCISER v. t. (lat. *incisus,* coupé). Faire une incision, entailler, fendre : *inciser l'écorce d'un arbre.*

INCISIF, IVE adj. Qui va droit au but, pénétrant, mordant : *style incisif; critique incisive.*

INCISION n. f. Coupure allongée, fente; entaille faite par un instrument tranchant : *faire une incision avec un bistouri.* ‖ *Agric.* Opération consistant à enlever un fragment d'écorce à une branche à fleur ou à fruit.

INCISIVE n. f. Dent paire, souvent tranchante, placée à l'avant des mâchoires des mammifères, et qui constitue les *défenses* à la mâchoire supérieure des éléphants.

INCISURE n. f. Découpure irrégulière.

INCITATEUR, TRICE adj. et n. Qui incite.

INCITATION n. f. Action d'inciter : *incitation au meurtre.*

INCITER v. t. (lat. *incitare*). Pousser à; engager vivement à : *inciter à la révolte.*

INCIVIL, E adj. *Litt.* Qui manque de civilité, de politesse, impoli.

INCIVIQUE adj. Qui manque de civisme, qui n'est pas digne d'un citoyen (vx). ◆ adj. et n. En Belgique, collaborateur de l'ennemi pendant les deux guerres mondiales.

INCIVISME n. m. Absence de civisme (vx).

INCLASSABLE adj. Qu'on ne peut pas classer.

INCLÉMENCE n. f. *Litt.* Rigueur de la température : *l'inclémence de l'hiver.*

INCLÉMENT, E adj. *Litt.* Se dit d'une température, d'un climat rigoureux.

INCLINABLE adj. Qui peut s'incliner.

INCLINAISON n. f. État de ce qui est incliné; obliquité de deux lignes, de deux surfaces ou de deux corps l'un par rapport à l'autre. ‖ *Arm.* Angle que fait la trajectoire d'un projectile en un de ses points avec le plan horizontal. (V. TIR.) ‖ *Astron.* Angle formé par le plan de l'orbite d'une planète avec le plan de l'écliptique; angle formé par le plan de l'orbite d'un satellite artificiel avec un plan de référence (en général le plan de l'équateur de l'astre autour duquel il gravite). ● *Inclinaison magnétique,* angle que forme avec le plan horizontal une aiguille aimantée suspendue librement par son centre de gravité.

INCLINATION n. f. Action de pencher la tête ou le corps en signe d'acquiescement ou de respect : *saluer en faisant une légère inclination.* ‖ Disposition, tendance naturelle à qqch, goût : *inclination au bien; mariage d'inclination.*

INCLINER v. t. (lat. *inclinare,* pencher). Baisser, pencher légèrement : *le vent incline la cime des arbres.* ◆ v. i. Avoir du penchant pour, être poussé vers : *incliner à la clémence.* ◆ **s'incliner** v. pr. Se pencher; se courber par respect, par crainte : *s'incliner profondément devant qqn.* ‖ Renoncer à la lutte en s'avouant vaincu : *s'incliner devant un argument.*

INCLINOMÈTRE n. m. Syn. de CLINOMÈTRE.

INCLURE v. t. (lat. *inclusus,* enfermé) [conj. **62**]. Renfermer, introduire qqch dans une autre chose, l'y insérer : *inclure une note dans une lettre.*

INCLUS, E adj. Enfermé, contenu dans. ● *Dent incluse,* dent qui reste enfouie dans le maxillaire ou dans les tissus environnants.

INCLUSIF, IVE adj. Qui contient qqch en soi.

INCLUSION n. f. Action d'inclure; introduction; état d'une chose incluse. ‖ Insecte, fleur, objet quelconque conservés dans un bloc de matière plastique transparente. ‖ État d'une dent incluse. ‖ Particule, métallique ou non, venant perturber les caractéristiques physiques mécaniques ou chimiques d'un métal, d'un alliage ou d'un milieu cristallin. ‖ *Math.* Propriété d'un ensemble A dont tous les éléments font partie d'un autre ensemble B. (Ce que l'on exprime par la notation $A \subset B$, qui se lit A *est inclus dans* B.)

INCLUSIVEMENT adv. Y compris : *jusqu'à telle date inclusivement.*

INCOAGULABLE adj. Qui ne se coagule pas.

INCOERCIBILITÉ n. f. *Litt.* Caractère de ce qui est incoercible.

INCOERCIBLE [ɛ̃kɔɛrsibl] adj. *Litt.* Qu'on ne peut réprimer, contenir : *rire incoercible.*

INCOGNITO [ɛ̃kɔɲito] adv. (mot it.; lat. *incognitus,* inconnu). Sans être connu, sous un nom supposé : *voyager incognito.*

INCOGNITO n. m. Situation d'une personne qui garde secrète son identité.

INCOHÉRENCE n. f. Caractère de ce qui est incohérent; parole, idée, action incohérente. ‖ *Phys.* Caractéristique d'un ensemble de vibrations qui ne présentent pas de différence de phase constante entre elles.

INCOHÉRENT, E adj. Qui manque de liaison : *assemblage incohérent.* ‖ Qui manque de suite, de logique, décousu : *paroles incohérentes.* ‖ *Phys.* Qui possède la propriété d'incohérence.

INCOLLABLE adj. Se dit d'un produit alimentaire traité pour ne pas coller pendant la cuisson : *un riz incollable.* ‖ *Fam.* Se dit de qqn qui peut répondre à toutes sortes de questions.

INCOLORE adj. Qui n'est pas coloré : *l'eau est incolore.* ‖ Sans éclat : *style incolore.*

INCOMBER [ɛ̃kɔ̃be] v. t. ind. [**à**] (lat. *incumbere,* peser sur). Reposer sur, revenir obligatoirement à : *cette tâche lui incombe.*

INCOMBUSTIBILITÉ n. f. Qualité de ce qui est incombustible.

INCOMBUSTIBLE adj. Qui ne peut être brûlé : *l'amiante est incombustible.*

INCOME-TAX [inkɔmtaks] n. m. (mot angl.). Dans les pays anglo-saxons, impôt sur le revenu.

INCOMMENSURABILITÉ n. f. Caractère de ce qui est incommensurable.

INCOMMENSURABLE [ɛ̃kɔmmɑ̃syrabl] adj. D'une étendue sans bornes, considérable : *espace incommensurable.* ‖ *Math.* Se dit de deux grandeurs dont le rapport n'est ni entier ni rationnel. (Le périmètre du cercle est incommensurable avec son diamètre.)

INCOMMENSURABLEMENT adv. De façon incommensurable.

INCOMMODANT, E adj. Qui gêne, incommode : *une odeur incommodante.*

INCOMMODE adj. Qui cause de la gêne; qu'on ne peut utiliser avec facilité : *position incommode; outil, vêtement incommode.* ● *Établissements incommodes, insalubres et dangereux* (Dr.), établissements industriels dont l'exploitation et le voisinage présentent des inconvénients, et qui se trouvent, par voie de conséquence, soumis à une réglementation administrative particulière.

INCOMMODER v. t. Causer de la gêne, un malaise physique : *être incommodé par le bruit, par le tabac.*

INCOMMODITÉ n. f. État de gêne, de malaise.

INCOMMUNICABILITÉ n. f. Impossibilité de communiquer.

INCOMMUNICABLE adj. Qu'on ne peut communiquer; dont on ne peut faire part.

INCOMMUTABILITÉ n. f. *Dr.* Qualité de ce qui est incommutable.

INCOMMUTABLE adj. *Dr.* Qui ne peut être ou dont on ne peut être dépossédé; qui ne peut changer ou être modifié.

INCOMPARABLE adj. À qui ou à quoi rien ne peut être comparé.

INCOMPARABLEMENT adv. Sans comparaison possible.

INCOMPATIBILITÉ n. f. Impossibilité de s'accorder : *incompatibilité d'humeur.* ‖ *Dr.* Impossibilité légale d'exercer simultanément certaines fonctions. ● *Incompatibilité des équations,* cas où les équations ne peuvent être vérifiées par un même système de valeurs des inconnues. ‖ *Incompatibilité médicamenteuse,* impossibilité de mélanger ou d'administrer simultanément deux ou plusieurs médicaments sous peine de modification de leur action ou d'augmentation de leur toxicité.

INCOMPATIBLE adj. Qui n'est pas compatible; qui ne peut s'accorder avec, inconciliable. ‖ *Dr.* Se dit de fonctions qui ne peuvent être réunies aux mains d'une même personne. ● *Équations incompatibles,* équations qui présentent le caractère d'incompatibilité. ‖ *Événements incompatibles,* événements n'ayant aucune éventualité commune et dont la réalisation simultanée est impossible.

INCOMPÉTENCE n. f. Manque de connaissances suffisantes, incapacité. ‖ *Dr.* Défaut de compétence.

INCOMPÉTENT, E adj. Qui n'a pas les connaissances voulues pour décider ou parler de qqch. ‖ *Dr.* Qui n'a pas qualité pour apprécier : *tribunal incompétent.*

INCOMPLET, ÈTE adj. Qui n'est pas complet; qui manque de qqch, partiel.

INCOMPLÈTEMENT adv. De façon incomplète.

INCOMPLÉTUDE n. f. *Log.* Propriété d'une théorie déductive où il existe une formule qui n'est ni démontrable ni réfutable.

INCOMPRÉHENSIBILITÉ n. f. État de ce qui est incompréhensible.

INCOMPRÉHENSIBLE adj. Qu'on ne peut comprendre, inintelligible : *raisonnement incompréhensible; texte incompréhensible.* ‖ Dont on ne peut expliquer la conduite, les paroles, déconcertant : *caractère incompréhensible.*

INCOMPRÉHENSIF, IVE adj. Qui ne comprend pas les autres.

INCOMPRÉHENSION n. f. Incapacité de comprendre.

INCOMPRESSIBILITÉ n. f. Qualité de ce qui est incompressible.

INCOMPRESSIBLE adj. Dont le volume ne peut être réduit par augmentation de la pression : *l'eau est à peu près incompressible.* ‖ Qui ne peut être réduit : *dépenses incompressibles.*

INCOMPRIS, E adj. et n. Qui n'est pas compris, apprécié à sa valeur.

INCONCEVABLE adj. Qu'on ne peut concevoir, comprendre, inimaginable, extraordinaire.

INCONCEVABLEMENT adv. De façon inconcevable.

INCONCILIABLE adj. Que l'on ne peut concilier (se dit des choses qui s'excluent mutuellement).

INCONDITIONNALITÉ n. f. Caractère de ce qui est inconditionnel.

INCONDITIONNÉ, E adj. Qui n'est pas soumis à une condition; absolu.

INCONDITIONNEL, ELLE adj. Impératif, absolu, sans réserve; qui n'admet ou ne suppose aucune condition. ● *Réponse ou réaction inconditionnelle* (Physiol.), réaction spécifique, innée, qui est toujours provoquée par l'application du stimulus inconditionnel. ‖ *Stimulus inconditionnel,* stimulus qui, par son action physiologique sur l'organisme, provoque toujours une réaction, indépendamment de tout conditionnement. ◆ adj. et n. Qui se soumet sans discussion aux décisions d'un homme, d'un parti.

INCONDITIONNELLEMENT adv. De façon inconditionnelle.

INCONDUITE n. f. Manière de vivre peu conforme à la morale.

INCONEL [ɛ̃kɔnɛl] n. m. (nom déposé). Alliage de nickel (80 p. 100), de chrome (14 p. 100) et de fer (6 p. 100).

INCONFORT n. m. Manque de confort.

INCONFORTABLE adj. Qui n'est pas confortable.

INCONFORTABLEMENT adv. De façon inconfortable.

INCONGELABLE adj. Non congelable.

INCONGRU, E adj. (bas lat. *incongruus;* de *congruere,* s'accorder). Qui va contre les règles du savoir-vivre, de la bienséance, déplacé.

INCONGRUITÉ n. f. Caractère de ce qui est incongru; action ou parole incongrue.

INCONGRÛMENT adv. De façon incongrue.

INCONNAISSABLE adj. et n. m. Qui ne peut être connu.

INCONNU, E adj. et n. Qui n'est pas connu, étranger : *une personne inconnue.* ‖ Qui n'est pas célèbre, obscur : *auteur inconnu.* ◆ adj. Qu'on n'a pas encore éprouvé, étrange : *sensations inconnues.*

INCONNU n. m. Ce qui reste mystérieux.

INCONNUE n. f. *Math.* Grandeur qu'on se propose de déterminer.

INCONSCIEMMENT adv. De façon inconsciente.

INCONSCIENCE n. f. État d'esprit qui ne permet plus de se rendre compte de la portée de certains actes; absence de réflexion. ‖ Perte de connaissance.

INCONSCIENT, E adj. et n. Qui n'est pas conscient; qui n'a pas conscience de ses actes. ◆ adj. Dont on n'a pas conscience : *beaucoup de phénomènes physiologiques sont inconscients.* ‖ Se dit des contenus absents à un moment donné du champ de la conscience.

INCONSCIENT n. m. Ensemble des phénomènes psychiques qui échappent à la conscience. ‖ *Psychanal.* L'une des trois instances de l'appareil psychique dans la première topique freudienne.

■ Si la notion d'inconscient n'est pas une découverte freudienne, S. Freud* lui a donné tout son poids et en a fait autre chose que l'envers du conscient. Les rêves, actes* manqués et symptômes névrotiques, témoignent de l'existence de cet ordre inconscient : l'inconscient mis au jour est inséparable du refoulement*, qui en définit le fonctionnement. Les désirs refoulés, bien que ne parvenant pas à la conscience, n'en continuent pas moins d'exister dans l'inconscient, où ils n'ont rien perdu de leur dynamisme. Mais « le refoulé n'est qu'une partie de l'inconscient », précise Freud, en 1915, dans *la Métapsychologie.*

Outre les actes psychiques inconscients et conscients, Freud distingue ceux qui, temporairement inconscients, sont susceptibles de devenir conscients, et qui constituent le système préconscient. Dans un premier temps, Freud distingue donc au sein du psychisme (appareil psychique) trois systèmes : inconscient, préconscient et conscient. Cette distinction est appelée première *topique,* car elle permet de définir dans quel système, ou entre quels systèmes, peut se situer un acte psychique quelconque ou un conflit entre plusieurs tendances. Cette topique, distinction abstraite, n'a rien à voir avec une localisation anatomique.

Le système préconscient-conscient s'oppose activement au retour du refoulé à la conscience par la mise en place de résistances. L'inconscient est le réservoir des désirs, et des désirs inconciliables peuvent y coexister côte à côte. « Il n'y a dans ce système ni négation, ni doute, ni degré dans la certitude», écrit Freud. Un désir peut transférer sur un autre une partie de son énergie *(déplacement);* l'énergie de plusieurs désirs peut se concentrer sur un seul *(condensation).* Cette mobilité, traduite par la possibilité de condensation ou de déplacement, est caractéristique de ce que Freud appelle un *processus primaire;* ce fonctionnement apparaît dans le rêve*. Le système préconscient-conscient obéit aux processus secondaires, qui permettent l'ajournement d'une satisfaction. L'inconscient ne connaît pas le temps (les désirs inconscients ne sont pas modifiés par l'écoulement du temps), ni la réalité extérieure. Ces deux catégories sont introduites par le système conscient-préconscient. Alors que l'inconscient n'obéit qu'au *principe de plaisir* — c'est-à-dire à la satisfaction immédiate d'une pulsion* quelles qu'en soient les conséquences —, le système préconscient-conscient est caractérisé par le *principe de réalité :* il est capable de différer la satisfaction d'une pulsion, ou d'en adapter le but en fonction de la réalité extérieure.

Le retour à Freud, prôné par J. Lacan*, a conduit celui-ci à une nouvelle formalisation de la notion d'inconscient. «L'inconscient est structuré comme un langage», énonce-t-il, c'est-à-dire qu'il fonctionne par enchaînement rigoureux de signifiants, constitutifs du sujet. Chez Lacan, la condensation freudienne devient la métaphore, et le déplacement la métonymie.

INCONSÉQUEMMENT adv. Avec inconséquence.

INCONSÉQUENCE n. f. Défaut de lien, de suite dans les idées ou les actes, incohérence : *agir par inconséquence.* ‖ Chose dite ou faite sans réflexion.

INCONSÉQUENT, E adj. Qui parle, agit à la légère, irréfléchi : *un homme inconséquent.* ‖ Fait ou dit à la légère, déraisonnable : *démarche inconséquente.*

INCONSIDÉRÉ, E adj. (lat. *inconsideratus*). Fait ou dit sans réflexion : *démarche inconsidérée.*

INCONSIDÉRÉMENT adv. Étourdiment.

INCONSISTANCE n. f. Défaut de consistance : *l'inconsistance d'une pâte.* ‖ Manque de logique, de fermeté, faiblesse : *l'inconsistance des idées.* ‖ *Log.* Propriété d'une théorie déductive où une même formule peut être à la fois démontrée et réfutée.

INCONSISTANT, E adj. Qui manque de consistance, de solidité. ‖ Qui manque de logique, de suite.

INCONSOLABLE adj. Qui ne peut se consoler.

INCONSOLÉ, E adj. Qui n'est pas consolé.

INCONSOMMABLE adj. Qui ne peut être consommé; immangeable.

INCONSTANCE n. f. Facilité à changer d'opinion, de résolution, de conduite, infidélité. ‖ Instabilité, mobilité : *l'inconstance du temps.*

INCONSTANT, E adj. et n. Sujet à changer, infidèle, changeant : *être inconstant dans ses résolutions.*

INCONSTATABLE adj. Qu'on ne peut constater.

INCONSTITUTIONNALITÉ n. f. État de ce qui est inconstitutionnel.

INCONSTITUTIONNEL, ELLE adj. Contraire à la constitution.

INCONSTITUTIONNELLEMENT adv. De façon inconstitutionnelle.

INCONSTRUCTIBLE adj. Où l'on ne peut construire : *zone inconstructible.*

INCONTESTABLE adj. Qui ne peut être mis en doute, indéniable : *preuve incontestable.*

INCONTESTABLEMENT adv. De façon incontestable.

INCONTESTÉ, E adj. Qui n'est pas contesté, discuté : *droit incontesté.*

INCONTINENCE n. f. Manque de retenue en face des plaisirs de l'amour. ‖ Absence de sobriété dans les paroles. ‖ *Méd.* Altération ou perte du contrôle des sphincters anal ou vésical.

INCONTINENT, E adj. Qui n'est pas chaste. ‖ Qui manque de modération, de sobriété dans ses paroles. ‖ *Méd.* Atteint d'incontinence.

INCONTINENT adv. (lat. *in continenti* [*tempore*], dans un temps continu). *Litt.* Aussitôt, immédiatement.

INCONTOURNABLE adj. Dont on est obligé de tenir compte.

INCONTRÔLABLE adj. Qu'on ne peut contrôler.

INCONTRÔLÉ, E adj. Qui n'est pas contrôlé.

INCONVENANCE n. f. Manque de convenance, action ou parole inconvenante, grossièreté, incorrection.

INCONVENANT, E adj. Qui blesse les convenances, déplacé, indécent.

INCONVÉNIENT [ɛ̃kɔ̃venjɑ̃] n. m. (bas lat. *inconveniens,* qui ne convient pas). Désavantage attaché à une chose; conséquence fâcheuse.

INCONVERTIBILITÉ n. f. Caractère de ce qui est inconvertible : *inconvertibilité d'une monnaie.*

INCONVERTIBLE adj. Qui ne peut être échangé, remplacé.

INCOORDINATION n. f. Absence de coordination.

INCORPORABLE adj. Qu'on peut incorporer.

INCORPORATION n. f. Action d'incorporer, amalgame, intégration. ‖ *Mil.* Phase finale de l'appel du contingent, dans laquelle les recrues rejoignent leurs unités. ‖ *Psychanal.* Modalités diverses selon lesquelles le sujet fantasme l'entrée d'un corps dans le sien propre.

INCORPORÉITÉ n. f. Qualité des êtres incorporels.

INCORPOREL, ELLE adj. (lat. *incorporatis;* de *corpus, corporis,* corps). Qui n'a pas de corps. ‖ *Dr.* Se dit des biens qui n'ont pas d'existence matérielle : droit d'usufruit, droit d'auteur, etc.

INCORPORER v. t. (bas lat. *incorporare;* de *corpus, corporis,* corps). Faire entrer dans un tout; mêler intimement, intégrer : *incorporer des territoires étrangers dans un empire.* ‖ Procéder à l'incorporation : *incorporer un conscrit.*

INCORRECT, E adj. Qui n'est pas correct, mauvais; grossier.

INCORRECTEMENT adv. De façon incorrecte.

INCORRECTION n. f. Manquement aux règles de la correction, de la bienséance : *incorrection dans la conduite, les manières,* etc. ‖ Faute de grammaire.

INCORRIGIBILITÉ n. f. Défaut de celui ou de ce qui est incorrigible.

INCORRIGIBLE adj. Qu'on ne peut corriger : *paresse incorrigible.*

INCORRIGIBLEMENT adv. De façon incorrigible.

INCORRUPTIBILITÉ n. f. Qualité de ce qui ne peut se corrompre. ‖ Qualité de celui qui est incorruptible, intégrité.

INCORRUPTIBLE adj. (bas lat. *incorruptibilis;* de *corrumpere,* gâter). Qui ne se corrompt pas, imputrescible. ‖ Incapable de se laisser corrompre pour agir contre son devoir, intègre : *magistrat incorruptible.*

INCRÉDIBILITÉ n. f. Ce qui fait qu'on ne peut croire une chose.

INCRÉDULE adj. et n. (lat. *incredulus;* de *credere,* croire). Qui ne croit pas ou met en doute les croyances religieuses, incroyant. ‖ Qui se laisse difficilement convaincre, sceptique.

INCRÉDULITÉ n. f. Absence de crédulité. ‖ *Théol.* Refus de croire.

INCRÉÉ, E adj. Qui existe sans avoir été créé.

INCREVABLE adj. Qui ne peut pas être crevé : *un pneu increvable.* ‖ *Pop.* Qui n'est jamais fatigué, résistant, infatigable.

INCRIMINABLE adj. Qui peut être incriminé.

INCRIMINATION n. f. Action d'incriminer.

INCRIMINER v. t. (lat. *criminare;* de *crimen, criminis,* accusation). Mettre en cause, rendre responsable d'un acte blâmable.

INCRISTALLISABLE adj. Qui ne peut cristalliser.

INCROCHETABLE adj. Qu'on ne peut crocheter : *serrure incrochetable.*

INCROYABLE adj. Qui ne peut être cru ou qui est difficile à croire : *un récit incroyable.* ‖ Très grand, extraordinaire : *avoir une chance incroyable.*

INCROYABLE n. m. Sous le Directoire, jeune homme à la tenue vestimentaire recherchée et excentrique, et au langage affecté.

INCROYABLEMENT adv. Extraordinairement.

INCROYANCE n. f. Absence de foi religieuse.

INCROYANT, E adj. et n. Qui n'a pas de foi religieuse.

INCRUSTANT, E adj. Qui a la propriété de couvrir les corps d'une croûte minérale, formée généralement de carbonate de calcium.

INCRUSTATION n. f. Action d'incruster; ce qui est incrusté. ‖ Motif de broderie ou de dentelle appliqué par un point très serré sur un fond de tissu destiné à être lui-même découpé. ‖ Dépôt plus ou moins dur que laisse une eau chargée de sels calcaires.

INCRUSTER v. t. (lat. *incrustare;* de *crusta,* croûte). Insérer dans une matière une matière différente, généralement plus précieuse : *incruster de la nacre dans l'ébène.* ‖ Couvrir d'une couche pierreuse. ◆ **s'incruster** v. pr. Adhérer fortement à une surface. ‖ Se couvrir d'incrustations. ‖ *Fam.* S'installer durablement dans une situation, dans un lieu.

INCUBATEUR, TRICE adj. Se dit d'un organe où se fait l'incubation : *la poche incubatrice de l'hippocampe.*

INCUBATEUR n. m. Syn. de COUVEUSE.

INCUBATION n. f. (lat. *incubatio*). Syn. de COUVAISON. ‖ Protection assurée aux œufs dans une cavité du corps de l'un des parents, chez de nombreux vertébrés. ‖ *Méd.* Temps qui s'écoule entre l'introduction d'un agent infectieux dans un organisme et l'apparition des premiers symptômes de la maladie qu'il détermine.

INCUBE n. m. (bas lat. *incubus*). Démon masculin qui abuse des femmes pendant leur sommeil. (Le démon féminin était dit SUCCUBE.)

Boutin-Explorer

INDE. Le Gange à Bénarès (Uttar Pradesh).

INCUBER v. t. (lat. *incubare,* être couché sur). Opérer l'incubation de.

INCUIT n. m. Partie d'une chaux, d'un ciment, d'un plâtre qui n'a pas été portée à une température suffisante pendant la cuisson.

INCULCATION n. f. Action d'inculquer.

INCULPABLE adj. Que l'on peut inculper.

INCULPATION n. f. Désignation de qqn comme auteur probable d'une infraction.

INCULPÉ, E adj. et n. Personne contre laquelle est dirigée une procédure d'instruction à la suite d'un crime ou d'un délit dont elle est présumée coupable.

INCULPER v. t. (lat. *inculpare,* de *culpa,* faute). Ouvrir une procédure d'instruction contre une personne présumée coupable d'un crime ou d'un délit.

INCULQUER v. t. (lat. *inculcare,* fouler, presser). Faire entrer durablement qqch dans l'esprit de qqn : *inculquer une vérité.*

INCULTE adj. (lat. *incultus*). Qui n'est pas cultivé : *terrain inculte.* ‖ Peu soigné, en désordre : *barbe inculte.* ‖ Sans culture intellectuelle : *esprit inculte.*

INCULTIVABLE adj. Qui ne peut être cultivé.

INCULTIVÉ, E adj. Qui n'est pas cultivé.

INCULTURE n. f. Manque total de culture intellectuelle, ignorance.

INCUNABLE adj. et n. m. (lat. *incunabulum,* berceau). Se dit d'un ouvrage qui date des origines de l'imprimerie (antérieur à 1500).

INCURABILITÉ n. f. État de celui ou de ce qui est incurable.

INCURABLE adj. et n. (bas lat. *incurabilis*). Qui ne peut être guéri, inguérissable.

INCURABLEMENT adv. De façon incurable : *être incurablement stupide.*

INCURIE n. f. (lat. *incuria;* de *cura,* soin). Manque de soin, négligence, laisser-aller : *faire preuve d'incurie.*

INCURIEUX, EUSE adj. *Litt.* Qui ne montre pas de curiosité; indifférent.

INCURIOSITÉ n. f. *Litt.* Manque de curiosité à l'égard de ce qu'on ignore.

INCURSION n. f. (lat. *incursio;* de *incurrere,* courir sur). Invasion brutale, mais de courte durée, dans un territoire étranger.

INCURVATION n. f. Action d'incurver; état de ce qui est incurvé.

INCURVER v. t. Courber de dehors en dedans; rendre courbe. ◆ **s'incurver** v. pr. Prendre une forme courbe.

INCUSE n. et adj. f. (lat. *incusa;* de *cudere,* frapper). Se dit d'une médaille, d'une monnaie dont un seul côté a été frappé en relief.

INDATABLE adj. Impossible à dater.

INDE, en hindī **Bhārat,** État de l'Asie méridionale, membre du Commonwealth, formé de 25 États et de 7 territoires; 3 268 000 km²; 785 millions d'hab. *(Indiens).* Capit. *New Delhi.*

Pays le plus peuplé du monde après la Chine, l'Inde est également l'un des plus misérables. L'accroissement démographique annuel en effet les progrès réalisés par l'agriculture et l'industrie, et le niveau de vie moyen demeure très bas.

GÉOGRAPHIE

● *Le milieu naturel.* Le pays s'étend sur trois ensembles de relief. La *péninsule du Deccan* est constituée par un socle précambrien raboté, partiellement couvert de sédiments et d'épanchements volcaniques (trapps), qui a été soulevé, disloqué par des failles et basculé vers l'est. Il donne un paysage de plateaux, parfois accidentés de reliefs montagneux : monts Arāvalli et Vindhya, au nord, Ghāts orientaux dominant la côte de Coromandel et surtout Ghāts occidentaux dominant la côte de Malabār. Le Deccan est limité, au nord, par la *plaine indo-gangétique,* vaste sillon remblayé par les alluvions de l'Indus et du Gange, qui vont se jeter respectivement dans la mer d'Oman et dans le golfe du Bengale, en d'énormes deltas marécageux. Dominant cette

Paysage de l'Himālaya au Cachemire.

J. L. Nou

gouttière alluviale, s'étend la barrière de l'*Himālaya,* dont l'Inde possède les parties orientale (Assam) et occidentale (Cachemire). Là, s'élèvent des chaînes parallèles (Siwālik, Nanga Parbat, Karakorum), séparées par de profondes vallées (cours supérieur de l'Indus).

L'Inde appartient tout entière au domaine de la mousson* et son climat est marqué par des températures élevées (se rafraîchissant un peu en hiver dans les parties les plus septentrionales) et par l'alternance d'une saison sèche en hiver et d'une saison humide en été. La durée et l'abondance des pluies varient selon les régions, en fonction de leur position par rapport aux vents de moussons. Les régions les plus arrosées sont le Nord-Est (Bengale et Assam) et la côte de Malabār, qui reçoivent la mousson de plein fouet. Elles s'opposent aux régions plus sèches que constituent l'intérieur du Deccan, abrité par l'écran des Ghāts occidentaux, et le nord-ouest du pays, où le climat prend même une nuance aride dans le désert de Thar. L'inégalité des précipitations explique les divers types de végétation naturelle : on passe de la jungle à la forêt claire à épineux, puis à la steppe quand le total des pluies diminue.

● *La population.* Depuis le début du XXe s., la population s'accroît à un rythme rapide (actuellement environ 2 p. 100 par an), dû à l'amélioration des conditions d'hygiène, qui a fait baisser la mortalité (le taux de natalité restant très élevé). Le problème majeur posé par la surpopulation a conduit le gouvernement à tenter de freiner la croissance démographique par une politique de limitation des naissances, insuffisamment efficace. La population, très jeune, est composée de divers groupes qui s'opposent tant sur le plan linguistique (l'hindī, langue officielle, est parlé par, à peine, le quart des habitants) que sur le plan religieux (hindouistes, musulmans, sikhs, bouddhistes, chrétiens). L'organisation sociale est encore marquée par le système des castes, lié à la religion hindouiste (83 p. 100 des habitants) et responsable d'un cloisonnement sensible malgré les tentatives officielles d'assouplissement.

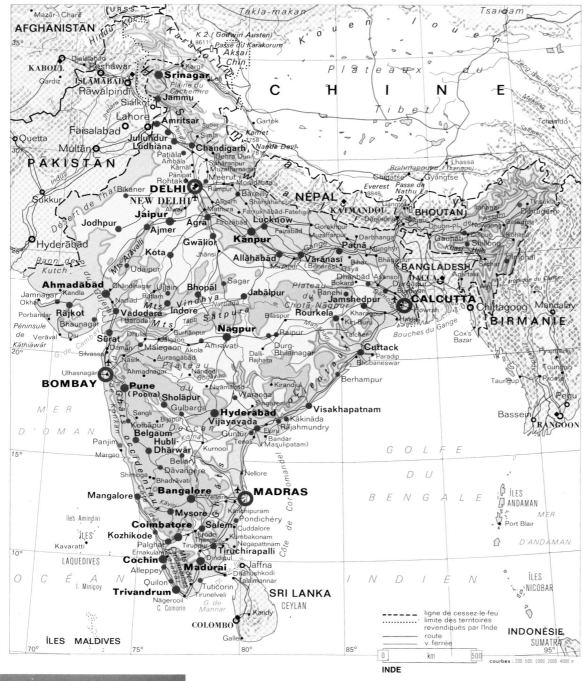

Culture dans la région de la Godāvari (Andhra Pradesh, péninsule du Deccan).

La population est très inégalement répartie. Les régions les plus arrosées, donc les plus propices à la culture du riz, sont généralement les plus peuplées. On rencontre les plus fortes densités (plus de 700 hab. au km²) au Bengale, au Kerala et sur la côte orientale de la péninsule. L'intérieur du Deccan connaît des densités moyennes (de 100 à 200 hab. au km²) tandis que le Nord-Ouest est relativement peu peuplé. La plupart des habitants vivent dans les campagnes (25 p. 100 seulement dans les villes, ce qui représente tout de même plus de 195 millions de personnes). Les grandes métropoles dominent un réseau urbain comprenant un nombre important de cités moyennes et de nombreuses petites villes, centres commerciaux des régions rurales.

● L'économie. L'agriculture occupe les deux tiers de la population active mais, compte tenu de la densité de population, sa production demeure très insuffisante. Après le départ des Anglais, une tentative de réforme agraire visa à mieux répartir la terre entre les paysans (les terres étaient généralement entre les mains de grands propriétaires fonciers [zamīndār] pour qui travaillait l'énorme masse des agriculteurs, écrasés de dettes). On essaya également de développer les coopératives et de faciliter le crédit. Mais l'application de cette réforme a été inégale et ses effets restent limités. Parallèlement, on tente d'améliorer les rendements en envoyant des techniciens dans les campagnes. Les types de cultures varient suivant les régions. Les deux récoltes annuelles sont très

largement répandues. L'irrigation est souvent nécessaire dans les régions les moins arrosées. Elle est pratiquée grâce à différents systèmes : les tanks, réservoirs qui se remplissent pendant la saison des pluies et dont on utilise l'eau à la fin de la saison sèche ; les puits, qui sont maintenant souvent équipés de moteurs électriques ; les canaux de dérivation à partir des fleuves. La construction de grands barrages-réservoirs (vallées de la Dāmodar et de la Mahānadi) a permis d'étendre la double culture sur de vastes surfaces. Les céréales constituent la base de la production vivrière. Le riz (de 80 à 100 Mt) est cultivé dans les régions les plus humides (où les précipitations dépassent 1 000 mm par an), qui sont également les plus peuplées : basse vallée du Gange, Bengale, côtes du Deccan. Dans le Nord-Ouest domine la culture du blé (de 40 à 50 Mt). Sur les plateaux secs de l'intérieur du Deccan, la principale ressource est le millet. Des cultures commerciales, pour la plupart héritées de la colonisation, leur sont associées : des oléagineux (arachide, sésame), du lin, du coton (1,2 Mt), de la canne à sucre, du tabac. Le Bengale fournit le jute, l'Assam le thé. Enfin, l'Inde possède le premier troupeau bovin du monde (180 millions de têtes), mais, pour des raisons religieuses, il n'est guère exploité. Malgré tous les efforts entrepris depuis l'indépendance (la production agricole a doublé), les ressources restent insuffisantes. Le pays exporte des plantes commerciales mais doit importer des quantités massives de produits alimentaires.

Face aux problèmes de l'agriculture, le seul remède paraît être le développement industriel, susceptible d'apporter un emploi aux millions de paysans que la terre ne peut faire vivre.

Les ressources naturelles sont relativement abondantes. Le sous-sol recèle divers minerais : fer (25 Mt), bauxite, manganèse, chrome, plomb, etc. Les ressources énergétiques sont représentées par le charbon (150 Mt), un peu de pétrole (28 Mt) et l'hydroélectricité, dont le potentiel commence à être exploité. Le nucléaire occupe une petite part dans la production électrique.

L'activité la plus ancienne, et toujours prépondérante, est l'industrie textile. Fondée sur les matières premières agricoles, elle a été modernisée et les usines de Bombay et de Calcutta fournissent des tissus de coton, de laine et de jute exportés dans le monde entier. L'accent a été mis sur le développement de l'industrie lourde. À partir des ressources en fer et en charbon, la sidérurgie fournit 10 Mt d'acier ; elle alimente des constructions mécaniques variées : matériel ferroviaire, machines-outils, automobiles, constructions électriques. Le développement de l'industrie chimique est surtout lié aux besoins de l'agriculture (engrais). L'industrie alimentaire traite les matières premières fournies par l'agriculture : huileries, sucreries. Trois grosses agglomérations, Bombay, Calcutta et Madras, concentrent l'essentiel de la production industrielle moderne. Ailleurs, la structure conserve une tendance artisanale.

Malgré l'effort entrepris, le développement industriel demeure limité. Le manque de capitaux, de techniciens et de matières premières constitue un obstacle difficile à surmonter. Par ailleurs, l'étroitesse relative du marché intérieur, due à la faiblesse du niveau de vie moyen, est un lourd handicap. L'économie indienne repose en partie sur les échanges avec l'extérieur. Les ports de Calcutta, de Bombay et de Madras effectuent l'essentiel du commerce extérieur. Mais les produits susceptibles d'être exportés sont peu abondants, alors que le pays doit importer des produits agricoles, des matières premières et des produits fabriqués. La balance commerciale est toujours déficitaire et l'Inde ne peut subsister que grâce à l'aide étrangère.

La situation est donc extrêmement préoccupante. La sous-alimentation sévit dans les campagnes du fait de la pression démographique. L'insuffisance du développement industriel explique le chômage qui règne dans les villes et qui s'accroît sous l'effet de l'augmentation de la population et de l'exode rural. La rigidité de la structure sociale, héritée du système des castes, constitue un frein aux tentatives de réforme et de planification. L'aide des grandes puissances mondiales (États-Unis, Grande-Bretagne, U. R. S. S.) est insuffisante et actuellement on n'entrevoit guère de solution pour soulager la misère indienne.

HISTOIRE. Occupée depuis le paléolithique, l'Inde connaît entre 3000 et 2000 av. J.-C. une civilisation urbaine, dite « de l'Indus* » (Mohenjo-Daro et Harappā), très avancée, supportée par une agriculture céréalière. L'invasion aryenne (2000-1500 av. J.-C.) met fin à cet âge d'or, sauf dans l'Inde du Sud, où se maintient la civilisation dravidienne. L'Inde aryenne se compose d'un grand nombre de petits États ; l'invasion du Perse Darios (518 av. J.-C.) et celle du Grec Alexandre (327-325 av. J.-C.) établissent durablement des relations commerciales et culturelles entre l'Inde et l'Occident.

L'arrivée de Candragupta sur le trône de Magadha — royaume qui est parvenu à contrôler une bonne partie de l'Inde du Nord — inaugure l'Empire maurya (v. 320-185 av. J.-C.), qui culmine avec Asóka* : celui-ci se convertit au bouddhisme. Une administration fortement structurée et une armée puissante sont les piliers de l'Empire maurya : c'est durant cette époque que l'Inde constitue son assise économique et que la société indienne se forme en castes. L'Empire maurya disparu, les Grecs Bactriens envahissent l'Inde et forment le royaume de Sangala, qui passe au bouddhisme mais qui doit à son tour subir la poussée des Scythes ; puis les Kuṣāṇa (IIe s. apr. J.-C.) se taillent un royaume de la mer d'Aral à l'actuel Karnātaka. Ensuite, à une longue anarchie (IIe-IVe s.) met fin la brillante dynastie Gupta* (v. 320-v. 467), véhicule d'une véritable renaissance politique et culturelle, qui voit son apogée avec Samudra-gupta (v. 335-v. 375) : l'Inde atteint alors son âge d'or dans les domaines littéraire, scientifique (médecine), artistique et religieux. Puis, peu à peu, une nouvelle féodalisation de l'Inde se développe, malgré la tentative de centralisation politique d'Harṣa (de 606 à 647), le Deccan et l'Inde dravidienne — cœur de la civilisation hindoue traditionnelle — restant isolés.

L'année 711 marque le début de la première tentative militaire de l'islām en Inde. En fait, ce n'est qu'au début du XIe s. que les invasions musulmanes — Turcs, Perses, Afghans, Mongols — se développent, d'abord dans le Nord-Ouest, puis dans le reste du pays : le bouddhisme, déjà largement ébranlé par la réaction brahmanique, s'efface devant le prosélytisme musulman.

Le grand État musulman est le sultanat de Delhi* (1206-1526), dont les structures politico-administratives assez floues ne se maintiennent que par l'autorité du souverain. De plus, des invasions, comme celle de Tīmūr Lang (Tamerlan) en 1398-99, tout en affaiblissant le pays, réduisent de plus en plus les bases territoriales du sultanat de Delhi : des royaumes indépendants se constituent (Bengale*, Malvā, Gujerat). À côté de ces États musulmans se maintiennent quelques États hindous (empire de Vijayanagar [1336-1565]).

Le début du XVIe s. voit se constituer, grâce à Bāber (de 1483 à 1530), descendant de Tīmūr, l'Empire des Grands Moghols* (1526-1858), qui, sauf sous Aurangzeb* (de 1658 à 1707), ne parviendra pas à dominer l'ensemble du sous-continent. Cet empire atteint son apogée avec Akbar* (de 1561 à 1605), l'un des plus remarquables souverains de l'histoire universelle. À partir de 1707, l'empire décline, le sectarisme antimusulman des empereurs alimentant le nationalisme des sikhs, des Rājpūts et des Marathes.

Parallèlement, s'amorce l'emprise étrangère, portugaise dès le XVIe s., hollandaise, danoise, française et anglaise au XVIIe s. Bientôt restent face à face Anglais et Français : le traité de Paris de 1763 officialise la défaite française et la domination de la Compagnie anglaise des Indes. La mainmise britannique sur l'Inde, bien amorcée sous Robert Clive* et poursuivie sous Warren Hastings, se développe systématiquement sous les gouvernements de Cornwallis (de 1786 à 1793) et de Wellesley* (de 1798 à 1805). En 1819, les Britanniques contrôlent toute l'Inde, à l'exception du Pendjab et du Cachemire, dont ils se rendent maîtres en 1849.

L'Inde traditionnelle tente un dernier sursaut lors de la révolte des Cipayes (1857) : celle-ci écrasée, la Compagnie des Indes est supprimée (1858) et ses biens sont annexés à la Couronne. Le gouverneur général devient vice-roi; il est contrôlé par le secrétaire d'État et le Conseil de l'Inde, à Londres. Désormais, joyau de la Couronne, l'Inde est un enjeu capital dans la diplomatie britannique; d'où les précautions prises pour sauvegarder ses frontières tant à l'ouest (guerres afghanes, 1839-1842, 1878-1880) qu'à l'est (conquête de la Birmanie). Le fait de proclamer la reine Victoria « impératrice des Indes » (1876) se situe dans la même perspective.

Administrativement, les Anglais ne bouleversent pas le découpage des Moghols. Économiquement, ils favorisent le développement du pays dans des vues colonialistes, ce qui a pour effet la ruine de l'artisanat urbain et, par voie de conséquence, la surpopulation des campagnes. En rompant l'équilibre économique traditionnel de l'Inde, l'action britannique alimente en même temps un nationalisme hindouiste, dont le véritable initiateur est Rām* Mohan Roy (1772-1833). Son œuvre est poursuivie par Devendranāth Tagore (1817-1905) et par Rāmakrisṇa Paramahamsa (1836-1886), dont l'expérience mystique est universalisée par Narendranāth Datta (1862-1902) : l'« hindouisme décomplexé » de ce dernier aboutit à une revendication nationale, que la famine de 1899 et l'agitation au Bengale rendent plus vive. Dès 1906, le Congrès* national indien — parti fondé en 1885 par Allan Octavian Hume, et devenu le centre de l'opposition — réclame l'indépendance; mais les Anglais usent des rivalités entre musulmans et hindous pour retarder les échéances. À partir de 1918, le nationalisme indien est dominé par la figure de M. K. Gāndhī* qui, considérant que l'*India Act* de 1919 est insuffisant (institution d'une dyarchie assez parodique), développe une vaste campagne de résistance non violente (1919-1922). Après un temps de calme, Gāndhī — et aussi J. Nehru*, élu président du Congrès — relance la désobéissance civile.

Les conférences de la Table ronde de Londres (1930-1932) n'ayant rien donné, il faut attendre 1935 pour voir les Anglais tenter de désamorcer la situation par le *Government of India Act*, qui jette les bases d'une confédération panindienne mais ne satisfait pas le parti du Congrès : celui-ci, ayant triomphé aux élections de 1937, développe une politique nationaliste que la Seconde Guerre mondiale ne fait qu'exacerber. Si bien qu'en 1945 l'indépendance de l'Inde apparaît inéluctable : seule l'opposition entre Ligue musulmane et Congrès la retarde. Car les haines s'accumulent entre les deux communautés, à tel point qu'au lendemain des émeutes de Calcutta (1946), la partition de l'Inde devient inévitable. Elle est effective — en même temps que le départ des Britanniques — le 15 août 1947, quand sont reconnues l'indépendance de l'Union indienne, peuplée d'hindouistes, et celle du Pākistān* musulman (oriental et occidental).

L'Union indienne — autant que le Pākistān — souffre beaucoup — économiquement et politiquement (assassinat de Gāndhī, 1948) — de cette division contre nature, le Pākistān disposant des richesses agricoles et l'Inde des usines. En même temps, l'Inde doit régler l'intégration des États princiers : finalement, seuls l'État d'Hyderābād et surtout le Cachemire* créent problème. Par la suite, les comptoirs français (1952-1956) et l'Inde portugaise (1961) sont annexés.

C'est le 26 janvier 1950 que la première Constitution de l'Inde indépendante entre en vigueur : elle fait de l'Inde une république démocratique et laïque, à structures fédérales, membre du Commonwealth, le système des castes étant aboli. Premier ministre depuis 1947, Nehru reste au pouvoir, avec le parti du Congrès, jusqu'à sa mort, en 1964 : son autorité n'est pas contestée. Mais les difficultés deviennent sensibles avec son successeur, Lal Bahādur Shastri (1964-1966), et plus encore avec sa fille, Indira Gāndhī*, Premier ministre de 1966 à 1977. Les problèmes posés par ses frontières provoquent de la part de l'Inde des interventions : ainsi un premier conflit armé oppose en 1965 l'Inde au Pākistān à propos du Cachemire; un second conflit (1971) aboutit à l'occupation par l'armée indienne du Pākistān oriental, le futur Bangladesh*. À l'intérieur, I. Gāndhī doit tenir compte d'une opposition grandissante — qui arrive au pouvoir en mars 1977 avec Morarji Desai — ainsi que des forces centrifuges et des revendications des États. En 1980, les élections législatives permettent à I. Gāndhī de retrouver le pouvoir. Elle doit lutter contre les extrémistes sikhs, dont elle réprime très durement les rébellions de 1984. Elle est assassinée en octobre 1984 par deux sikhs. Son fils Rajiv, qui lui succède à la tête du parti du Congrès-I et du gouvernement, remporte une victoire sans précédent aux élections législatives de décembre 1984. Ce succès, qui permet la mise en œuvre d'un vaste programme d'assainissement économique, est cependant vite ébranlé par le regain des troubles religieux dans tout le pays. Le parti du Congrès-I perd la majorité absolue aux élections législatives de novembre 1989. R. Gāndhī démissionne du poste de Premier ministre; Vishwanath Pratap Singh le remplace, à la tête d'un gouvernement de coalition.

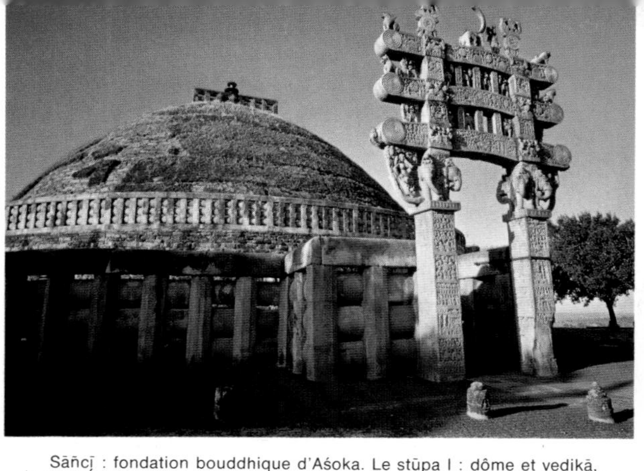

J. L. Nou

Sāñcī : fondation bouddhique d'Aśoka. Le stūpa I : dôme et vedikā, époque Suṅga (IIe s. av. J.-C.); toraṇa N., dynastie Andhra (Ier s. apr. J.-C.).

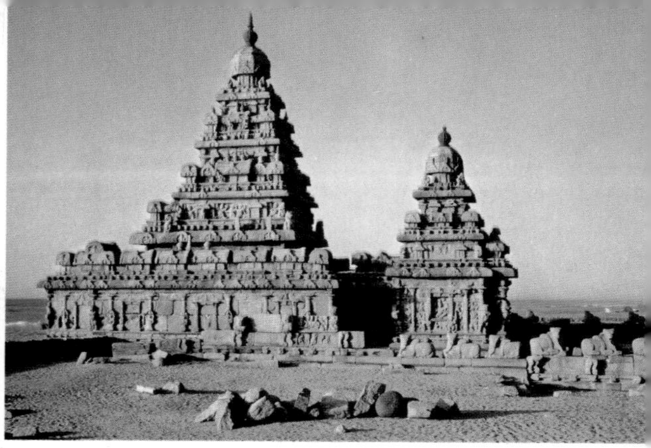

Nou-Lauros-Giraudon

Mahābalipuram : temple du Rivage, consacré à Śiva. Premier temple maçonné. Art des Pallava (VIIIe s.).

DOCTRINES PHILOSOPHIQUES ET RELIGIEUSES. De la fin du IIe millénaire avant notre ère jusqu'à nos jours, les littératures philosophiques et religieuses de l'Inde connaissent un développement inégal, dont l'influence s'est répandue dans l'Asie centrale et surtout dans le sud et l'est du continent asiatique.

Issu du védisme*, le brahmanisme* apparaît en Inde à la même époque (VIe s. av. J.-C.) que le jinisme* et le bouddhisme*. Malgré les différenciations qui s'affirmeront au cours de l'histoire sous l'influence des écoles (darśana) et des commentateurs — comme Śaṅkara* et Rāmānuja* —, malgré la diversité des dieux et des rites, les troubles politiques et la pénétration de l'islām* au VIIIe s., les doctrines philosophiques et religieuses de l'Inde demeurent unies par l'ancienne conception d'une disposition naturelle des choses (dharma) dans l'univers et d'une réalité ontologique transcendante au monde. L'hindouisme* en devient une des plus importantes manifestations. Cette multiplicité et cette diversité naissent de l'interprétation donnée à cette conception. Mais la fin est commune, il s'agit d'un salut conçu comme délivrance du flux des renaissances indéfinies (saṃsāra).

BEAUX-ARTS. Les divers faciès de l'industrie lithique du paléolithique inférieur, moyen, et supérieur sont attestés en Inde, de même qu'une industrie microlithique durant le mésolithique. La métallurgie du cuivre et du bronze apparaît dès le néolithique moyen, vers le IIe millénaire, et est si fréquente que la phase est dite « néolithique-chalcolithique ». Le bassin de l'Indus* voit l'épanouissement d'une civilisation remarquable par ses réalisations urbaines. Le premier usage du fer se place entre 1100 et 750. Vers cette époque, dans le Sud, se développe une culture d'origine mégalithique.

L'apparition de l'art proprement dit remonte à la propagation du bouddhisme et au règne d'Aśoka. De nombreux stūpa*, généralement en brique, sont élevés ainsi que des piliers monolithes en grès, à chapiteaux sculptés (Sārnāth*). À la fin du IIe s. av. J.-C., l'architecture prend un nouvel essor avec l'utilisation de la pierre, les stūpa deviennent plus vastes et les balustrades *(vedikā)* qui les entourent appellent la sculpture décorative, de même que les porches *(toraṇa)*. Bhārhut et Bodh-Gayā* sont les premiers exemples de cette époque, suivis par le style déjà plus savant de Sāñcī*. Les fondations rupestres se multiplient, et donnent un aperçu des constructions en matériaux légers. Deux types principaux d'édifices sont construits : le *caitya* — sanctuaire de plan absidial contenant un stūpa

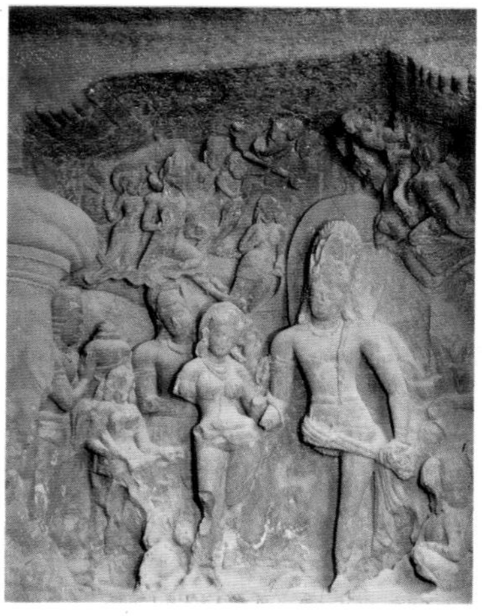

J. L. Nou

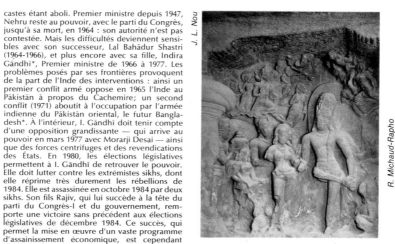

Ile d'Elephanta (golfe de Bombay) : l'un des reliefs de la grotte principale, le mariage de Śiva et de Pārvatī. Art de la dynastie Vākāṭaka (Ve s.).

en réduction *(olagoba)* et dont le plafond imite une voûte en berceau (Kārli) — et le *vihāra* — monastère comprenant une salle quadrangulaire sur laquelle s'ouvrent les cellules (Bhājā).

Entre le Ier et le IVe s., trois écoles artistiques évoluent parallèlement : celles du Gāndhāra* et de Mathurā*, dans le Nord, sous la dynastie des Kuṣāṇa et, dans le Deccan, celle de la région d'Amarāvatī, sous la dynastie Andhra. Le prodigieux enrichissement iconographique, que représente la figuration humaine du Bouddha, est probablement à attribuer au Gāndhāra.

La présence de l'image de culte (Bouddha, Jina, puis idoles brahmaniques) ouvre aussi une voie nouvelle à l'architecture, permettant au temple indien (excavé ou construit) d'évoluer selon les religions. Les périodes gupta (IVe-Ve s.) et post-gupta (VIe-VIIIe s.) représentent l'âge classique de l'art indien. Les derniers chefs-d'œuvre de l'architecture rupestre datent de cette époque; ils furent non seulement inspirés par le bouddhisme (Aurangābād*, Ellorā*, Ajaṇṭā*), mais aussi par le jinisme (Ellorā) et le brahmanisme (Ellorā, Elephanta*). Les sanctuaires construits, modestes et peu nombreux au Ve s., vont peu à peu dominer l'architecture hindouiste à partir des VIIe et VIIIe s., suscitant selon les régions des styles originaux et de plus en plus élaborés. Aihole*, Bādāmi*, Pattadakal sont les témoignages du raffinement des Cālukya occidentaux. Plus au sud, à Mahābalipuram*, les Pallava vont édifier les *ratha*, petits sanctuaires monolithes sculptés dans des masses rocheuses, puis le temple du Rivage (appareillé), dont l'élévation, constituée d'un soubassement, d'un corps de bâtiment peu important, d'une toiture en pyramide à degrés formés par la répétition des corniches et de leurs motifs décoratifs, semble être le prototype des sanctuaires élevés ultérieurement dans cette partie de l'Inde. Les temples brahmaniques se caractérisent par l'extension de leur plan, la multiplication des enceintes et des porches *(gopura)* et leurs tours-sanctuaires aux toitures curvilignes — fréquentes dans le Deccan, au Gwālior et en Orissa (*śikhara* du Liṅgarāja à Bhubaneswar*) — ou bien aux toitures en pyramide à degrés — utilisées dans le Sud (*vimāna* de Tanjore*). Ces tours-sanctuaires atteignent là des dimensions colossales, avant d'être à nouveau moins importantes, pour laisser les *gopura* devenir monumentales, au XIIIe s., à Cidambaram*. Les constructions de Madurā (auj. Madurai*) représentent l'aboutissement de ce gigantisme. S'inspirant des principaux types de sanctuaires, des styles régionaux s'épanouissent durant la période médiévale : tels celui de la dynastie Hoysala, au Mysore, typique par son foisonnement décoratif, ceux du Gujerat, du Kāthiāwār et du Rājasthān, qui privilégient le plan étoilé et la coupole encorbellée, celui du Cachemire*, résurgence de traditions anciennes du Gāndhāra...

La sculpture gupta atteste la parfaite assimilation des influences étrangères des périodes précédentes, et, transfigurée, l'image du Bouddha, d'une grande pureté de lignes, est toute empreinte d'intériorité; cette idéalisation et cette science du modelé se retrouvent aussi dans les bas-reliefs, souvent moins figés que les œuvres isolées. L'harmonie et l'équilibre mar-

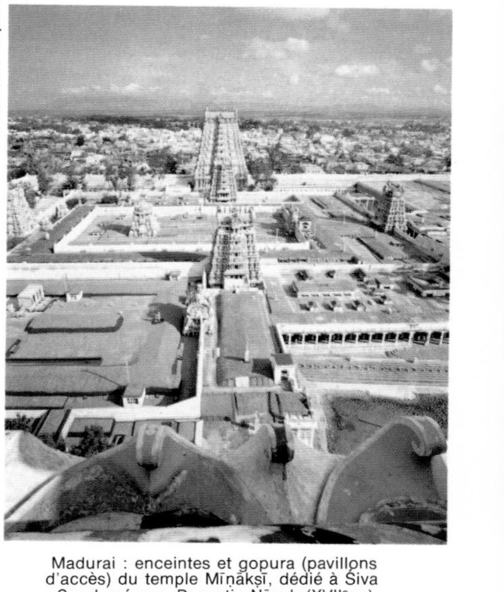

R. Michaud-Rapho

Madurai : enceintes et gopura (pavillons d'accès) du temple Mīnākṣī, dédié à Śiva Sundareśvara. Dynastie Nāyak (XVIIe s.).

Āgrā : le Tādj Maḥall, mausolée en marbre blanc, élevé par Chāh Djahān à la mémoire de son épouse. Art moghol (XVIIe s.).

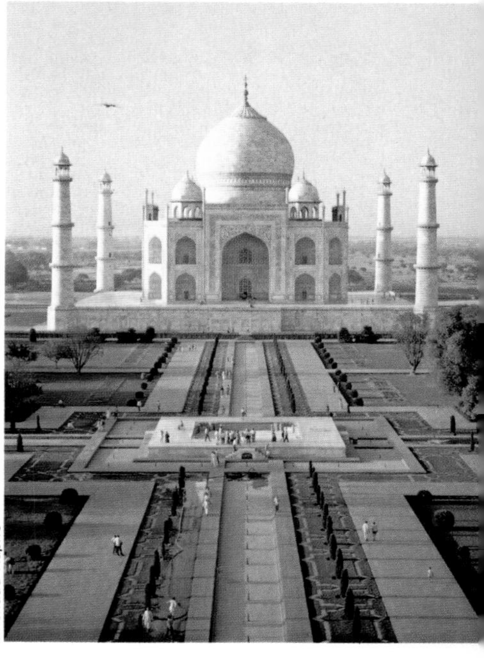

Michaud-Rapho

quent encore les œuvres bouddhiques post-gupta, mais, peu à peu, le brahmanisme et ses conceptions esthétiques différentes animent la plastique d'un rythme dynamique admirable qui domine aussi les bronzes de style dravidien (IXe-Xe s.) du sud-est de l'Inde. Intimement unie à l'architecture, dont elle est l'ornement décoratif exubérant, la sculpture de l'époque médiévale, avant d'arriver à une certaine sécheresse, atteint les sommets d'un raffinement érotique et intellectuel (Khajurāho*).

D'inspiration religieuse, la peinture murale, qui nous est parvenue, évolue entre les premiers siècles et les XIe-XIIe s. Ses plus parfaites réussites se rencontrent dans les fondations rupestres, dont Ajaṇṭā* reste le plus fameux exemple. Organisées sans divisions, les scènes se succèdent en obéissant aux lois de traités très précis. Les couleurs des œuvres les plus anciennes sont le blanc, le rouge et le noir, auxquels s'ajoutent le jaune et le vert (ou le bleu) à la période classique. Les premiers manuscrits (sur feuilles de palmier) de l'école pāla, vers le XIe s., illustrés de figures de petites dimensions aux tons assez vifs, sont essentiellement religieux; les premiers manuscrits sur papier sont datés du XIIe s. Les peintures murales de la période médiévale sont rares et confirment le goût du détail et la surcharge décorative, caractéristiques de cette époque.

Ayant parfaitement assimilé les apports extérieurs, l'art indien, malgré des règles religieuses contraignantes, témoigne d'une profonde origi-

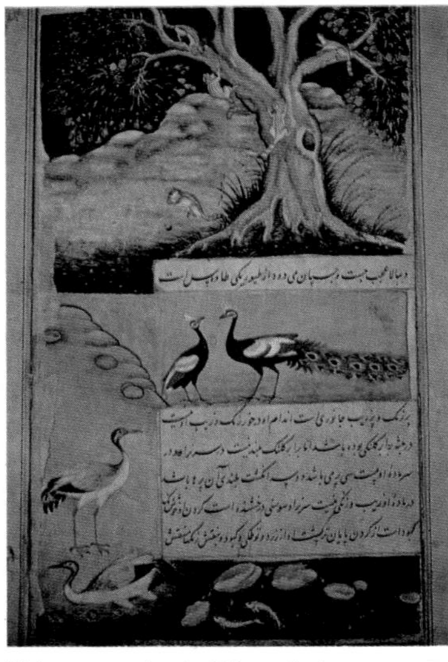

R. et S. Michaud-Rapho

Miniature extraite du Bābur-nāmē («Livre de Bābur»). École moghole, XVIe s. (Musée national, Delhi.)

nalité et il laisse non seulement s'épanouir des écoles locales, mais aussi celles qui subiront son ascendant dans toute l'Asie.

L'Inde islamique voit le développement de nombreuses écoles régionales : celles de Delhi* et du Gujerat, avec des réalisations aussi parfaites que les édifices d'Ahmadābād*, qui conservent un caractère proprement hindou. L'école du Malvā est typique par ses constructions rehaussées d'incrustations de céramiques de couleur et de pierres (Mandū et Dhar).

L'architecture du Deccan est caractérisée par l'association des influences de Delhi et de l'Iran (Gulbargā*). Golconde* conserve de très beaux spécimens de l'art funéraire et Bījāpur*, d'innombrables monuments aux dômes bulbeux particuliers. Les souverains de la dynastie moghole* laissent des œuvres splendides, comme le Tādj Maḥall*, les constructions d'Āgrā*, de Lahore, de Tatta et de Peshāwar*; on leur doit également la création de l'une des plus célèbres écoles de miniaturistes; celles du Rājputāna, du Bengale et du Deccan sont inspirées par les thèmes brahmaniques, celles du Gujerat plus particulièrement par les sujets jaïns. Ces divers centres maintiendront un temps les traditions nationales, mais bientôt, l'art indien, à partir de la domination européenne, subit une profonde décadence.

INDÉBROUILLABLE adj. Qui ne peut être débrouillé.

INDÉCEMMENT adv. De façon indécente.

INDÉCENCE n. f. Caractère de ce qui est indécent; action, parole contraire à la décence, à la pudeur.

INDÉCENT, E adj. Qui est contraire à la décence, à l'honnêteté : *parole indécente.* ‖ Se dit de qqn qui manque de pudeur.

INDÉCHIFFRABLE adj. Qu'on ne peut lire, déchiffrer, deviner.

INDÉCHIRABLE adj. Qui ne peut être déchiré.

INDÉCIDABLE adj. *Log.* Se dit d'une relation qui n'est ni vraie ni fausse. (Contr. DÉCIDABLE.)

INDÉCIS, E adj. et n. (bas lat. *indecisus,* non tranché). Qui ne sait pas se décider, irrésolu, perplexe. ◆ adj. Qui n'a pas de solution, douteux : *question, victoire indécise.* ‖ Vague, difficile à reconnaître : *formes indécises.*

INDÉCISION n. f. État, caractère d'une personne indécise; incertitude, irrésolution.

INDÉCLINABLE adj. *Ling.* Qui ne se décline pas.

INDÉCOLLABLE adj. Impossible à décoller.

INDÉCOMPOSABLE adj. Qui ne peut être décomposé, analysé.

INDÉCROTTABLE adj. *Fam.* Incorrigible; impossible à améliorer.

INDÉFECTIBILITÉ n. f. Qualité, caractère de ce qui est indéfectible.

INDÉFECTIBLE adj. (lat. *deficere,* faire défaut). Qui dure toujours, qui ne cesse pas d'être : *attachement indéfectible.*

INDÉFECTIBLEMENT adv. De façon indéfectible.

INDÉFENDABLE adj. Qui ne peut être défendu.

INDÉFINI, E adj. (lat. *indefinitus*). Qu'on ne peut délimiter exactement; dont on ne peut préciser les limites : *espace indéfini.* ‖ Qu'on ne peut définir; vague : *tristesse indéfinie.* ● *Adjectifs, pronoms indéfinis,* qui déterminent ou représentent les noms d'une manière vague, générale. (*Quelqu'un, chacun, personne, rien,* etc., sont des pronoms indéfinis. *Quelque, chaque,* etc., sont des adjectifs indéfinis.) ‖ *Articles indéfinis,* nom donné aux articles *un, une, des.* ‖ *Passé indéfini,* anc. nom du PASSÉ COMPOSÉ.

INDÉFINIMENT adv. De façon indéfinie.

INDÉFINISSABLE adj. Qu'on ne saurait définir, vague : *trouble indéfinissable.*

INDÉFORMABILITÉ n. f. Qualité de ce qui est indéformable.

INDÉFORMABLE adj. Qui ne peut être déformé.

INDE FRANÇAISE ou **ÉTABLISSEMENTS FRANÇAIS DANS L'INDE,** territoires de l'Inde qui constituaient jadis une colonie française. C'est au XVIIe s. que les Français s'établissent aux Indes (Surat, 1668; Masulipatam, 1670) sous le couvert de la Compagnie des Indes orientales (1664). De comptoirs en comptoirs, ils finissent par s'installer dans une dizaine de villes, notamment : Pondichéry (1674), Chandernagor (1686), Mahé (1721), Kārikāl (1738), Yanaon (1751). Puis se développe un long conflit avec la Compagnie anglaise. L'Inde française connaît alors sa plus grande extension : Dupleix* profite de la guerre de la Succession* d'Autriche pour se rendre maître de Madras (1746) et établir son protectorat sur Hyderābād et le Carnatic; mais la défaite de Lally-Tollendal devant Clive (1761) amène la perte des Établissements français de l'Inde, le traité de Paris (1763) ne laissant à la France que cinq comptoirs — Chandernagor, Pondichéry, Mahé, Kārikāl, Yanaon — et douze «loges». Après la suppression de la Compagnie des Indes (1794), ces établissements sont directement gérés par la France. Autonome sur le plan de la gestion à partir de 1939, l'Inde française devient indépendante et est intégrée à l'Union indienne entre 1952 et 1956.

INDÉFRICHABLE adj. Impossible à défricher.

INDÉFRISABLE n. f. Ondulation durable obtenue par la réaction chimique d'un liquide sur les mèches de cheveux roulées. (Syn. PERMANENTE.)

INDÉHISCENT, E [ɛ̃deisɑ̃, -ɑ̃t] adj. *Bot.* Qui ne s'ouvre pas, mais se détache en entier de la plante mère, en parlant de certains fruits secs (akènes).

INDÉLÉBILE adj. (lat. *indelebilis*). Que l'on ne peut effacer : *encre indélébile.* ‖ Que le temps ne détruit pas : *souvenirs indélébiles.*

INDÉLÉBILITÉ n. f. Caractère de ce qui est indélébile.

INDÉLICAT, E adj. Qui manque d'honnêteté, malhonnête.

INDÉLICATEMENT adv. Malhonnêtement.

INDÉLICATESSE n. f. Malhonnêteté : *commettre une indélicatesse.*

INDÉMAILLABLE adj. Dont les mailles ne peuvent se défaire.

INDEMNE [ɛ̃dɛmn] adj. (lat. *indemnis;* de *damnum,* dommage). Qui n'a pas éprouvé de dommage à la suite d'un accident, d'une épreuve.

INDEMNISABLE adj. Qui peut ou doit être indemnisé.

INDEMNISATION n. f. Action d'indemniser.

INDEMNISER v. t. Dédommager qqn de ses frais, de ses pertes.

INDEMNITAIRE adj. Qui a le caractère d'une indemnité.

INDEMNITAIRE n. Personne qui reçoit une indemnité.

INDEMNITÉ n. f. Somme allouée pour dédommager d'un préjudice : *indemnité pour cause d'expropriation.* ‖ Élément d'une rémunération ou d'un salaire destiné à compenser une augmentation du coût de la vie ou à rembourser une dépense imputable à l'exercice de la profession. ● *Indemnité journalière,* somme versée à un assuré social, malade ou victime d'un accident du travail, qui doit interrompre son activité professionnelle pour recevoir des soins. ‖ *Indemnité de licenciement,* somme versée à un salarié congédié sans avoir commis de faute grave et comptant une certaine ancienneté. ‖ *Indemnité parlementaire,* émoluments des députés et des sénateurs.

INDÉMODABLE adj. Qui ne risque pas de se démoder.

INDÉMONTABLE adj. Qui ne peut être démonté.

INDÉMONTRABLE adj. Qu'on ne peut démontrer.

INDÈNE n. m. Hydrocarbure C_9H_8 extrait des goudrons de houille.

INDÉNIABLE adj. Qu'on ne peut dénier; certain, incontestable : *preuve indéniable.*

INDÉNIABLEMENT adv. De façon indéniable.

INDÉNOMBRABLE adj. Qu'il est impossible de dénombrer.

INDÉNOUABLE adj. Qui ne peut être dénoué.

INDENTATION [ɛ̃dɑ̃tasjɔ̃] n. f. Échancrure en forme de morsure.

INDÉPASSABLE adj. Impossible à dépasser.

INDÉPENDAMMENT [de] adv. et loc. prép. Sans égard à; en faisant abstraction de : *indépendamment de ce qui arrive.* ‖ En outre, en plus de : *indépendamment de ces avantages.*

INDÉPENDANCE n. f. Situation d'une personne, d'une collectivité qui n'est pas soumise à une autre autorité. ‖ Absence de relation, de dépendance entre deux phénomènes, deux choses. ● *Indépendance d'un système d'axiomes* (Log.), propriété d'une théorie déductive axiomatisée dans laquelle aucun axiome ne peut être déduit à partir des autres.

indépendance américaine *(Déclaration d'),* document dans lequel le Congrès américain proclama l'indépendance des colonies unies d'Amérique. C'est en janvier 1776 que les radicaux du Congrès américain réclament officiellement la signature d'une telle déclaration. Préparé par un comité animé par Thomas Jefferson, John Adams et Benjamin Franklin, le texte — qui insiste sur la notion de liberté individuelle et condamne la politique coloniale anglaise — est signé par les représentants des treize colonies le 4 juillet 1776.

Indépendance américaine *(guerre de l'),* conflit armé entre Britanniques et colons américains (1775-1782). Il éclate le 19 avril 1775 à la suite de l'accrochage de Lexington : il s'aggrave après la décision de la Virginie de chasser son gouverneur anglais, et après la prise de Ticonderoga par Ethan Allen (10 mai). Le 15 juin, George Washington* est investi par le Congrès du commandement en chef des troupes américaines; en mars 1776, il s'empare de Boston. Cependant, les Insurgents — très individualistes — manquent d'armes et de chefs face aux troupes aguerries des Anglais. Aussi, par l'intermédiaire de B. Franklin*, demandent-ils l'aide de la France, qui envoie d'abord des volontaires — dont La Fayette* — puis, après la défaite anglaise de Saratoga (17 oct. 1777), qui s'allie officiellement avec les Américains (6 févr. 1778). En 1780, le comte de Rochambeau débarque avec 6 000 hommes; son action, jointe à celle de Washington, aboutit à la capitulation de l'Anglais Cornwallis à Yorktown (19 oct. 1781). Le traité de Versailles (1783) officialise l'indépendance des États-Unis d'Amérique.

INDÉPENDANT, E adj. Qui ne relève de personne, libre de toute dépendance : *un peuple indépendant.* ‖ Qui aime à ne dépendre de personne, qui répugne à toute sujétion : *caractère indépendant.* ‖ Se dit d'une chose qui n'est pas solidaire d'une autre : *point indépendant de la question.* ‖ *Stat.* Se dit de variables telles que la probabilité d'arrivée de l'une quelconque d'entre elles est la même, que les autres se présentent ou ne se présentent pas. ● *Travailleur indépendant,* travailleur exerçant en dehors de l'entreprise une activité qu'il est libre d'organiser à sa guise. ‖ *Variable indépendante* (Math.), variable susceptible de prendre n'importe quelle valeur, quelle que soit celle des autres variables.

INDÉPENDANTISME n. m. Revendication d'indépendance.

INDÉPENDANTISTE adj. et n. Partisan de l'indépendance d'un pays, en particulier au Québec.

INDEPENDENCE, v. des États-Unis (Missouri), à l'E. de Kansas City; 102 000 hab.

INDÉRACINABLE adj. Qu'on ne peut déraciner : *préjugés indéracinables.*

INDÉRÉGLABLE adj. Qui ne peut se dérégler.

Indes *(Compagnie française des),* association privilégiée, qui succéda, en 1719, à la Compagnie d'Occident, créée en 1717 à l'instigation de Law*. Dissoute en 1721, réorganisée en 1722, elle renonça à l'exploitation du Nouveau Monde pour se consacrer aux comptoirs africains et asiatiques. Après sa défaite devant la Compagnie anglaise en 1763, elle perdit son monopole (1769). Recréée par Louis XVI sous le nom de «Nouvelle Compagnie des Indes», elle perdit de nouveau son privilège en 1790 et disparut en 1794.

Indes *(Conseil des),* organisme espagnol, créé en 1511 et supprimé en 1834, qui avait pour mission d'administrer le Nouveau Monde; présidé par le grand chancelier des Indes, il fut l'équivalent, pour les Indes, du Conseil de Castille.

Indes *(Empire des),* nom porté, de 1877 à 1947, par les possessions britanniques de l'Inde*.

INDESCRIPTIBLE adj. Qui ne peut être décrit, exprimé : *joie indescriptible.*

Indes galantes *(les),* opéra-ballet, paroles de Fuzelier, musique de J.-P. Rameau (1735). Il se divise en quatre entrées : *le Turc généreux, les Incas du Pérou, les Fleurs, les Sauvages,* où alternent récits, airs, chœurs et danses. L'hymne au soleil et la chaconne finale sont restés célèbres.

INDÉSIRABLE adj. et n. Se dit d'un individu dont on n'accepte pas la présence dans un pays, dans un milieu.

Indes occidentales *(Compagnie française des),* association privilégiée (1664-1674), qui avait le monopole, accordé par Colbert, de l'exploitation des domaines africain et américain.

Indes occidentales *(Compagnie hollandaise des),* association privilégiée, fondée en 1621, dissoute en 1674 et reconstituée de 1674 à 1791. Elle avait le monopole du trafic (traite des Noirs, surtout) sur les côtes orientales de l'Amérique et les côtes occidentales de l'Afrique.

INDES-OCCIDENTALES (FÉDÉRATION DES), en angl. **West Indies,** unité politique, de brève existence (1958-1962), qui englobait les anciennes Antilles britanniques. Sa capitale était *Port of Spain.*

Indes orientales *(Compagnie anglaise des),* compagnie à charte, fondée à Londres, en 1600, pour le commerce avec les pays de l'océan Indien, puis avec l'Inde seule. Elle fut à l'origine de l'Inde* anglaise, sa première possession étant Madras (1639). Soutenue par la Couronne, elle brisa, au XVIIIe s., la concurrence française. Contrôlée par Londres à partir de 1784, elle perdit ses privilèges en 1833 et disparut en 1858, après la révolte des cipayes.

Indes orientales *(Compagnie française des),* association privilégiée, créée en 1664 par Colbert et qui reçut le monopole du commerce dans les océans Pacifique et Indien. Son action fut dès l'abord décisive et elle enracina la présence française en Inde. En 1719, elle fut absorbée par la Compagnie des Indes, de Law*.

Indes orientales *(Compagnie hollandaise des),* association privilégiée, fondée en 1602 et dissoute en 1798. Elle fut à l'origine de l'Empire* colonial néerlandais à Ceylan et en Insulinde. Son gouverneur général résidait à Batavia.

INDESTRUCTIBILITÉ n. f. Caractère de ce qui est indestructible.

INDESTRUCTIBLE adj. Qui ne peut être détruit.

INDESTRUCTIBLEMENT adv. De façon indestructible.

INDÉTERMINABLE adj. Qui ne peut être déterminé.

INDÉTERMINATION n. f. Caractère de ce qui n'est pas dépendant d'un autre phénomène. ‖ Manque de décision, de résolution.

INDÉTERMINÉ, E adj. Qui n'est pas déterminé, précisé, indistinct : *espace indéterminé.* ‖ *Math.* Se dit d'un problème où le nombre des inconnues est supérieur à celui des équations indépendantes et qui, partant, admet une infinité de solutions. ● *Forme indéterminée,* expression qui ne peut être calculée telle quelle pour une valeur particulière de la variable, sa détermination exigeant un calcul spécial.

INDÉTERMINISME n. m. Philosophie selon laquelle l'homme ou Dieu sont doués d'un libre arbitre. ‖ Doctrine selon laquelle le déterminisme n'existe pas (ou seulement partiellement) dans la nature.

INDEX [ɛ̃dɛks] n. m. (mot lat., *indicateur*). Deuxième doigt de la main, le plus proche du pouce. ‖ Aiguille d'un cadran; sorte de repère fixe ou mobile. ‖ Liste alphabétique des mots, des sujets, des noms apparaissant dans un ouvrage, dans une collection, avec les références permettant de les retrouver. ‖ Catalogue officiel des livres interdits aux catholiques, établi au XVIe s. et qui n'a plus force de loi depuis 1966. ● *Mettre qqn, qqch à l'index,* les exclure, les signaler comme dangereux.

INDEXAGE n. m. *Mécan.* Action d'indexer.

INDEXATION n. f. Action d'indexer.

INDEXER v. t. Lier la variation du montant d'une prestation, d'un prix, d'un loyer, à la variation d'une grandeur : *indexer une retraite sur le coût de la vie.* ‖ Réaliser l'index d'un ouvrage, d'une collection. ‖ *Math.* Faire correspondre de façon biunivoque une suite ordonnée à une suite d'éléments pris dans un ensemble. ‖ *Mécan.* Modifier d'une quantité fixe la position linéaire ou angulaire d'un organe mécanique. ● *Obligation indexée,* titre d'emprunt dont la valeur de remboursement ou le taux d'intérêt, parfois l'un et l'autre, sont liés à l'évolution d'un indice de référence.

INDIANA, État des États-Unis, entre la vallée de l'Ohio et le lac Michigan; 93 993 km²; 5 490 000 hab. Capit. *Indianapolis.* État au relief monotone et au climat continental, l'Indiana est un grand producteur de maïs et de soja, à la base d'un important élevage (porcs et volailles, surtout). Le sous-sol fournit du charbon et de la pierre à bâtir. L'industrie (métallurgie lourde et de transformation, notamment) est surtout représentée dans le Nord-Ouest, qui appartient à la zone d'attraction de Chicago.

INDIANAPOLIS, v. des États-Unis, capit. de l'État d'Indiana; 700 000 hab. Université. Circuit pour courses automobiles.

INDIANISME n. m. Étude des langues et des civilisations de l'Inde. ‖ Tendance littéraire du XIXᵉ s. des littératures hispano-américaines, qui se caractérise par l'intérêt porté aux cultures indiennes et par la célébration de la nature américaine.

INDIANISTE n. Spécialiste de l'indianisme. ‖ Écrivain se rattachant à l'indianisme.

INDIAN POINT, localité des États-Unis (New York), sur l'Hudson. Centrale nucléaire.

INDIC [ɛ̃dik] n. m. *Pop.* Indicateur de police.

INDICAN [ɛ̃dikã] n. m. (lat. *indicum,* indigo). Substance qui existe dans l'indigo et aussi dans les urines.

INDICATEUR, TRICE adj. Qui indique, qui fait connaître.

INDICATEUR n. m. Livre ou brochure qui sert de guide : *l'indicateur des rues de Paris.* ‖ Appareil qui sert à indiquer : *un indicateur de vitesse, de pression.* ‖ Individu qui renseigne la police en échange d'un privilège ou d'une rémunération. ● *Indicateur coloré,* substance qui indique, par un changement de couleur, la concentration d'un constituant d'une solution. ‖ *Indicateur économique,* chiffre significatif de la situation économique pour une période donnée (produit national brut, indice des prix, commerce extérieur, etc.). [Syn. CLIGNOTANT.]

INDICATIF, IVE adj. Qui indique, annonce : *à titre indicatif.*

INDICATIF n. m. *Ling.* Mode du verbe qui exprime l'état, l'existence d'une manière certaine. ‖ Musique que répète une station de radio ou de télévision au début d'une émission, à fin d'identification. ● *Indicatif d'appel,* appellation conventionnelle formée de lettres et de chiffres, identifiant le lieu d'origine ou l'expéditeur d'un message télégraphique ou radiophonique.

INDICATION n. f. Action d'indiquer : *indication d'origine.* ‖ Ce qui indique, fait connaître, renseigne; conseil qu'on suggère : *fournir des indications.* ‖ *Méd.* Opportunité d'un traitement : *l'indication d'un antibiotique.*

INDICE n. m. (lat. *indicium,* dénonciation). Signe apparent et probable qu'une chose existe : *les indices d'un crime.* ‖ Nombre exprimant un rapport entre deux grandeurs : *Rapport entre des quantités ou des prix, qui en montre l'évolution : l'indice des prix de détail.* ‖ *Math.* Signe attribué à une lettre représentant les différents éléments d'un ensemble : *A indice 1 s'écrit A_1.* ● *Indice d'écoute,* nombre de personnes, évalué en pourcentage, ayant écouté, ou regardé, une émission à un moment déterminé.

INDICIAIRE adj. Qui est rattaché à un indice.

INDICIBLE adj. (lat. *dicere,* dire). *Litt.* Qu'on ne peut exprimer; indescriptible, extraordinaire.

INDICIBLEMENT adv. De façon indicible.

INDICIEL, ELLE adj. Qui a valeur d'indice : *courbe indicielle.*

INDICTION n. f. *Hist. anc.* Période de quinze ans.

INDIEN, ENNE adj. et n. De l'Inde. ‖ Relatif aux autochtones de l'Amérique.

INDIEN (océan), océan compris entre l'Afrique, l'Asie méridionale, l'Australie et le continent antarctique; 75 millions de kilomètres carrés.

L'océan Indien est le plus petit et le moins bien connu des trois océans. Ses fonds sont accidentés par trois dorsales, entrecoupées de décrochements, qui se disposent en un Y renversé : au N., la dorsale de Carlsberg, qui sort du golfe d'Aden; au S.-O., la dorsale sud-ouest indienne, qui va rejoindre la dorsale médio-atlantique; au S.-E., la dorsale sud-est indienne, qui va rejoindre la dorsale pacifique. Elles délimitent trois vastes domaines, formés de bassins séparés par des seuils qui émergent parfois en îles (seuils des Seychelles à l'O., des Kerguelen au S., des Cocos à l'E.). Les fosses y occupent des superficies très réduites. Elles sont localisées en contrebas de l'arc insulaire qui constituent les îles de Java et de Sumatra, et atteignent la profondeur maximale de 7 450 m (fosse de Java). Les autres marges continentales sont formées par une large plate-forme se raccordant

aux fonds abyssaux par un talus qui, dans la mer d'Oman et le golfe du Bengale, est masqué par les énormes cônes deltaïques de l'Indus et du Gange.

La circulation océanique de l'océan Indien, dont l'extension vers le nord est très limitée, est fortement marquée par la mousson. En été, la disposition des courants est comparable à celle des autres océans. Le courant équatorial, qui s'écoule de l'est vers l'ouest, se divise en deux branches. L'une longe la côte de l'Afrique vers le sud (courant de Mozambique) et va se heurter au courant circumantarctique qui s'écoule d'ouest en est. L'autre remonte vers le nord et va longer la côte de l'Asie méridionale d'ouest en est (courant de la mousson du sud-ouest). En hiver, par suite du renversement de la mousson, la circulation au nord de l'équateur est perturbée : le sens des courants s'inverse et la rotation s'effectue en sens contraire.

Cerné de pays dont, pour la plupart, le développement reste modeste, l'océan Indien a été jusqu'à maintenant peu exploité (en dehors de la recherche du pétrole, dans le golfe Persique). La pêche n'y a guère dépassé le stade artisanal et la circulation maritime y est peu intense, sinon pour l'exportation du pétrole du Moyen-Orient.

INDIEN (TERRITOIRE BRITANNIQUE DE L'OCÉAN), colonie britannique formée par l'archipel des Chagos et englobant jusqu'en 1976 les îles Aldabra, Farquhar et Desroches.

INDIENNE n. f. Toile de coton légère colorée par impression.

INDIFFÉREMMENT adv. Sans faire de différence, indistinctement.

INDIFFÉRENCE n. f. État d'une personne indifférente; détachement, froideur, neutralité affective. ● *Liberté d'indifférence* (Philos.), celle qui résulte de la possibilité de choisir ceci plutôt que cela sans raison aucune.

INDIFFÉRENCIATION n. f. État de ce qui est indifférencié.

INDIFFÉRENCIÉ, E adj. Se dit d'une chose dans laquelle aucune différence n'a été faite : *un ensemble indifférencié.* ● *Filiation indifférenciée* (Anthropol.), système de filiation dans lequel les lignées maternelle et paternelle ont socialement les mêmes fonctions.

INDIFFÉRENT, E adj. Qui ne présente aucun motif de préférence : *ce chemin ou l'autre m'est indifférent.* ‖ Qui est de peu d'importance, qui présente peu d'intérêt : *parler de choses indifférentes.* ‖ Qui ne tend pas vers un état plus que vers un autre : *équilibre indifférent.* ◆ adj. et n. Individu que rien ne touche ni n'émeut.

INDIFFÉRENTISME n. m. Indifférence érigée en système, en politique ou en religion.

INDIFFÉRER v. t. (conj. 5). Être indifférent à qqn, ne présenter pour lui aucun intérêt : *cela m'indiffère.*

INDIGÉNAT n. m. Régime administratif qui était appliqué aux indigènes d'une colonie.

INDIGENCE n. f. (lat. *indigentia*). Grande pauvreté, misère.

INDIGÈNE adj. et n. (lat. *indigena*). Né dans le pays qu'il habite. (Syn. : ABORIGÈNE, AUTOCHTONE.) ‖ Se dit d'une plante originaire de la région où elle vit. (On oppose les essences forestières *indigènes* aux essences *exotiques*.) ‖ Originaire d'un pays d'outre-mer avant la décolonisation.

INDIGÉNISME n. m. Courant littéraire et artistique du XXᵉ s., développé en Amérique et spécialement dans le domaine hispano-américain, et qui prend pour thème l'affrontement des cultures indiennes et des systèmes intellectuels et économiques d'importation coloniale. ‖ *Anthropol.* Politique menée par certains gouvernements, notamment latino-américains, visant à l'acculturation ou à l'intégration systématique des ethnies qui vivent dans leurs pays.

INDIGÉNISTE adj. et n. Qui appartient à l'indigénisme.

INDIGENT, E [ɛ̃diʒã, -ãt] adj. et n. (lat. *indi-*

gens; de *indigere,* avoir besoin). Qui est privé de ressources suffisantes, et est susceptible de recevoir des secours. ◆ adj. Qui manifeste une grande pauvreté : *il a un vocabulaire indigent.*

INDIGESTE adj. (lat. *indigestus*). Difficile à digérer : *mets indigestes.* ‖ Confus, embrouillé : *roman indigeste.*

INDIGESTION n. f. Indisposition provenant d'une digestion qui se fait mal, et aboutissant en général au vomissement. ● *Avoir une indigestion de qqch* (Fam.), en avoir trop, jusqu'à en être dégoûté.

INDIGNATION n. f. Sentiment de colère que provoque un outrage, une action injuste : *faire part de son indignation à qqn.*

INDIGNE adj. (lat. *indignus*). Qui n'est pas digne de qqch; qui ne mérite pas : *indigne de confiance.* ‖ Qui inspire le mépris, la révolte ou l'irritation : *conduite indigne.*

INDIGNÉ, E adj. Qui marque la colère, la révolte; qui manifeste de l'indignation.

INDIGNEMENT adv. De façon indigne.

INDIGNER v. t. Exciter, provoquer la colère, la révolte de : *sa conduite indigne tout le monde.* ◆ **s'indigner** v. pr. Éprouver un sentiment de colère, de révolte.

INDIGNITÉ n. f. Caractère d'une personne, d'un acte indigne : *commettre des indignités.* ● *Indignité nationale,* peine comportant la privation des droits civiques (instaurée pour réprimer certains délits commis pendant l'Occupation).

INDIGO [ɛ̃digo] n. m. (mot esp.). Matière colorante qui, dans sa forme première, est d'un bleu un peu violacé. (Elle est extraite de l'indigotier, ou obtenue par synthèse.) ‖ Couleur bleu foncé. ◆ adj. inv. Bleu foncé.

INDIGOTIER n. m. Plante vivace des régions chaudes, autrefois cultivée comme plante tinctoriale. (Famille des papilionacées.) [V. ill. p. 718.]

INDIGOTINE n. f. Principe colorant de l'indigo.

Carte : **OCÉAN INDIEN**

Légende :
- ports de marchandises générales
- ports pétroliers
- ports minéraliers
- "passages" entre l'Océan Indien et les mers adjacentes
- bases stratégiques et points d'appui pour les flottes des grandes puissances
- îles sous souveraineté française
- grandes zones touristiques
- principales zones de pêche
- grandes routes commerciales

Nardin-Jacana

indigotier

INDIGUIRKA, fl. de l'U.R.S.S., dans le nord-est de la Sibérie, tributaire de l'océan Arctique; 1 726 km.

INDIQUER v. t. (lat. *indicare*). Montrer, désigner qqn, qqch d'une manière précise : *indiquer qqch du doigt.* ‖ Dénoter, révéler, être l'indice de : *cela indique une grande rouerie.* ‖ Enseigner, faire connaître à qqn ce qu'il cherche : *indiquer une rue.* ‖ Esquisser. ● *Être indiqué,* être recommandé, conseillé.

INDIRECT, E adj. Qui ne conduit pas au but directement, qui comporte des intermédiaires; détourné : *itinéraire indirect;* critique, *louange indirecte.* ● *Complément d'objet indirect* (Gramm.), celui qui est introduit par une préposition : *les verbes transitifs indirects sont suivis d'un complément d'objet indirect.* ‖ *Interrogative indirecte* (Gramm.), subordonnée interrogative dépendant d'un verbe comme *dire, savoir,* etc. (Ex. : *il ne savait pas pourquoi il était venu.*) ‖ *Tir indirect,* tir dans lequel l'objectif est invisible de l'emplacement de l'arme.

INDIRECTEMENT adv. De façon indirecte.

INDISCERNABLE adj. Qu'on ne peut distinguer d'une autre chose.

INDISCIPLINE n. f. Attitude de qqn qui ne se soumet pas à la discipline, désobéissance : *faire preuve d'indiscipline.*

INDISCIPLINÉ, E adj. Rebelle à toute discipline : *esprit indiscipliné.*

INDISCRET, ÈTE adj. et n. Qui manque de discrétion, de réserve : *un regard indiscret.* ‖ Qui révèle ce qu'on devrait taire : *une parole indiscrète; ami indiscret.*

INDISCRÈTEMENT adv. De façon indiscrète.

INDISCRÉTION n. f. Manque de discrétion; révélation d'un secret : *commettre des indiscrétions.*

INDISCUTABLE adj. Qui n'est pas discutable, qui s'impose par son évidence, incontestable.

INDISCUTABLEMENT adv. De façon indiscutable, certainement.

INDISCUTÉ, E adj. Qui n'est pas mis en discussion.

INDISPENSABLE adj. et n. m. Dont on ne peut se passer : *protéines, crédits indispensables.*

INDISPONIBILITÉ n. f. État de celui ou de ce qui est indisponible.

INDISPONIBLE adj. Dont on ne peut pas disposer. ‖ Qui est empêché de s'adonner à un travail, une occupation.

INDISPOSÉ, E adj. Légèrement malade, mal à l'aise. ‖ Se dit d'une femme qui a ses règles.

INDISPOSER v. t. Rendre un peu malade, mettre mal à l'aise, incommoder. ‖ Rendre peu favorable, mécontenter : *on l'a indisposé contre moi.*

INDISPOSITION n. f. Léger malaise. ‖ *Fam.* Période des règles.

INDISSOCIABLE adj. Qui ne peut être séparé en plusieurs éléments, en divers facteurs.

INDISSOLUBILITÉ n. f. Qualité de ce qui est indissoluble.

INDISSOLUBLE adj. Qui ne peut être délié, désuni; indéfectible : *attachement indissoluble.*

INDISSOLUBLEMENT adv. De façon indissoluble.

INDISTINCT, E adj. Qui manque de netteté; confus, perçu confusément : *voix indistincte.*

INDISTINCTEMENT adv. De façon indistincte, confusément : *prononcer indistinctement.* ‖ Sans faire de différence, en bloc, indifféremment : *j'aime indistinctement tous les fruits.*

INDIUM [ɛ̃djɔm] n. m. Métal blanc (In) n° 49, de masse atomique 114,82, fusible à 155 °C, qui présente des analogies avec l'aluminium.

INDIVIDU n. m. (lat. *individuum,* ce qui est indivisible). Chaque être distinct, soit animal, soit végétal, qui ne peut être décomposé en un autre plus simple : *le genre, l'espèce et l'individu.* ‖ Personne considérée isolément, par rapport à une collectivité : *l'individu et la société.* ‖ Personne indéterminée ou dont on parle avec mépris : *quel est cet individu?*

INDIVIDUALISATION n. f. Action d'individualiser, de s'individualiser; personnalisation.

INDIVIDUALISÉ, E adj. Qui se distingue des autres : *groupe fortement individualisé.*

INDIVIDUALISER v. t. Rendre distinct des autres par des caractères propres. ◆ **s'individualiser** v. pr. Se distinguer des autres en affirmant sa personnalité.

INDIVIDUALISME n. m. Tendance à s'affirmer indépendamment des autres. ‖ Tendance à privilégier la valeur et les droits de l'individu sur ceux des groupes sociaux. ‖ *Philos.* Doctrine qui fait de l'individu soit le fondement de la société, soit le fondement des valeurs morales, soit les deux. (Dans cette option libérale, la société résulte de la libre association d'individus propriétaires de leurs biens, dont la fin est l'épanouissement de leur personnalité.)

INDIVIDUALISTE adj. et n. Partisan de l'individualisme. ‖ Qui ne songe qu'à soi.

INDIVIDUALITÉ n. f. Ce qui constitue l'individu. ‖ Originalité propre à une personne. ‖ Personne qui a une forte personnalité et se distingue des autres.

INDIVIDUATION n. f. Ce qui distingue un individu d'un autre. ‖ *Psychol.* Processus par lequel la personnalité se différencie.

INDIVIDUEL, ELLE adj. Qui concerne une seule personne : *réclamation individuelle.*

INDIVIDUEL, ELLE n. *Sports.* Athlète n'appartenant à aucun club, à aucune équipe.

INDIVIDUELLEMENT adv. De façon individuelle, séparément.

INDIVIS, E [ɛ̃divi, -iz] adj. (lat. *indivisus,* qui n'est pas séparé). *Dr.* Qui n'est pas divisé; qui est possédé à la fois par plusieurs personnes : *succession indivise.* ‖ Qui possède une propriété non divisée : *héritiers indivis.* ● *Par indivis,* sans partage, en commun.

INDIVISAIRE n. *Dr.* Personne se trouvant dans l'indivision.

INDIVISÉMENT adv. *Dr.* Par indivis.

INDIVISIBILITÉ n. f. Caractère de ce qui est indivisible.

INDIVISIBLE adj. Qui ne peut être divisé.

INDIVISION n. f. *Dr.* Copropriété dans laquelle il n'y a pas division matérielle des parts.

INDO-ARYEN, ENNE adj. Se dit des langues indo-européennes actuellement parlées en Inde. (Les principales sont le hindî, l'ourdou [ou urdû], le marathe, le bengali, le panjābī, le gujarātī, l'oriyā, le cinghalais et l'assamais.)

INDOCHINE, grande péninsule de l'Asie du Sud-Est, comprise entre l'Inde et la Chine, limitée à l'O. par le golfe du Bengale, au S. par le détroit de Malacca et à l'E. par la mer de Chine méridionale. Elle englobe la Birmanie, la Thaïlande, la Malaisie (partie continentale de la Malaysia), le Laos, le Cambodge et le Viêt-nam.

Indochine (guerres d') [1940-1975]. Impliquée depuis 1940 dans le déroulement de la Seconde Guerre mondiale, l'Indochine, où la France maintient tant bien que mal sa souveraineté contre les empiétements du Japon, entre en 1945 dans une période de guerre de près de trente ans. C'est d'abord la lutte «de la libération», menée de 1946 à 1954 contre les Français par le Viêt-minh, qui aboutit à l'éviction complète de la France et à la séparation du Viêt-nam en deux États. Le Viêt-nam du Nord, soutenu par l'U.R.S.S., et le Viêt-nam du Sud, aidé par les États-Unis, s'affrontent bientôt en une deuxième guerre, qui s'inscrit, cette fois, dans le cadre des relations (allant de l'affrontement au compromis) entre les deux grandes puissances mondiales. Ce conflit se conclut en 1973 par un cessez-le-feu, que suivent le retrait total d'Indochine des troupes américaines et, en 1975, l'entrée des Khmers rouges à Phnom Penh et des chars nord-vietnamiens à Saigon.

chronologie succincte des guerres d'Indochine

— *1945.* Coup de force japonais contre toutes les garnisons françaises d'Indochine (mars). Capitulation du Japon (août). Proclamation par Hô Chi Minh de la république du Viêt-nam (sept.). Suite aux accords de Potsdam, Hanoi est occupé par les Chinois, Saigon par les Anglais, relevés en octobre par les Français de Leclerc.

— *1946.* La France reconnaît la république du Viêt-nam (mars). Échec des négociations franco-vietnamiennes. Leclerc à Hanoi (18 mars). Départ des dernières troupes chinoises du Tonkin (sept.). Incidents de Haiphong (nov.). Hô Chi Minh déclenche la lutte armée contre la France (19 déc.).

— *1947.* La France réoccupe la frontière chinoise (Cao Bang et Lang Son).

— *1949.* Les forces communistes chinoises à la frontière du Viêt-nam; la France transfère ses pouvoirs à Bao Dai.

— *1950.* Reconnaissance du gouvernement Hô Chi Minh par la Chine et l'U.R.S.S., de celui de Bao Dai par les États-Unis et l'Angleterre. Les Français contraints d'évacuer Cao Bang, Lang Son et Lao Kay.

— *1951.* Rétablissement de la situation par de Lattre (coup d'arrêt aux attaques du Viêt-minh sur Hanoi; création d'une armée vietnamienne par Bao Dai).

— *1952-53.* Batailles contre les divisions viêt-minh à Hoa Binh et Na Sam.

— *1954.* Chute du point d'appui français de Diên Biên Phu (7 mai). Accords de Genève (juill.) séparant au 17e parallèle le Viêt-nam en deux États. La France évacue Hanoi (oct.), Haiphong (1955), Saigon (1956).

— *1956-1960.* Guérilla de commandos communistes dans le Viêt-nam du Sud.

— *1960.* Création du Front national de libération (F. N. L.) du Viêt-nam du Sud (Viêt-cong), soutenu à travers le Laos (piste Hô Chi Minh) par les forces du Viêt-nam du Nord.

— *1962.* Création d'un commandement militaire américain à Saigon.

— *1964.* Le Viêt-nam du Nord implante des bases au Cambodge et attaque deux destroyers américains. Les États-Unis aident les forces du Viêt-nam du Sud (21 000 conseillers militaires américains pour son armée) et bombardent le Viêt-nam du Nord.

— *1965-1969.* Accentuation de l'engagement militaire américain au Viêt-nam : 165 000 hommes en 1965; 316 000 hommes en 1966; 540 000 hommes en 1968-69. Présence aux côtés des Américains de contingents australiens, néo-zélandais, sud-coréens et thaïlandais.

— *1968.* Offensive nord-vietnamienne du Têt; bataille de Hué. Ouverture d'une conférence de la paix à Paris (mai).

— *1969.* Début du désengagement militaire des États-Unis (Nixon) au Viêt-nam (juill.). Bataille de la plaine des Jarres (Laos).

— *1970.* Lon Nol prend le pouvoir au Cambodge, d'où il tente de refouler avec l'aide des Américains et des Sud-Vietnamiens les forces des Khmers rouges et du Viêt-nam du Nord.

— *1971.* Nixon confie la direction de la guerre au gouvernement et au commandement sud-vietnamiens (effectifs américains : 284 000 hommes).

— *1972.* Nixon décide le retrait des forces américaines. Batailles d'An Loc, de Quang Tri et de Kontum. Nouveaux bombardements aériens américains sur le Viêt-nam du Nord. Blocus américain du port de Haiphong (mai). Rencontres et accords entre les États-Unis (Kissin-

INDONÉSIE

ger) et le Viêt-nam du Nord (Lê Duc Tho) sur la fin des hostilités (oct.).
— *1973.* Signature à Paris, le 27 janvier, d'un accord de cessez-le-feu au Viêt-nam. Cessez-le-feu au Laos le 21 février. Évacuation des derniers militaires américains d'Indochine (mars). Fin de l'aide américaine au Cambodge (août).
— *1975 avril.* Les forces nord-vietnamiennes et révolutionnaires du Viêt-nam du Sud entrent à Hué et à Saigon; les Khmers rouges, ultra-révolutionnaires, sont à Phnom Penh.
— *1978.* L'armée du Viêt-nam réunifié chasse les Khmers rouges de Phnom Penh.
— *1979.* Les Chinois envahissent provisoirement les régions frontalières du Viêt-nam pour s'opposer à l'expansionnisme de Hanoi, qui protège un nouveau gouvernement à Phnom Penh.
— *1984.* Nouveaux affrontements entre Chinois et Vietnamiens sur leurs confins.

INDOCHINE FRANÇAISE, nom porté, avant l'indépendance du Viêt-nam*, par les anciennes possessions françaises de la péninsule indochinoise : colonie (Cochinchine*) et protectorats (Annam*, Tonkin*, Cambodge* et Laos*).

INDOCHINOIS, E adj. et n. De l'Indochine.

INDOCILE adj. et n. Qui ne se laisse pas diriger, conduire, rebelle : *enfant indocile.*

INDOCILITÉ n. f. Caractère de celui qui est indocile.

INDO-EUROPÉEN, ENNE adj. et n. m. Se dit d'un groupe de langues parlées actuellement en Europe et dans une partie des autres continents, auquel les linguistes ont donné une origine commune. ‖ Se dit de cette langue originelle et des peuples qui l'ont parlée.

■ L'indo-européen constitue la plus vaste et la mieux établie des familles de langues. De nombreux textes, dont certains remontent à 2000 ans av. J.-C., ont permis d'en retracer les traits fondamentaux et l'évolution. Il se subdivise en une douzaine de branches (tokharien, indo-aryen, iranien, arménien, hittite, grec, italique, celtique, germanique, baltique, slave, albanais) auxquelles il faut ajouter certaines langues mortes n'ayant laissé que très peu de traces (macédonien, phrygien, thrace, illyrien, etc.). La parenté des langues indo-européennes, pressentie à la fin du XVIIIe s. avec la découverte du sanskrit, a été démontrée par les travaux comparatistes du XIXe s. La découverte, au début du XXe s., du tokharien et du hittite a permis des progrès considérables.

L'indo-européen possédait un système flexionnel très riche et une distinction précise entre le verbe et le nom. Il connaissait huit cas, trois nombres et trois genres. La conjugaison était dominée par la notion d'aspect. Les suffixes étaient très nombreux et la formation des mots par dérivation, courante.

Les Indo-Européens apparaissent dans l'histoire, entre 2000 et 1500 av. J.-C., par des invasions de tribus guerrières bien organisées, connaissant le cheval et la métallurgie du fer (Aryens, Hittites, Achéens). Leur habitat primitif est controversé; il pourrait s'agir des steppes s'étendant du Dniepr au Kazakhstan (IIIe millénaire). L'étude lexicale a permis de déterminer leur mode de vie (agriculture et élevage), leurs structures sociales (organisation patriarcale, hiérarchie des prêtres, des guerriers et des agriculteurs), leur religion (culte des ancêtres, adoration du dieu céleste).

INDOLE n. m. *Chim.* Composé qui est à la base d'une série d'hétérocycles comportant un cycle benzénique accolé à un cycle pyrrole.

INDOLE-ACÉTIQUE adj. *Acide indole-acétique,* substance de croissance des végétaux.

INDOLEMMENT [ɛ̃dɔlamɑ̃] adv. Avec indolence.

INDOLENCE n. f. Nonchalance, indifférence, apathie : *il est d'une indolence désespérante.*

INDOLENT, E adj. (lat. *indolens;* de *dolere,* souffrir). Qui évite de se donner de la peine, qui agit avec mollesse, qui manifeste de l'apathie.

INDOLORE adj. Qui ne cause aucune douleur : *piqûre indolore.*

INDOMÉTACINE n. f. Médicament anti-inflammatoire dérivé de l'indole.

INDOMPTABLE adj. Qu'on ne peut dompter, maîtriser : *caractère indomptable.*

INDOMPTÉ, E [ɛ̃dɔ̃te] adj. Qu'on n'a pu encore dompter, contenir, réprimer.

INDONÉSIE, en indonésien **Indonesia,** État insulaire de l'Asie du Sud-Est; 1 900 000 km^2; 168 400 000 hab. *(Indonésiens).* Capit. *Jakarta.*

GÉOGRAPHIE

● *Le milieu naturel.* Le pays correspond à un archipel qui s'étire sur 5 000 km d'O. en E. et 2 000 km du N. au S. Il comprend une multitude d'îles, parmi lesquelles sept îles, ou ensembles (Java, Sumatra, Kalimantan [partie indonésienne de Bornéo], Célèbes, les groupes des Moluques et des petites îles de la Sonde, la Nouvelle-Guinée occidentale [ou Irian Barat]), regroupent l'essentiel de la superficie et de la population. Ces îles présentent une très grande diversité de paysages. Toutes sont marquées par un relief montagneux résultant d'une orogenèse récente, encore active. Les manifestations volcaniques sont très fréquentes, surtout en bordure de l'océan Indien (Sumatra, Java, Flores). On dénombre environ 600 volcans, dont beaucoup sont encore actifs. Les plaines occupent des superficies réduites (nord de Sumatra, sud de Kalimantan) et sont marécageuses et insalubres. L'ensemble du pays connaît un climat équatorial chaud et humide, marqué par les très faibles amplitudes de température. Le total des précipitations ne tombe jamais au-dessous de 1 m et atteint 3 m à Kalimantan. La permanence de l'humidité explique la grande extension de la forêt dense, qui recouvre totalement certaines îles (Kalimantan, Irian Barat), formant une mangrove impénétrable sur les côtes. Mais les sols les plus riches, développés sur les roches volcaniques, ont été généralement défrichés et intensément mis en valeur (Java).

● *La population.* La densité de l'ensemble du pays est moyenne (88 hab. au km^2), mais elle recouvre de très grandes différences entre les îles. Certaines sont presque vides, à l'exception de taches de peuplement récentes liées à l'exploitation de matières premières; leurs forêts sont habitées par des tribus d'indigènes vivant de la chasse et de la cueillette (Dayaks de Kalimantan, Papous de Nouvelle-Guinée). D'autres îles sont, au contraire, surpeuplées (Java, Bali), et la situation s'aggrave avec l'accroissement démographique rapide, problème majeur du pays. Les tentatives de redistribution de la population à l'intérieur de l'archipel ont eu jusqu'à présent peu de résultats. Le taux moyen d'urbanisation reste faible. Les villes se concentrent dans les deux îles les plus peuplées : Sumatra et surtout Java.

● *L'économie.* L'agriculture reste le secteur dominant. Elle emploie les trois quarts de la population active, mais guère plus du dixième de la superficie du pays est mis en valeur. Le riz (de 35 à 40 Mt) constitue la base de l'alimentation. Il est cultivé de manière intensive sur les terrasses inondables aménagées sur les versants montagneux, principalement à Java. Ce type de culture exige une main-d'œuvre importante mais donne des rendements très élevés. Cependant, en raison de la pression démographique, la production est insuffisante et la sous-alimentation sévit encore certaines années. Dans les zones moins peuplées, et qui ont été moins bien mises en valeur, la population pratique souvent l'agriculture itinérante sur brûlis, fournissant manioc, patates et parfois riz. Mais les rendements sont beaucoup plus faibles et les sols s'épuisent rapidement si les cultures sont fréquentes. Les cultures commerciales occupent une place importante. Les plantations ont été créées au temps de la colonisation hollandaise. L'Indonésie reste le deuxième producteur mondial de caoutchouc naturel (environ 1 Mt) et fournit également du café, du thé, de l'huile de palme et du tabac. Mais ces cultures souffrent des aléas du marché international. La pêche apporte un complément de ressources, alors que les richesses potentielles de la forêt ne sont pratiquement pas exploitées.

L'Indonésie possède d'abondantes richesses minières que les Hollandais avaient commencé à exploiter. L'étain et la bauxite ont perdu leur importance devant le pétrole (60 Mt), dont les principaux gisements sont localisés à Sumatra, à Kalimantan et sur la plate-forme de la Sonde. Les réserves en cuivre, nickel, manganèse, etc., paraissent notables, mais leur exploitation est à peine amorcée. Le potentiel hydroélectrique n'a guère été mis en valeur. La plupart des matières premières sont encore exportées à l'état brut. Les rares industries légères (textiles, constructions mécaniques, industries alimentaires) sont concentrées dans les principales villes de Sumatra et surtout de Java. La production industrielle demeure donc insuffisante et la structure du commerce extérieur est typique d'un pays en voie de développement. L'Indonésie exporte ses matières premières (pétrole, caoutchouc, étain) et doit importer des biens d'équipement et de consommation. Grâce aux ressources naturelles, la balance commerciale est largement excédentaire, les partenaires principaux étant les États-Unis et le Japon. Les principaux ports de commerce sont situés à Java : Surabaya, Tanjungpriok (port de Jakarta) et Semarang.

HISTOIRE. L'histoire proprement dite de l'Indonésie (anciennes Indes néerlandaises) commence au Ve s. apr. J.-C. avec l'apparition des premiers textes sanskrits, lesquels attestent une forte influence indienne qui se maintient jusqu'au XIVe s. Des États indianisés s'épanouissent alors, notamment à Java*, où la dynastie de Kediri s'impose au XIIe s. et où, au XIVe s., l'empire de Majapahit atteint son apogée avec le roi Rājasanagara (de 1350 à 1389). Par la suite, les religions indiennes déclinent au profit de l'islām*, qui est présent dans le nord de Sumatra dès le XIIIe s. et s'étend ensuite sur une bonne partie de l'Insulinde, jalonnant celle-ci de sultanats, notamment celui de Pajang (1568-1586), supplanté par celui de Mataram.

Au XVIe s. apparaissent les Européens : Portugais, qui s'emparent de Malacca (1511); Espagnols, qui s'installent dans les Moluques (1521-22). Leur commerce (poivre, girofle...) et leur zèle missionnaire modifient le réseau des échanges et l'équilibre des sociétés.

En 1602, la Compagnie hollandaise des Indes orientales devient, pour deux siècles, l'instrument des marchands hollandais dans l'archipel, la fondation de Batavia (1619) symbolisant une prédominance commerciale qui, d'ailleurs, ne gêne pas l'essor des sultanats. C'est ainsi que les sultans Iskandar Muda (de 1607 à 1636) et Iskandar Thani (de 1636 à 1641) étendent leur loi sur Sumatra et sur la Malaisie, favorisant le développement d'une civilisation brillante. À l'est, Macassar joue un rôle de carrefour international, surtout après la prise de Malacca par les Hollandais (1641). À Java, le royaume de Mataram atteint une puissance importante avec le sultan Agung (de 1613 à 1645).

Cependant, les Hollandais prennent pied dans de nouveaux comptoirs — sur la côte occidentale de Sumatra (1663), à Macassar (1668), à Java (1674) —, des guerres de succession affaiblissant les sultanats. Après la disparition de la Compagnie des Indes (1799), Java reçoit un gouverneur hollandais, Herman W. Daendels (1808) qui, en 1811, cède la place aux Britanniques, lesquels rendent Java aux Hollandais en 1814. Ces derniers doivent faire face à des rébellions à Java (1815-1830) et dans les Moluques.

De 1830 à 1833, le gouverneur Johannes Van den Bosch met en place un « système de cultures » forcées, qui saigne le pays mais enrichit la métropole. Celle-ci songe alors à mettre en place une administration directe sur la totalité des Indes néerlandaises, afin de faciliter leur mise en valeur. Il s'ensuit une longue série de campagnes militaires (1873-1908) pour réduire l'opposition des princes restés autonomes.

Mais, dès 1911 — avec la fondation du Sarekat Islam Indonesia —, l'idée nationale s'éveille. La création d'un parti communiste indonésien (1920-1927) et celle d'un parti national (1927), dirigé par Sukarno*, avivent la conscience nationale. L'arrivée soudaine des forces japonaises (déc. 1941), en coupant pour trois ans les Indes de la métropole (1942-1945), permet la naissance de l'Indonésie. Batavia devient Jakarta, l'usage du hollandais est proscrit, l'état-major japonais entraîne une milice indonésienne et met en place un gouvernement présidé par Sukarno.

Dès que le Japon capitule, Sukarno proclame l'indépendance de l'Indonésie (17 août 1945). Mais les Pays-Bas ne s'inclinent pas : guérillas et opérations de police se multiplient (1946-1948) jusqu'à ce que, à La Haye (nov. 1949), les Pays-Bas transfèrent leur souveraineté aux États-Unis d'Indonésie. Cependant, Sukarno, tout en faisant l'expérience d'un régime parlementaire de type occidental, doit faire face à des mouvements séparatistes (1950-1957), tandis que la question de la Nouvelle-Guinée occidentale (Irian Barat) le pousse dans le camp des anti-impérialistes (assises de Bandung, 1955). Des soulèvements militaires ayant éclaté et le parti musulman conservateur (Masjuni), anticommuniste, se montrant particulièrement hostile à la politique unitaire de Sukarno, celui-ci, en 1957, prend les pleins pouvoirs, expulse les ressortissants hollandais et nationalise les compagnies pétrolières; en 1963 l'Irian est rétrocédée à l'Indonésie. Mais les forces conservatrices réussissent, en 1965, à écarter Sukarno au profit d'un « ordre nouveau », incarné dans le général Suharto*, qui, Premier ministre en 1967, puis président de la République avec les pleins pouvoirs en 1968, applique une politique résolument pro-occidentale, anticommuniste et antichinoise. En 1976, l'Indonésie annexe le Timor oriental.

BEAUX-ARTS. Caractérisée par une culture aux monuments d'origine mégalithique — associés à un mobilier funéraire et cultuel en bronze (célèbres tambours) —, et apparentée à la civilisation de Dông* Son, l'époque protohistorique s'étend sur le premier millénaire et se poursuit en certains endroits pendant les premiers siècles de l'ère chrétienne.

Java subit très tôt l'influence d'Anurādhapura* et surtout celle de l'école d'Amarāvatī*. L'architecture en matériaux robustes ne laisse des vestiges qu'à partir du VIIe s. L'évolution artistique s'effectue durant trois périodes distinctes : Java central (VIIIe-Xe s.), Java oriental (Xe-XVe s.), et la période islamique.

Les sanctuaires de Java central s'ordonnent comme ceux de l'Inde — soubassement, *cella,* couverture encorbellée, sous une toiture en faux étages ornée d'édifices en réduction. Comme en Inde, le temple *(candi)* symbolise l'inaccessible lieu où séjourne la divinité. L'ascendant de Mahābalipuram* et de l'architecture des Pallava est également perceptible. C'est l'époque de constructions aussi amples que celles du plateau de Dieng, du candi Mendut, du candi Kalasan aux proportions harmonieuses, de l'énorme ensemble śivaïte du Prambanan ou de Lara Jonggrang, comprenant 8 sanctuaires principaux et 224 templions, et du complexe de Bārābudur*. Le répertoire décoratif est également fourni par l'Inde, mais, transposé, il témoigne de l'originalité de l'art insulaire.

Le thème le plus fréquent est celui de deux monstres, le *kāla* et le *makara* (monstre marin pourvu d'une trompe). Comme en Inde, la statuaire bouddhique est empreinte d'hiératisme et d'intériorité, alors que les œuvres śivaïtes sont marquées par le mouvement et le rythme. Les statues du Bouddha du candi Mendut rappellent celles de l'époque post-gupta; les bronzes à cire perdue, très belles réussites techniques aux élégantes proportions, évoquent les œuvres des monastères de Nālandā.

L'époque de Java oriental voit l'accentuation de caractères locaux. Les lignes architecturales sont plus massives; les sanctuaires sont groupés dans de vastes enceintes percées de portes et sont pourvus de « piscine funéraire »; des statues verseuses recueillent l'eau sacrée de la montagne qui, après son passage dans la piscine, irrigue les rizières. La *cella* s'étire en hauteur, et les motifs décoratifs en médaillons sont assez lourds. Les principaux ensembles sont ceux du candi Kidal, du candi Jawi, du candi Singasari, du candi Jago, et du candi Panataran (ce dernier a été édifié entre 1197 et 1454).

La statuaire funéraire, ornée de parure abondante, est moins souple et s'appuie souvent à des stèles; moyen favori du sculpteur, qui privilégie le paysage, les bas-reliefs illustrent des thèmes proprement javanais. Les bronzes restent de très belle qualité, ainsi que des pièces ornementales et des figurines humaines en terre cuite.

La pénétration de l'islām amène la création d'un style adapté au goût javanais, et où les éléments locaux sont préservés. Mais c'est surtout dans la danse et le théâtre que se perpétue la tradition.

Indonésie. Rizières en terrasses dans l'île de Bali.

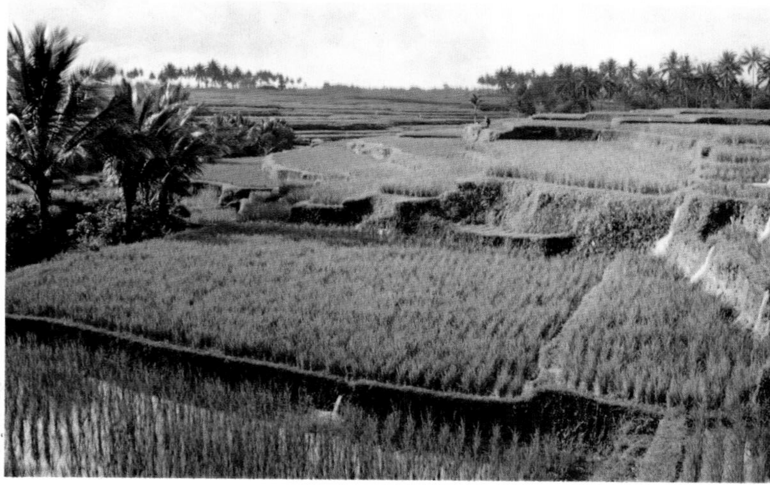

Steinlein-Pitch

INDONÉSIEN, ENNE adj. et n. De l'Indonésie.

INDONÉSIEN n. m. Groupe de langues apparentenant à la famille malayo-polynésienne. ‖ Langue officielle de l'Indonésie.

INDOPHÉNOL n. m. Nom générique de matières colorantes obtenues en faisant agir un phénate alcalin sur une amine.

INDORE, v. de l'Inde, dans l'ouest du Madhya Pradesh; 827 000 hab.

INDRE

INDRE-ET-LOIRE

IN-DOUZE [induz] adj. et n. m. inv. Se dit d'une feuille d'impression qui, présentant 4 plis, forme 12 feuillets ou 24 pages. ‖ Se dit du format obtenu avec cette feuille. (On écrit aussi IN-12.)

INDRA, dieu du Ciel, maître de la foudre et dispensateur des pluies fécondantes, divinité suprême du védisme* et du brahmanisme* ancien.

INDRE, affl. de la Loire (r. g.), qui passe à La Châtre, Châteauroux et Loches ; 265 km.

INDRE (36), département de la Région Centre ; 6 791 km² ; 243 191 hab. Ch.-l. *Châteauroux.* Ch.-l. d'arr. *Le Blanc, La Châtre* et *Issoudun.*

Le département a été découpé dans les anciennes provinces du Berry, de la Touraine, du Poitou et de la Marche. Dans le sud du Bassin parisien, l'Indre occupe, au N., des plateaux de craie recouverte d'argile à silex, domaines de l'élevage bovin pour le lait. Au N.-E., s'étend la moitié occidentale de la Champagne berrichonne, terre de grandes exploitations, fournissant blé, orge, maïs et colza, cependant que s'est maintenu l'élevage ovin. Au S., le Boischaut, plus élevé, herbager, est un pays d'élevage (bovin surtout, mais aussi porcin et ovin) pour la viande. Enfin, à l'O., la Brenne, sableuse et argileuse, est le domaine de la lande et des bois, de la pisciculture dans ses nombreux étangs ; elle est aussi consacrée à l'élevage.

L'agriculture emploie encore plus du sixième de la population active, moins toutefois que l'industrie, qui en occupe plus du tiers, liée parfois (textile, travail du cuir), au moins originellement, à l'élevage. Aujourd'hui dominent les constructions mécaniques et électriques. Cependant, l'industrialisation est insuffisante pour retenir la population, qui a notamment diminué pendant la première moitié du XX° s. Une certaine stabilisation s'est opérée depuis la Seconde Guerre mondiale, résultant d'une compensation entre la croissance des villes (jalonnant de loin en loin les vallées de l'Indre et de la Creuse, surtout), d'importance souvent médiocre (seul Châteauroux compte plus de 20 000 hab.) [ce qui explique d'ailleurs aussi la relative faiblesse du secteur tertiaire], et le dépeuplement continu des campagnes. La densité de population est très faible, de l'ordre de 35 habitants au kilomètre carré, guère supérieure au tiers de la moyenne nationale.

INDRE (44610) ou **BASSE-INDRE,** comm. de la Loire-Atlantique, à 8 km à l'O. de Nantes, sur la rive droite de la Loire ; 3 516 hab. Métallurgie. Établissement industriel de la marine dans l'ancienne île d'*Indret.*

INDRE-ET-LOIRE (37), département de la Région Centre ; 6 127 km² ; 506 097 hab. Ch.-l. *Tours.* Ch.-l. d'arr. *Chinon* et *Loches.*

Le département correspond approximativement à l'ancienne province de la Touraine. C'est un ensemble de régions de basse altitude, différenciées pour leurs inégales aptitudes et l'opposition entre plateaux et vallées. Au N. de la Loire, dans la Gâtine, la polyculture a reculé devant l'élevage des bovins (pour le lait) et de la volaille. Vers l'ouest, sur le sable argileux, se sont développés des bois. Au S. de la Loire, la forêt est aussi présente à la périphérie du département. Sur les plateaux de la Champeigne tourangelle, entre Cher et Indre, dominent les cultures céréalières et fourragères. Au S. de l'Indre, le plateau de Sainte-Maure associe polyculture et élevage (surtout laitier). À l'O. de la Vienne, dans le Richelais, se juxtaposent culture du blé et élevage bovin. Les vallées, sites urbains, portent souvent des prairies dans les parties les plus basses, des vignobles sur les coteaux. Le Val de Loire est particulièrement mis en valeur (céréales, fourrages, légumes, vergers, vignobles, aviculture).

Malgré son importance, l'agriculture n'occupe plus que le huitième de la population active (part cependant encore supérieure à la moyenne nationale), beaucoup moins que l'industrie (environ le tiers), développée récemment et dominée par les constructions mécaniques et électriques. L'industrialisation, longtemps handicapée par l'absence (ou l'éloignement) de matières premières, notamment énergétiques (partiellement palliée aujourd'hui par l'implantation de centrales nucléaires), a été en revanche favorisée par des opérations de décentralisation à partir de l'agglomération parisienne. Elle est d'ailleurs à la base de la forte croissance de la population (plus d'un tiers), enregistrée depuis la Seconde Guerre mondiale, qui a profité essentiellement aux villes, principalement à Tours* dont l'agglomération regroupe plus de la moitié de la population départementale. Le dépeuplement des campagnes se poursuit, la population a, par exemple, diminué de 1968 à 1975 dans tous les cantons de l'arrondissement de Loches. Le poids de Tours explique aussi l'importance du secteur tertiaire, et loin du seul fournisseur d'emplois, qui bénéficie aussi du tourisme, favorisé par la présence de nombreux châteaux de la Loire (dont Amboise, Chenonceaux, Azay-le-Rideau, etc.).

INDRET, partie de la comm. d'Indre (Loire-Atlantique).

INDRI [ɛ̃dri] n. m. (mot malgache). Lémurien arboricole et végétarien vivant à Madagascar. (Les indris dépassent 1 m de longueur.)

INDU, E adj. *Une heure indue,* celle où il n'est pas convenable de faire telle ou telle chose ; heure trop tardive.

INDU n. m. *Dr.* Ce qui n'est pas dû.

INDUBITABLE adj. (lat. *indubitabilis*). Dont on ne peut douter ; certain, incontestable.

INDUBITABLEMENT adv. Certainement, assurément, sans aucun doute.

INDUCTANCE n. f. Quotient du flux d'induction à travers un circuit, créé par le courant traversant ce circuit, par l'intensité de ce courant.

INDUCTEUR, TRICE adj. *Électr.* Se dit de ce qui produit le phénomène d'induction.

INDUCTEUR n. m. Aimant ou électroaimant destiné à fournir le champ magnétique créateur de l'induction. ‖ *Biol.* Molécule qui, lorsqu'une cellule vivante reçoit un aliment, provoque la sécrétion de l'enzyme nécessaire pour le digérer.

INDUCTIF, IVE adj. Qui procède par induction : *méthode inductive.* ‖ *Électr.* Qui possède une inductance.

INDUCTION n. f. (lat. *inductio*). Généralisation d'une observation ou d'un raisonnement établis à partir de cas singuliers. ‖ *Biol.* Action adaptative de l'inducteur. ‖ *Embryol.* Action de certaines régions embryonnaires (comme l'organisateur de la lèvre du blastopore), qui provoque la différenciation des régions voisines dans un sens déterminé. • *Induction électromagnétique,* production de courants dans un circuit par suite de la variation du flux d'induction magnétique qui le traverse. ‖ *Induction magnétique,* vecteur caractérisant la densité du flux magnétique qui traverse une substance. ‖ *Induction mathématique,* syn. de RAISONNEMENT PAR RÉCURRENCE*. *Moteur à induction,* moteur électrique à courant alternatif sans collecteur, dont une partie seulement, rotor ou stator, est reliée au réseau, l'autre partie travaillant par induction.

■ *L'induction électromagnétique,* découverte par Faraday, est à la base du fonctionnement des dynamos et alternateurs et de la plupart des couplages de circuits (transformateurs, radioélectricité).

Étant donné un circuit placé dans un champ magnétique tel que le flux d'induction à travers le circuit varie : si le circuit est ouvert, il se produit entre ses bornes une *force électromotrice induite* pendant la variation de flux ; si le circuit est fermé, il en résulte un *courant induit.* Le sens de ce courant est tel que son flux propre s'oppose à la variation du flux inducteur.

Lorsque la variation de flux est produite par le déplacement d'un aimant ou d'un circuit, celui-ci est soumis à des forces résistantes ; la production de courant est alors une transformation d'énergie mécanique en énergie électrique.

La force électromotrice induite a pour valeur

$$E = -\frac{d\Phi}{dt},$$

opposée à la dérivée du flux par rapport au temps.

Dans toute masse conductrice en mouvement dans un champ magnétique apparaissent des courants induits, dits *courants de Foucault,* qui dissipent de l'énergie.

On nomme *induction mutuelle* l'interaction de deux circuits couplés, c'est-à-dire tels que chacun d'eux embrasse une partie du flux d'induction créé par l'autre.

INDUIRE v. t. (lat. *inducere,* conduire à) [conj. **64**]. Établir par voie de conséquence, conclure : *de là j'induis que...* ‖ Pousser à commettre une faute, à céder à une tentation (vx). ‖ Occasionner. ‖ *Électr.* Produire les effets de l'induction. • *Induire en erreur,* tromper à dessein.

INDUIT, E [ɛ̃dɥi, -ɥit] adj. Se dit d'un courant électrique produit par induction. ‖ Se dit d'un phénomène entraîné par un autre. • *Loi induite* (Math.), pour un sous-ensemble A d'un ensemble E muni d'une loi interne, restriction de la loi de E à A.

INDUIT n. m. Organe d'une machine électrique dans lequel se produisent des courants induits.

INDULGENCE n. f. Facilité à pardonner les fautes d'autrui : *montrer de l'indulgence.* ‖ *Théol. cath.* Remise totale *(indulgence plénière)* ou partielle *(indulgence partielle)* de la peine temporelle due aux péchés.

Indulgences *(querelle des),* conflit religieux qui préluda à la révolte de Luther contre l'Église romaine. Léon X* promulgua, en 1515, une indulgence* en faveur de ceux qui verseraient une aumône pour l'achèvement de la basilique Saint-Pierre. Il en confia la prédication, pour une partie de l'Allemagne, à l'archevêque de Mayence, Albert de Brandebourg, qui, endetté, misa sur le rapport des aumônes des indulgences pour se libérer de ses emprunts. Ces abus et les outrances oratoires du dominicain Tetzel, destinées à stimuler la générosité des fidèles, émurent Luther, qui s'attaqua non seulement à la richesse et à la fiscalité du clergé, mais aussi au principe même des indulgences, dans un écrit où il synthétisait sa pensée en 95 thèses : celles-ci, déférées à Rome, furent condamnées en 1519 par Léon X.

INDULGENCIER v. t. *Théol. cath.* Attacher une indulgence à un objet, un lieu, une prière.

INDULGENT, E adj. (lat. *indulgens*). Qui est porté à excuser, à pardonner, clément.

INDULINE n. f. Nom générique de colorants bleus dérivés de l'aniline.

INDULT [ɛ̃dylt] n. m. (lat. *indultum*; de *indulgere,* être indulgent). *Relig.* Privilège accordé temporairement par le pape.

INDÛMENT adv. De façon illégitime.

INDURATION n. f. *Méd.* Durcissement anormal d'un tissu ; partie indurée.

INDURÉ, E adj. *Méd.* Devenu dur : *lésion indurée.*

INDURER v. t. *Méd.* Rendre dur.

Le charmant petit port naturel de Portofino (Ligurie), station balnéaire très prisée de la Riviera italienne, au pied de l'Apennin ligure.

Italie

Territoire étroit, rendu exigu par la présence
d'une longue chaîne montagneuse, enserré par la mer,
la terre italienne, depuis l'ascension de Rome,
a été intimement liée à toute l'histoire de l'Europe occidentale
et de la Méditerranée.
Les fondements de la culture européenne,
nombre d'aspects de son organisation présente en sont issus.
Mille ans plus tard, l'Italie fut le foyer
d'un éclatant renouveau, avec la Renaissance.
Et, pour les chrétiens,
le Vatican est le centre géographique de la foi catholique.
De tout cela témoigne bien sûr
un considérable patrimoine artistique,
que viennent chaque année admirer des millions de touristes.
Pourtant, comme nation,
l'Italie n'existe véritablement que depuis le XIXᵉ s.,
lorsque, sous la bannière de Cavour et de Garibaldi,
elle se proclama une et indivisible. Aujourd'hui encore,
l'unité n'a pas résolu les disparités parfois importantes
qui existent entre les régions qui la composent.
Dans le Sud, le *Mezzogiorno*
(Calabre, Pouilles, Abruzzes, Sicile,
auxquelles on peut rattacher la Sardaigne),
le revenu net par habitant est inférieur de moitié
à ce qu'il est dans le Nord
(Piémont, Lombardie, Vénétie, Émilie-Romagne),
véritable poumon économique du pays,
qui s'apparente aux régions européennes les plus développées.
On a évoqué un « miracle italien ».
Plus récemment, on a parlé de « miracle incomplet ».
C'est que, depuis quelques années,
l'Italie est confrontée à de graves problèmes économiques,
et surtout sociaux,
que traduisent l'instabilité politique et le terrorisme.
Crise de croissance?
Il faut attendre la réponse des Italiens eux-mêmes,
mais leur habileté et leur énergie
peuvent parfaitement assurer de nouveaux progrès à leur pays.

Dans les Dolomites orientales
(Trentin-Haut-Adige),
les *Trois Cimes du Lavaredo*
dressent à 2 998 m d'altitude
leurs formes tourmentées
d'une beauté étrange
sous l'éclat particulier
de la lumière du jour.

Les 2 juillet et 16 août
de chaque année,
selon une tradition remontant au XIIIᵉ s.,
les différents quartiers de Sienne
(Toscane)
se disputent,
en une course hippique
autour du *Campo*,
la possession d'une bannière
à l'effigie de la Vierge, le *Palio*.

Desjardins-Top

Gritscher-Rapho

C. Lenars

S. Marmounier

Jeune femme en costume régional
de la province de Cagliari.
En Sardaigne, chaque village
a son costume traditionnel,
que l'on arbore les jours de fête
quand on ne le porte pas
quotidiennement, comme à Ittiri !

En bas, à gauche,
sur la route accrochée
au flanc de la montagne
dominant la mer Tyrrhénienne,
non loin de Messine,
passe un paysan
accompagné de son âne,
scène traditionnelle en Sicile.

Célèbre pour ses sites remarquables
— Florence, Pise ou Sienne —,
célèbre aussi
pour ses paysages harmonieux
où alternent champs de blé et oliviers,
cyprès et vignobles
(de Chianti, notamment),
la Toscane est, à juste titre,
une des grandes régions touristiques
en Italie.

H. Cartier-Bresson-Magnum

Mausolée de la princesse romaine Galla Placidia à Ravenne (Émilie),
élevé au vᵉ s. dans le jardin de la basilique San Vitale,
orné de mosaïques — les plus anciennes de Ravenne — qu'éclairent des vitraux en albâtre.

INDUS, en sanskr. **Sindhu,** fl. d'Asie, tributaire de l'océan Indien. Long de 3 180 km, l'Indus draine un bassin-versant de plus de 900 000 km². Né au Tibet, vers 4 500 m d'altitude, il coule d'abord vers le nord-ouest, puis infléchit son cours vers le sud-ouest, franchissant par des défilés la chaîne du Ladakh, puis le Dardistān, le Grand Himālaya et les Siwālik. Au sortir de la montagne, il n'est plus qu'à 200 m d'altitude et la pente est infime sur les 1 500 derniers kilomètres. L'Indus coule alors dans une vaste plaine d'inondation, avec des étiages d'hiver et des hautes eaux d'été liés à l'origine montagnarde du fleuve et de ses principaux affluents (notamment les célèbres cinq rivières du Pendjab : Jhelam, Chenāb, Rāvi, Biās, Sutlej). Le fleuve, qui se termine par un delta marécageux, est utilisé pour l'irrigation au cœur d'une région aride à l'écart, ou presque, de la mousson.

INDUS (civilisation de l'), ancienne civilisation du monde indien. Des recherches archéologiques récentes permettent l'établissement d'un cadre chronologique distinguant des cultures successives (préindusienne, du IVe millénaire à 2300 av. J.-C.; indusienne, de 2300 à 1800 av. J.-C.; postindusienne, de 1800 à 1000 av. J.-C.) et les diverses zones de leur vaste aire d'extension (Afghānistān, Pākistān, Inde). La civilisation indusienne proprement dite est caractérisée par un urbanisme au tracé rigoureux : plus d'une centaine de cités ont été mises au jour, dont Harappā* et Mohenjo-Daro. Ces villes présentent des équipements hydrauliques très complets, des aménagements commerciaux et d'importants ouvrages défensifs. Les édifices cultuels n'ont pas été reconnus. Le matériau de construction privilégié est la brique crue ou la brique cuite. La nécropole d'Harappā a révélé des rites funéraires. De belle qualité, les statuettes représentent souvent des personnages très stylisés. Les formes de la céramique, faite

F. Brunel

Civilisation de l'**Indus** : tête sculptée d'homme barbu, provenant de Mohenjo-Daro (Sind, Pākistān). Pierre, IIIe millénaire av. J.-C. (Musée de New Delhi.)

au tour, sont variées, de même que les motifs décoratifs, animaliers, géométriques et végétaux. Les échanges commerciaux sont attestés par la découverte d'objets indusiens en Mésopotamie, outre certaines affinités artistiques. Par son écriture pictographique, tracée sur d'innombrables cachets, la civilisation indusienne appartient à la protohistoire.

INDUSTRIALISATION n. f. Action d'industrialiser.

INDUSTRIALISER v. t. Donner le caractère industriel à une activité. ‖ Équiper une région en usines, en industries. ◆ **s'industrialiser** v. pr. Être exploité, équipé industriellement.

INDUSTRIE n. f. (lat. industria, activité). Ensemble des professions qui produisent des biens matériels par la mise en œuvre des matières premières. ● Apport en industrie, dans le cadre de la constitution d'une société, apport d'activité par opposition à l'apport de capitaux ou à l'apport en nature.

INDUSTRIEL, ELLE adj. Qui concerne l'industrie : produit industriel. ‖ Où l'industrie est importante : banlieue industrielle. ‖ Centre industriel, lieu où règne une grande activité industrielle. ‖ En quantité industrielle, abondamment. ‖ Psychologie industrielle, branche de la psychologie concernée par les problèmes humains de l'industrie : choix et orientation du personnel, organisation du travail. ‖ Révolution industrielle, phénomène du XIXe s., lié, notamment, à l'exploitation massive de la houille, et caractérisé par la disparition plus ou moins totale de l'entreprise artisanale, par la concentration des travailleurs en ateliers, par la généralisation de l'usage de la machine et par un début d'émigration des campagnes vers la ville.

■ En fait, l'expression « révolution industrielle » est contestée par les historiens contemporains, qui lui préfèrent les termes « accélération », « décollage » ou « take off ». Pour certains d'entre eux, la France n'aurait pas connu, au XIXe s., de révolution industrielle globale mais, sporadiquement, des périodes d'accélération — notamment celle de 1830-1860 — au cours desquelles les progrès du capitalisme industriel et de la technique auraient permis d'avancer l'industrialisation.

En France, la transformation économique est postérieure d'un demi-siècle à la transformation politique et juridique de 1789, qui fut une condition nécessaire, mais non suffisante, à la réalisation de la révolution industrielle. La production à grande échelle pour un marché élargi supposait, en effet, que soient levées les multiples contraintes technologiques qui s'opposaient à la mécanisation et que des moyens de communication rapides facilitent la circulation des marchandises, les prix de celles-ci baissant assez pour en permettre une diffusion plus importante dans la population. Il fallait aussi un profond changement des mentalités.

L'expansion des marchés s'accompagne de l'apparition d'une première société de consommation* ; la période cruciale du « décollage » (v. ROSTOW) se situe, en France, sous la monarchie de Juillet et sous le second Empire ; elle a été assombrie par la cruelle médiocrité des conditions de vie de la classe ouvrière.

Si l'on tente de cerner les causes profondes d'une telle transformation, on arrive, en fait, à dégager la présence de conditions propices à l'épanouissement d'un nouveau type de civilisation. Parmi ces conditions, on peut relever : la liberté d'initiative, issue de l'abolition des réglementations de l'Ancien Régime ; le désir d'action d'une bourgeoisie limitée jusqu'alors par les institutions ; l'amélioration des techniques. Les facteurs financiers (accumulation* de capital) ne peuvent pas jouer, dans tous les cas, un rôle particulièrement important, la révolution industrielle se propageant cependant grâce à une rentabilité élevée des capitaux investis dans les entreprises : le taux de profit (après amortissement) par rapport aux capitaux investis pouvait être de l'ordre de 20 à 30 p. 100 (alors que, à l'époque contemporaine, ce taux est à peine de 10 p. 100), de sorte que, même avec des moyens en capital initialement faibles, de nombreuses entreprises purent, par autofinancement, se développer rapidement.

Les conditions particulières propres à l'emploi conditionnèrent également l'éclosion de la révolution industrielle, un mécanisme de stagnation des salaires faisant sentir ses effets en l'absence de toute protection du législateur. Comme il existait (dans le textile, notamment) de larges zones de travail manuel, il suffisait qu'un entrepreneur mécanisé (à la productivité très supérieure) offrît un léger avantage salarial aux travailleurs manuels pour déplacer cette main-d'œuvre vers les secteurs industrialisés ; la main-d'œuvre allait, ainsi, tendre à être chroniquement excédentaire, les travailleurs agricoles, de leur côté, quittant la terre pour l'usine.

Il est, enfin, un facteur sur lequel des auteurs contemporains (David Landes) — étudiant les causes de l'antériorité de l'Europe dans le mouvement d'industrialisation — mettent aussi l'accent : l'innovation, l'entrepreneur innovateur mettant constamment en cause les anciens agencements de l'entreprise pour en appliquer de nouveaux.

INDUSTRIEL n. m. Chef d'entreprise transformant des matières premières en produits ouvrés ou semi-ouvrés.

INDUSTRIELLEMENT adv. De façon industrielle.

INDUSTRIEUX, EUSE adj. Litt. Qui a de l'adresse, de l'habileté dans son métier.

INDUVIE [ɛ̃dyvi] n. f. (lat. induviae, vêtements). Bot. Organe de dissémination du fruit, provenant du périanthe de la fleur, comme les aigrettes des akènes des composées.

INDY (Vincent D'), compositeur français (Paris 1851 - id. 1931). Élève de C. Franck, pédagogue, cofondateur de la Schola cantorum (1896), où il a professé un célèbre cours de composition, il a été également timbalier, chef d'orchestre, professeur au Conservatoire de Paris. Directeur de la Société nationale, il a ressuscité maints compositeurs classiques et s'est fait le foyer de la Schola cantorum un intense foyer de culture. Il est l'auteur d'opéras d'esthétique wagnérienne (Fervaal, 1897 ; l'Étranger, 1903), de symphonies (Symphonie sur un chant montagnard français, 1886), d'ouvertures (Wallenstein, 1880), de poèmes chorégraphiques (Istar, 1897) ou symphoniques (Jour d'été à la montagne, 1906 ; Diptyque méditerranéen, 1926), de pages pour piano (Poème des montagnes, 1881), et de musique de chambre. Il a tenté une heureuse fusion entre les esthétiques française et allemande.

INÉBRANLABLE adj. Qui ne peut être ébranlé : roc inébranlable. ‖ Ferme, qui ne se laisse pas abattre : courage inébranlable ; foi inébranlable.

INÉBRANLABLEMENT adv. De façon inébranlable, fermement.

INÉCHANGEABLE adj. Qui ne peut être échangé.

INÉCOUTÉ, E adj. Qui n'a pas été écouté.

INÉDIT, E adj. et n. m. (lat. ineditus). Qui n'a pas été imprimé, publié : poème inédit. ‖ Nouveau, original : spectacle inédit.

INÉDUCABLE adj. Qu'on ne peut éduquer.

INEFFABLE adj. (lat. ineffabilis). Qui ne peut être exprimé, indicible : joie ineffable.

INEFFABLEMENT adv. De façon ineffable.

INEFFAÇABLE adj. Qui ne peut être effacé, que l'on ne peut faire disparaître.

INEFFICACE adj. Qui ne produit point d'effet : moyen, secrétaire inefficace.

INEFFICACEMENT adv. De façon inefficace.

INEFFICACITÉ n. f. Manque d'efficacité.

INÉGAL, E, AUX adj. Qui n'est point égal à une autre chose : segments inégaux. ‖ Qui n'est pas uni, raboteux : terrain inégal. ‖ Qui n'est pas régulier : mouvement inégal. ‖ Changeant, bizarre : humeur inégale. ‖ Dont la qualité n'est pas constante : œuvre inégale.

INÉGALABLE adj. Qui ne peut être égalé.

INÉGALÉ, E adj. Qui n'a pas été égalé : record inégalé.

INÉGALEMENT adv. De façon inégale.

INÉGALITAIRE adj. Fondé sur l'inégalité politique, civile, sociale.

INÉGALITÉ n. f. Caractère de ce qui n'est pas égal : l'inégalité des salaires, des chances. ‖ Caractère de ce qui n'est pas uni : inégalité d'un terrain. ‖ Math. Relation algébrique où figurent deux quantités inégales séparées par le signe > (plus grand que) ou < (plus petit que). [L'ouverture est tournée du côté de la quantité la plus grande.] ● Inégalité au sens large, relation comprenant à la fois la possibilité d'une inégalité stricte et d'une égalité (a ≤ b).

Autour du piano. Peinture de Fantin-Latour représentant E. Chabrier (au piano) entouré d'amis dont Vincent d'**Indy** (à droite, debout de profil). [Musée du Jeu de paume.]

Giraudon

Inégalité des chances (l'), œuvre de Raymond Boudon (1973). Réunissant les données pertinentes relatives à l'accès aux enseignements ainsi qu'aux performances scolaires, R. Boudon montre pourquoi, dans une société stratifiée, il y a nécessairement une forte relation entre la position sociale d'origine et le niveau de qualification atteint. D'où l'idée que le problème des inégalités concerne la société, et non l'école elle-même.

INÉLÉGAMMENT adv. Sans élégance.

INÉLÉGANCE n. f. Défaut d'élégance.

INÉLÉGANT, E adj. Qui manque d'élégance ; discourtois.

INÉLIGIBILITÉ n. f. État, condition d'une personne inéligible.

INÉLIGIBLE adj. Qui n'a pas les qualités requises pour être élu à une fonction publique.

INÉLUCTABILITÉ n. f. Qualité de ce qui est inéluctable.

INÉLUCTABLE adj. (lat. ineluctabilis ; de eluctari, surmonter en luttant). Qui ne peut être évité, empêché : la mort est inéluctable.

INÉLUCTABLEMENT adv. De façon inéluctable.

INÉMOTIVITÉ n. f. Absence de réaction émotionnelle.

INEMPLOYABLE adj. Qui ne peut être employé.

INEMPLOYÉ, E adj. Qui n'est pas employé.

INÉNARRABLE adj. D'une bizarrerie, d'un comique extraordinaire : aventure inénarrable.

INEPTE adj. (lat. ineptus, qui n'est pas apte). Sot, absurde : une réponse inepte.

INEPTIE [inɛpsi] n. f. Absurdité, sottise.

INÉPUISABLE adj. Qu'on ne peut épuiser, intarissable.

INÉPUISABLEMENT adv. De façon inépuisable.

INÉPUISÉ, E adj. Qui n'est pas épuisé.

INÉQUATION [inekwasjɔ̃] n. f. Math. Inégalité entre deux expressions algébriques contenant des variables, et qui n'est satisfaite que pour certaines valeurs de ces variables.

INÉQUITABLE adj. Qui n'est pas équitable.

INERME adj. (lat. inermis, sans armes). Bot. Qui n'a ni aiguillon ni épines. ‖ Zool. Sans crochets : ténia inerme.

INERTE adj. (lat. iners, incapable). Sans activité propre : matière inerte. ‖ Sans mouvement ; immobile : un corps inerte était étendu sur le trottoir. ‖ Sans énergie morale, sans réaction ; apathique.

INERTIE [inɛrsi] n. f. (lat. inertia, incapacité). État de ce qui est inerte : l'inertie des corps inorganiques. ‖ Manque d'activité, d'énergie, d'initiative : tirer qqn de son inertie. ● Force d'inertie, résistance que les corps, en raison de leur masse, opposent au mouvement ; résistance passive, qui consiste surtout à ne pas obéir. ‖ Inertie utérine (Méd.), contraction insuffisante de l'utérus pendant ou après l'accouchement. ‖ Moment d'inertie d'un système solide S, somme, étendue à tous les points du système S, des quantités mr^2, m étant la masse d'un point M du système S situé à la distance r d'un point O, d'un plan P ou d'un axe à donnés. ‖ Navigation par inertie, navigation reposant sur la mesure puis l'intégration des accélérations subies par un véhicule (aérien, maritime, spatial). ‖ Principe d'inertie, principe au terme duquel tout point matériel qui n'est soumis à aucune force est soit au repos, soit animé d'un mouvement rectiligne uniforme.

INERTIEL, ELLE [inɛrsjɛl] adj. Qui se rapporte à l'inertie. ● Centrale inertielle, dispositif muni d'accéléromètres, de gyroscopes et d'un calculateur, utilisé pour la navigation par inertie.

INESCOMPTABLE adj. Fin. Qui ne peut être escompté.

INÈS DE CASTRO (v. 1320 - Coimbra 1355). Elle épousa secrètement l'infant Pierre de Portugal devenu veuf. Assassinée sur les ordres du roi Alphonse IV, père de l'infant, elle fut vengée par Pierre, qui, devenu roi (1357), fit exécuter ses assassins.

INESPÉRÉ, E adj. Qu'on n'espérait pas, inattendu : chance inespérée.

INESTHÉTIQUE adj. Qui n'est pas esthétique, qui est laid.

INESTIMABLE adj. Qu'on ne peut assez estimer, inappréciable.

INÉTENDU, E adj. Qui n'a pas d'étendue : le point géométrique est inétendu.

INÉVITABLE adj. Qu'on ne peut éviter.

INÉVITABLEMENT adv. De façon inévitable.

INEXACT, E adj. Qui contient des erreurs, faux : calcul, renseignement inexact. ‖ Qui manque de ponctualité : employé inexact.

INEXACTEMENT adv. De façon inexacte.

INEXACTITUDE n. f. Caractère de ce qui est erroné ; erreur commise par manque de précision : une biographie remplie d'inexactitudes. ‖ Manque de ponctualité.

INEXAUCÉ, E adj. Qui n'a pas été exaucé : vœu inexaucé.

INEXCITABILITÉ n. f. État de ce qui est inexcitable.

INEXCITABLE adj. Qu'on ne peut exciter.

INEXCUSABLE adj. Qui ne peut être excusé.

INEXÉCUTABLE adj. Qui ne peut être exécuté.

INEXÉCUTÉ, E adj. Qui n'a pas été exécuté.

INEXÉCUTION n. f. Absence ou défaut d'exécution : *l'inexécution d'un contrat.*

INEXERCÉ, E adj. Qui n'est pas exercé.

INEXIGIBILITÉ n. f. Caractère de ce qui est inexigible.

INEXIGIBLE adj. Qui ne peut être exigé : *dette présentement inexigible.*

INEXISTANT, E adj. Qui n'existe pas : *monstre inexistant.* ‖ *Fam.* Qui ne vaut rien, inefficace : *travail inexistant.*

INEXISTENCE n. f. Défaut d'existence, de valeur. ‖ *Dr.* Qualité d'un acte juridique à qui il manque une qualité essentielle.

INEXORABILITÉ n. f. État, caractère de ce qui est inexorable : *l'inexorabilité du sort.*

INEXORABLE adj. (lat. *inexorabilis;* de *exorare,* obtenir par prière). Qui ne peut être fléchi, d'une dureté implacable : *juge inexorable.*

INEXORABLEMENT adv. De façon inexorable.

INEXPÉRIENCE n. f. Manque d'expérience.

INEXPÉRIMENTÉ, E adj. Qui n'a pas d'expérience : *pilote inexpérimenté.*

INEXPERT, E adj. Qui manque d'habileté.

INEXPIABLE adj. Qui ne peut être expié : *crime inexpiable.* ‖ Qui est sans merci : *lutte inexpiable.*

INEXPIÉ, E adj. Qui n'a pas été expié.

INEXPLICABLE adj. et n. m. Qui ne peut être expliqué, incompréhensible.

INEXPLICABLEMENT adv. De façon inexplicable.

INEXPLIQUÉ, E adj. et n. m. Qui n'a pas reçu d'explication satisfaisante.

INEXPLOITABLE adj. Qui n'est pas susceptible d'être exploité : *gisement inexploitable.*

INEXPLOITÉ, E adj. Qui n'est pas exploité.

INEXPLORABLE adj. Qui ne peut être exploré.

INEXPLORÉ, E adj. Que l'on n'a pas encore exploré.

INEXPLOSIBLE adj. Qui ne peut faire explosion.

INEXPRESSIF, IVE adj. Dépourvu d'expression, impassible : *physionomie inexpressive.*

INEXPRIMABLE adj. et n. m. Qu'on ne peut exprimer, indicible : *bonheur inexprimable.*

INEXPRIMÉ, E adj. Qui n'a pas été exprimé.

INEXPUGNABLE [inɛkspynabl] adj. (lat. *inexpugnabilis;* de *expugnare,* prendre par force). Qu'on ne peut prendre par la force.

INEXTENSIBILITÉ n. f. Qualité de ce qui est inextensible.

INEXTENSIBLE adj. Qui ne peut être allongé : *tissu inextensible.*

IN EXTENSO [inɛkstɛ̃so] loc. adv. (mots lat., *en entier*). Tout au long, en entier : *publier un discours in extenso.*

INEXTINGUIBLE [inɛkstɛ̃gibl *ou* inɛkstɛ̃gɥibl] adj. Qu'on ne peut éteindre : *feu inextinguible.* ‖ Qu'on ne peut apaiser, arrêter : *rire, soif inextinguible.*

INEXTIRPABLE adj. Qu'on ne peut extirper.

IN EXTREMIS [inɛkstremis] loc. adv. (mots lat., *à l'extrémité*). Au dernier moment, à la dernière limite : *sauvé in extremis.*

INEXTRICABLE adj. (lat. *inextricabilis;* de *extricare,* débarrasser). Qui ne peut être démêlé : *affaire inextricable.*

INEXTRICABLEMENT adv. De façon inextricable.

INFAILLIBILISTE adj. et n. Qui adhère aux doctrines définies par le premier concile du Vatican au sujet de l'infaillibilité pontificale, par opposition à ceux qui en contestèrent l'opportunité ou les rejetèrent (vieux-catholiques).

INFAILLIBILITÉ n. f. Impossibilité de se tromper. ‖ Caractère de qqch qui produit le résultat attendu. ● *Infaillibilité pontificale,* dogme proclamé en 1870 par le premier concile du Vatican, d'après lequel le pape, parlant ex cathedra, ne peut se tromper en matière de foi.

INFAILLIBLE adj. Qui ne peut se tromper : *nul n'est infaillible.* ‖ Qui produit les résultats attendus, qui ne peut manquer d'arriver : *remède infaillible; succès infaillible.*

INFAILLIBLEMENT adv. Inévitablement, nécessairement.

INFAISABLE adj. Qui ne peut être fait.

INFALSIFIABLE adj. Qui ne peut être falsifié.

INFAMANT, E adj. Qui nuit à la réputation, à l'honneur : *accusation infamante.*

INFÂME adj. (lat. *infamis;* de *fama,* réputation). *Litt.* Qui est flétri par la loi ou par l'opinion publique : *infâme trahison.* ‖ Qui cause de la répugnance : *infâme taudis.*

INFAMIE n. f. *Litt.* Grand déshonneur, atteinte à la réputation. ‖ Caractère de ce qui est déshonorant : *l'infamie d'un crime.* ‖ Action ou parole vile, honteuse : *commettre une infamie.*

INFANT, E n. (esp. *infante*). Titre des enfants puînés des rois de Portugal et d'Espagne.

INFANTERIE n. f. Ensemble des troupes capables de combattre à pied. (*Motorisée* ou non, *mécanisée, aérotransportée* ou *parachutée,* l'infanterie assure la conquête, l'occupation et la défense du terrain. La position de l'infanterie en fin de combat matérialise le succès ou l'échec d'une opération.)

■ Dès l'Antiquité, l'infanterie présente les deux aspects qui marqueront son histoire : une *infanterie de ligne,* marchant en rangs serrés, résistant aux assauts ou enfonçant le dispositif ennemi; une *infanterie légère,* capable de patrouiller, de harceler ou de poursuivre l'adversaire. Si, pendant le haut Moyen Âge, l'infanterie est éclipsée par la cavalerie, elle retrouve son importance avec l'invention des armes à feu. Organisée en régiments au XVIᵉ s., elle est dotée, vers 1700, du fusil à baïonnette. Avec ses voltigeurs, ses grenadiers, ses tirailleurs et ses chasseurs, elle prend, sous le premier Empire, une physionomie qui ne changera guère jusqu'à la Première Guerre mondiale. Celle-ci entraînera la transformation de ses unités (qui rassemblent 67 p. 100 de l'effectif des armées en 1914) par la diversification de plus en plus grande de leur armement, qui s'étend, désormais, de la grenade au mortier en passant par la mitrailleuse et le fusil-mitrailleur, les armes antiaériennes et antichars, dont la technique moderne (radar, infrarouge) a multiplié l'efficacité. L'infanterie la plus évoluée est celle des *régiments mécanisés,* réunissant en un même corps deux escadrons de chars et deux compagnies d'infanterie, équipés de « véhicules transport de troupes » ou de « véhicules de combat d'infanterie », dont l'appellation traduit l'évolution de l'emploi. Mais l'infanterie française comprend, en outre, des *régiments parachutistes,* des *régiments motorisés* (transportés en camions mais combattant à pied), des bataillons de *chasseurs alpins* et des unités d'*infanterie de marine* et de *Légion étrangère.* L'infanterie demeure, avant tout, l'arme du combat rapproché, mené, le plus souvent à pied, par tous les temps et sur tous les terrains.

INFANTICIDE n. m. (lat. *infans, infantis,* enfant, et *caedere,* tuer). Meurtre d'un enfant, et, *spécialem.,* d'un nouveau-né.

INFANTICIDE n. Personne coupable du meurtre d'un enfant.

INFANTILE [ɛ̃fɑ̃til] adj. (bas lat. *infantilis*). Relatif à l'enfant en bas âge : *maladie infantile.* ‖ *Péjor.* Comparable à un enfant par son intelligence ou sa sensibilité : *comportement infantile.*

INFANTILISATION n. f. Action d'infantiliser.

INFANTILISER v. t. Rendre infantile, maintenir chez les adultes une mentalité infantile.

INFANTILISME n. m. Arrêt du développement d'un individu, dû à une insuffisance endocrinienne (hypophysaire ou thyroïdienne) ou à une anomalie génétique. ‖ Comportement infantile, irresponsable, absence de maturité, puérilité.

INFARCTUS [ɛ̃farktys] n. m. (lat. *in,* dans, et *farcire,* remplir de farce). *Méd.* Lésion nécrotique des tissus due à un trouble circulatoire, et s'accompagnant le plus souvent d'une infiltration sanguine. (La cause habituelle des infarctus est l'oblitération d'un vaisseau par artérite, par thrombose ou par embolie. L'*infarctus du myocarde,* consécutif à l'oblitération d'une artère coronaire, est une lésion du cœur de gravité variable. L'*infarctus pulmonaire* est dû, le plus souvent, à une embolie.)

■ L'*infarctus du myocarde* est marqué par l'apparition brutale d'une douleur constrictive rétrosternale irradiant largement et par une chute de la tension. L'électrocardiogramme permet le diagnostic; les enzymes cardiaques (transaminases) sont élevées dans le sang. L'évolution peut être émaillée de complications : accidents thromboemboliques, défaillance cardiaque, collapsus, troubles du rythme. Le traitement associe les anticoagulants et le repos.

INFATIGABLE adj. Que rien ne fatigue.

INFATIGABLEMENT adv. Sans se lasser.

INFATUATION n. f. *Litt.* Satisfaction excessive et ridicule que l'on a de soi; fatuité, prétention.

INFATUÉ, E adj. (lat. *fatuus,* sot). Qui est content de soi.

INFÉCOND, E adj. *Litt.* Stérile : *sol infécond.*

INFÉCONDITÉ n. f. Stérilité.

INFECT, E [ɛ̃fɛkt] adj. (lat. *infectus;* de *inficere,* souiller). *Litt.* Qui exhale de mauvaises odeurs, fétide, putride : *marais infect.* ‖ *Fam.* Qui excite le dégoût, répugnant : *livre infect.* ‖ *Fam.* Très mauvais : *ce café est infect.*

INFECTANT, E adj. Qui produit l'infection.

INFECTER v. t. Contaminer par des germes infectieux. ‖ *Litt.* Remplir d'émanations puantes et malsaines, empester. ◆ **s'infecter** v. pr. Être contaminé par des germes : *la plaie s'est infectée.*

INFECTIEUX, EUSE [ɛ̃fɛksjø, -øz] adj. Qui produit l'infection : *germe infectieux.* ‖ Qui résulte ou s'accompagne d'infection : *la rougeole est une maladie infectieuse.*

INFECTION [ɛ̃fɛksjɔ̃] n. f. Pénétration et développement dans un être vivant de microbes pathogènes (dits *agents infectieux*), envahissant l'organisme par voie sanguine (septicémie) ou restant localisés (pneumonie, abcès, etc.), et déversant dans le sang leurs toxines. ‖ Odeur ou goût particulièrement mauvais, puanteur.

INFÉODATION n. f. Action d'inféoder.

INFÉODER v. t. (de *féodal*). Mettre sous la dépendance : *petit pays inféodé à une grande puissance.* ‖ *Féod.* Donner une terre pour qu'elle soit tenue en fief. ◆ **s'inféoder** v. pr. Se mettre sous la dépendance de qqn, s'affilier : *s'inféoder à un chef.*

INFÈRE adj. (lat. *inferus*). *Bot.* Se dit d'un ovaire situé au-dessous des points d'insertion des sépales, pétales et étamines, comme chez l'iris, le pommier. (Contr. SUPÈRE.)

INFÉRENCE n. f. Opération intellectuelle par laquelle on passe d'une vérité à une autre vérité, jugée telle en raison de son lien avec la première : *la déduction est une inférence.* ● *Règles d'inférence* (Log.), celles qui permettent, dans une théorie déductive, de conclure à la vérité d'une proposition à partir d'une ou de plusieurs propositions, prises comme hypothèses.

INFÉRER v. t. (lat. *inferre,* alléguer) [conj. **5**]. Tirer une conséquence d'un fait, d'un principe.

INFÉRIEUR, E adj. (lat. *inferior,* qui est situé plus bas). Placé au-dessous : *mâchoire inférieure.* ‖ Se dit de la partie d'un fleuve plus rapprochée de la mer : *Rhône inférieur.* ‖ Moindre en dignité, en mérite, en organisation, en valeur : *rang inférieur; inférieur à sa tâche.* ‖ *Hist. nat.* Moins avancé dans l'évolution.

INFÉRIEUR, E n. Subordonné, subalterne.

INFÉRIEUREMENT adv. Au-dessous.

INFÉRIORISATION n. f. Action d'inférioriser, d'être infériorisé.

INFÉRIORISER v. t. Rendre inférieur; sous-estimer la valeur de.

INFÉRIORITÉ n. f. Désavantage en ce qui concerne le rang, la force, le mérite, etc. : *se trouver en état d'infériorité.* ● *Complexe d'infériorité,* sentiment morbide qui pousse le sujet, ayant la conviction intime d'être inférieur à ceux qui l'entourent, à se sous-estimer.

INFERMENTESCIBLE adj. Qui n'est pas susceptible de fermenter.

INFERNAL, E, AUX adj. (bas lat. *infernalis*). Relatif à l'enfer ou aux Enfers : *les puissances infernales.* ‖ Qui a ou annonce beaucoup de méchanceté, de noirceur : *ruse infernale.* ‖ *Fam.* Insupportable : *enfant infernal.* ● *Machine infernale,* engin explosif.

INFÉROVARIÉ, E adj. Se dit des végétaux dans lesquels l'ovaire est infère.

INFERTILE adj. *Litt.* Qui n'est pas fertile.

INFERTILITÉ n. f. *Litt.* Stérilité.

INFESTATION n. f. *Méd.* Présence, dans un organisme, de parasites provoquant ou non des troubles pathologiques.

INFESTER v. t. (lat. *infestare;* de *infestus,* ennemi). Ravager par des invasions brutales, des actes de brigandage : *les pirates infestaient ces côtes.* ‖ Abonder dans un lieu, en parlant des animaux nuisibles : *les rats infestent certains navires.* ‖ *Méd.* Envahir un organisme, en parlant des parasites.

INFEUTRABLE adj. Qui ne se feutre pas.

INFIBULATION n. f. (lat. *infibulatio;* de *fibula,* anneau). *Anthropol.* Opération pratiquée chez certaines ethnies africaines, visant à préserver la virginité des filles et consistant à coudre la vulve de façon à ne laisser qu'un petit orifice pour la miction et les menstrues.

INFIDÈLE adj. Qui manque à ses engagements, spécialement dans le mariage : *infidèle à ses promesses.* ‖ Inexact, qui n'exprime pas la vérité, la réalité : *récit infidèle.*

INFIDÈLE n. Nom donné à celui qui ne professe pas la religion considérée comme vraie.

INFIDÈLEMENT adv. De façon infidèle.

INFIDÉLITÉ n. f. Manque de fidélité, spécialement dans le mariage. ‖ Manque d'exactitude, de vérité : *l'infidélité d'un historien.*

INFILTRAT n. m. En radiologie, opacité pulmonaire homogène.

INFILTRATION n. f. Passage lent d'un liquide à travers les interstices d'un corps. ‖ Action de s'insinuer dans l'esprit de qqn, de pénétrer furtivement quelque part. ‖ *Mil.* Mode de progression utilisant au maximum les accidents du terrain et les zones non battues par le feu adverse. ‖ *Pathol.* Envahissement d'un organe soit par des liquides organiques issus d'un canal ou d'un conduit naturel, soit par des cellules inflammatoires ou tumorales. ‖ *Thérap.* Injection d'un médicament dans une région de l'organisme. ● *Eaux d'infiltration,* eaux de pluie qui pénètrent dans le sol par percolation.

INFILTRER (S') v. pr. Pénétrer peu à peu à travers les pores d'un corps solide : *l'eau s'infiltre dans le sable.* ‖ Pénétrer furtivement, se glisser. ‖ *Mil.* Progresser par infiltration.

INFIME adj. (lat. *infimus*). Très petit, minime : *une somme infime.*

INFINI, E adj. (lat. *infinitus*). Qui est sans limites : *l'espace est infini.* ‖ Très grand, considérable : *j'ai mis un temps infini à arriver ici.* ● *Quantité infinie* (Math.), quantité variable qui devient et reste, en valeur absolue, supérieure à toute limite fixée arbitrairement.

INFINI n. m. Ce que l'on suppose sans limites. ‖ *Math.* Syn. de QUANTITÉ INFINIE (symb. : ∞; $+\infty$ ou $-\infty$ suivant le signe). ● *À l'infini,* sans bornes, sans fin; à une distance infiniment grande.

■ On distingue traditionnellement entre infini potentiel (possibilité toujours ouverte d'ajouter 1 à tout nombre *n*) et infini réel (se donnant comme totalité achevée : par ex. l'ensemble $\mathbb{N}$). Mais c'est seulement avec la théorie cantorienne des ensembles qu'une « science de l'infini » a vu le jour : un ensemble infini y est défini comme un ensemble qui peut être mis en bijection avec une de ses parties propres.

Ainsi peut-on associer à $\mathbb{N}$ l'ensemble $\mathbb{N} - \{0, 1\}$ par la bijection φ telle que $\varphi(0) = 2$, $\varphi(1) = 3$, etc. Certaines propriétés « évidentes » (« la partie est plus petite que le tout ») doivent être abandonnées dès qu'on aborde l'infini. De plus, la théorie des ensembles a permis de distinguer et d'ordonner différentes « sortes » d'infini : infini dénombrable, puissance du continu*, etc. En devenant ainsi l'objet d'une théorie rigoureuse, la notion d'infini a perdu la place centrale qu'elle occupait dans la théologie traditionnelle où elle désignait le caractère à la fois incompréhensible et tout-puissant de Dieu.

Une fonction devient infinie quand on peut choisir les variables* qui la définissent de façon à obtenir des valeur aussi grandes que l'on veut. C'est ainsi que, pour la fonction $x \mapsto f(x) = \frac{1}{x}$, quand x prend des valeurs de plus en plus petites se rapprochant de 0, $\frac{1}{x}$ devient de plus en plus grand. Pour $x = 0{,}1; 0{,}01; \ldots; 0{,}000\,001$; etc.; $\frac{1}{x} = 10; 100; \ldots; 1\,000\,000$; etc. On dit que $\frac{1}{x}$ tend vers plus l'infini, ce que l'on note $\frac{1}{x} \to +\infty$. Le symbole $+\infty$ représente ce que l'on peut imaginer au-delà de toute limite positive. Le symbole $-\infty$ désigne les nombres infiniment grands et négatifs.

INFINIMENT adv. Extrêmement : *je vous suis infiniment obligé.* ● *Quantité infiniment grande* (Math.), quantité variable qui peut devenir, en valeur absolue, plus grande que tout nombre positif fixe, si grand soit-il. (On dit aussi INFINIMENT GRAND n. m.) ‖ *Quantité infiniment petite,* quantité variable, qui peut devenir, en valeur absolue, inférieure à tout nombre positif, si petit soit-il. (On dit aussi INFINIMENT PETIT n. m.)

INFINITÉ n. f. Un très grand nombre : *une infinité de gens.* ‖ *Litt.* Qualité de ce qui est infini : *l'infinité de l'univers.*

INFINITÉSIMAL, E, AUX adj. (lat. *infinitus*). Extrêmement petit. ‖ *Math.* Se dit d'une grandeur considérée comme somme de ses accroissements successifs infiniment petits.

INFINITIF, IVE adj. *Ling.* Qui est de la nature de l'infinitif : *proposition infinitive.*

INFINITIF n. m. (bas lat. *infinitivus*). *Ling.* Forme nominale du verbe.

INFINITUDE n. f. Qualité de ce qui est infini : *l'infinitude du temps.*

Infini turbulent *(l'),* essai de Henri Michaux (1957). Les effets de la drogue, de l'extase quasi mystique (« la folie est un département de la foi ») à l'éclatement douloureux du moi.

INFIRMATIF, IVE adj. *Dr.* Qui infirme.

INFIRMATION n. f. *Dr.* Annulation en appel d'une décision.

INFIRME adj. et n. (lat. *infirmus,* faible). Qui a quelque infirmité.

INFIRMER v. t. Détruire la force, l'importance, l'autorité de qqch, ruiner, démentir : *infirmer un témoignage.* ‖ *Dr.* Déclarer nul.

INFIRMERIE n. f. Local destiné aux malades, dans les casernes, les collèges, etc.

INFIRMIER, ÈRE n. Personne qui, sous la direction des médecins, soigne les malades à l'infirmerie, à l'hôpital, à domicile, etc.

INFIRMITÉ n. f. Affection particulière qui atteint d'une manière chronique quelque partie du corps.

INFIXE n. m. (lat. *infixus,* inséré). *Ling.* Élément qui s'insère au milieu d'un mot pour en modifier le sens ou la valeur.

INFLAMMABILITÉ n. f. Caractère de ce qui est inflammable.

INFLAMMABLE adj. (lat. *inflammare,* allumer). Qui s'enflamme facilement.

INFLAMMATION n. f. Action par laquelle une matière combustible s'enflamme. ‖ *Méd.* Réaction pathologique qui s'établit à la suite d'une agression traumatique, chimique ou microbienne de l'organisme, et qui se caractérise par de la chaleur, de la rougeur, de la douleur et de la tuméfaction.

INFLAMMATOIRE adj. *Méd.* Qui est caractérisé par une inflammation.

INFLATION n. f. (lat. *inflatio*; de *inflare*, enfler). Déséquilibre économique caractérisé par une hausse générale des prix et par l'accroissement de la circulation monétaire. ‖ Augmentation excessive : *inflation verbale.* ● *Inflation rampante,* inflation chronique, mais dont le taux demeure relativement faible. (Elle s'oppose à *l'inflation galopante.*)

■ L'inflation doit être distinguée d'une hausse momentanée de prix, survenant sur certains biens ou sur certains services en certaines périodes de l'année (par exemple lors d'une demande de logements due à la période des vacances), hausse qui ne traduit qu'un déséquilibre temporaire et un avilissement localisé de la valeur de la monnaie. L'inflation réelle a pour symptôme — pour tous les articles constitutifs du coût de la vie et durant une période donnée — un taux important d'érosion monétaire, le seuil des 10 p. 100 annuels paraissant déterminant en ce sens.

Les causes de ce phénomène sont, tout d'abord, des causes traditionnelles. *L'inflation par la demande,* ou intensification subite de la demande d'un bien ou d'un service, face à un « temps de réponse » de l'économie plus ou moins rapide, est un facteur fondamental d'inflation. Cette inflation porte en elle, d'ailleurs, sa propre cause : les prix montant, la demande s'intensifie d'autant; les acheteurs, éprouvant la crainte de voir les prix s'accroître, préfèrent acquérir dans l'immédiat les biens ou les services qui leur paraissent nécessaires, le phénomène se nourrissant ainsi de lui-même. *L'inflation par les coûts* provient de l'élévation du prix des divers « facteurs » concourant à la production : hausse des salaires, hausse du prix de l'argent, hausse de matières premières (pétrole), composants dont le prix, en augmentation, entraîne un alourdissement des prix de revient des biens ou des services.

Il existe des causes plus particulièrement propres à l'époque contemporaine. Les acheteurs voulant, dans la société de consommation, acquérir très rapidement des biens (maisons, automobiles) [biens que l'on ne pouvait auparavant acquérir qu'au bout d'une génération d'épargne], cette attitude crée une tension au niveau de la demande, qui produit des germes supplémentaires d'inflation. Le crédit*, extraordinairement développé sous toutes ses formes au cours des vingt dernières années, a permis la satisfaction de ces besoins, mais il a créé des processus inflationnistes, des signes monétaires en nombre croissant étant injectés dans le circuit économique.

La structure du système monétaire international (faisant du dollar le pivot des règlements monétaires internationaux) crée, enfin, des phénomènes d'inflation « importée », la monnaie des États-Unis pouvant, par suite d'émissions inconsidérées, être porteuse de germes d'inflation dans la communauté mondiale.

INFLATIONNISTE adj. Qui est cause ou marque d'inflation : *tension inflationniste.*

INFLÉCHI, E adj. Incurvé, ployé. ‖ *Phon.* Se dit d'une voyelle qui a subi une modification sous l'influence d'un phonème voisin.

INFLÉCHIR v. t. Modifier l'orientation; courber, incliner. ◆ **s'infléchir** v. pr. Prendre une autre direction; se courber, dévier.

INFLÉCHISSEMENT n. m. Modification peu accusée d'un processus, d'une évolution.

INFLEXIBILITÉ n. f. Caractère de celui qui est inflexible.

INFLEXIBLE adj. Qui ne se laisse point ébranler, émouvoir; intraitable : *homme inflexible.*

INFLEXIBLEMENT adv. De façon inflexible.

INFLEXION n. f. Action de plier, d'incliner : *saluer en faisant une légère inflexion du corps.* ‖ Changement, modification : *l'inflexion d'une attitude politique.* ‖ *Math.* Changement de sens de la courbure d'une courbe plane. ● *Inflexion de voix,* changement du ton de la voix. ‖ *Point d'inflexion* (Math.), point où une courbe traverse sa tangente.

INFLIGER v. t. (lat. *infligere*, heurter) [conj. **1**]. Frapper d'une peine pour une faute, pour un crime; faire subir qqch de pénible : *infliger une contravention; infliger un démenti.*

INFLORESCENCE n. f. (lat. *inflorescere*, fleurir). Mode de groupement des fleurs sur une plante. (Principaux types d'inflorescences : *grappe, épi, ombelle, capitule, cyme.*) ‖ Ensemble de ces fleurs.

INFLUENÇABLE adj. Qui se laisse influencer.

INFLUENCE n. f. (lat. *influentia*). Action qu'une personne exerce sur une autre, autorité : *avoir une grande influence sur un enfant.* ‖ Action qu'une chose exerce sur une personne ou sur une autre chose : *influence de l'alcool sur l'organisme.* ● *Électrisation par influence,* charge électrique prise par un conducteur placé au voisinage d'un autre conducteur électrisé. ‖ *Syndrome d'influence* (Psychol.), conviction délirante d'être soumis à une force extérieure qui commande les pensées et les actes.

INFLUENCER v. t. (conj. **1**). Exercer une influence sur, agir sur : *la Lune influence les marées; influencer l'opinion publique.*

INFLUENT, E adj. Qui a de l'autorité, du prestige : *personnage influent.*

INFLUENZA [ɛ̃flyɑ̃za *ou* ɛ̃flyɛ̃za] n. f. (mot it., *épidémie*). Autre nom de la GRIPPE (vx).

INFLUER [ɛ̃flye] v. t. ind. [**sur**] (lat. *influere*, couler dans). Exercer une action : *le climat influe sur la santé.*

INFLUX [ɛ̃fly] n. m. (bas lat. *influxus*, influence). *Influx nerveux,* phénomène de nature électrique par lequel l'excitation d'une fibre nerveuse se propage dans le nerf.

■ La vitesse de propagation de l'influx nerveux varie de 10 à 100 m par seconde selon les nerfs et les espèces. Il ne s'agit donc pas d'un courant électrique, mais de phénomènes de *polarisation* et de *dépolarisation* entre le cylindraxe et la gaine, qui s'établissent de proche en proche. L'influx est *centrifuge* quand il va des centres nerveux vers les organes (nerfs moteurs) et *centripète* lorsqu'il va des organes vers les centres nerveux (nerfs sensitifs).

INFOGRAPHIE n. f. (nom déposé). Ensemble des techniques de représentation graphique automatique d'un lot d'informations.

IN-FOLIO [infɔljo] adj. et n. m. inv. (mots lat., *en feuille*). Se dit d'une feuille d'impression qui, ayant été pliée une fois, forme 2 feuillets ou 4 pages. ‖ Se dit du format de cette feuille; livre de ce format.

INFONDÉ, E adj. Dénué de fondement.

INFORMATEUR, TRICE n. Personne qui donne des informations à un enquêteur.

INFORMATICIEN, ENNE n. Personne qui s'occupe d'informatique.

INFORMATIF, IVE adj. Qui informe : *une publicité informative.*

INFORMATION n. f. Action d'informer ou de s'informer : *l'information des lecteurs.* ‖ Renseignement quelconque : *information fausse.* ‖ Nouvelle donnée par une agence de presse, un journal, la radio, la télévision. ‖ *Dr.* Ensemble des actes qui ont pour objet de faire la preuve d'une infraction et d'en connaître les auteurs. ‖ En cybernétique, facteur qualitatif désignant la position d'un système, et éventuellement transmis par ce système à un autre. ● *Quantité d'information,* mesure quantitative de l'incertitude d'un message en fonction du degré de probabilité de chaque signal composant ce message. ‖ *Théorie de l'information,* théorie qui a pour objet de définir et d'étudier les quantités d'information, le codage de ces informations, les canaux de transmission et leur capacité. ◆ pl. Bulletin d'information radiodiffusé ou télévisé.

INFORMATIONNEL, ELLE adj. Qui concerne l'information.

INFORMATIQUE n. f. (de *information* et *automatique*). Science du traitement rationnel par machines automatiques de l'information considérée comme le support des connaissances humaines et des communications dans les domaines technique, économique et social.

■ On peut distinguer les disciplines de base, regroupées en informatique fondamentale, les techniques matérielles et logicielles de réalisation de systèmes de traitement d'information, et les applications aux traitements de divers problèmes spécifiques. L'informatique fondamentale comprend la théorie de l'information, l'algorithmique et l'analyse numérique (recherches, études et évaluations d'algorithmes, de procédés mathématiques de résolution de problèmes), et les méthodes théoriques de représentation des connaissances et de modélisation des problèmes.

Le traitement automatique de l'information nécessite de capter les informations par des organes d'entrée, de transmettre ces informations par des lignes de transmission, de les stocker dans des mémoires, de les traiter dans une unité de traitement (processeur ou unité centrale d'ordinateur, appelée parfois « unité logique ») grâce à un logiciel ou programme mis au point par un informaticien programmeur, et enfin de les restituer à l'utilisateur par des organes de sortie. L'architecture globale du système informatique fait l'objet de nombreuses études pour définir, modéliser et évaluer le meilleur système appliqué au problème à résoudre, au système d'information à traiter.

Le traitement de l'information lui-même est effectué sur l'unité centrale du système informatique. Le prodigieux développement de l'informatique depuis une trentaine d'années tient aux progrès permanents dans la performance des circuits électroniques qui sont à la base des processeurs de traitement. À puissance égale, leur coût diminue de 30 p. 100 par an environ; et chaque année la puissance de calcul des circuits les plus évolués augmente de 30 p. cent également, ou plus. On en arrive à concevoir des ordinateurs traitant, par seconde, des milliards d'opérations élémentaires, portant sur des dizaines de bits; ces supercalculateurs sont, bien sûr, très coûteux, mais permettent d'effectuer les calculs très complexes que nécessitent la météorologie, l'aéronautique, la production nucléaire. Parallèlement, on voit se développer fortement la diffusion sur le marché de micro-ordinateurs, d'ordinateurs personnels, de faible coût et ayant cependant des capacités de calcul assez impressionnantes, qui peuvent compter des centaines de milliers de commandes élémentaires exécutées par seconde.

Enfin l'autre caractéristique de l'évolution des systèmes informatiques est le développement du logiciel. Il s'agit là des langages disponibles pour programmer la résolution des problèmes soumis, des bibliothèques de programmes modulaires dont l'intégration permet de créer rapidement un logiciel complexe adapté au problème.

L'informatique pénètre maintenant dans tous les domaines de la vie professionnelle, sociale et individuelle : dans les banques, les assurances, les grandes administrations et entreprises; mais aussi dans la médecine, l'artisanat, les petites et moyennes industries, avec le développement de la fabrication assistée par ordinateur, ou robotique, de la conception assistée par ordinateur; et, enfin, dans l'enseignement et les bureaux, et à domicile, avec les ordinateurs personnels.

INFORMATIQUE adj. Qui a trait à l'informatique. ● *Système informatique,* ensemble formé par un ordinateur et les différents éléments qui lui sont rattachés.

INFORMATISABLE adj. Qui peut être informatisé.

INFORMATISATION n. f. Action d'informatiser.

INFORMATISER v. t. Doter de moyens informatiques : *informatiser une usine.*

INFORME adj. (lat. *informis*, affreux). Sans forme déterminée : *masse informe.* ‖ Imparfait, incomplet, laid : *ouvrage informe.*

INFORMÉ n. m. *Jusqu'à plus ample informé,* jusqu'à la découverte d'un fait nouveau.

INFORMEL, ELLE adj. Qui n'a pas de forme précise, d'ordre du jour précis, etc. : *réunion informelle.* ◆ adj. et n. m. Se dit (depuis 1950) d'une forme de peinture non figurative, d'aspect gestuel ou matiériste, qui répercute, en négligeant l'impératif traditionnel de composition organisée, les impulsions spontanées de l'artiste; se dit de cet artiste lui-même.

INFORMER v. t. (lat. *informare*, donner une forme). Mettre au courant de qqch, donner des renseignements sur, avertir, instruire : *je vous informe que votre demande a été transmise.* ◆ v. i. *Dr.* Faire une information, une instruction : *informer contre qqn.* ◆ **s'informer** v. pr. [**de**]. Interroger afin d'être renseigné.

INFORMULÉ, E adj. Non formulé.

INFORTUNE n. f. (lat. *infortunium*). *Litt.* Malchance, adversité. ◆ pl. *Litt.* Événements malheureux : *conter ses infortunes.*

INFORTUNÉ, E adj. et n. Se dit d'une personne qui n'a pas de chance.

INFRA [ɛ̃fra] adv. (mot lat.). Plus bas, ci-dessous. (Contr. SUPRA.)

INFRACTION n. f. (lat. *infractio*; de *frangere*, briser). Toute violation d'une loi, d'un ordre, d'un traité, etc.

INFRALIMINAIRE adj. Se dit d'un stimulus dont l'intensité est trop faible pour entraîner une réponse manifeste de l'organisme.

INFRANCHISSABLE adj. Que l'on ne peut franchir.

INFRANGIBLE adj. (bas lat. *frangibilis*). *Litt.* Qui ne peut être brisé.

INFRAROUGE adj. et n. m. Se dit du rayonnement électromagnétique de longueur d'onde comprise entre un micron et un millimètre, utilisé pour le chauffage, la photographie aérienne, en thérapeutique, dans les armements, etc.

INFRASON n. m. Vibration de même nature que le son, mais de fréquence trop basse pour qu'une oreille humaine puisse la percevoir.

INFRASONORE adj. Relatif aux infrasons.

INFRASTRUCTURE n. f. Couche de matériau posée entre la couche de fondation et la plateforme d'une route. ‖ Ensemble des travaux relatifs à tout ce qui nécessite, pour un ouvrage (routes, voies ferrées, etc.), des fondations. ‖ Ensemble des installations territoriales (services, écoles, bases, etc.) indispensables à la création et à l'emploi de forces armées. ‖ Ensemble des moyens et des rapports de production qui sont à la base des formations sociales, par oppos. à SUPERSTRUCTURE. ● *Infrastructure aérienne,* ensemble des installations au sol indispensables aux avions.

INFRÉQUENTABLE adj. Qu'on ne peut pas fréquenter.

INFROISSABILISER v. t. Rendre infroissable.

INFROISSABILITÉ n. f. Qualité de ce qui est infroissable.

INFROISSABLE adj. Qui ne peut se chiffonner.

INFRUCTUEUSEMENT adv. Sans résultat.

INFRUCTUEUX, EUSE adj. Qui ne donne pas de résultat utile, vain : *effort infructueux.*

INFUMABLE adj. Désagréable à fumer.

INFUSE adj. f. (lat. *infusus*). *Science infuse,* science que l'on posséderait naturellement sans l'avoir acquise par l'étude ou par l'expérience.

INFUSER v. t. et i. (lat. *infundere*, verser dans). Faire macérer une plante aromatique dans un liquide bouillant afin qu'il en prenne l'arôme : *infuser du thé.* ◆ v. t. *Litt.* Communiquer à qqn (du courage, de l'ardeur).

INFUSETTE n. f. (nom déposé). Sachet de tisane prêt à infuser.

INFUSIBILITÉ n. f. Caractère de ce qui est infusible.

INFUSIBLE adj. Qu'on ne peut fondre.

INFUSION n. f. Action d'infuser. ‖ Liquide dans lequel on a mis une plante aromatique à macérer à chaud, tisane : *infusion de tilleul.*

INFUSOIRE n. m. Anc. nom des protozoaires de l'embranchement des *ciliés,* qui peuvent se développer dans des infusions végétales.

INGA, aménagement hydroélectrique du Zaïre, dans les gorges du Zaïre, au N. de Matadi.

INGAGNABLE adj. Qui ne peut être gagné.

INGAMBE [ɛ̃gɑ̃b] adj. (it. *in gamba*, en jambe). Qui a les jambes lestes, alerte : *vieillard encore ingambe.*

INGEGNERI (Marcantonio), compositeur italien (Vérone v. 1547 - Crémone 1592). Ses madrigaux chromatiques et ses motets *(Sacrae cantiones)* à plusieurs chœurs mêlés d'instruments annoncent l'art de Monteverdi.

INGELMUNSTER, comm. de Belgique (Flandre-Occidentale); 10 300 hab.

INGEN-HOUSZ (Johannes), physicien néerlandais (Breda 1730 - Bowood, Wiltshire, 1799). Il a montré, en même temps que Priestley*, que les plantes fixent, à la lumière, le gaz carbonique de l'air (1780) et a réalisé une expérience sur la conductibilité thermique des métaux (1789).

INGÉNIER (S') v. pr. [**à**] (lat. *ingenium*, esprit). Chercher, tâcher de trouver un moyen pour réussir : *s'ingénier à plaire.*

INGÉNIERIE [ɛ̃ʒeniri] n. f. (de *ingénieur*). Syn. de ENGINEERING. ● *Ingénierie génétique,* syn. de GÉNIE GÉNÉTIQUE.

INGÉNIEUR n. m. (anc. fr. *engin*, machine de guerre). Personne que ses connaissances ren-

INFLORESCENCE

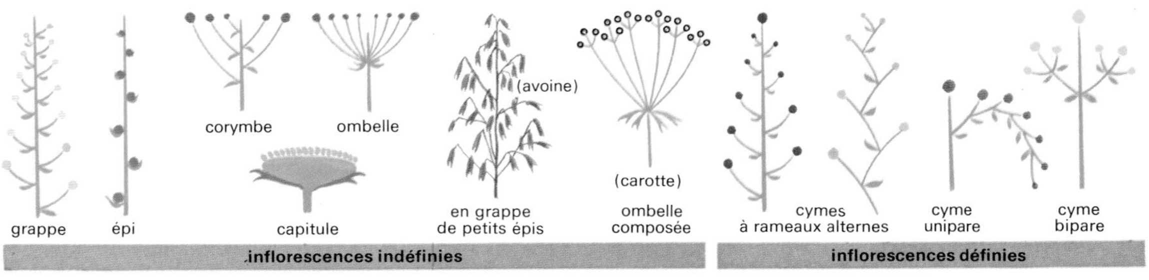
corymbe
ombelle
(avoine)
(carotte)
grappe
épi
capitule
en grappe de petits épis
ombelle composée
cymes à rameaux alternes
cyme unipare
cyme bipare
inflorescences indéfinies
inflorescences définies

dent apte à occuper des fonctions scientifiques ou techniques actives, en vue de créer, organiser ou diriger des travaux qui en découlent, ainsi qu'à y tenir un rôle de cadre. ● *Ingénieur de l'armement,* ingénieur d'un corps dans lequel ont été intégrés, en 1968, plusieurs anciens corps d'ingénieurs militaires (fabrications d'armement, génie maritime, poudres, etc.). ‖ *Ingénieur civil,* ingénieur qui n'appartient pas au corps des ingénieurs de l'État. ‖ *Ingénieur de l'État,* ingénieur appartenant à un corps de l'État. ‖ *Ingénieur militaire,* grade de certains services techniques des armées (matériel, essences, etc.). ‖ *Ingénieur du son,* ingénieur électricien spécialisé dans la technique du son. ‖ *Ingénieur système,* ingénieur informaticien spécialisé dans la conception, la production, l'utilisation et la maintenance de systèmes d'exploitation.

INGÉNIEUR-CONSEIL n. m. (pl. *ingénieurs-conseils*). Personne dont le métier est de donner, à titre personnel, des conseils, d'établir des projets, des expertises, de préparer et de suivre des travaux dans les activités qui relèvent du métier d'ingénieur.

INGÉNIEUSEMENT adv. De façon ingénieuse.

INGÉNIEUX, EUSE adj. (lat. *ingeniosus*). Plein d'esprit d'invention, d'adresse, subtil, habile : *explication ingénieuse.*

INGÉNIOSITÉ n. f. Qualité de celui qui est ingénieux, de ce qui témoigne de l'adresse : *faire preuve d'ingéniosité; l'ingéniosité d'un mécanisme.*

INGÉNU, E [ɛ̃ʒeny] adj. et n. (lat. *ingenuus,* né libre). *Litt.* D'une naïveté souvent excessive, candide : *jeune fille ingénue; air ingénu.*

Ingénu *(l'),* conte de Voltaire (1767) : un jeune « Huron » canadien, jeté en pleine société française des Lumières, vit avec étonnement le contraste entre sa logique et sa bonté naturelles et le chaos et la corruption de cette société.

INGÉNUE n. f. *Théâtr.* Rôle de jeune fille naïve.

INGÉNUITÉ n. f. Candeur, pureté, naïveté.

INGÉNUMENT adv. De façon ingénue et naïve.

INGÉRENCE n. f. Action de s'ingérer.

INGÉRER [ɛ̃ʒere] v. t. (lat. *ingerere,* introduire dans) [conj. **5**]. Introduire par la bouche dans l'estomac. ◆ **s'ingérer** v. pr. [**dans**]. Se mêler d'une chose sans en avoir le droit, l'autorisation, s'immiscer : *s'ingérer dans les affaires d'autrui.*

INGESTION [ɛ̃ʒɛstjɔ̃] n. f. Action d'ingérer, d'introduire dans l'estomac.

INGOLSTADT, v. de l'Allemagne fédérale (Bavière), sur le Danube; 92 000 hab. Château (XVe-XVIe s.) et églises (du gothique au baroque). Raffinage du pétrole. Construction automobile.

INGOUVERNABLE adj. Qu'on ne peut gouverner.

INGRAT, E adj. et n. (lat. *ingratus*). Qui n'a point de reconnaissance : *vous n'avez pas affaire à un ingrat.* ◆ adj. Qui manque de grâce : *visage ingrat.* ‖ Qui ne répond pas aux efforts, infructueux, décevant, pénible : *métier ingrat.* ● *Âge ingrat,* début de l'adolescence.

INGRATITUDE n. f. Manque de reconnaissance. ● *Payer d'ingratitude,* manquer de reconnaissance.

INGRÉDIENT [ɛ̃gredjɑ̃] n. m. (lat. *ingrediens*). Ce qui entre dans la composition d'un mélange.

INGRES (Jean Auguste Dominique), peintre et dessinateur français (Montauban 1780 - Paris 1867). Fils d'un sculpteur ornemaniste, il étudie le dessin à Toulouse puis entre, en 1797, dans l'atelier de David, à Paris. Grand Prix de Rome en 1801, il est déjà lui-même, tout en manifestant son admiration pour Raphaël et pour Titien, dans ses portraits de la famille Rivière (Louvre), peints avant son séjour (1806-1810) à la villa Médicis. Il demeure dix-huit ans en Italie, peint des chefs-d'œuvre comme le portrait assez romantique du peintre *Granet* (1807, musée d'Aix-en-Provence) ou la *Grande Odalisque* (1814, Louvre). Le succès de son *Vœu de Louis XIII* (cathédrale de Montauban) au Salon de 1824 provoque son retour à Paris, où il ouvre un atelier et devient le chef, couvert d'honneurs officiels et de plus en plus intransigeant, de l'école classique face au romantisme (*l'Apothéose d'Homère,* 1827, Louvre). Ayant soulevé de violentes inimitiés, il se replie à Rome (1835-1841) comme directeur de l'Académie de France (*Stratonice,* 1840, Chantilly). Rentré à Paris en maître incontesté, il donne, après *l'Âge d'or,* inachevé, du château de Dampierre (Yvelines), son testament esthétique avec le *Bain turc* (1863, Louvre), où se résume, dans un climat d'érotisme intellectuel, son obsession de l'arabesque. La recherche d'une beauté intemporelle s'exprime chez Ingres par la primauté accordée au dessin sur tout autre constituant de l'art de peindre (sans parler de la réussite de ses portraits au crayon), et c'est là que peut être trouvée l'unité de sa production, immense et complexe. Très aimé de ses élèves, il ne pouvait cependant leur transmettre, à travers une doctrine trop froidement systématique, le secret de certaines étrangetés de son œuvre personnelle, qui l'ont imposé, en même temps que son amour de la ligne, sa volonté de synthèse et d'abstraction, à l'admiration d'artistes aussi divers que Degas, Cézanne, Gauguin ou Picasso.

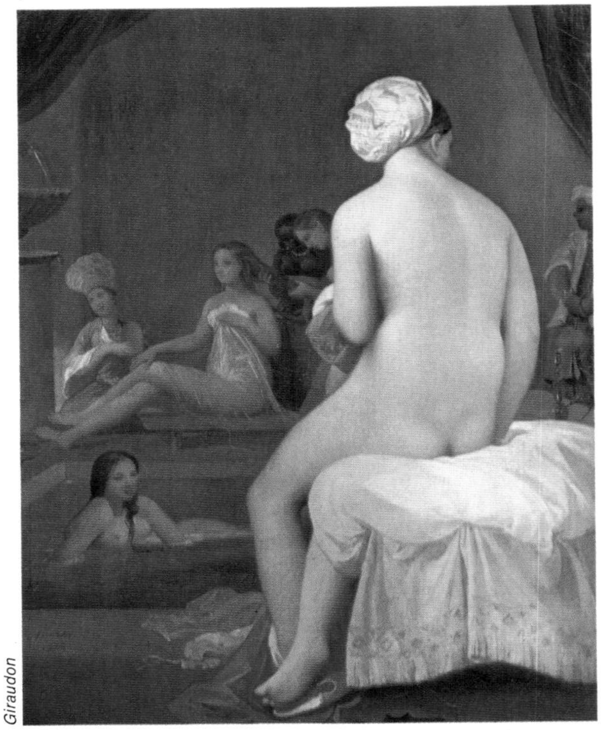

Giraudon

Ingres : *la Petite Baigneuse,* 1828. (Musée du Louvre, Paris.)

INGRESQUE ou **INGRISTE** adj. et n. m. Qui se rapporte, se rattache à l'ingrisme.

INGRIE, anc. province de la Finlande méridionale, cédée par la Suède à la Russie en 1721.

INGRISME n. m. Art d'Ingres ou de ses épigones.

INGUÉRISSABLE adj. Qui ne peut être guéri.

INGUINAL, E, AUX [ɛ̃gɥinal, -no] adj. (lat. *inguen, inguinis,* aine). *Anat.* Relatif à l'aine.

INGURGITATION n. f. Action d'ingurgiter.

INGURGITER v. t. (lat. *ingurgitare;* de *gurges, gurgitis,* gouffre). Avaler rapidement et souvent en grande quantité. ‖ Acquérir massivement des connaissances, sans les assimiler.

INHABILE adj. Qui manque d'habileté. ‖ *Dr.* Privé de certains droits par la loi.

INHABILETÉ n. f. Maladresse.

INHABILITÉ n. f. *Dr.* Incapacité légale.

INHABITABLE adj. Qui ne peut être habité.

INHABITÉ, E adj. Qui n'est pas habité.

INHABITUEL, ELLE adj. Qui n'est pas habituel.

INHALATEUR, TRICE adj. Qui sert à des inhalations.

INHALATEUR n. m. Appareil servant à prendre des inhalations.

INHALATION n. f. Absorption par les voies respiratoires d'un gaz, d'une vapeur ou d'un aérosol.

INHALER v. t. (lat. *inhalare,* souffler sur). Aspirer par inhalation.

INHARMONIEUX, EUSE adj. *Litt.* Qui n'est pas harmonieux, désagréable à l'oreille.

INHÉRENCE n. f. État de ce qui est inhérent.

INHÉRENT, E adj. (lat. *inhaerens,* étant attaché à). Lié d'une manière intime et nécessaire à qqch : *responsabilité inhérente à une fonction.*

INHIBÉ, E adj. et n. Qui est inhibé.

INHIBER v. t. (lat. *inhibere,* retenir). Supprimer ou ralentir toute possibilité de réaction, toute activité. ‖ Suspendre un processus physiologique ou psychologique.

INHIBITEUR, TRICE ou **INHIBITIF, IVE** adj. De nature à ralentir ou à arrêter un mouvement, une fonction.

INHIBITEUR n. m. *Chim.* Substance qui, à faible concentration, bloque ou retarde une réaction chimique.

INHIBITION n. f. Phénomène d'arrêt, de blocage, de ralentissement d'un processus chimique, psychologique ou physiologique. ‖ Diminution de l'activité d'un neurone, d'une fibre musculaire ou d'une cellule sécrétrice, sous l'action d'un influx nerveux ou d'une hormone.

INHOSPITALIER, ÈRE adj. Qui n'est pas accueillant : *rivage inhospitalier.*

INHUMAIN, E adj. Qui manque d'humanité, de générosité; cruel, impitoyable : *traitement inhumain; loi inhumaine.*

INHUMAINEMENT adv. De façon inhumaine.

INHUMANITÉ n. f. Cruauté indigne d'un homme.

INHUMATION n. f. Action d'inhumer.

INHUMER v. t. (lat. *inhumare;* de *humus,* terre). Mettre en terre, avec certaines cérémonies, un corps humain.

INIMAGINABLE adj. Qui dépasse tout ce qu'on pourrait imaginer, extraordinaire, incroyable.

INIMITABLE adj. Qui ne peut être imité.

INIMITÉ, E adj. Qui n'a pas été imité.

INIMITIÉ n. f. (lat. *inimicitia*). Sentiment durable d'hostilité, haine, aversion.

ININFLAMMABLE adj. Qui ne peut s'enflammer : *gaz ininflammable.*

ININI, riv. de la Guyane française qui donna son nom à un arrondissement s'étendant sur tout l'intérieur du pays.

ININTELLIGEMMENT adv. Sans intelligence.

ININTELLIGENCE n. f. Manque d'intelligence, de compréhension, stupidité.

ININTELLIGENT, E adj. Qui manque d'intelligence.

ININTELLIGIBILITÉ n. f. Caractère de ce qui est inintelligible.

ININTELLIGIBLE adj. Qu'on ne peut comprendre, obscur.

ININTELLIGIBLEMENT adv. De façon inintelligible.

ININTÉRESSANT, E adj. Qui est sans intérêt.

ININTERROMPU, E adj. Qui n'est pas interrompu dans l'espace ou le temps.

INIQUE adj. (lat. *iniquus*). D'une injustice grave : *juge inique; jugement inique.*

INIQUEMENT adv. De façon inique.

INIQUITÉ [inikite] n. f. Injustice grave.

INITIAL, E, AUX [inisjal, -sjo] adj. (lat. *initialis;* de *initium,* début). Qui est au commencement : *vitesse initiale d'un projectile; erreur initiale.* ● *Cellules initiales,* ou *initiales* n. f. pl. (Bot.), cellules situées à l'extrémité des racines et des tiges, et qui se multiplient rapidement.

INITIALE n. f. Première lettre d'un mot, du nom, du prénom d'une personne : *signer un article de ses initiales.*

INITIALEMENT adv. Au début, à l'origine.

INITIALISATION n. f. *Inform.* Étape préliminaire de la mise en service d'un ordinateur.

INITIALISER v. t. *Inform.* Effectuer l'initialisation.

INITIATEUR, TRICE adj. et n. Qui initie qqn; qui prend l'initiative de qqch.

INITIATION n. f. Action de donner à qqn la connaissance de certaines choses qu'il ignorait. ‖ Dans les sociétés non industrielles, ensemble de rites de sélection ou de recrutement de privilégiés en vue de les introduire dans un groupe fermé comme une classe d'âge, une catégorie sociale, etc.; dans l'Antiquité, ensemble de rites d'affiliation à des confréries religieuses ou des cultes à mystères; aujourd'hui, ensemble de cérémonies introduisant une personne dans des sociétés secrètes.

INITIATIQUE adj. Qui relève de l'initiation, de pratiques secrètes : *rite initiatique.*

INITIATIVE n. f. Action de celui qui propose ou qui fait le premier quelque chose : *prendre l'initiative d'une mesure.* ‖ Qualité de celui qui sait prendre les décisions nécessaires, qui agit spontanément : *avoir de l'initiative.* ● *Initiative législative,* droit de soumettre à la discussion et au vote des assemblées parlementaires le texte d'une proposition de loi *(initiative des parlementaires)* ou un projet de loi *(initiative du gouvernement).* ‖ *Initiative populaire,* droit reconnu aux citoyens de certains États de soumettre au Parlement des propositions de loi, à condition de réunir un certain nombre de signatures à l'appui de leur demande. ‖ *Prendre l'initiative,* devancer dans une affaire.

Initiative de défense stratégique (I. D. S.), programme d'études lancé par R. Reagan en 1983 et visant à l'élimination de la menace des missiles stratégiques, notamment à partir de systèmes spatiaux.

INITIÉ, E adj. et n. Qui a reçu une initiation; instruit d'un secret, d'un art.

INITIER v. t. (lat. *initiare,* commencer). Être le premier à mettre qqn au courant d'une science, d'un art, d'une profession, etc. ‖ Dans les religions anciennes, admettre à la participation de certains mystères. ‖ Admettre à la connaissance, à la participation à des pratiques secrètes d'une association, d'une secte. ◆ **s'initier** v. pr. [**à**]. Se mettre au courant des premiers éléments d'une science.

INJECTABLE adj. Qui peut être injecté.

INJECTÉ, E adj. Coloré par l'afflux du sang : *face injectée, yeux injectés.*

INJECTER v. t. (lat. *injectare*). Introduire sous pression un liquide, un gaz dans un corps : *injecter un sérum dans le sang.* ◆ **s'injecter** v. pr. Devenir coloré par l'afflux du sang : *ses yeux s'injectèrent.*

INJECTEUR, TRICE adj. Propre aux injections.

INJECTEUR n. m. *Techn.* Appareil au moyen duquel on opère l'introduction forcée d'un fluide dans une machine ou dans un mécanisme.

INJECTIF, IVE adj. *Math.* Se dit d'une application dans laquelle un élément du second ensemble a au plus un antécédent.

INJECTION n. f. (lat. *injectio*). Action d'introduire sous pression dans un corps un liquide, un gaz, une substance pâteuse. ‖ Liquide que l'on injecte. ‖ Introduction, sous pression, de liquides dans les cavités naturelles ou dans les tissus organiques vivants ou morts : *injection de morphine.* ‖ Action de placer un engin spatial sur orbite. ‖ Instant de cette mise sur orbite. ‖ *Math.* Application injective. ● *Moteur à injection,* moteur à combustion interne, dans lequel le carburant est injecté directement dans les cylindres sans l'intermédiaire d'un carburateur.

INJONCTIF, IVE adj. et n. m. *Ling.* Syn. d'IMPÉRATIF.

INJONCTION n. f. Ordre précis, formel d'obéir sur-le-champ : *des injonctions pressantes.*

INJOUABLE adj. Qui ne peut être joué.

INJURE n. f. (lat. *injuria,* injustice). Parole offensante. ● *Injure grave* (Dr.), acte ou parole d'une personne mariée, qui, outrageant pour son conjoint, constituait un motif de divorce ou de séparation de corps avant la loi de 1975.

INJURIER v. t. Offenser par des injures, insulter.

INJURIEUSEMENT adv. De façon injurieuse.

INJURIEUX, EUSE adj. Qui porte atteinte à la réputation, à la dignité de qqn; outrageant, offensant : *soupçon injurieux.*

INJUSTE adj. Qui va à l'encontre de la justice, de l'équité, injustifié : *société injuste; soupçon injuste.*

INJUSTEMENT adv. De façon injuste.

INJUSTICE n. f. Caractère de ce qui est injuste; chose injuste : *réparer une injustice.*

INJUSTIFIABLE adj. Qu'on ne saurait justifier, indéfendable, insoutenable.

INJUSTIFIÉ, E adj. Qui n'est pas ou n'a pas été justifié.

INKERMAN, faubourg de Sébastopol. Victoire franco-anglaise sur les Russes, le 5 novembre 1854. (V. CRIMÉE [*guerre de*].)

INLANDSIS [inlɑ̃dsis] n. m. (mot scandin.). Type de glacier, surtout représenté dans les régions polaires, formant une vaste coupole masquant le relief sous-jacent.

INLASSABLE adj. Qu'on ne peut lasser.

INLASSABLEMENT adv. De façon inlassable.

INLAY [inlɛ] n. m. (mot angl., *incrustation*). Bloc métallique coulé, inclus dans une cavité dentaire qu'il sert à obturer, reconstituant ainsi la forme anatomique de la dent.

INN, riv. de l'Europe centrale; 510 km. L'Inn naît en Suisse, dans les Grisons, où sa haute vallée constitue l'Engadine. En Autriche, la vallée de l'Inn, de part et d'autre d'*Innsbruck,* forme l'*Inntal,* axe vital du Tyrol. L'Inn pénètre ensuite en Allemagne fédérale (Bavière) et, dans son cours inférieur, sépare ce pays de l'Autriche, rejoignant le Danube (r. dr.) à Passau.

INNÉ, E adj. (lat. *innatus*). Qui existe dès la naissance. ‖ Qui appartient au caractère fondamental de qqn : *avoir le sens inné de la justice.* ● *Idées innées* (Philos.), selon les cartésiens, idées potentielles en notre esprit dès notre naissance, comme celles de Dieu, de l'âme ou du corps (par oppos. aux IDÉES ADVENTICES* et aux IDÉES FACTICES*).

INNÉISME n. m. Doctrine philosophique fondée sur la croyance aux idées innées.

INNÉISTE n. et adj. Partisan de l'innéisme.

INNÉITÉ n. f. Caractère de ce qui est inné.

INNERVATION n. f. Mode de distribution des nerfs dans un tissu ou dans un organe.

INNERVER v. t. Atteindre un organe, en parlant d'un nerf : *le grand hypoglosse innerve la langue.*

INNOCEMMENT [inɔsamɑ̃] adv. Avec innocence, sans vouloir mal faire.

INNOCENCE n. f. Absence de culpabilité : *proclamer l'innocence d'un accusé.* ‖ Pureté de qqn qui ignore le mal. ‖ Naïveté, simplicité d'esprit, candeur : *abuser de l'innocence de qqn.* ● *En toute innocence,* en toute franchise, en toute simplicité.

INNOCENT, E adj. et n. (lat. *innocens*). Qui n'est pas coupable : *l'accusé est innocent.* ‖ Qui ignore le mal; pur et candide : *âme innocente.* ‖ Qui est crédule, naïf : *vous êtes bien innocent de le croire.* ● *Saints Innocents,* enfants de Bethléem massacrés sur l'ordre d'Hérode, qui espérait faire périr avec eux l'Enfant Jésus. ◆ adj. Qui est sans danger, inoffensif : *manie innocente, railleries innocentes.*

INNOCENT Ier *(saint),* pape de 401 à 417. Il fit prévaloir dans l'Église latine la discipline romaine en matière liturgique, juridique et morale, et s'opposa au pélagianisme*; il défendit saint Jean* Chrysostome, déposé et exilé.

INNOCENT II (Gregorio PAPARESCHI), pape de 1130 à 1143. Son élection et son autorité furent très contestées : deux antipapes lui furent opposés, Anaclet II et Victor IV.

INNOCENT III (Giovanni LOTARIO, comte **de Segni**) [Anagni 1160 - Rome 1216], pape de 1198 à 1216. Il fut le théoricien de la théocratie pontificale. Pour lui, le pape est l'intermédiaire entre Dieu et les rois : de là vinrent ses démêlés avec Philippe Auguste. À son initiative fut entreprise la quatrième croisade*, qui eut comme seul résultat la prise et le sac de Constantinople (1204); la croisade contre les albigeois (v. CATHARES), dont il porte la responsabilité, rapportera aux Capétiens beaucoup plus qu'à l'Église. Dans sa réforme de l'Église, Innocent III eut la clairvoyance d'encourager la fondation des ordres mendiants*. Le quatrième concile du Latran* (1215) fut le couronnement de son pontificat.

INNOCENT IV (Sinibaldo FIESCHI) [Gênes v. 1195 - Naples 1254], pape de 1243 à 1254. Professeur de droit à Bologne, il est l'auteur d'un important commentaire des *Décrétales* (v. CANON [*droit*]). La lutte qu'il mena contre l'empereur Frédéric II* de Hohenstaufen l'amena à affirmer la plénitude du pouvoir pontifical, tant temporel que spirituel.

INNOCENT V → PAPE.

INNOCENT VI (Étienne AUBERT) [† Avignon 1362], pape de 1352 à 1362. Originaire du Limousin, il est élu pape à Avignon. Son pontificat est marqué par la publication de la Bulle* d'or.

INNOCENT VII → PAPE.

INNOCENT VIII (Giovanni Battista CYBO) [Gênes 1432 - Rome 1492], pape de 1484 à 1492. Il pratiqua un népotisme scandaleux et combattit les Vaudois et la sorcellerie.

INNOCENT IX → PAPE.

INNOCENT X (Giambattista PAMPHILI) [Rome 1574 - *id.* 1655], pape de 1644 à 1655. Adversaire de Mazarin, il s'efforça de rendre à la cour pontificale un peu d'austérité et condamna cinq propositions de l'*Augustinus.*

INNOCENT XI (Benedetto ODESCALCHI) [Côme 1611 - Rome 1689], pape de 1676 à 1689. Il combattit le népotisme et le luxe de la société romaine, et entra en conflit avec Louis XIV au sujet de la franchise du quartier de l'ambassade française à Rome (1677-78), puis à propos de la régale* (1688). Il fut béatifié en 1956.

INNOCENT XII (Antonio PIGNATELLI) [Spinazzola, 1615 - Rome 1700], pape de 1691 à 1700. Il mit fin à la querelle avec Louis XIV, qui lui restitua Avignon (1693). Il condamna le jansénisme* et le quiétisme*.

INNOCENT XIII → PAPE.

INNOCENTER v. t. Déclarer innocent, excuser : *innocenter un inculpé; innocenter la conduite de son fils.*

INNOCUITÉ [inɔkɥite] n. f. (lat. *innocuus,* qui n'est pas nuisible). Qualité, caractère d'une chose qui n'est pas nuisible.

INNOMBRABLE adj. Qui ne peut se compter, très nombreux.

INNOMÉ, E ou **INNOMMÉ, E** adj. Qui n'a pas encore reçu de nom. ● *Contrats innomés* (Dr. rom.), ceux qui n'avaient pas reçu du droit civil de dénomination particulière.

INNOMINÉ, E adj. (lat. *innominatus*). *Os innominé,* os iliaque.

INNOMMABLE adj. Trop vil, trop dégoûtant pour être nommé; inqualifiable : *crime innommable.*

INNOVATEUR, TRICE adj. et n. Qui innove.

INNOVATION n. f. Introduction de quelque nouveauté dans le gouvernement, les mœurs, une science, l'organisation d'une entreprise, etc.; changement, création.

INNOVER v. i. et t. (lat. *innovare;* de *novus,* nouveau). Introduire une chose nouvelle pour remplacer qqch d'ancien.

INNSBRUCK, v. d'Autriche, capit. du Tyrol, sur l'*Inn;* 115 000 hab. Centre de tourisme et de sports d'hiver (alt. 579-2 343 m). Hofburg, château de Maximilien Ier et de l'impératrice Marie-Thérèse. Église des franciscains, construite au XVIe s. pour abriter le cénotaphe de Maximilien, que veillent vingt-huit statues de bronze de ses ancêtres. Édifices baroques.

INOBSERVABLE adj. Qui ne peut être exécuté : *recommandations inobservables.*

INOBSERVANCE n. f. Attitude d'une personne qui n'observe pas des prescriptions religieuses ou morales.

INOBSERVATION n. f. Fait de ne pas observer les lois, les règlements, ses engagements.

INOBSERVÉ, E adj. Qui n'a pas été observé.

INOCCUPATION n. f. *Litt.* État d'une personne ou d'une chose inoccupée.

INOCCUPÉ, E adj. Sans occupation, oisif. ‖ Qui n'est pas habité : *logement inoccupé.*

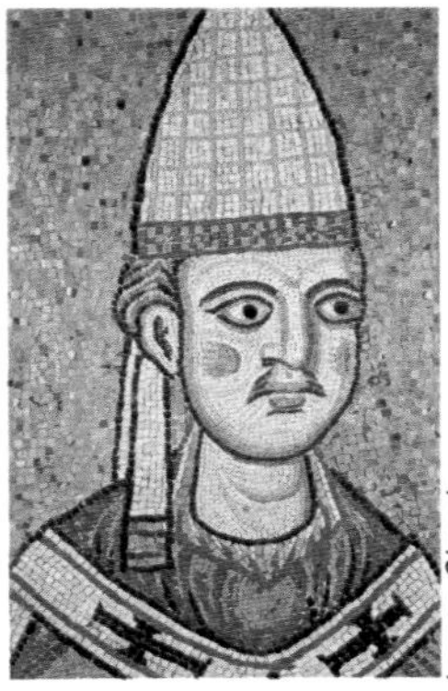

Le pape **Innocent III.** Mosaïque romaine. (Musée de Rome, à Rome.)

Lauros-Giraudon

IN-OCTAVO [inɔktavo] adj. et n. m. inv. (lat. *in,* en, et *octavus,* huitième). Se dit d'une feuille d'impression qui, ayant été pliée trois fois, forme 8 feuillets ou 16 pages. ‖ Se dit d'un format ainsi obtenu; livre de ce format. (On écrit aussi IN-8° ou IN-8.)

INOCULABLE adj. Qui peut être inoculé : *la rage est inoculable.*

INOCULATION n. f. *Méd.* Introduction dans l'organisme d'un germe vivant, d'un virus, d'un venin, d'un vaccin, d'un sérum.

INOCULER v. t. (lat. *inoculare,* greffer). Communiquer un virus, un vaccin, etc., par inoculation. ‖ Transmettre par contagion morale; communiquer : *inoculer une doctrine.* ◆ **s'inoculer** v. pr. Se transmettre par inoculation.

INOCYBE [inɔsib] n. m. Champignon basidiomycète, de couleur ocre.

INODORE adj. (lat. *inodorus*). Sans odeur.

INOFFENSIF, IVE adj. Qui ne présente pas de danger : *animal inoffensif; remède inoffensif.*

INONDABLE adj. Qui peut être inondé.

INONDATION n. f. Débordement des eaux, recouvrant une étendue de pays.

INONDÉ, E adj. et n. Qui a souffert d'une inondation.

INONDER v. t. (lat. *inundare*). Couvrir d'eau un terrain, un lieu. ‖ Mouiller, tremper : *inonder de ses larmes.* ‖ Affluer au point d'envahir complètement, remplir qqch entièrement : *inonder un pays de produits étrangers.*

İNÖNÜ (İSMET PAŞA, dit **Ismet**), général et homme d'État turc (Izmir 1884 - Ankara 1973). Principal auteur de la victoire d'Inönü remportée sur les Grecs en 1921, il représente la Turquie à la conférence de Lausanne (1922-23). Premier ministre (1923-1937), président du parti républicain du Peuple, il succède à Mustafa Kemal à la présidence de la République (1938-1950). Il est président du Conseil de 1961 à 1965.

INOPÉRABLE adj. Qui ne peut subir une opération chirurgicale.

INOPÉRANT, E adj. Qui est sans effet, inefficace : *mesures inopérantes.*

INOPINÉ, E adj. (lat. *inopinatus*). Qui arrive sans qu'on y ait pensé; imprévu, inattendu.

INOPINÉMENT adv. De façon inopinée.

INOPPORTUN, E adj. Qui n'est pas opportun, non à propos, fâcheux, importun.

INOPPORTUNÉMENT adv. De façon inopportune : *arriver inopportunément.*

INOPPORTUNITÉ n. f. Caractère de ce qui n'est pas opportun.

INOPPOSABILITÉ n. f. *Dr.* Nature d'un acte dont les tiers peuvent écarter les effets.

INOPPOSABLE adj. *Dr.* Qui ne peut pas être opposé.

INORGANIQUE adj. *Chimie inorganique,* syn. de CHIMIE MINÉRALE.

INORGANISABLE adj. Qu'on ne peut pas organiser.

INORGANISATION n. f. Manque d'organisation de qqch, désordre.

INORGANISÉ, E adj. Qui n'est pas organisé. ◆ adj. et n. Qui n'appartient pas à un parti, à un syndicat.

INOUBLIABLE adj. Que l'on ne peut oublier.

INOUÏ, E [inwi] adj. (*in* priv., et lat. *auditus,* entendu). Tel qu'on n'a jamais entendu rien de pareil, incroyable, extraordinaire.

INOWROCŁAW, v. de Pologne, au N.-E. de Poznań; 66 500 hab. Sel et soude.

INOX n. m. Abrév. familière d'acier inoxydable.

INOXYDABLE adj. Qui résiste à l'oxydation.

IN PARTIBUS [inpartibys] loc. adj. (mots lat., *dans les pays* [*des infidèles*]). Se disait autrefois d'un évêque ayant reçu en titre, mais sans juridiction réelle, un siège épiscopal supprimé du fait de la disparition du christianisme en pays infidèle ou schismatique.

IN PETTO [inpɛto] loc. adv. (mots it., *dans le cœur*). À part soi, intérieurement, en secret : *protester in petto.* ● *Cardinal in petto,* cardinal dont le pape se réserve de publier ultérieurement la nomination.

IN-PLANO [inplano] adj. et n. m. inv. (mots lat., *en plan*). Se dit d'une feuille d'impression ne formant qu'un feuillet ou deux pages. ‖ Se dit du format obtenu avec cette feuille; livre du format in-plano.

INPUT n. m. *Écon.* Syn. de INTRANT.

INQUALIFIABLE adj. Qui ne peut être qualifié assez sévèrement, indigne, innommable.

IN-QUARTO [inkwarto] adj. et n. m. inv. (mots lat., *en quart*). Se dit d'une feuille d'impression qui, ayant été pliée deux fois, forme 4 feuillets ou 8 pages. ‖ Se dit du format obtenu avec cette feuille; livre de ce format. (On écrit aussi IN-4°.)

INQUIET, ÈTE adj. (lat. *inquietus*). Qui est agité par la crainte, l'incertitude : *être inquiet sur la santé de qqn.* ‖ Qui témoigne de l'appréhension : *regard inquiet.*

INQUIÉTANT, E adj. Qui cause de l'inquiétude : *un état inquiétant.*

INQUIÉTER v. t. (conj. **5**). Rendre inquiet, alarmer : *cette nouvelle m'inquiète.* ‖ *Fam.* Porter atteinte à la suprématie de qqn, risquer de lui faire perdre sa place : *la championne du monde n'a pas été inquiétée.* ◆ **s'inquiéter** v. pr. Se préoccuper, se soucier de, s'alarmer : *il s'inquiète de tout.*

INQUIÉTUDE n. f. Trouble, état pénible causé par la crainte, l'appréhension d'un danger.

INQUISITEUR, TRICE adj. Qui se livre à des investigations, qui cherche à découvrir les pensées cachées : *regard inquisiteur.*

INQUISITEUR n. m. Membre d'un tribunal de l'Inquisition.

INQUISITION n. f. (lat. *inquisitio;* de *inquirere,* rechercher). *Litt.* Recherche, perquisition rigoureuse mêlée d'arbitraire. ‖ *Hist.* Tribunal ecclésiastique chargé de réprimer l'hérésie. (Prend une majuscule en ce sens.)

■ Le souci de l'efficacité dans la lutte contre l'hérésie cathare amena le pape Innocent III à introduire la procédure inquisitoriale (1199) devant les tribunaux ecclésiastiques. Dans le Midi, la répression fut d'abord confiée aux tribunaux ordinaires, puis aux Prêcheurs, auxquels la papauté laissa une indépendance presque totale, avant d'exiger, face aux troubles que suscita l'Inquisition (début du XIVe s.), la collaboration des inquisiteurs et des tribunaux ecclésiastiques ordinaires (1312). Au cours de sa tournée inquisitoriale dans les paroisses, le tribunal procédait à l'interrogatoire systématique de la population, encourageait la délation et soumettait les suspects à la question, ou torture. Les sentences prononcées allaient de la peine de mort à celle de la prison perpétuelle ou temporaire, et s'accompagnaient généralement de la confiscation des biens. Efficace contre le catharisme et le valdisme (XIIIe s.), et particulièrement active dans l'Espagne du XVIe s., l'Inquisition ne joua en France aucun rôle dans la lutte contre la Réforme et fut supprimée au début du XVIIIe s.

INQUISITOIRE adj. *Dr.* Se dit du système de procédure où celle-ci est dirigée par le juge.

INQUISITORIAL, E, AUX adj. Se dit de tout acte arbitraire : *mesure inquisitoriale.* ‖ Relatif à l'Inquisition.

INRACONTABLE adj. Que l'on ne peut raconter.

INSAISISSABILITÉ n. f. *Dr.* Caractère de ce qui est insaisissable.

INSAISISSABLE adj. Qui ne peut être appréhendé : *voleur insaisissable.* ‖ Qui ne peut être compris, apprécié, perçu : *différence insaisissable.* ‖ *Dr.* Que la loi défend de saisir.

IN-SALAH, oasis du Sahara algérien; 18 800 hab.

INSALIFIABLE adj. *Chim.* Qui ne peut fournir un sel : *base insalifiable.*

INSALISSABLE adj. Qui ne peut se salir.

INSALIVATION n. f. *Physiol.* Imprégnation des aliments par la salive.

INSALUBRE adj. Malsain, nuisible à la santé : *logement insalubre.*

INSALUBRITÉ n. f. État de ce qui est insalubre : *insalubrité d'un climat.*

INSANE [ɛ̃san] adj. (lat. *insanus*). *Litt.* Déraisonnable, fou.

INSANITÉ n. f. Parole, action qui dénote un manque de jugement, de bon sens; sottise.

INSATIABILITÉ n. f. *Litt.* Appétit excessif, désir immodéré, avidité : *l'insatiabilité des richesses.*

INSATIABLE [ɛ̃sasjabl] adj. (lat. *insatiabilis;* de *satiare,* rassasier). Qui ne peut être rassasié, avide : *soif insatiable de l'or.*

INSATIABLEMENT adv. De façon insatiable.

INSATISFACTION n. f. Manque de satisfaction, mécontentement.

INSATISFAISANT, E adj. Qui ne satisfait pas, insuffisant.

INSATISFAIT, E adj. Qui n'est pas satisfait.

INSATURÉ, E adj. *Chim.* Non saturé.

INSCRIPTIBLE adj. Qui peut être inscrit. ‖ *Math.* Que l'on peut inscrire dans un périmètre ou dans une surface donnés, particulièrement dans un cercle ou dans une sphère.

INSCRIPTION n. f. (lat. *inscriptio*). Caractères gravés ou peints sur le métal, la pierre, etc., pour consacrer un souvenir : *inscription cunéiforme.* (V. ÉPIGRAPHIE.) ‖ Action d'inscrire qqn, qqch : *inscription d'un étudiant à l'université; inscription d'un nom sur une tombe.* ● *Inscription de faux,* procédure dirigée contre la véracité d'un acte authentique. ‖ *Inscription hypothécaire,* mention faite, aux registres du conservateur des hypothèques, de l'hypothèque dont une propriété est grevée. ‖ *Inscription maritime,* anc. institution destinée à recenser les marins professionnels, devenue en 1967 l'Administration des affaires* maritimes.

INSCRIRE v. t. (lat. *inscribere,* écrire sur) [conj. **65**]. Écrire sur un registre, sur une liste, graver sur la pierre, le métal de manière durable : *inscrire une adresse dans un carnet.* ‖ *Math.* Tracer une figure à l'intérieur d'une autre. ◆ **s'inscrire** v. pr. Écrire son nom sur un registre, sur une liste de souscription. ‖ Entrer dans un groupe, un organisme, un parti, un établissement. ‖ Être placé au milieu d'autres choses, se situer : *les négociations s'inscrivent dans le cadre de la diplomatie secrète.* ● *S'inscrire en faux contre qqch,* la nier; en droit, soutenir en justice qu'une pièce produite par la partie adverse est fausse.

INSCRIT, E adj. *Math.* Se dit d'un polygone dont tous les sommets sont sur une courbe donnée, ou d'une courbe tangente à tous les côtés d'un polygone donné. ● *Angle inscrit,* angle dont le sommet se trouve sur la circonférence d'un cercle.

INSCRIT, E n. Personne inscrite sur une liste : *nombre d'inscrits sur la liste électorale n'ayant pas voté.* ● *Inscrit maritime,* marin français se livrant professionnellement à la navigation, et immatriculé comme tel sur les registres de l'Administration des affaires maritimes.

INSCRIVANT, E n. *Dr.* Personne qui requiert l'inscription d'une hypothèque.

INSCULPER [ɛ̃skylpe] v. t. (lat. *insculpere*). *Techn.* Marquer d'un poinçon.

INSÉCABILITÉ n. f. Caractère de ce qui est insécable.

INSÉCABLE adj. Qui ne peut être coupé ou partagé.

INSECTARIUM [ɛ̃sɛktarjɔm] n. m. Établissement où l'on élève et conserve les insectes.

INSECTE n. m. (lat. *insectus,* coupé). Animal invertébré de l'embranchement des arthropodes, dont le corps est entouré d'une cuticule chitineuse et formé de trois parties : la *tête,* avec deux antennes, deux yeux composés et six pièces buccales; le *thorax,* avec trois paires de pattes et, souvent, deux paires d'ailes; l'*abdomen,* annelé et portant des orifices, ou stigmates, où arrivent les trachées respiratoires. ● *Insectes sociaux,* espèces d'insectes (abeilles, guêpes, fourmis, termites) vivant en groupes nombreux et caractérisés par l'existence de *castes* d'adultes stériles (ouvrières, soldats) ainsi que par la construction d'un nid collectif.

■ On a décrit plus d'un million d'espèces d'insectes, sur environ deux millions d'espèces que compte le monde vivant tout entier. Et pourtant ce groupe immense ne constitue qu'une *classe* du règne animal, incluse dans l'embranchement des arthropodes, dont les insectes ont tous les caractères généraux : tégument chitineux, corps divisé en anneaux, pattes articulées, pièces buccales externes, croissance par mues, etc. L'insecte qui sort de l'œuf (larve) n'a jamais d'ailes. Sa croissance peut s'accompagner de métamorphoses, souvent si complètes qu'une phase d'immobilisation totale *(nymphose)* est nécessaire pour transformer en adulte une larve qui ne lui ressemble ni par la forme, ni par le mode d'alimentation, ni par le lieu d'habitation. Une chenille, un « ver blanc », un « ver de vase », un asticot, une larve aquatique de libellule sont des insectes au même titre qu'un papillon, un hanneton, un moucheron, une mouche ou une libellule. Souvent la larve vit beaucoup plus longtemps que l'adulte (chez une cigale américaine : dix-sept ans contre quelques semaines), mais ce dernier seul peut reproduire l'espèce.

Les insectes ne sont pas de grands animaux : la taille de l'adulte varie de 0,1 à 30 cm. Mais ils sont très nombreux, non seulement en espèces, mais en populations, le trillion d'individus n'étant pas chose rare. Ils fréquentent tous, à une seule exception près, le milieu terrestre (terres émergées et petites étendues d'eau douce), où la plupart d'entre eux s'avèrent de redoutables concurrents de l'homme, dévorant ses récoltes, piquant ses bestiaux, s'attaquant parfois à lui. Les seuls insectes vraiment utiles sont ceux qui, comme les carabes ou les coccinelles, dévorent d'autres insectes, ou les butineurs, comme le bourdon, qui favorisent la pollinisation des plantes fourragères. Quant à l'abeille*, son miel reste encore irremplaçable en un siècle qui n'a plus besoin de la soie du bombyx ni de la laque de la cochenille.

On classe les insectes en une trentaine d'ordres, très inégaux par le nombre de leurs espèces, en tenant surtout compte du nombre et de l'aspect des ailes (d'où la désinence en *-ptères* de la plupart des groupes), de la conformation des pièces buccales et de l'existence d'une nymphose.

INSECTICIDE adj. et n. m. Se dit d'un produit qui détruit les insectes nuisibles.

INSECTIVORE adj. Se dit d'un animal qui se nourrit principalement ou exclusivement d'insectes, comme le lézard, l'hirondelle.

INSECTIVORE n. m. Mammifère de petite taille, à dents nombreuses, petites et pointues, comme le *hérisson*, la *taupe*, le *galéopithèque*, qui se nourrissent notamment d'insectes. (Les *insectivores* forment un ordre.)

INSÉCURITÉ n. f. Manque de sécurité.

IN-SEIZE [insɛz] adj. et n. m. inv. Se dit d'une feuille d'impression qui, ayant été pliée 4 fois, forme 16 feuillets ou 32 pages. ‖ Se dit du format obtenu avec cette feuille; livre de format in-seize. (On écrit aussi IN-16.)

INSELBERG [insəlbɛrg] n. m. (mot all., *montagne-île*). Dans les régions tropicales, butte qui se dresse au-dessus de plaines d'érosion.

INSÉMINATEUR, TRICE adj. et n. Qui pratique une insémination.

INSÉMINATION n. f. Dépôt de la semence du mâle dans les voies génitales de la femelle. • *Insémination artificielle,* technique permettant la fécondation d'une femelle en dehors de tout rapport sexuel, par dépôt dans les voies génitales de semence prélevée sur un mâle. (Elle est très utilisée dans l'élevage bovin.)

INSÉMINER v. t. Procéder à l'insémination artificielle.

INSENSÉ, E adj. et n. Qui a perdu la raison ou qui marque cet état; fou, extravagant : *propos insensés.*

INSENSIBILISATION n. f. Anesthésie locale.

INSENSIBILISER v. t. Rendre insensible : *insensibiliser un malade que l'on veut opérer.*

INSENSIBILITÉ n. f. Manque de sensibilité physique ou morale.

INSENSIBLE adj. Qui n'éprouve pas les sensations habituelles : *être insensible au froid.* ‖ Qui n'est point touché de pitié, indifférent, dur : *cœur insensible.* ‖ Imperceptible, progressif : *progrès insensible.*

INSENSIBLEMENT adv. De façon insensible, peu à peu.

INSÉPARABLE adj. et n. Intimement uni : *des amis inséparables.* ◆ adj. Qui ne peut être séparé, en parlant des choses.

INSÉPARABLEMENT adv. De façon à ne pouvoir être séparés.

INSÉRABLE adj. Qui peut être inséré.

INSÉRER v. t. (lat. *inserere,* introduire) [conj. **5**]. Introduire, faire entrer, placer une chose parmi d'autres, intercaler, intégrer : *insérer un feuillet dans un livre.* • *Prière d'insérer,* formule imprimée, contenant des indications sur un ouvrage, et qui est jointe à celui-ci. ◆ **s'insérer** v. pr. Trouver place, se placer, se situer : *la fiction s'insère parfois dans le réel.* ‖ S'introduire, s'intégrer : *les nouveaux immigrés se sont bien insérés dans la population.*

INSERMENTÉ [ɛ̃sɛrmɑ̃te] adj. et n. m. *Prêtre insermenté* (Hist.), syn. de PRÊTRE RÉFRACTAIRE.

INSERT [ɛ̃sɛr] n. m. (mot angl., *ajout*). *Cin.* Gros plan destiné à mettre en valeur un détail. ‖ *Télév.* Séquence intercalée dans une autre séquence filmée en direct. ‖ Conversation téléphonique introduite dans une émission radiophonique.

INSERTION n. f. Action d'insérer, d'intégrer : *insertion d'une annonce dans un journal; l'insertion des immigrés.* ‖ Attache d'une partie sur une autre : *l'insertion des feuilles sur la tige.*

INSIDIEUSEMENT adv. De façon insidieuse.

INSIDIEUX, EUSE adj. (lat. *insidiosus;* de *insidiae,* embûches). Qui constitue un piège, une tromperie : *une question insidieuse.* ‖ *Méd.* Se dit de maladies à début progressif, et dont les symptômes n'apparaissent que lorsque l'affection a déjà évolué. • *Odeur insidieuse,* qui pénètre insensiblement.

INSIGHT [insajt] n. m. (mot angl., *intuition*). *Psychol.* Intuition du sujet qui se manifeste par une diminution brusque du nombre d'erreurs commises dans le processus d'apprentissage. ‖ Intuition.

INSIGNE adj. (lat. *insignis*). *Litt.* Remarquable, éclatant : *faveur insigne.*

INSIGNE n. m. (lat. *insigne,* signe, marque). Marque extérieure d'une dignité, d'une fonction : *insigne de pilote, de grade,* etc. ‖ Signe distinctif des membres d'une association.

INSIGNIFIANCE n. f. État de ce qui est insignifiant, sans valeur.

INSIGNIFIANT, E adj. Sans importance, sans valeur : *somme insignifiante.*

INSINCÉRITÉ n. f. Manque de sincérité.

INSINUANT, E adj. Qui a le talent, la propriété de s'insinuer; indirect : *manières insinuantes.*

INSINUATION n. f. Manière subtile de faire accepter ses pensées : *procéder par insinuation.* ‖ Ce que l'on fait entendre en insinuant, allusion : *une insinuation mensongère.*

INSINUER v. t. (lat. *insinuare;* de *in,* dans, et *sinus,* repli). Faire entendre d'une manière détournée, adroitement, sans le dire expressément : *que voulez-vous insinuer?* ◆ **s'insinuer** v. pr. S'introduire, se glisser, se faire admettre avec adresse : *s'insinuer dans les bonnes grâces de qqn.* ‖ S'infiltrer; pénétrer doucement : *l'eau s'est insinuée dans les fentes.*

INSIPIDE adj. (*in* priv., et lat. *sapidus,* qui a du goût). Qui n'a pas de saveur, de goût : *l'eau est insipide.* ‖ Sans agrément, ennuyeux : *conversation insipide; auteur insipide.*

INSIPIDITÉ n. f. État de ce qui est insipide.

INSISTANCE n. f. Action d'insister, obstination.

INSISTANT, E adj. Qui insiste, pressant.

INSISTER v. i. (lat. *insistere,* s'attacher à). Persévérer à demander qqch : *insister pour être reçu.* ‖ Appuyer, souligner avec force : *insister sur un point.*

IN SITU [insity] loc. adv. (loc. lat.). Dans son milieu naturel : *étudier une roche in situ.*

INSOLATION n. f. (lat. *insolatio*). Action des rayons du soleil qui frappent un objet. ‖ *Méd.* État pathologique provoqué par une exposition trop longue à un soleil ardent. ‖ *Météor.* Syn. de ENSOLEILLEMENT. ‖ *Phot.* Exposition d'une substance photosensible à la lumière.

INSOLEMMENT [ɛ̃sɔlamɑ̃] adv. Avec insolence.

INSOLENCE n. f. (lat. *insolentia,* inexpérience). Effronterie, hardiesse excessive, manque de respect : *une réponse qui va jusqu'à l'insolence.* ‖ Parole, action insolente.

INSOLENT, E adj. et n. (lat. *insolens*). Qui manque de respect, effronté, inconvenant : *insolent au dernier point.* ‖ Qui est d'un orgueil offensant, qui a le caractère d'un défi : *rival insolent; joie insolente.*

INSOLER v. t. Exposer une substance photosensible à la lumière.

INSOLITE [ɛ̃sɔlit] adj. (lat. *insolitus;* de *solere,* être habituel). Contraire à l'usage, aux règles, à l'habitude : *une expression insolite.*

INSOLUBILISER v. t. Rendre insoluble.

INSOLUBILITÉ n. f. État de ce qui est insoluble.

INSOLUBLE adj. Qui ne peut être dissous : *la résine est insoluble dans l'eau.* ‖ Qu'on ne peut résoudre : *problème insoluble.*

INSOLVABILITÉ n. f. *Dr.* État de la personne ou de la société qui n'a pas les moyens de faire face à ses engagements.

INSOLVABLE adj. et n. Qui n'a pas de quoi payer : *débiteur insolvable.*

INSOMNIAQUE ou **INSOMNIEUX, EUSE** adj. et n. Qui souffre d'insomnie.

INSOMNIE [ɛ̃sɔmni] n. f. (*in* priv., et lat. *somnus,* sommeil). Privation, absence de sommeil. (L'insomnie peut être caractérisée par une difficulté à s'endormir ou par des réveils fréquents ou prolongés au cours de la nuit.)

INSONDABLE adj. Qu'on ne peut sonder : *gouffre insondable.* ‖ Qu'on ne peut pénétrer : *mystère insondable.*

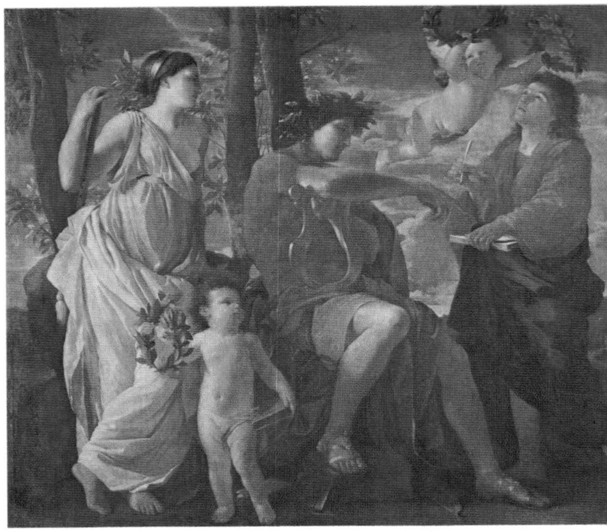

L'**Inspiration du poète,** de Nicolas Poussin. (Musée du Louvre, Paris.)

INSONORE adj. Qui n'est pas sonore. ‖ Qui étouffe les bruits.

INSONORISATION n. f. Action d'insonoriser.

INSONORISER v. t. Aménager une salle, un local pour les soustraire aux bruits extérieurs.

INSONORITÉ n. f. Manque de sonorité.

INSOUCIANCE n. f. Caractère de celui qui est insouciant; indifférence.

INSOUCIANT, E adj. Qui ne se soucie, ne s'inquiète de rien.

INSOUCIEUX, EUSE adj. *Litt.* Qui n'a pas de souci : *insoucieux du lendemain.*

INSOUMIS, E adj. Non soumis.

INSOUMIS n. m. Personne, militaire en état d'insoumission.

INSOUMISSION n. f. Défaut de soumission. ‖ Infraction commise par une personne astreinte aux obligations du service national et qui n'a pas répondu à une convocation régulièrement notifiée.

INSOUPÇONNABLE adj. Qu'on ne peut soupçonner.

INSOUPÇONNÉ, E adj. Qui n'est pas soupçonné.

INSOUTENABLE adj. Qu'on ne peut soutenir, indéfendable, horrible : *spectacle insoutenable.*

INSPECTER [ɛ̃spɛkte] v. t. (lat. *inspectare,* examiner). Examiner avec soin pour contrôler, vérifier : *les douaniers ont inspecté mes bagages.* ‖ Observer attentivement : *inspecter l'horizon.*

INSPECTEUR, TRICE n. Titre donné aux agents de divers services publics et à certains officiers généraux chargés d'une mission de surveillance et de contrôle : *inspecteur des ponts et chaussées, du travail, des contributions, de l'infanterie,* etc. • *Inspecteur de police,* fonctionnaire de police en civil chargé de missions d'investigation et de renseignements.

INSPECTION n. f. Action de surveiller, de contrôler. ‖ Fonction d'inspecteur. ‖ Corps de fonctionnaires ayant pour mission de surveiller, de contrôler : *inspection générale des Finances, de la Sécurité sociale; inspection des monuments historiques.*

INSPECTORAT n. m. Charge d'inspecteur.

INSPIRANT, E adj. Propre à inspirer.

INSPIRATEUR, TRICE adj. et n. Qui inspire, donne des suggestions, des conseils; instigateur. ◆ adj. Qui sert à l'inspiration : *muscles inspirateurs.*

INSPIRATION n. f. Action de faire pénétrer de l'air dans ses poumons. ‖ Conseil, suggestion; idée brusque : *agir par l'inspiration de...* ‖ Influence divine ou surnaturelle par laquelle l'homme aurait la révélation de ce qu'il doit dire ou faire : *inspiration divine; inspiration des prophètes.* ‖ Enthousiasme créateur : *poète sans inspiration.* ‖ Influence exercée sur une œuvre artistique ou littéraire : *château d'inspiration classique.*

Inspiration du poète *(l'),* toile de Poussin (1,82 × 2,13 m; Louvre). Des textes du XVIIIe s. mentionnent cette peinture (qui provenait de la collection de Mazarin) comme « Apollon couronnant un poète, assisté par une muse » ou « Apollon qui couronne Virgile ». Apollon ne fait pas de doute; comme la muse est Calliope (d'après l'*Iconologie* de Ripa) et que les livres, à terre, portent les titres *Odyssée, Iliade* et *Énéide,* le poète appartient au genre épique (au moins pour une part) et l'identification à Virgile est possible. L'œuvre, de date inconnue, mais précoce, est difficile à insérer dans le complexe parcours stylistique de Poussin, installé à Rome depuis quelques années : peut-être v. 1627, en considération des personnages grandeur nature, d'une tendre luminosité issue de Véronèse et du premier Titien, d'un pur classicisme exempt de la tentation baroque des années suivantes et que nourrissent des emprunts au bas-relief antique (composition) et à Raphaël (figure d'Apollon).

INSPIRATOIRE adj. Relatif à l'inspiration de l'air pulmonaire.

INSPIRÉ, E adj. et n. Qui agit sous l'influence d'une inspiration religieuse, poétique, qui manifeste cette influence. • *Bien, mal inspiré,* qui a une bonne, une mauvaise idée.

INSPIRER v. t. (lat. *inspirare,* souffler dans). Faire pénétrer dans la poitrine : *inspirer de l'air.* ‖ Faire naître dans le cœur, dans l'esprit un sentiment, une pensée, un dessein : *inspirer le respect, de la haine.* ‖ Faire naître l'enthousiasme créateur : *la Muse inspire les poètes.* ◆ **s'inspirer** v. pr. [**de**]. Se servir des idées de qqn, tirer ses idées de qqch : *s'inspirer de ses lectures.*

INSTABILITÉ n. f. Caractère de ce qui est instable : *instabilité des choses humaines.* • *Instabilité psychomotrice* (Psychol.), trait de personnalité caractérisé par une insuffisance du contrôle de la motricité et une grande labilité de l'attention et des émotions.

INSTABLE adj. Qui manque de solidité, de stabilité. ‖ Se dit d'un équilibre détruit par la moindre perturbation, d'une combinaison chimique pouvant se décomposer spontanément. ◆ adj. et n. Qui n'a pas de suite dans les idées. ‖ *Psychol.* Qui souffre d'instabilité psychomotrice ou caractérielle.

INSTALLATEUR n. m. Spécialiste assurant l'installation d'un appareil (chauffage central, appareils sanitaires, etc.).

INSTALLATION n. f. Action par laquelle on installe ou on est installé : *installation d'un magistrat.* ‖ Mise en place d'un appareil, d'un réseau électrique, téléphonique, etc. : *procéder à l'installation du chauffage central.* ‖ Ensemble de ces appareils, de ce réseau : *réparer l'installation électrique.* ‖ *Art contemp.* Syn. de ENVIRONNEMENT.

INSTALLER v. t. (lat médiév. *installare;* de *stallum,* stalle). Mettre solennellement en possession d'une dignité, d'un emploi, etc. : *installer le président d'un tribunal.* ‖ Établir qqn dans un lieu pour un certain temps : *installer sa famille en province.* ‖ Mettre en place, disposer, aménager : *installer un moteur, un appartement.* • *Être installé,* être parvenu à une situation qui assure l'aisance et le confort. ◆ **s'installer** v. pr. S'établir en un endroit, y établir sa résidence : *s'installer à Paris.*

INSTAMMENT adv. De façon instante.

INSTANCE n. f. (lat. *instantia;* de *instare,* presser vivement). Prière, demande pressante : *céder aux instances de qqn.* ‖ (Souvent au pl.) Organisme, service qui a un pouvoir de décision : *les instances dirigeantes du parti socialiste.* ‖ *Dr.* Série des actes d'une procédure allant de la demande jusqu'au jugement : *introduire une instance.* ‖ Dans une formation sociale, structure particulière, qui est en relation avec les autres structures, ou s'exerce une pratique spécifique. ‖ *Psychanal.* Terme générique désignant une structure de l'appareil psychique.

INSTANT, E adj. (lat. *instans*). *Litt.* Pressant : *prières instantes.*

INSTANT [ɛ̃stɑ̃] n. m. Moment très court. • *À chaque instant,* continuellement. ‖ *À l'instant, dans l'instant,* à l'heure même, tout de suite. ‖ *Dans un instant,* bientôt. ‖ *Un instant!,* attendez un peu. ◆ loc. conj. *Dès l'instant que,* puisque.

INSTANTANÉ, E adj. Qui se produit soudainement : *mort presque instantanée.*

INSTANTANÉ n. m. Cliché photographique obtenu par une exposition de très courte durée.

INSTANTANÉITÉ n. f. Qualité de ce qui est instantané.

INSTANTANÉMENT adv. De façon instantanée, immédiatement.

INSTAR DE (À L') loc. prép. (lat. *ad instar*, à la ressemblance). *Litt.* À la manière, à l'exemple de : *à l'instar de ses parents.*

INSTAURATEUR, TRICE n. *Litt.* Personne qui établit qqch pour la première fois.

INSTAURATION n. f. *Litt.* Établissement : *l'instauration d'un gouvernement.*

INSTAURER v. t. (lat. *instaurare*). Établir les bases, fonder, organiser : *instaurer une cour martiale.*

INSTIGATEUR, TRICE n. Celui, celle qui pousse à faire une chose, dirigeant, inspirateur : *l'instigateur d'un complot.*

INSTIGATION n. f. (lat. *instigatio*; de *instigare*, pousser). Action de pousser qqn à faire qqch, incitation : *obéir aux instigations de qqn.*

INSTIGUER v. t. En Belgique, pousser qqn à faire qqch.

INSTILLATION n. f. Action d'instiller.

INSTILLER [ɛ̃stile] v. t. (lat. *instillare*; de *stilla*, goutte). Verser goutte à goutte.

INSTINCT [ɛ̃stɛ̃] n. m. (lat. *instinctus*, impulsion). Impulsion naturelle, intuition, sentiment spontané. ‖ *Éthol.* Déterminant héréditaire du comportement caractéristique de l'espèce. ‖ *Psychanal.* Syn. de PULSION. ● *D'instinct, par instinct*, par le mouvement naturel, irréfléchi : *il a agi plutôt par instinct que par raison.*
■ Les philosophes grecs utilisaient déjà ce terme pour expliquer les comportements* animaux, réservant celui d'intelligence* aux comportements humains. Cependant, de nombreuses écoles ont rejeté la notion d'instinct, en raison de son manque d'objectivité et de son imprécision. Parmi celles-ci on trouve les réflexologues (I. P. Pavlov* et ses élèves) et les tenants de la théorie des tropismes* (J. Loeb). Les recherches en éthologie ont montré que la perception par un individu, à un moment donné de son existence, de stimuli signaux du monde extérieur agit, en fonction de son état interne à ce moment précis (dépendant de facteurs génétiques, physiologiques, psychologiques, etc.), sur des mécanismes innés de déclenchement (IRM) et se traduit par l'effection de schémas moteurs qui constituent pour l'observateur autant d'actes instinctifs. Ceux-ci ont des formes d'expression plus ou moins complexes, suivant leur niveau d'intégration au milieu extérieur. Cette observation a amené N. Tinbergen* à formuler, en 1951, une théorie hiérarchique de l'instinct, selon laquelle les actes instinctifs élémentaires, ou actes d'exécution, sont contrôlés par un niveau inhibiteur immédiatement supérieur, tandis que l'ensemble des niveaux de décision est organisé dans le système nerveux de façon pyramidale.

INSTINCTIF, IVE adj. et n. Qui est poussé par l'instinct. ◆ adj. Qui naît de l'instinct, irréfléchi, inconscient : *mouvement instinctif.*

INSTINCTIVEMENT adv. Par instinct.

INSTINCTUEL, ELLE adj. *Psychol.* Qui se rapporte à l'instinct.

INSTITUER v. t. (lat. *instituere*, établir). Établir une chose nouvelle, fonder, instaurer : *Richelieu institua l'Académie française.* ● *Instituer un héritier* (Dr.), nommer un héritier par testament.

INSTITUT n. m. (lat. *institutum*; de *instituere*, établir). Nom de certains établissements de recherche scientifique, d'enseignement : *Institut océanographique.* ‖ Titre porté par les congrégations instituées selon les règles canoniques, spécialement celles dont les membres ne sont pas prêtres. ● *Institut de beauté*, établissement où l'on dispense les soins du visage et du corps à des fins esthétiques. ‖ *Institut d'émission*, en France, la Banque de France. ‖ *Institut universitaire de technologie* (I. U. T.), établissement d'enseignement assurant la formation de techniciens supérieurs.

Institut *(palais de l')*. Situé à Paris, sur la rive gauche de la Seine, en face du Louvre, c'est l'ancien Collège des Quatre-Nations, élevé sous la direction de Le Vau, à partir de 1663, à la suite d'un legs de Mazarin (qui y a son tombeau). Affecté à l'Institut de France depuis 1806, il accueille dans sa chapelle à coupole les séances publiques des Académies.

Institut de France, ensemble des cinq Académies : *l'Académie* française; l'Académie des inscriptions et belles-lettres*, fondée en 1663 par Colbert et chargée à l'origine de composer les inscriptions des médailles et monuments royaux (elle s'occupe de travaux d'érudition historique et archéologique); *l'Académie des sciences; l'Académie des beaux-arts*, composée de peintres, de sculpteurs, de graveurs et de musiciens (ses diverses sections, créées par Mazarin et Colbert, ont été réunies en 1795); *l'Académie des sciences morales et politiques*, fondée en 1795 et qui se consacre à l'étude de questions de philosophie, de droit, de sociologie, d'économie politique et d'histoire.

Institut de psychanalyse, organisme ayant pour fonction la formation et l'enseignement des futurs psychanalystes, fondé en 1933 au sein de la Société psychanalytique de Paris.

INSTITUTEUR, TRICE n. Personne qui enseigne en maternelle et dans l'enseignement primaire.

Institut géographique national (I. G. N.), établissement civil chargé d'exécuter toutes les cartes officielles de la France ainsi que tous les travaux de géodésie, de nivellement, de topographie, de photographie qui s'y rapportent, avec les études théoriques et techniques et les publications qu'elles impliquent. Fondé en 1940, il réunit les attributions du Service géographique de l'armée et de l'ancien Service du nivellement général de la France.

INSTITUTION n. f. Action d'instituer, d'établir : *institution d'un ordre religieux.* ‖ Établissement d'enseignement privé : *une institution de jeunes filles.* ‖ *Dr.* Ensemble des organismes et des règles établis en vue de la satisfaction d'intérêts collectifs : *l'État, le Parlement, une fondation, la tutelle, la prescription, la faillite sont des institutions.* ● *Institution contractuelle* (Dr.), clause incluse dans un contrat de mariage, par laquelle une personne promet de laisser sa succession aux époux ou à l'un d'entre eux, lors de son décès. (Elle peut avoir également lieu entre époux.) ◆ pl. Lois fondamentales d'un pays : *les institutions démocratiques.*

Institution de la religion chrétienne, ouvrage de Calvin, publié d'abord en latin (1536) puis en français (1541); le livre sera remanié et augmenté jusqu'à l'édition définitive en 1560. C'est le premier et le plus important exposé de la foi réformée, en même temps qu'un chef-d'œuvre littéraire qui a contribué à la formation de la prose française moderne.

INSTITUTIONNALISATION n. f. Action d'institutionnaliser.

INSTITUTIONNALISER v. t. Donner un caractère institutionnel.

INSTITUTIONNALISME n. m. Tendance à multiplier les institutions, les organismes de contrôle, etc., notamment dans les domaines politique et économique.

INSTITUTIONNEL, ELLE adj. Relatif aux institutions. ● *Analyse institutionnelle* (Psychol.), analyse que mène en permanence un collectif sur son fonctionnement. ‖ *Pédagogie institutionnelle*, mouvement pédagogique qui intègre à la vie coopérative de la classe une perspective psychosociologique et une perspective psychanalytique. ‖ *Psychothérapie institutionnelle* (Psychiatr.), pratique psychiatrique hospitalière qui préconise un abord collectif pluridimensionnel de la maladie mentale.

Institut national de l'audiovisuel (I. N. A.) → AUDIOVISUEL.

Institut national de la recherche agronomique (I. N. R. A.), établissement public français dépendant du ministère de l'Agriculture, chargé de développer les recherches relatives à l'agriculture et aux industries de transformation des produits agricoles.

Institut national de la santé et de la recherche médicale (I. N. S. E. R. M.), organisme créé en 1964 et qui a trois fonctions : étude de tous les problèmes sanitaires du pays; conseil auprès du gouvernement en matière de santé; orientation et recherche médicales.

Institut national de la statistique et des études économiques (I. N. S. É. É.), organisme public chargé de la publication des statistiques françaises, de diverses enquêtes et de l'élaboration d'études, notamment en matière de conjoncture économique. Il a pris, en 1946, la suite du *Service national des statistiques*, qui, lors de sa création en 1941, avait absorbé la *Statistique générale* (créée à la fin du XVIIIe s.), *l'Institut de conjoncture* (créé en 1938) et le *Service de la démographie* (créé en 1940).

INSTRUCTEUR n. m. et adj. m. Gradé chargé de faire l'instruction militaire. ● *Juge instructeur*, juge chargé d'instruire un procès.

INSTRUCTIF, IVE adj. Qui apporte des connaissances : *conversation, lecture instructive.*

INSTRUCTION n. f. (lat. *instructio*). Action d'instruire, de donner des connaissances nouvelles, enseignement : *en France, l'instruction primaire est gratuite, laïque et obligatoire.* ‖ Savoir, connaissance, culture : *avoir de l'instruction.* ‖ *Dr.* Procédure qui met une affaire, un procès en état d'être jugé. ‖ *Inform.* Dans un ordinateur, ordre codé dont l'interprétation entraîne l'exécution d'une opération élémentaire de type déterminé. (Une suite d'instructions constitue un programme.) ● *Instruction militaire*, formation donnée aux militaires et notamment aux recrues. ‖ *Instruction publique*, instruction donnée par l'État. ‖ *Instruction préparatoire*, phase de la procédure pénale au cours de laquelle le juge d'instruction apprécie les preuves de la culpabilité du prévenu. ◆ pl. Ordres, explications pour la conduite d'une affaire, d'une entreprise : *se conformer aux instructions données.*

INSTRUIRE v. t. (lat. *instruere*, bâtir) [conj. **64**]. Former l'esprit de qqn en lui donnant des connaissances nouvelles : *ce livre m'a beaucoup instruit.* ‖ Donner connaissance de qqch, mettre au courant : *instruisez-moi de ce qui se passe.* ● *Instruire une cause, une affaire* (Dr.), la mettre en état d'être jugée. ◆ **s'instruire** v. pr. Développer ses connaissances, étudier.

INSTRUIT, E adj. Qui a des connaissances étendues, une bonne instruction.

INSTRUMENT n. m. (lat. *instrumentum*). Outil, machine, appareil servant à exécuter qqch ou à faire quelque opération : *instrument aratoire; instrument de mesure.* ‖ *Mus.* Corps sonore utilisé pour produire des sons ou des bruits. ‖ Ce qui est employé pour atteindre un résultat, moyen : *devenir l'instrument de qqn.*
■ *Instruments de musique.* Accompagnant ou remplaçant la voix, la plupart des objets fabriqués par l'homme pour produire des sons musicaux ont pris naissance chez les peuples orientaux de la plus haute antiquité.
Instruments à cordes frottées ou pincées. Les cordes entrent en vibration soit sous l'action d'un archet (famille des violes, des violons), soit lorsqu'elles sont pincées par un plectre (mandoline, banjo, cithare) ou par les doigts de l'interprète (luth, harpe). L'archet se compose d'une baguette de bois dur, aux extrémités de laquelle s'accrochent des crins de cheval. Le plectre est une lamelle de bois, d'ivoire ou d'écaille.
Instruments à cordes et à clavier. Un bec de plume accroche les cordes (virginal, épinette, clavecin) ou un marteau les frappe (piano).
Instruments à cordes et à roue. La roue frotte les cordes et remplit les fonctions d'un archet (vielle à roue).
Instruments à vent. Le son s'obtient soit par insufflation directe de l'air (flûte), soit par vibration, sous l'action de l'air, d'une languette de roseau simple ou double, appelée « anche » (hautbois, cor anglais, clarinette). Ces instruments forment la famille des « bois ». Tous les instruments métalliques à embouchure s'apparentent aux « cuivres » (cor, trompette, trombone), quoique fabriqués souvent avec du laiton, du maillechort et parfois de l'aluminium.
Instruments à vent et à clavier. Un réservoir d'air alimente, grâce à des soufflets, des tuyaux de bois et de métal qui entrent en vibration (orgue).
Instruments à percussion. Le son naît du frottement ou du frappement d'un objet sur un autre. Il en existe plusieurs sortes :
— ceux où l'on frappe avec les mains (tam-tam) ou avec des baguettes sur une peau d'animal tendue (tambour, grosse caisse, timbales);
— ceux où l'on frappe sur le métal (triangle, cloche, carillon, vibraphone) ou sur le bois (xylophone);
— ceux dans lesquels deux parties en bois se heurtent (castagnettes).
La fabrication des instruments à cordes frottées ou pincées est du domaine des luthiers. Les facteurs construisent les autres catégories d'instruments.
La musique d'ensemble et, plus tard, l'orchestre naquirent de l'idée de faire sonner ensemble plusieurs instruments. Pour cela, on procéda à une classification de chaque instrument à l'intérieur de son espèce selon les registres de la voix humaine (basse, ténor, dessus). On doit à l'essor du drame lyrique l'importance progressive accordée à la musique instrumentale. Mais les compositeurs classiques se bornaient à confier chaque partie à un instrument. Il faut attendre la production de Rameau pour que cette attribution se diversifie, se colore suivant le caractère particulier des instruments et conduise à *l'orchestration.*
La réunion des vents appartenant uniquement à la famille des cuivres donne naissance à une *fanfare.* L'orchestre d'harmonie, en revanche, comprend des cuivres, des bois, des percussions.

INSTRUMENTAIRE adj. *Témoin instrumentaire* (Dr.), personne qui assiste un officier public dans les actes pour la validité desquels la présence de témoins est nécessaire.

INSTRUMENTAL, E, AUX adj. *Conditionnement instrumental* (Psychol.), variété de conditionnement décrite par B. F. Skinner et dans laquelle le renforcement, événement quelconque survenant après une réponse, augmente la probabilité d'émission de celle-ci. ‖ *Musique instrumentale*, musique écrite pour des instruments de musique.

INSTRUMENTAL n. m. et adj. *Ling.* Se dit d'un cas de la déclinaison de certaines langues qui indique le moyen.

INSTRUMENTALISME n. m. *Philos.* Doctrine qui considère l'intelligence et les théories comme des outils destinés à l'action.

INSTRUMENTATION n. f. *Mus.* Choix des instruments correspondant à chaque partie d'une œuvre musicale.

INSTRUMENTER v. i. *Dr.* Faire des contrats, des procès-verbaux et autres actes publics. ◆ v. t. *Mus.* Confier chaque partie d'une œuvre musicale à un instrument.

INSTRUMENTISTE n. Musicien qui joue d'un instrument. ‖ Personne qui prépare et présente au chirurgien les instruments nécessaires au cours de l'intervention.

INSU (À L') loc. prép. Sans qu'on le sache : *sortir à l'insu de tous; il est sorti à mon insu.*

INSUBMERSIBILITÉ n. f. Qualité de ce qui est insubmersible.

INSUBMERSIBLE adj. Qui ne peut être submergé.

INSUBORDINATION n. f. Désobéissance, indiscipline, non-exécution des ordres reçus.

INSUBORDONNÉ, E adj. Indiscipliné.

INSUCCÈS n. m. Manque de succès, échec.

INSUFFISAMMENT adv. De façon insuffisante.

INSUFFISANCE n. f. Manque de la quantité nécessaire; carence : *l'insuffisance de la production industrielle.* ‖ Incapacité, infériorité : *reconnaître son insuffisance.* ‖ *Méd.* Diminution qualitative ou quantitative du fonctionnement d'un organe.

INSUFFISANT, E adj. Qui ne suffit pas, incomplet : *nourriture insuffisante.* ‖ Qui n'a pas les aptitudes nécessaires, incapable.

INSUFFLATEUR n. m. Instrument servant à insuffler dans le larynx et dans les narines de l'air ou des médicaments pulvérulents.

INSUFFLATION n. f. *Méd.* Action d'insuffler.

INSUFFLER v. t. (lat. *insufflare*). *Méd.* Introduire, à l'aide du souffle ou d'un appareil spécial, un gaz, une vapeur dans quelque cavité du corps. ‖ *Litt.* Donner, inspirer un sentiment à qqn : *insuffler du courage.*

INSULAIRE adj. et n. (bas lat. *insularis*; de *insula*, île). Qui habite une île, y vit : *peuplade insulaire.* ◆ adj. Relatif à une île.

INSULARITÉ n. f. Caractère particulier d'un pays formé par une île. ‖ Ensemble des phénomènes géographiques caractéristiques des îles.

INSULINASE n. f. Enzyme du foie rendant l'insuline inactive.

INSULINDE, partie insulaire de l'Asie du Sud-Est (Indonésie et Philippines).

INSULINE n. f. (lat. *insula*, île). Hormone hypoglycémiante sécrétée par les îlots de Langerhans du pancréas. (L'insuline est employée dans le traitement du diabète.)

INSULINOTHÉRAPIE n. f. Traitement de certaines maladies par l'insuline.

INSULTANT, E adj. Qui constitue une insulte, une offense, injurieux.

INSULTE n. f. Outrage en actes ou en paroles.

INSULTÉ, E adj. et n. Qui a reçu une insulte.

INSULTER v. t. (lat. *insultare*, sauter sur). Offenser par des paroles blessantes ou des actes méprisants, injurieux.

INSUPPORTABLE adj. Qu'on ne peut supporter, intolérable : *douleur insupportable.* ‖ Très désagréable : *enfant insupportable.*

INSURGÉ, E adj. et n. Qui s'est mis en état d'insurrection.

INSURGER (S') v. pr. (lat. *insurgere*, se lever contre) [conj. **1**]. Se révolter, se soulever contre une autorité, un pouvoir, etc.

INSURMONTABLE adj. Qui ne peut être surmonté.

INSURPASSABLE adj. Qui ne peut être surpassé.

INSURRECTION n. f. (bas lat. *insurrectio*). Soulèvement en armes contre le pouvoir établi. ‖ Révolte, opposition vivement exprimée.

INSURRECTIONNEL, ELLE adj. Qui tient de l'insurrection, qui en a le caractère : *mouvement insurrectionnel.*

INTACT, E adj. (lat. *intactus*; de *tangere*, toucher). À quoi l'on n'a pas touché; dont on n'a rien retranché : *somme intacte.* ‖ Qui n'a subi aucune atteinte, pur, irréprochable : *réputation intacte.*

INTAILLE [ɛ̃taj] n. f. (it. *intaglio*, entamure). Pierre fine gravée en creux.

INTANGIBILITÉ n. f. Caractère intangible.

INTANGIBLE adj. Qui doit rester intact : *droit intangible.*

INTARISSABLE adj. Qui ne peut être tari : *source intarissable.* ‖ Qui ne s'épuise pas : *gaieté*

intaille de Julie. Aigue-marine gravée par Eudos. Ier s. apr. J.-C. La monture date du IXe s. (Bibliothèque nationale, Paris.)

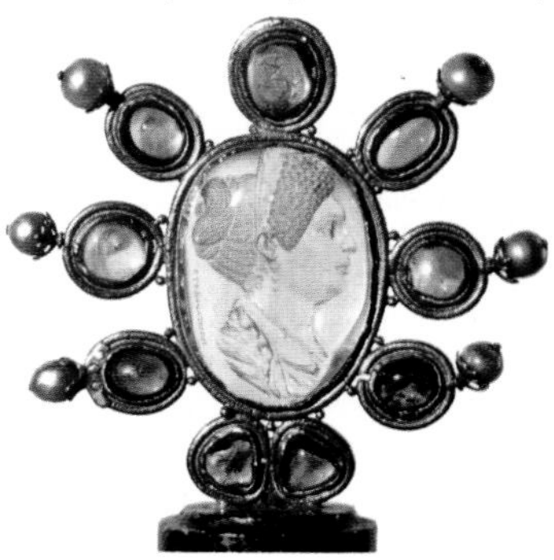

B. N.

intarissable. ‖ Qui ne cesse pas de parler : *causeur intarissable.*

INTARISSABLEMENT adv. De façon intarissable.

INTÉGRABLE adj. *Math.* Se dit d'une fonction qui admet une intégrale.

INTÉGRAL, E, AUX adj. (lat. *integer,* entier). Dont on n'a rien retiré, entier, complet : *paiement intégral.* ‖ *Math.* Relatif aux intégrales : *calcul intégral.* ● *Casque intégral,* casque de cyclomotoriste protégeant la boîte crânienne, le visage et les mâchoires.

INTÉGRALE n. f. Édition complète des œuvres d'un écrivain, d'un musicien. ‖ *Math.* Fonction solution d'une différentielle ou d'une équation différentielle. ● *Intégrale définie d'une fonction f sur un intervalle* [a, b], nombre obtenu comme limite d'une somme de termes infinitésimaux et qui représente l'aire (algébrique) comprise entre la courbe représentative de la fonction f et l'axe des x. $\left[\text{Il se note} \int_a^b f(x)\,dx.\right]$ ‖ *Intégrale d'une fonction f,* fonction g obtenue en considérant une intégrale définie de f comme dépendant de la borne supérieure de l'intervalle d'intégration.

$$\left[\text{Notée } g(x) = \int_a^x f(t)\,dt.\right]$$

■ L'intégrale d'une fonction $f(x)$ est une primitive de $f(x)$; on désigne cette primitive par la notation $\int f(x)\,dx$.

Le calcul des intégrales se ramène à celui des primitives, c'est-à-dire au calcul, pour une fonction f donnée, d'une fonction F dont la dérivée est égale à f : $F'(x) = f(x)$, pour toute valeur de x pour laquelle les deux fonctions sont définies. La dérivée d'une constante étant nulle, on obtient toutes les primitives d'une fonction donnée en ajoutant une constante arbitraire à l'une d'elles. L'intégrale $\int f(x)\,dx$ n'est donc définie qu'à une constante près : c'est une *intégrale indéfinie*. Le calcul des intégrales consiste, à l'aide de changements de variables, à les ramener à des intégrales connues et à d'autres intégrales faisant intervenir des fonctions composées de fonctions usuelles.

Le calcul des intégrales est une partie essentielle de l'analyse et de ses applications.

Primitives fondamentales :

$$\int x^n\,dx = \frac{x^{n+1}}{n+1} \quad n \neq -1; \qquad \int \frac{dx}{x} = \text{Log}\,|x|;$$

$$\int \sin x\,dx = -\cos x; \qquad \int \cos x\,dx = \sin x;$$

$$\int \frac{dx}{\cos^2 x} = \text{tg}\,x; \qquad \int e^x\,dx = e^x;$$

$$\int \frac{dx}{x^2 + a^2} = \frac{1}{a}\,\text{Arc tg}\,\frac{x}{a};$$

$$\int \frac{dx}{a^2 - x^2} = \frac{1}{2a}\,\text{Log}\left|\frac{x+a}{x-a}\right|;$$

$$\int \frac{dx}{\sqrt{a^2 - x^2}} = \text{Arc sin}\,\frac{x}{|a|} \quad a \neq 0;$$

$$\int \frac{dx}{\sqrt{x^2 + k}} = \text{Log}\,|x + \sqrt{x^2 + k}|.$$

INTÉGRALEMENT adv. En totalité.

INTÉGRALITÉ n. f. État d'une chose complète : *l'intégralité d'une somme.*

INTÉGRANT, E adj. *Partie intégrante,* qui fait partie d'un tout.

INTÉGRATEUR adj. et n. m. Se dit d'un appareil qui totalise des indications continues.

INTÉGRATIF, IVE adj. *Action intégrative* (Physiol.), syn. de INTÉGRATION.

INTÉGRATION n. f. Action d'intégrer, de s'intégrer. ‖ *Astronaut.* Opération qui consiste à assembler les différentes parties d'un système et à assurer leur compatibilité ainsi que le bon fonctionnement du système complet. ‖ *Écon.* Syn. de CONCENTRATION* VERTICALE. ‖ *Math.* Calcul de l'intégrale d'une différentielle ou d'une équation différentielle. ‖ *Physiol.* Coordination des activités de plusieurs organes, en vue d'un fonctionnement harmonieux, réalisée par divers centres nerveux. (Syn. ACTION INTÉGRATIVE.)

INTÈGRE adj. (lat. *integer,* entier). D'une probité absolue, incorruptible : *juge intègre.*

INTÉGRÉ, E adj. Se dit d'un circuit commercial caractérisé par l'absence de grossiste.

INTÈGREMENT adv. D'une manière intègre.

INTÉGRER v. t. (lat. *integrare,* recréer) [conj. 5]. Faire entrer dans un ensemble, dans un groupe plus vaste. ‖ *Math.* Déterminer l'intégrale d'une fonction. ◆ v. i. *Fam.* Être reçu au concours d'entrée à une grande école. ◆ **s'intégrer** v. pr. S'assimiler entièrement à un groupe.

INTÉGRISME n. m. Disposition d'esprit de certains croyants qui, se réclamant de la tradition, se refusent à toute évolution.

INTÉGRISTE adj. et n. Partisan de l'intégrisme.

INTÉGRITÉ n. f. État d'une chose qui a toutes ses parties, qui n'a pas subi d'altération : *l'intégrité d'une somme.* ‖ Qualité d'une personne intègre, probité, honnêteté.

INTELLECT [ɛ̃tɛllɛkt] n. m. (lat. *intellectus;* de *intelligere,* comprendre). Faculté de forger et de saisir des concepts, entendement.

INTELLECTION n. f. (lat. *intellectio*). *Philos.* Acte par lequel l'esprit conçoit.

INTELLECTUALISATION n. f. Action d'intellectualiser.

INTELLECTUALISER v. t. Donner un caractère intellectuel à.

INTELLECTUALISME n. m. Doctrine philosophique qui affirme la prééminence de l'intelligence sur les sentiments et la volonté. ‖ Caractère d'une œuvre, d'un art où prédomine l'élément intellectuel.

INTELLECTUALISTE adj. et n. Qui appartient à l'intellectualisme.

INTELLECTUALITÉ n. f. Qualité de ce qui est intellectuel.

INTELLECTUEL, ELLE adj. Qui appartient à l'intelligence, à l'activité de l'esprit : *la vie intellectuelle; un travail intellectuel.* ◆ n. et adj. Personne dont la profession comporte essentiellement une activité de l'esprit (par oppos. à MANUEL) ou qui a un goût affirmé pour les activités de l'esprit.

INTELLECTUELLEMENT adv. De façon intellectuelle, sur le plan intellectuel.

INTELLIGEMMENT adv. Avec intelligence.

INTELLIGENCE n. f. Faculté de comprendre, de donner un sens : *l'intelligence distingue l'homme de l'animal.* ‖ Aptitude à s'adapter à une situation, à choisir en fonction des circonstances; capacité de comprendre telle ou telle chose : *avoir l'intelligence des affaires; s'acquitter d'une mission avec intelligence.* ‖ Être humain considéré dans ses aptitudes intellectuelles; personne très intelligente. ‖ *Psychol.* Aptitude, variable avec les individus et les espèces, à résoudre des problèmes de toute sorte. ● *Être d'intelligence,* s'entendre, être d'accord, de connivence : *ils sont d'intelligence pour vous tromper.* ‖ *Intelligence artificielle,* ensemble de théories et de techniques mises en œuvre en vue de réaliser des machines capables de simuler l'intelligence humaine pour accomplir une fonction déterminée. ‖ *Vivre en bonne, mauvaise intelligence avec qqn,* vivre en bons, mauvais termes avec lui. ◆ pl. Entente, relations secrètes : *entretenir des intelligences avec l'ennemi.*

■ L'intelligence est intimement liée aux critères qui servent à la définir, et par-delà, à l'idéologie de la société dans laquelle on fait opérer ce concept. Ainsi, à travers la psychologie actuelle, elle apparaît comme une aptitude, variable avec les individus et les espèces, à résoudre des problèmes de toute sorte. Les tests d'intelligence et les théories d'H. Wallon* et de J. Piaget* donnent du développement intellectuel l'image d'une hiérarchie de savoir-faire progressivement acquis par l'enfant. Au plus bas niveau se situent les comportements réflexes, puis viennent les comportements concrets, liés à une intelligence pratique qui existe déjà chez les animaux supérieurs; au sommet est l'intelligence discursive, propre à l'homme. Cette évolution pose d'emblée la supériorité de la pensée logique et de l'abstraction sur toutes les autres formes d'intelligence.

J. Piaget conçoit l'intelligence comme un processus d'adaptation au monde extérieur, adaptation résultant de l'équilibre entre deux mécanismes : accommodation et assimilation. L'*assimilation* est l'action d'un organisme sur son environnement; elle traduit les effets de l'activité du sujet sur son développement mental. L'*accommodation,* complémentaire de l'assimilation, est le processus par lequel l'organisme se modifie pour mieux s'adapter au monde extérieur : l'action sur le monde conduit ainsi à une modification en retour de l'organisme.

Le développement intellectuel, aussi bien chez Wallon que chez J. Piaget, passe par une série de *stades,* c'est-à-dire d'étapes, structuralement différentes les unes des autres, mais se succédant toujours dans le même ordre chez tous les enfants. L'*intelligence pratique,* qui est génétiquement la première forme d'intelligence, dépend étroitement de la maturation nerveuse de la fonction motrice; elle permet à l'enfant des postures et des mimiques variées qui amènent son entourage à agir pour lui en fonction d'un but qu'il recherche; elle lui permet aussi de manipuler des objets, et ainsi d'atteindre directement ce but. L'*imitation,* première ébauche de la fonction symbolique, est considérée comme la conduite qui fait la transition entre l'intelligence pratique et l'intelligence discursive, car celle-ci opère sur des représentations et a le langage pour substratum indispensable. L'imitation apparaît vers le milieu de la deuxième année, lorsque, par exemple, l'enfant fait semblant de dormir, ce qui suppose qu'il est devenu capable de distinguer réalité matérielle et réalité symbolique, signifiant et signifié. L'*intelligence concrète* (de 3 à 6 ans) représente le premier niveau de l'intelligence discursive. Elle opère sur des signes et des symboles, sans toutefois se dégager de l'expérience concrète de nature affective, perceptive ou motrice, si bien qu'elle ne permet pas d'atteindre à un niveau de connaissance rationnelle. Le *syncrétisme* est l'attitude intellectuelle qui lui correspond : il consiste en une saisie globale des situations, où perception, affectivité et action sont intriquées; la connaissance qui en résulte reste subjective, ne dépassant pas les données de l'expérience brute. L'incapacité d'analyse est le trait marquant de ce stade. Ces caractéristiques apparaissent nettement dans le dessin : c'est le stade du réalisme intellectuel.

De six à onze ans, l'intelligence devient *abstraite,* c'est-à-dire capable d'opérer sur des signes et des symboles, suffisamment libérés de l'affectivité et de l'action immédiate pour dépasser l'expérience concrète et parvenir à une connaissance objective. L'enfant peut alors subordonner son activité à un but posé à l'avance. L'analyse lui permet de détacher les qualités d'un objet, de les isoler les unes des autres, et de comparer différents objets entre eux, par rapport à cette qualité (classement et sériation). L'*intelligence conceptuelle* commence à se former chez l'enfant de douze ans, à condition qu'il soit placé dans des circonstances éducatives favorables (enseignement secondaire long). Elle est caractérisée par la possibilité d'un raisonnement hypothético-déductif, portant sur des données indépendamment de leur actualité, et utilise une logique formelle : le réel n'est plus qu'un possible parmi l'ensemble des possibles.

Le développement intellectuel dépend de nombreux facteurs : longtemps le dogme de la transmission héréditaire de l'intelligence a prévalu et l'on citait à l'appui l'hérédité du génie ou de l'éminence dans une aptitude particulière (les générations de Bach, de Mozart ou de Bernouilli). De plus en plus, on considère la famille, non seulement comme un ensemble d'individus ayant un certain nombre de gènes identiques, mais comme un milieu éducatif, qui influence de façon quasi identique chacun de ses membres. De nombreuses études ont montré que le quotient* intellectuel d'enfants de parents débiles mentaux, placés dans un milieu d'adoption favorisé sur le plan socioculturel, était plus proche de celui de leurs parents adoptifs que de leurs parents biologiques. Le développement psychique résulte aussi de l'interaction d'un facteur maturationnel (maturation du système nerveux, des glandes endocrines, des organes des sens) et d'un facteur d'apprentissage* qui dépend de la richesse des stimulations émanant du milieu de vie. La maturation offre des possibilités que l'ambiance éducative est chargée d'actualiser en les sollicitant. Il y a un âge *(période sensible)* pour apprendre à marcher comme il y a un âge pour apprendre à parler (v. LANGAGE), ainsi que l'ont montré les études faites sur les enfants dits « sauvages ». Au-delà de ces périodes sensibles, stimulations et apprentissage ne suffiront plus à mettre en route une fonction pourtant potentiellement inscrite dans le système nerveux. Le milieu de vie, surtout par sa richesse linguistique et le niveau verbal qu'il permet à l'enfant d'atteindre, joue un rôle primordial dans son quotient intellectuel. Les psychanalystes ont montré toute l'importance du facteur affectif dans le développement intellectuel; Freud* subordonne d'ailleurs l'intelligence à l'affectivité, alors que Piaget pense que l'affectivité est la source énergétique des conduites dont la structure est déterminée par l'intelligence.

Intelligence Service (IS), en Grande-Bretagne, ensemble des services secrets relevant du Premier ministre et chargé de recueillir les renseignements de tous ordres intéressant l'action politique, économique et militaire du gouvernement.

INTELLIGENT, E adj. Doué d'intelligence, capable de comprendre : *il est très intelligent, mais paresseux.* ‖ Qui indique l'intelligence : *réponse intelligente.*

INTELLIGENTSIA [ɛ̃tɛliʒɛ̃sja] n. f. (mot russe). Ensemble des intellectuels d'un pays.

INTELLIGIBILITÉ n. f. Qualité, caractère d'une chose intelligible.

INTELLIGIBLE adj. Qui peut être facilement entendu ou compris : *parler à haute et intelligible voix; discours intelligible.* ‖ *Philos.* Qui n'est connaissable que par l'entendement.

INTELLIGIBLEMENT adv. De façon intelligible : *parler intelligiblement.*

INTEMPÉRANCE n. f. *Litt.* Excès, liberté excessive : *intempérance de langage.* ‖ Manque de modération dans le manger ou le boire.

INTEMPÉRANT, E adj. Qui fait preuve d'intempérance, excessif.

INTEMPÉRIE n. f. (lat. *intemperies;* de *tempus,* temps). Mauvais temps, rigueurs du climat : *braver les intempéries.*

INTEMPESTIF, IVE adj. (lat. *intempestivus;* de *tempus,* temps). Qui n'est pas fait dans un moment opportun : *arrivée intempestive.*

INTEMPESTIVEMENT adv. De façon intempestive.

INTEMPORALITÉ n. f. Caractère de ce qui est intemporel.

INTEMPOREL, ELLE adj. Qui échappe au temps; immatériel : *une lumière intemporelle.*

INTENABLE adj. Où l'on ne peut se défendre : *place intenable.* ‖ Qu'on ne peut supporter : *une chaleur intenable.* ‖ Que l'on ne peut pas maîtriser : *cette classe est intenable.*

INTENDANCE n. f. Service de l'intendant. ‖ *Fam.* Questions matérielles et économiques. ● *Intendance militaire,* service de l'armée de terre chargé de pourvoir aux besoins et à l'administration des militaires. (Elle a été remplacée en 1984 par le *commissariat de l'armée de terre.*) ‖ *Intendance universitaire,* corps de fonctionnaires chargés de l'administration financière des lycées, des collèges, et pourvoyant aux besoins matériels de ces établissements.

INTENDANT n. m. (lat. *intendens,* qui surveille). *Hist.* Aux XVIIe et XVIIIe s., officier qui, dans le cadre d'une généralité, était l'agent tout-puissant du pouvoir royal. ● *Intendant militaire,* fonctionnaire militaire du service de l'intendance (appelé *commissaire* depuis 1984).

■ Apparus au début du règne de Louis XIII, les intendants, appelés « intendants de police, justice et finances », reçurent de Louis XIV, en 1661, l'essentiel de leurs attributions. Au nombre de trente-trois au moment de leur suppression (1789), ils furent les meilleurs instruments de la monarchie d'Ancien Régime.

INTENDANT, E n. Fonctionnaire chargé de l'administration financière d'un établissement public ou d'enseignement. ‖ Personne chargée d'administrer les affaires, les biens d'un riche particulier.

INTENSE adj. (bas lat. *intensus,* tendu). D'une puissance, d'une force très grande, qui dépasse la moyenne : *chaleur intense; activité intense.*

INTENSÉMENT adv. De façon intense.

INTENSIF, IVE adj. Qui met en œuvre des moyens importants; qui fait l'objet de gros efforts : *un entraînement sportif intensif.* ‖ *Phys.* Qui a le caractère de l'intensité : *grandeur intensive.* ‖ Se dit d'une culture, d'un élevage qui fournissent des rendements élevés à l'hectare.

INTENSIFICATION n. f. Action d'intensifier.

INTENSIFIER v. t. Rendre plus intense, plus fort, plus actif : *intensifier ses efforts.* ◆ **s'intensifier** v. pr. Devenir plus intense.

INTENSITÉ n. f. Très haut degré d'énergie, de force, de puissance atteint par qqch : *intensité du froid, des efforts.* ‖ Expression de la valeur numérique d'une grandeur (généralement vectorielle) : *intensité d'une force.* ‖ Quantité d'électricité que débite un courant continu pendant l'unité de temps. ● *Intensité lumineuse,* flux lumineux envoyé par une source de lumière dans un angle solide unité.

INTENSIVEMENT adv. De façon intensive.

INTENTER v. t. (lat. *intentare,* diriger). *Dr.* Entreprendre contre qqn une action en justice.

INTENTION n. f. (lat. *intentio,* action de diriger). Dessein délibéré d'accomplir tel ou tel acte, volonté : *l'intention ne suffit pas à créer le délit; l'intention de votre père est que...* ● *À l'intention de,* en l'honneur de : *donner une fête à l'intention de qqn.*

INTENTIONNALITÉ n. f. *Philos.* Pour la phénoménologie, caractère propre qu'a la conscience d'être toujours orientée vers un objet, d'être conscience de qqch.

INTENTIONNÉ, E adj. *Bien, mal intentionné,* qui a de bonnes, de mauvaises dispositions d'esprit à l'égard de qqn.

INTENTIONNEL, ELLE adj. Fait de propos délibéré, avec intention : *oubli intentionnel.*

INTENTIONNELLEMENT adv. Avec intention, exprès, volontairement.

INTER [ɛ̃tɛr] n. m. Abrév. fam. de INTERURBAIN.

INTERACTIF, IVE adj. *Inform.* Syn. de CONVERSATIONNEL.

INTERACTION n. f. Influence réciproque. ‖ *Phys.* Chacun des types d'action réciproque qui s'exercent entre particules élémentaires (gravitationnelle, électromagnétique, faible [radioactivité et désintégration] et forte [force nucléaire].)

INTERAGIR v. i. Exercer une interaction.

INTERALLIÉ, E adj. Commun à plusieurs alliés.

INTERAMÉRICAIN, E adj. Commun à plusieurs États du continent américain.

INTERARABE adj. Commun à l'ensemble des pays arabes.

INTERARMÉES adj. inv. Commun à plusieurs armées (de terre, de mer ou de l'air).

INTERARMES adj. inv. Commun à plusieurs armes (infanterie, artillerie, etc.) de l'armée de terre.

INTERASTRAL, E, AUX adj. Qui existe entre les astres : *espace interastral.*

INTERATTRACTION n. f. Attraction qu'exercent des individus les uns sur les autres, et qui les pousse à se grouper.

INTERBANCAIRE adj. Qui concerne les relations entre les banques.

INTERCALAIRE adj. Inséré, ajouté : *feuille intercalaire.* ‖ Se dit du jour ajouté au mois de février dans les années bissextiles (29 février). ◆ n. m. Feuille, feuillet intercalaire.

INTERCALATION n. f. Action d'intercaler; addition, après coup, d'un mot ou d'une ligne à l'intérieur d'un acte, d'un article dans un acte, d'un objet dans un ensemble, etc.

INTERCALER v. t. (lat. *intercalare*; de *calare*, appeler). Insérer parmi d'autres choses, dans une série, un ensemble : *intercaler un mot dans un texte.*

INTERCÉDER v. i. (lat. *intercedere*) [conj. **5**]. Intervenir en faveur de qqn : *intercéder en faveur d'un condamné.*

INTERCELLULAIRE adj. Se dit des espaces compris entre les cellules chez les êtres pluricellulaires, espaces occupés dans les tissus animaux de type conjonctif par une substance dite « interstitielle ».

INTERCEPTÉ, E adj. *Math.* Compris entre.

INTERCEPTER v. t. (lat. *interceptus*, pris au passage). Arrêter au passage : *les nuages interceptent les rayons du soleil; intercepter une passe.* ‖ S'emparer par surprise de ce qui est envoyé à qqn : *intercepter une lettre; intercepter un messager.*

INTERCEPTEUR n. m. Avion de chasse spécialement conçu pour s'opposer, en les attaquant, aux incursions d'appareils ennemis.

INTERCEPTION n. f. Arrêt : *interception de la lumière.* ‖ *Mil.* Action qui consiste, après avoir détecté et identifié des appareils ou des missiles ennemis, à diriger sur eux pour les détruire des chasseurs ou des missiles sol-air. ‖ *Sports.* Intervention d'un joueur s'emparant d'une balle destinée à un adversaire.

INTERCESSEUR n. m. Celui qui intercède.

INTERCESSION [ɛ̃tersesjɔ̃] n. f. (lat. *intercessio*). Action d'intercéder; prière en faveur de qqn. ‖ Action de s'engager à garantir le paiement de la dette d'une autre personne.

INTERCHANGEABILITÉ n. f. Caractère de ce qui est interchangeable. ‖ Caractère propre à des pièces ou organes de machines dont les tolérances de fabrication permettent de les monter à la place les unes des autres sans aucune opération d'ajustage.

INTERCHANGEABLE adj. Se dit de choses, de personnes qui peuvent être mises à la place les unes des autres.

INTERCIRCULATION n. f. *Ch. de f.* Ensemble de l'installation disposée aux extrémités des voitures et permettant aux voyageurs de passer aisément d'un véhicule à l'autre.

INTERCLASSE n. m. Intervalle qui sépare deux heures de classe.

INTERCLASSER v. t. Classer deux ou plusieurs séries en une série unique, partic. grâce à une interclasseuse.

INTERCLASSEUSE n. f. Machine permettant la fusion de deux groupes de cartes perforées.

INTERCLUBS adj. Se dit d'une compétition où sont opposées les équipes de plusieurs clubs.

INTERCOMMUNAL, E, AUX adj. Qui concerne plusieurs communes.

INTERCOMMUNAUTAIRE adj. Qui concerne les relations entre les membres d'une communauté, en particulier la Communauté européenne.

INTERCONNECTER v. t. Mettre en relation deux ou plusieurs centres de production ou de consommation d'électricité afin de permettre les échanges d'énergie d'un centre à un autre, chaque centre générateur pouvant alimenter plusieurs centres récepteurs.

INTERCONNEXION n. f. Action d'interconnecter.

INTERCONTINENTAL, E, AUX adj. Qui est situé ou qui a lieu entre des continents.

INTERCOSTAL, E, AUX adj. Qui est entre les côtes : *muscles intercostaux.*

INTERCOTIDAL, E, AUX adj. → INTERTIDAL.

INTERCURRENT, E adj. (lat. *intercurrens*; de *currere*, courir). Qui survient pendant la durée d'une autre chose : *maladie intercurrente.*

INTERDÉPARTEMENTAL, E, AUX adj. Commun à plusieurs départements.

INTERDÉPENDANCE n. f. Dépendance mutuelle.

INTERDÉPENDANT, E adj. Se dit des choses dépendant les unes des autres.

INTERDICTION n. f. Action d'interdire, défense : *interdiction d'un genre de commerce.*

‖ Défense perpétuelle ou temporaire faite à une personne de remplir ses fonctions : *prêtre, fonctionnaire frappé d'interdiction.* ● *Interdiction légale,* privation de l'exercice des droits civils, constituant une peine accessoire attachée à toute peine afflictive et infamante. ‖ *Interdiction de séjour,* peine frappant certains condamnés à qui est interdit l'accès de certaines localités. ‖ *Tir d'interdiction* (Mil.), tir visant à interdire à l'ennemi certains points du terrain.

INTERDIGITAL, E, AUX adj. Placé entre les doigts : *espace interdigital.*

INTERDIRE v. t. (lat. *interdicere*) [conj. **68**, sauf à la 2ᵉ pers. du pl. de l'ind. prés. et de l'impér. prés. : *interdisez*]. Défendre qqch à qqn, empêcher qqn d'utiliser, de faire qqch : *le médecin lui a interdit l'usage du vin.* ‖ Frapper qqn d'interdiction : *interdire un prêtre.*

INTERDISCIPLINAIRE adj. Qui établit des relations entre plusieurs sciences ou disciplines.

INTERDISCIPLINARITÉ n. f. Caractère interdisciplinaire.

INTERDIT, E adj. et n. Qui est sous le coup d'une interdiction : *prêtre interdit.* ‖ Qui ne sait que répondre, qui perd contenance, déconcerté : *demeurer interdit.*

INTERDIT n. m. Sentence défendant à un clerc l'exercice des fonctions de son ordre, ou interdisant l'exercice du culte dans un lieu déterminé. ‖ *Anthropol.* Rite négatif par lequel on doit s'abstenir d'un acte pour des raisons religieuses ou morales. ● *Jeter l'interdit sur,* défendre d'une manière absolue. ‖ *Lever un interdit,* supprimer une censure, un tabou, une interdiction.

INTERENTREPRISES adj. inv. Qui concerne plusieurs entreprises.

INTÉRESSANT, E adj. Qui offre de l'intérêt, digne d'attention, important : *nouvelle intéressante.* ‖ Qui procure un avantage matériel : *acheter à un prix intéressant.* ‖ Qui inspire de l'intérêt, excite la sympathie; passionnant : *époque intéressante; conférencier intéressant.* ● *Chercher à se rendre intéressant,* tenter de se faire remarquer. ‖ *État intéressant, position intéressante* (Fam.), état d'une femme enceinte.

INTÉRESSÉ, E adj. et n. Qui est concerné par une chose : *être intéressé à une affaire; prévenir les intéressés.* ◆ adj. Qui n'a en vue que son intérêt pécuniaire. ‖ Inspiré par l'intérêt : *service intéressé.*

INTÉRESSEMENT n. m. Participation aux bénéfices d'une entreprise.

INTÉRESSER v. t. (de *intérêt*). Avoir de l'importance, de l'utilité pour : *cela m'intéresse; loi qui intéresse les industriels.* ‖ Inspirer de l'intérêt, de la bienveillance, de la curiosité, de l'attention : *ce jeune homme m'intéresse; ce livre m'intéresse.* ‖ Attribuer une part des bénéfices aux travailleurs d'une entreprise. ◆ **s'intéresser** v. pr. [à]. Avoir de l'intérêt pour : *s'intéresser aux questions économiques.*

INTÉRÊT n. m. (lat. *interest*, il importe). Ce qui importe, qui est utile à qqn : *agir dans l'intérêt d'un ami.* ‖ Souci exclusif de ce qui est avantageux pour soi, égoïsme : *c'est l'intérêt qui le guide.* ‖ Sentiment de curiosité ou de bienveillance à l'égard de qqch, de qqn; agrément qu'on y prend : *ressentir un vif intérêt pour qqn.* ‖ Originalité, importance de qqch, de qqn : *une déclaration du plus haut intérêt.* ‖ Droit éventuel à des bénéfices : *avoir des intérêts dans une entreprise.* ‖ Somme que l'on paie pour l'usage de l'argent ou des valeurs d'autrui. ● *Intérêt composé,* intérêt perçu sur un capital formé du capital primitif accru de ses intérêts accumulés jusqu'à l'échéance. (Le capital *a*, placé au taux *r* pour 1 F, devient au bout de *n* années : A = *a* (1 + *r*)ⁿ.) ‖ *Intérêts compensatoires,* somme destinée à réparer le préjudice causé par l'inexécution d'une obligation. ‖ *Intérêts moratoires,* somme destinée à réparer le préjudice causé par un retard dans l'exécution d'une obligation. ‖ *Intérêt simple,* intérêt perçu sur le capital primitif non accru de ses intérêts. (L'intérêt simple *i* du capital *a*, placé pendant le temps *t*, au taux de *r* est : $i = \dfrac{art}{100}$)

INTERFACE [ɛ̃terfas] n. f. Limite commune à deux systèmes, permettant des échanges entre ceux-ci : *l'interface gaz-liquide, l'interface production-distribution.* ‖ *Inform.* Frontière conventionnelle entre deux systèmes ou deux unités, permettant des échanges d'informations.

INTERFÉRENCE n. f. Conjonction : *l'interférence des faits démographiques et politiques.* ‖ *Phys.* Phénomène dû à la superposition de deux mouvements vibratoires de même fréquence.

INTERFÉRENT, E adj. *Phys.* Qui présente le phénomène de l'interférence.

INTERFÉRENTIEL, ELLE adj. Relatif aux interférences.

INTERFÉRER v. i. (lat. *inter*, entre, et *ferre*, porter) [conj. **5**]. Se superposer en créant des renforcements ou des oppositions : *des événements non finis par interférer dans ma vie privée.* ‖ Produire des interférences : *des rayons qui interfèrent.*

INTERFÉROMÈTRE n. m. Appareil de mesure par interférences lumineuses ou radioélectriques.

INTERFÉROMÉTRIE n. f. Méthode de mesure de très grande précision, fondée sur les phénomènes d'interférence.

INTERFÉRON n. m. Protéine produite par les cellules qui sont infectées par un virus, et qui rend ces cellules résistantes à toute autre infection virale.

INTERFLUVE n. m. *Géogr.* Relief séparant deux vallées.

INTERFOLIAGE n. m. Action d'interfolier.

INTERFOLIER v. t. Insérer des feuillets blancs entre les pages d'un livre.

INTERFRANGE n. m. *Opt.* Distance séparant deux franges consécutives.

INTERGALACTIQUE adj. *Astron.* Situé entre des galaxies.

INTERGLACIAIRE adj. Se dit des périodes du quaternaire comprises entre deux glaciations.

INTERGOUVERNEMENTAL, E, AUX adj. Qui concerne plusieurs gouvernements.

INTERGROUPE n. m. Réunion de parlementaires de différents groupes politiques, formée pour étudier un problème déterminé.

INTÉRIEUR, E adj. (lat. *interior*). Qui est au-dedans, dans l'espace compris entre les limites d'un corps : *cour intérieure.* ‖ Qui se rapporte à l'esprit, à la vie morale, psychologique de l'homme : *sentiment intérieur.* ‖ Qui concerne un pays, un territoire : *politique intérieure.* ● *Angle intérieur,* angle dont le sommet se trouve à l'intérieur d'un cercle. ‖ *Point intérieur à un ensemble,* dans le plan, point dont tous les points infiniment voisins appartiennent à cet ensemble.

INTÉRIEUR n. m. La partie de dedans : *l'intérieur du corps.* ‖ Partie centrale d'un pays : *envoyer des prisonniers à l'intérieur.* ‖ Pays où l'on habite (par oppos. aux PAYS ÉTRANGERS). ‖ Endroit où l'on habite, maison, appartement : *un intérieur confortable.* ● *De l'intérieur,* en faisant partie d'un groupe, en participant à son fonctionnement : *juger de l'intérieur.* ‖ *Femme d'intérieur,* femme qui sait tenir sa maison. ‖ *Homme, femme d'intérieur,* qui n'aime pas sortir, qui reste au milieu des siens. ‖ *Ministère de l'Intérieur,* administration chargée de la tutelle des collectivités locales et de la direction de la police. ‖ *Robe, veste d'intérieur,* vêtement confortable que l'on porte chez soi.

INTÉRIEUREMENT adv. Au-dedans. ‖ Dans l'esprit : *se révolter intérieurement.*

INTÉRIM [ɛ̃terim] n. m. (mot lat., *pendant ce temps-là*). Espace de temps pendant lequel une fonction est remplie par un autre que par le titulaire; exercice de cette fonction. ‖ Activité du salarié intérimaire. ● *Par intérim,* provisoirement, pendant l'absence du titulaire.

INTÉRIMAIRE n. et adj. Personne qui, provisoirement, exerce des fonctions à la place du titulaire. ‖ Salarié d'une entreprise spécialisée qui travaille temporairement au poste d'un salarié absent, dans une autre entreprise. ◆ adj. Qui a lieu, qui s'exerce par intérim : *fonctions intérimaires.*

INTERINDIVIDUEL, ELLE adj. Qui concerne les rapports entre plusieurs individus : *psychologie interindividuelle.*

INTERINDUSTRIEL, ELLE adj. Qui concerne les échanges entre les différents secteurs de l'économie.

INTÉRIORISATION n. f. Action d'intérioriser.

INTÉRIORISER v. t. Garder pour soi, contenir : *intérioriser ses réactions.* ‖ Faire siennes des opinions, des règles de conduite qui étaient jusque-là étrangères ou extérieures, au point de ne plus les distinguer comme acquises : *il a complètement intériorisé les règles de fonctionnement de son parti.* ‖ Rendre plus intérieur.

INTÉRIORITÉ n. f. Caractère de ce qui est intérieur. ‖ *Philos.* Contenu de la conscience.

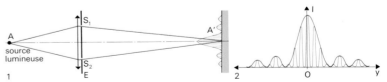

interférence : 1. Principe de l'interféromètre (E, écran ; S₁ et S₂, fentes). 2. Franges de diffraction modulées par interférence.

INTERJECTIF, IVE adj. *Ling.* Qui tient lieu d'une interjection : *locution interjective.*

INTERJECTION n. f. (lat. *interjectio*, parenthèse). *Ling.* Mot isolé qui exprime un sentiment violent, une émotion, un ordre, comme *ah!, hélas!, chut!*

INTERJETER v. t. (conj. **4**). *Interjeter appel* (Dr.), demander un second jugement.

INTERLAKEN, comm. de Suisse (cant. de Berne), entre les lacs de Thoune et de Brienz; 4735 hab. Centre touristique. Église du Château, anc. abbatiale gothique.

INTERLIGNAGE n. m. Action ou manière d'interligner.

INTERLIGNE n. m. Espace entre deux lignes d'impression ou d'écriture. ‖ Espace neutre prévu entre deux images sur une pellicule cinématographique.

INTERLIGNE n. f. *Arts graph.* Lame de métal qui sert à espacer les lignes.

INTERLIGNER v. t. Séparer par des interlignes.

INTERLOCK n. m. (mot angl.). Machine à tricoter un tissu à mailles. ‖ Le tissu lui-même (de sous-vêtement).

INTERLOCUTEUR, TRICE n. (lat. *inter*, entre, et *loqui*, parler). Personne à qui on parle ou avec qui on parle. ‖ Personne avec laquelle on engage des négociations, des pourparlers : *interlocuteur valable.*

INTERLOCUTOIRE adj. et n. m. *Dr.* Se dit d'un jugement qui, avant de statuer sur le fond, ordonne des mesures propres à préparer la solution de l'affaire.

INTERLOPE adj. (angl. *interloper*, navire trafiquant en fraude). Suspect de trafics louches : *personnage interlope.* ‖ Illégal : *commerce interlope.*

INTERLOQUER v. t. (lat. *interloqui*, interrompre). Mettre dans l'embarras par un effet de surprise, décontenancer : *cette réponse l'a interloqué.*

INTERLUDE n. m. Divertissement dramatique ou musical entre deux parties d'un spectacle, d'une émission de télévision, etc.

INTERMÈDE n. m. (it. *intermedio*; lat. *intermedius*). Divertissement entre deux pièces ou deux actes d'une représentation théâtrale : *intermède comique.* ‖ Temps pendant lequel une action s'interrompt; période entre deux événements.

INTERMÉDIAIRE adj. (lat. *inter*, entre, et *medius*, qui est au milieu). Qui est entre deux, qui tient le milieu entre deux limites ou deux termes : *espace intermédiaire.*

INTERMÉDIAIRE n. Personne qui sert de lien entre deux autres : *servir d'intermédiaire.* ‖ Personne qui intervient dans un circuit de distribution commerciale. ‖ *Fam.* Entremise, voie, canal : *apprendre une nouvelle par l'intermédiaire d'un correspondant.*

INTERMÉDIATION n. f. *Fin.* Processus au terme duquel les établissements de crédit, recevant des épargnes, les affectent à des prêts.

INTERMÉTALLIQUE adj. Se dit de composés formés de deux ou plusieurs métaux, qui peuvent présenter diverses compositions intermédiaires entre deux compositions extrêmes.

INTERMEZZO [ɛ̃termedzo] n. m. (mot it., *intermède*). *Mus.* Divertissement musical intercalé entre les parties d'une œuvre théâtrale. ‖ Pièce instrumentale de caractère.

Intermezzo, comédie en trois actes de Giraudoux (1933) : le rôle ambigu de l'amour, qui rompt le charme des puissances irrationnelles et permet l'adaptation de la vie.

INTERMINABLE adj. Qui dure très longtemps : *guerre interminable.*

INTERMINABLEMENT adv. Sans fin.

INTERMINISTÉRIEL, ELLE adj. Relatif à plusieurs ministres ou ministères.

INTERMISSION n. f. *Méd.* Syn. de INTERMITTENCE.

INTERMITTENCE n. f. Caractère de ce qui est intermittent : *l'intermittence d'un signal lumineux.* ‖ *Méd.* Intervalle qui sépare deux accès de fièvre. ● *Par intermittence,* par moments, de façon discontinue; irrégulièrement.

INTERMITTENT, E adj. (lat. *intermittere*, discontinuer). Qui s'arrête et reprend par intervalles; discontinu, irrégulier : *travail intermittent.* ● *Fièvre intermittente,* syn. de PALUDISME.

INTERMOLÉCULAIRE adj. Qui est entre les molécules.

INTERMUSCULAIRE adj. Situé entre les muscles.

INTERNALISATION n. f. *Écon.* Inclusion, dans les charges d'une entreprise, du coût d'effets externes de l'activité de celle-ci (nuisances, pollutions, etc.).

INTERNAT n. m. Situation d'un élève interne. ‖ Établissement où les élèves sont nourris et logés. ‖ Fonctions des internes en médecine, dans les hôpitaux; durée de ces fonctions.

INTERNATIONAL, E, AUX adj. Qui a lieu, qui se passe entre nations : *arbitrage international.* ● *Style gothique international,* V. GOTHIQUE. ‖ *Style international,* se dit de l'architecture fonctionnelle, aux formes cubiques, sans ornement, créée par Le Corbusier, Gropius, Mies Van der Rohe, les architectes du groupe *De Stijl*, etc., et qui s'est répandue dans de nombreux pays au cours des années 1925-1935.

INTERNATIONAL, E, AUX n. Sportif qui représente son pays à des épreuves internationales.

INTERNATIONALE n. f. Association générale d'ouvriers appartenant à diverses nations.
■ La Ire Internationale, fondée à Londres en 1864 en vue d'une action politique visant à transformer la société dans un sens socialiste, disparut en 1876 du fait de l'opposition entre marxistes et anarchistes; la IIe, fondée à Paris en 1889, reconstituée en 1923 et en 1951, resta fidèle à la social-démocratie; la IIIe *(Komintern),* fondée à Moscou en 1919, reconstituée en 1947 *(Kominform),* disparut en 1956 après avoir rassemblé, autour de l'U.R.S.S., la plupart des partis communistes; la IVe, d'obédience trotskiste, naquit en 1938.

Internationale *(l'),* hymne révolutionnaire international, paroles d'E. Pottier (1871), musique de P. Degeyter.

INTERNATIONALISATION n. f. Action de rendre international.

INTERNATIONALISER v. t. Rendre international; porter sur le plan international.

INTERNATIONALISME n. m. Doctrine selon laquelle les divers intérêts nationaux doivent être subordonnés à un intérêt général supranational. ‖ Identité des buts communs à certaines classes sociales ou à certains groupements politiques de diverses nations. ● *Internationalisme prolétarien,* selon les communistes, solidarité active qui s'exerce entre les prolétaires des différentes nations du monde, sans considération d'appartenance nationale.

INTERNATIONALISTE n. et adj. Partisan de l'internationalisme.

INTERNATIONALITÉ n. f. État, caractère de ce qui est international.

INTERNE adj. (lat. *internus*). Qui est au-dedans, à l'intérieur : *maladie interne.* ● *Angles internes* (Math.), angles formés par une sécante avec deux droites parallèles et situés entre ces deux droites. ‖ *Énergie interne d'un système* (Phys.), grandeur thermodynamique dont les variations sont égales à la somme de l'énergie mécanique et de la chaleur cédées par ce système.

INTERNE n. Élève logé et nourri dans un établissement scolaire. ● *Interne des hôpitaux,* étudiant en médecine, reçu au concours de l'internat, qui seconde le chef de service dans un hôpital.

INTERNÉ, E adj. et n. Enfermé dans un camp de concentration, une prison : *les internés politiques.* ‖ Personne qui est l'objet d'une mesure d'internement en milieu psychiatrique.

INTERNÉGATIF n. m. Film négatif polychrome établi à partir d'un interpositif ou d'un positif original en vue des tirages de série.

INTERNEMENT n. m. Action d'interner, fait d'être interné. ‖ Mesure d'hospitalisation forcée en hôpital psychiatrique à l'initiative d'un proche (placement volontaire) ou du préfet du département (placement d'office).

INTERNER v. t. Mettre dans un camp de concentration, dans une prison, sans motif d'ordre pénal. ‖ Placer qqn dans un hôpital psychiatrique.

INTERNONCE n. m. Représentant du pape dans un État non catholique.

INTEROCÉANIQUE adj. Qui est entre deux océans ou relie deux océans.

INTÉROCEPTIF, IVE adj. Qualifie la sensibilité qui recueille ses informations dans les viscères et qui est le point de départ des réflexes végétatifs.

INTÉROCEPTIVITÉ n. f. Caractère de la sensibilité intéroceptive.

INTEROSSEUX, EUSE adj. Situé entre les os.

INTERPELLATEUR, TRICE n. Personne qui interpelle, qui adresse une interpellation.

INTERPELLATION n. f. Action d'interpeller. ‖ Demande d'explication adressée à un ministre par un membre du Parlement, et sanctionnée par un ordre du jour. ‖ Sommation, faite par un juge, un notaire, un huissier, d'avoir à dire, à faire quelque chose.

INTERPELLER [ɛ̃tɛrpəle] v. t. (lat. *interpellare,* interrompre). Adresser la parole à qqn pour lui demander qqch : *interpeller un passant.* ‖ Sommer qqn de répondre, lui demander de s'expliquer sur un fait; arrêter. ‖ Contraindre qqn à regarder en face un événement, s'imposer à lui : *la misère du monde nous interpelle.*

INTERPÉNÉTRATION n. f. Pénétration mutuelle.

INTERPÉNÉTRER (S') v. pr. (conj. **5**). Se pénétrer mutuellement.

INTERPHASE n. f. Période qui sépare deux divisions successives d'une cellule vivante. (C'est pendant l'interphase que la cellule se nourrit et grandit jusqu'à doubler de volume.)

INTERPHONE n. m. (nom déposé). Installation téléphonique permettant la conversation entre plusieurs interlocuteurs.

INTERPLANÉTAIRE adj. *Astron.* Situé entre les planètes du système solaire.

Interpol, organisme de police criminelle, dont le siège est à Lyon et qui a pour but la recherche ainsi que la suppression du fait criminel à l'échelon international.

INTERPOLATEUR, TRICE n. Celui, celle qui interpole.

INTERPOLATION n. f. Action d'interpoler; passage intercalé. ‖ *Math.* Intercalation, dans une suite de valeurs connues, d'un ou de plusieurs termes directement déterminés par le calcul. ‖ Recherche, à partir de cas particuliers donnés, d'une loi fonctionnelle généralement valable dans un certain domaine de variations.

INTERPOLER v. t. (lat. *interpolare,* réparer). Introduire dans un ouvrage des passages qui n'en font pas partie et qui en changent le sens. ‖ *Math.* Effectuer une interpolation.

INTERPOSER v. t. (lat. *interponere*). Placer entre deux choses : *interposer un écran.* ‖ Faire intervenir comme médiateur entre deux personnes : *interposer son autorité.* ◆ **s'interposer** v. pr. Se placer entre deux personnes ou deux choses, s'intercaler, s'entremettre.

INTERPOSITIF n. m. *Cin.* Copie positive intermédiaire polychrome établie par tirage d'un internégatif.

INTERPOSITION n. f. Situation d'un corps entre deux autres. ● *Interposition de personnes* (Dr.), acte par lequel une personne prête son nom à une autre pour lui faciliter l'octroi d'avantages qu'elle ne peut obtenir directement.

INTERPRÉTABLE adj. Qui peut être interprété.

INTERPRÉTARIAT n. m. Métier d'interprète.

INTERPRÉTATIF, IVE adj. Qui explique, qui sert d'interprétation : *loi, jugement interprétatif.*

INTERPRÉTATION n. f. Action d'interpréter, de donner un sens particulier; explication, commentaire : *interprétation d'un texte, d'une œuvre.* ‖ Action ou manière de représenter, de jouer, de danser une œuvre dramatique, musicale, chorégraphique, etc. ‖ *Psychanal.* Travail effectué par le patient, aidé de son analyste, pour dégager le désir inconscient qui anime certains de ses comportements. ● *Interprétation musicale,* exercice d'improvisation chorégraphique sur un canevas musical donné. ‖ *Interprétation d'une théorie axiomatique formalisée* (Log.), opération qui consiste à associer aux symboles d'une théorie des objets et des relations entre ces objets; le résultat de cette opération. (Syn. MODÈLE.)

INTERPRÈTE n. (lat. *interpres, interpretis*). Personne qui traduit oralement une langue dans une autre. ‖ Personne qui est chargée de déclarer, de faire connaître les volontés, les intentions d'une autre : *soyez mon interprète auprès de mon ami.* ‖ Personne qui présente, exprime de telle ou telle façon une œuvre artistique.

INTERPRÉTER v. t. (lat. *interpretari*) [conj. **5**]. Chercher à rendre compréhensible, à traduire, à donner un sens : *interpréter un rêve, une loi; mal interpréter les intentions de qqn.* ‖ Jouer un rôle dans une pièce ou un film; exécuter un morceau de musique; danser une œuvre chorégraphique. ◆ **s'interpréter** v. pr. Être traduit, expliqué : *cette réponse peut s'interpréter de plusieurs façons.*

INTERPROFESSIONNEL, ELLE adj. Commun à plusieurs ou à toutes les professions : *salaire minimum interprofessionnel de croissance.*

INTERRÈGNE n. m. Intervalle entre la mort d'un roi et le sacre de son successeur. ‖ Intervalle pendant lequel une fonction n'est pas assurée par un titulaire régulièrement nommé.

Interrègne (LE GRAND), période de vingt-trois ans (1250-1273) durant laquelle le trône du Saint Empire resta vacant. Le Grand Interrègne débuta à la mort de l'empereur Frédéric II* de Hohenstaufen (1250), dont les descendants, Conrad IV et Conradin, ne purent venir à bout de leurs compétiteurs à l'Empire, suscités par la papauté et les princes allemands. Il se termina lorsque, une fois éteinte la maison de Hohenstaufen*, les princes allemands eurent choisi pour roi de Germanie le landgrave d'Alsace Rodolphe de Habsbourg (1273). Durant cette période, le Saint Empire sombra dans l'anarchie et se décomposa en de nombreux petits États souverains.

INTERROGATEUR, TRICE adj. et n. Qui interroge : *regard interrogateur.*

INTERROGATIF, IVE adj. Qui exprime une interrogation : *mot interrogatif.*

INTERROGATION n. f. (lat. *interrogatio*). Demande, question ou ensemble de questions posées à qqn : *répondre à une interrogation.* ● *Interrogation directe,* interrogation posée directement à l'interlocuteur, sans l'intermédiaire d'un verbe (ex. : *qui est venu?*). ‖ *Interrogation indirecte,* interrogation posée par l'intermédiaire d'un verbe comme savoir, demander. (Ex. : *je me demande qui est venu.*) ‖ *Point d'interrogation,* signe de ponctuation qui marque l'interrogation (**?**).

INTERROGATIVEMENT adv. Par interrogation.

INTERROGATOIRE n. m. Ensemble de questions qu'un magistrat, un agent de la force publique adresse à un accusé, et réponses de celui-ci : *subir un interrogatoire.* ‖ Procès-verbal consignant ces demandes et ces réponses : *l'accusé signe son interrogatoire.*

INTERROGER v. t. (lat. *interrogare*) [conj. **1**]. Adresser, poser des questions à qqn, questionner. ‖ Examiner avec attention : *interroger l'histoire; interroger le ciel pour voir s'il va pleuvoir.* ● *Interroger sa mémoire,* essayer de se souvenir de qqch.

INTERROI n. m. À Rome, sous la République, magistrat qui gouvernait entre deux consulats.

INTERROMPRE v. t. (lat. *interrumpere*) [conj. **46**]. Rompre la continuité ou la continuation de qqch : *interrompre un courant électrique.* ‖ Couper la parole à qqn, l'arrêter dans son discours : *interrompre une personne qui parle.* ◆ **s'interrompre** v. pr. Cesser de faire une chose, s'arrêter au cours d'une action.

INTERRUPTEUR, TRICE adj. Qui interrompt.

INTERRUPTEUR n. m. Appareil qui sert à interrompre ou à rétablir un courant électrique en ouvrant ou en fermant son circuit.

INTERRUPTION n. f. Action d'interrompre, suspension, arrêt : *travailler sans interruption.* ‖ Paroles prononcées pour interrompre : *de bruyantes interruptions.* ● *Interruption volontaire de grossesse (I. V. G.),* avortement provoqué dans les formes légales.

INTERSAISON n. f. Intervalle de temps entre deux saisons commerciales, touristiques, sportives, etc.

INTERSECTÉ, E adj. *Math.* Coupé : *ligne intersectée.*

INTERSECTION n. f. (lat. *intersectio;* de *secare,* couper). Endroit où deux routes se croisent. ‖ *Math.* Ensemble des points ou des éléments communs à deux ou plusieurs lignes, surfaces ou volumes. ● *Intersection* ou *produit des classes K et L* (Log.), classe constituée d'éléments appartenant à la fois à la classe K et à la classe L; l'opération elle-même (symbolisée par $K \cap L$). ‖ *Intersection de deux parties A et B d'un ensemble E,* ensemble des éléments communs à ces deux parties, noté $A \cap B$ (A inter B). ‖ *Intersection* ou *produit de deux relations* (Log.), jonction entre deux relations s'exprimant par « et ». (Elle se vérifie si — et seulement si — les deux relations se vérifient à la fois.) ‖ *Point d'intersection,* endroit où deux lignes se coupent.

INTERSESSION n. f. Temps qui s'écoule entre deux sessions d'une assemblée.

INTERSEXUALITÉ n. f. État intermédiaire entre celui de mâle et de femelle.

INTERSIDÉRAL, E, AUX adj. *Astron.* Situé entre les astres.

INTERSIGNE n. m. Fait que l'on considère superstitieusement comme l'annonce d'un événement survenu loin de nous.

INTERSTELLAIRE adj. (lat. *stella,* étoile). *Astron.* Situé entre les étoiles d'une galaxie. ● *Matière interstellaire,* ensemble des matériaux diffus (gaz faiblement ionisés et poussières) existant dans l'espace situé entre les étoiles d'une galaxie et dont la masse totale est une fraction non négligeable de celle de la galaxie.

INTERSTICE [ɛ̃tɛrstis] n. m. (lat. *interstare,* se trouver entre). Petit espace vide entre les parties d'un tout : *les interstices d'un parquet.*

INTERSTITIEL, ELLE [ɛ̃tɛrstisjɛl] adj. *Méd.* Se dit des formations cellulaires situées entre les cellules parenchymateuses des organes ou de substances qui séparent les cellules des tissus de type conjonctif. ● *Faune interstitielle,* ensemble des animaux microscopiques qui vivent dans les intervalles des grains de sable.

INTERSUBJECTIF, IVE adj. Qui se produit entre deux personnes, deux sujets.

INTERSUBJECTIVITÉ n. f. *Philos.* Communication qu'établissent les consciences entre elles.

INTERSYNDICAL, E, AUX adj. Établi entre divers syndicats : *réunion intersyndicale.*

INTERSYNDICALE n. f. Association constituée par plusieurs syndicats pour défendre certains objectifs communs.

INTERTIDAL, E, AUX adj. (angl. *tide,* marée). Se dit de la zone comprise entre les niveaux des marées les plus hautes et ceux des plus basses. (Syn. INTERCOTIDAL.)

INTERTITRE n. m. Texte inséré dans le cours d'un film muet.

INTERTRIGO n. m. (mot lat., de *terere,* frotter). *Méd.* Dermatose siégeant dans les plis de la peau.

INTERTROPICAL, E, AUX adj. Qui se trouve entre les tropiques.

INTERURBAIN, E adj. Établi entre des villes différentes.

INTERURBAIN ou **INTER** (fam.) n. m. Téléphone interurbain, permettant de communiquer de ville à ville.

INTERVALLE n. m. (lat. *intervallum*). Espace plus ou moins large entre deux corps; distance d'un point à un autre : *intervalle entre deux murs.* ‖ Espace de temps entre deux instants, deux périodes : *à deux mois d'intervalle.* ‖ *Math.* Ensemble des nombres *x* compris entre deux nombres *a* et *b.* ‖ *Mil.* Espace qui sépare deux formations, deux positions ou deux ouvrages, compté parallèlement à leur front. ‖ *Mus.* Distance qui sépare deux sons (seconde, tierce, quarte...). ‖ *Phys.* Rapport des fréquences de deux sons. ● *Intervalle fermé* $[a, b]$, ensemble des nombres *x* tels que $a \leq x \leq b$. ‖ *Intervalle ouvert* $]a, b[$, ensemble des nombres *x* tels que $a < x < b$. ‖ *Par intervalles,* de temps à autre.

INTERVENANT, E adj. et n. Qui intervient dans un procès, dans une réunion, etc.

INTERVENIR v. i. (lat. *intervenire*) [conj. **16**; auxil. *être*]. Prendre part volontairement à une action afin d'en modifier le cours : *intervenir dans une négociation.* ‖ Agir énergiquement pour éviter l'évolution d'un mal. ‖ Se produire, arriver, avoir lieu : *un événement est intervenu.* ‖ Prendre la parole dans une assemblée. ‖ *Mil.* Engager des forces militaires.

INTERVENTION n. f. Action d'intervenir dans une situation quelconque, un procès, une action, un conflit. ‖ Action d'un État ou d'un groupe d'États s'ingérant dans un domaine qui n'est pas de leur compétence. ‖ *Dr.* Acte par lequel un tiers, originellement non partie à une contestation judiciaire, devient partie au procès engagé. ‖ *Méd.* Traitement actif, opération : *intervention chirurgicale.* ● *Intervention d'humanité,* pratique du droit international par laquelle, lorsqu'une grave menace existe, sur un territoire étranger, pour la sécurité des nationaux, l'État dont ils dépendent peut licitement agir pour protéger ceux-ci. (Elle n'est pas un acte de guerre.)

INTERVENTIONNISME n. m. Doctrine préconisant une intervention soit de l'État dans les affaires privées, soit d'une nation dans un conflit entre d'autres pays.

INTERVENTIONNISTE n. et adj. Partisan de l'interventionnisme.

INTERVERSION n. f. Modification, renversement de l'ordre habituel : *l'interversion des lettres dans un mot.*

INTERVERTÉBRAL, E, AUX adj. Placé entre deux vertèbres.

INTERVERTIR [ɛ̃tɛrvɛrtir] v. t. (lat. *intervertere,* détourner). Modifier, renverser l'ordre naturel ou habituel des éléments : *intervertir les rôles.*

INTERVIEW [ɛ̃tɛrvju] n. f. ou m. (mot angl.). Entretien avec une personne pour l'interroger sur ses actes, ses idées, ses projets, afin, soit d'en publier ou diffuser le contenu (journalisme), soit de l'utiliser aux fins d'analyse (enquête psychosociologique).

INTERVIEWÉ, E adj. et n. Se dit d'une personne soumise à une interview.

INTERVIEWER [ɛ̃tɛrvjuve] v. t. Soumettre à une interview.

INTERVIEWER [ɛ̃tɛrvjuvœr] n. m. Journaliste qui soumet une personne à une interview.

INTERVOCALIQUE adj. Situé entre deux voyelles.

INTESTAT [ɛ̃tɛsta] adj. inv. et n. (lat. *intestatus;* de *testari,* tester). Qui n'a pas fait de testament.

INTESTIN n. m. (lat. *intestinum;* de *intestinus,* intérieur). *Anat.* Viscère abdominal creux allant de l'estomac à l'anus, et qui se divise en deux parties : l'*intestin grêle* et le *gros intestin* ou *côlon,* qui lui fait suite.
■ L'*intestin grêle* fait suite à l'estomac, dont il est séparé par le pylore. Il comprend le duodénum et le jéjuno-iléon.

Le *duodénum* est immobilisé par ses connexions avec les organes voisins et le péritoine; il est le lieu d'abouchement du canal cholédoque et des canaux pancréatiques, qui déversent dans l'intestin la bile et le suc pancréatique; il peut être le siège d'ulcères, très rarement de tumeurs.

Le *jéjuno-iléon* est relié à la paroi abdominale postérieure par un repli du péritoine, le mésentère, qui contient les vaisseaux, les nerfs et les lymphatiques destinés à l'intestin.

L'intestin grêle est constitué d'une muqueuse, qui est hérissée de villosités, d'une sous-muqueuse, qui contient des follicules lymphoïdes, et d'une musculeuse, qui assure le péristaltisme intestinal. Ces mouvements permettent l'homogénéisation du contenu intestinal et sa propulsion. Mais la fonction spécifique de l'intestin grêle est d'assurer une absorption des glucides, des lipides, des protides, des sels biliaires, des vitamines, de l'eau et des électrolytes. Les affections de l'intestin grêle peuvent entraîner divers symptômes : occlusion, diarrhée, malabsorption. Il peut s'agir de tumeurs, d'affections inflammatoires (entérites, gastro-entérites, tuberculose intestinale) ou vasculaires (infarctus mésentérique).

● Le *côlon* (ou gros intestin) est situé entre l'intestin grêle et le rectum. Il comprend le côlon droit et le côlon gauche.

Le *côlon droit,* irrigué par les branches des vaisseaux mésentériques supérieurs, est formé du cæcum et de l'appendice, du côlon ascendant, de la majeure partie du côlon transverse, sur lequel s'insère le grand épiploon.

Le *côlon gauche,* irrigué par les branches des vaisseaux mésentériques inférieurs, est formé par une partie du côlon transverse, le côlon lombo-iliaque et le sigmoïde.

Le côlon est un organe réservoir où s'accumulent les résidus du bol alimentaire. Il est aussi actif par ses possibilités de résorption (surtout de l'eau) et de contraction (transfert du bol jusqu'au rectum) ainsi que par la présence d'une flore microbienne qui contribue à la destruction des résidus alimentaires. Il peut être le siège de lésions inflammatoires (colites), de tumeurs, notamment de polypes, tumeurs bénignes qui nécessitent cependant une ablation chirurgicale. Le cancer du côlon est un des cancers les plus fréquents chez le sujet âgé.

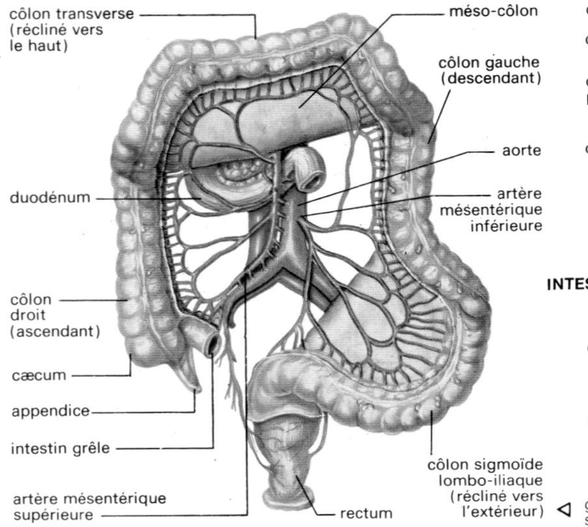

côlon transverse (récliné vers le haut)
méso-côlon
côlon gauche (descendant)
aorte
duodénum
artère mésentérique inférieure
côlon droit (ascendant)
cæcum
appendice
intestin grêle
artère mésentérique supérieure
rectum
côlon sigmoïde lombo-iliaque (récliné vers l'extérieur)

INTESTIN

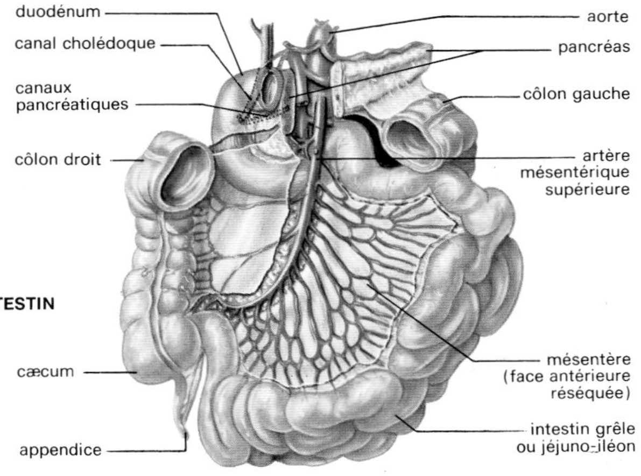

duodénum
canal cholédoque
canaux pancréatiques
côlon droit
aorte
pancréas
côlon gauche
artère mésentérique supérieure
cæcum
appendice
mésentère (face antérieure réséquée)
intestin grêle ou jéjuno-iléon

intestin grêle et son irrigation par l'artère mésentérique supérieure

◁ gros **intestin** et son irrigation par les artères mésentériques supérieure et inférieure

INTESTIN, E adj. *Litt.* Qui se passe entre des adversaires appartenant à la même communauté; intérieur : *divisions intestines.*

INTESTINAL, E, AUX adj. Qui concerne les intestins : *occlusion intestinale.* ● *Suc intestinal,* suc digestif sécrété par les glandes du duodénum et du jéjunum, contenant des enzymes agissant sur toutes les catégories d'aliments (amylase, maltase, invertase, lactase sur les glucides; lipase sur les lipides; érepsine et autres protéases sur les protides). ‖ *Vers intestinaux,* parasites (*ténia, ascaride, oxyure,* etc.) que l'on trouve dans l'intestin de l'homme et des animaux.

INTI [inti] n. m. (mot quechua, *soleil*). Unité monétaire principale du Pérou.

INTIMATION n. f. *Dr.* Action d'intimer.

INTIME adj. (lat. *intimus,* superlatif de *interior*). *Litt.* Intérieur et profond : *la nature intime d'un être.* ‖ Qui existe au plus profond de nous : *conviction intime.* ‖ Qui appartient à ce qui est tout à fait privé, personnel; qui se passe entre amis : *la vie intime d'une personne; un dîner intime.* ● *Sens intime,* sentiment de ce qui se passe au-dedans de notre conscience. ◆ adj. et n. À qui on est lié par une très forte affection, par des liens profonds.

INTIMÉ, E adj. et n. *Dr.* Cité en justice, particulièrement en cour d'appel.

INTIMEMENT adv. Profondément : *intimement persuadé; intimement unis.*

INTIMER v. t. (bas lat. *intimare,* introduire, notifier). Signifier, déclarer avec autorité, enjoindre : *intimer un ordre.* ‖ *Dr.* Appeler en justice, assigner devant une juridiction.

INTIMIDABLE adj. Que l'on peut intimider.

INTIMIDANT, E adj. Qui intimide.

INTIMIDATEUR, TRICE adj. Propre à intimider.

INTIMIDATION n. f. Action d'intimider; menace, pression : *agir par intimidation.*

INTIMIDER v. t. Inspirer de la gêne, de l'appréhension; faire perdre son assurance.

INTIMISME n. m. Style, manière intimiste.

INTIMISTE adj. et n. Se dit des écrivains, et particulièrement des poètes, qui expriment sur un ton confidentiel leurs sentiments les plus secrets; se dit aussi des peintres spécialisés dans la représentation de scènes de la vie familiale, ou qui expriment une vision intime.

INTIMITÉ n. f. *Litt.* Caractère de ce qui est intime, secret : *dans l'intimité de sa conscience.* ‖ Liaison, amitié : *vivre dans l'intimité de qqn.* ‖ Vie privée.

INTITULÉ n. m. Titre d'un livre, d'un chapitre, d'une loi, d'un jugement, etc.

INTITULER v. t. (bas lat. *intitulare;* de *titulus,* inscription). Désigner par un titre. ◆ **s'intituler** v. pr. Avoir pour titre.

INTOLÉRABLE adj. Qu'on ne peut supporter : *douleur intolérable.*

INTOLÉRANCE n. f. (*in* priv., et lat. *tolerare,* supporter). Attitude hostile ou agressive à l'égard de ceux dont on ne partage ni les opinions ni les croyances. ‖ *Méd.* Impossibilité, pour un organisme, de supporter certaines substances à l'égard desquelles il est allergique.

Intolérance, film américain de D. W. Griffith (1916). Un thème unique (l'intolérance sociale et religieuse à travers les siècles) traité en quatre épisodes se situant à Babylone pendant la conquête de Cyrus, en Judée à l'époque de la Crucifixion, à Paris au moment de la Saint-Barthélemy, aux États-Unis lors des grèves de 1911. Les récits ne sont pas successifs, mais entremêlés selon le procédé, alors révolutionnaire, du montage parallèle. Une superproduction célèbre par sa technique, ses décors.

INTOLÉRANT, E adj. et n. Qui fait preuve d'intolérance.

INTONATION n. f. (lat. *intonare,* faire retentir). Mouvement mélodique de la parole, caractérisé par des variations de hauteur. ‖ *Mus.* Façon d'attaquer un son vocal.

INTOUCHABLE n. et adj. En Inde, hors-caste, paria. ‖ Qui ne peut être l'objet d'aucune critique, d'aucune sanction.

INTOX n. f. *Fam.* Action, fait d'intoxiquer les esprits : *faire de l'intox.*

INTOXICANT, E adj. Qui produit l'empoisonnement : *gaz intoxicant.*

INTOXICATION n. f. Introduction ou accumulation spontanée d'un toxique dans l'organisme. ‖ Action d'intoxiquer les esprits.

INTOXIQUÉ, E adj. et n. Qui a l'habitude d'absorber des substances toxiques.

INTOXIQUER v. t. (lat. *intoxicare*). Imprégner de substances toxiques. ‖ Influencer de façon insidieuse les esprits pour les rendre sensibles à certaines propagandes ou publicités.

INTRA-ATOMIQUE adj. Contenu dans l'atome.

INTRACARDIAQUE adj. Qui concerne l'intérieur du cœur.

INTRACELLULAIRE adj. Qui se trouve ou se produit dans une cellule.

INTRACRÂNIEN, ENNE adj. Qui est ou se produit à l'intérieur de la boîte crânienne.

INTRADERMIQUE adj. Dans l'épaisseur du derme.

INTRADERMO-RÉACTION n. f. (pl. *intradermo-réactions*). Injection intradermique d'une substance pour laquelle on veut étudier la sensibilité de l'organisme. (On dit par abrév. INTRADERMO.)

INTRADOS [ɛ̃trado] n. m. Face intérieure ou inférieure d'un arc, d'une voûte, d'une aile d'avion (par oppos. à EXTRADOS).

INTRADUISIBLE adj. Qu'on ne peut traduire.

INTRAITABLE adj. Qui ne se laisse pas manier facilement : *un caractère intraitable.* ‖ Se dit de celui qui n'accepte aucun compromis, très exigeant : *il est intraitable sur ce point.*

INTRAMOLÉCULAIRE adj. Qui concerne l'intérieur des molécules.

INTRAMONTAGNARD, E adj. Situé à l'intérieur d'un massif, d'une chaîne de montagnes.

INTRA-MUROS [ɛ̃tramyros] loc. adv. (mots lat., *en dedans des murs*). Dans l'intérieur de la ville.

INTRAMUSCULAIRE adj. Qui est ou se fait à l'intérieur d'un muscle.

INTRANSIGEANCE n. f. Caractère de celui ou de ce qui est intransigeant.

INTRANSIGEANT, E adj. et n. (esp. *intransigente;* lat. *transigere,* transiger). Qui ne fait aucune concession, qui n'admet aucun compromis.

INTRANSITIF, IVE adj. *Ling.* Se dit des verbes qui ne sont pas suivis d'un complément d'objet (direct ou indirect), comme *paraître, devenir, dîner, dormir,* etc.

INTRANSITIVEMENT adv. *Verbe employé intransitivement* (Ling.), verbe transitif employé sans complément d'objet (ex. : *on mange à huit heures*).

INTRANSITIVITÉ n. f. *Ling.* Caractère d'un verbe intransitif.

INTRANSMISSIBILITÉ n. f. Caractère de ce qui est intransmissible.

INTRANSMISSIBLE adj. Qui ne peut se transmettre.

INTRANSPORTABLE adj. Qu'on ne peut transporter.

INTRANT n. m. *Écon.* Élément entrant dans la production d'un bien. (Syn. INPUT.)

INTRANUCLÉAIRE adj. *Phys.* Qui est à l'intérieur du noyau de l'atome.

INTRA-UTÉRIN, E adj. Qui est situé ou qui a lieu dans l'intérieur de l'utérus.

INTRAVEINEUX, EUSE adj. Qui est ou se fait à l'intérieur des veines. ● *Injection intraveineuse,* ou *intraveineuse* n. f., piqûre faite à l'aide d'une aiguille et d'une seringue à l'intérieur d'une veine.

INTRÉPIDE adj. (lat. *intrepidus;* de *trepidus,* tremblant). Qui ne craint pas le danger et qui ne se laisse pas rebuter par les obstacles. ‖ Qui manifeste une persévérance imperturbable.

INTRÉPIDEMENT adv. Avec intrépidité.

INTRÉPIDITÉ n. f. Caractère de celui qui est intrépide.

INTRICATION n. f. (lat. *intricare,* embrouiller). État de ce qui est intriqué.

INTRIGANT, E adj. et n. Qui recourt à l'intrigue pour parvenir à ses fins.

INTRIGUE n. f. Manœuvre secrète ou déloyale qu'on emploie pour obtenir quelque avantage ou pour nuire à qqn. ‖ Enchaînement de faits et d'actions qui forment la trame d'une pièce de théâtre, d'un roman, d'un film. ‖ Liaison amoureuse passagère.

INTRIGUER v. t. (it. *intrigare;* lat. *intricare,* embarrasser). Exciter vivement la curiosité : *sa conduite m'intrigue.* ◆ v. i. Se livrer à des intrigues; manœuvrer.

INTRINSÈQUE adj. (lat. *intrinsecus,* au-dedans). Qui appartient à l'objet lui-même, indépendamment des facteurs extérieurs, inhérent, essentiel : *les difficultés intrinsèques de l'entreprise.*

INTRINSÈQUEMENT adv. De façon intrinsèque, essentiellement.

INTRIQUER v. t. Rendre complexe, entremêler.

INTRODUCTEUR, TRICE n. Personne qui introduit : *l'introducteur des ambassadeurs.* ‖ Personne qui introduit le premier une idée, un usage, un objet, etc. : *Parmentier fut l'introducteur en France de la pomme de terre.*

INTRODUCTIF, IVE adj. Qui sert à introduire une question : *exposé introductif.* ‖ *Dr.* Qui sert de commencement à une procédure : *requête introductive d'instance.*

INTRODUCTION n. f. Action d'introduire. ‖ Ce qui introduit à la connaissance d'une science : *introduction à la chimie.* ‖ Texte explicatif en tête d'un ouvrage, entrée en matière d'un exposé, d'un discours. ● *Lettre d'introduction,* lettre qui facilite à une personne l'accès auprès de qqn.

Introduction à la psychanalyse, ouvrage de S. Freud écrit en 1916-17, où sont exposés les principaux concepts psychanalytiques.

INTRODUIRE v. t. (lat. *introducere*) [conj. **64**]. Faire entrer qqn : *introduire un visiteur.* ‖ Faire entrer, pénétrer une chose dans une autre : *introduire une sonde dans une plaie.* ‖ Faire adopter par l'usage : *introduire une mode.* ‖ Faire admettre dans une société, présenter : *introduire un ami dans la famille.* ◆ **s'introduire** v. pr. Entrer, pénétrer : *voleurs qui s'introduisent dans une maison.*

INTROÏT [ɛ̃trɔit] n. m. (lat. *introitus,* entrée). *Liturg.* Chant d'entrée de la messe romaine.

INTROJECTION n. f. *Psychanal.* Processus par lequel le sujet intègre à son Moi tout ce qui le satisfait dans le monde extérieur.

INTROMISSION n. f. (lat. *intromittere,* introduire dans). Action par laquelle un corps est introduit dans un autre.

INTRONISATION n. f. Action d'introniser.

INTRONISER v. t. (gr. *enthronizein;* de *thronos,* trône épiscopal). Installer sur le trône un roi, un évêque, etc.

INTRORSE [ɛ̃trɔrs] adj. (lat. *introrsum,* en dedans). *Bot.* Se dit d'une anthère dont les fentes de déhiscence sont tournées vers l'intérieur de la fleur. (Contr. EXTRORSE.)

INTROSPECTIF, IVE adj. Fondé sur l'introspection.

INTROSPECTION n. f. (lat. *introspicere,* regarder dans l'intérieur). Étude de la conscience par elle-même, du sujet par lui-même.

INTROUVABLE adj. Qu'on ne peut pas trouver.

INTROVERSION n. f. (mot all.; lat. *introversus,* vers l'intérieur). *Psychol.* Type de personnalité caractérisé par un investissement plus grand de sa réalité interne que du monde extérieur.

INTROVERTI, E adj. et n. Qui est porté à l'introversion.

INTRUS, E [ɛ̃try, ɛ̃tryz] adj. et n. (lat. *intrudere,* introduire de force). Qui s'introduit quelque part sans avoir qualité pour y être admis, sans y avoir été invité.

INTRUSION n. f. Action de s'introduire sans droit dans une société, dans un emploi. ‖ *Géol.* Mise en place de roches plutoniques par montée, dans des roches préexistantes, de magma qui cristallise sans atteindre la surface du globe; massif de roches plutoniques mis en place par ce processus.

INTUBATION n. f. *Méd.* Introduction, dans la trachée, d'un tube semi-rigide pour isoler les voies respiratoires des voies digestives et permettre la respiration artificielle en réanimation ou en anesthésie générale.

INTUBER v. t. Pratiquer une intubation.

INTUITIF, IVE adj. Que l'on a par intuition; qui procède de l'intuition : *connaissance intuitive.* ◆ adj. et n. Doué d'intuition.

INTUITION n. f. (lat. *intuitio;* de *intueri,* regarder). Saisie immédiate de la vérité sans l'aide du raisonnement. ‖ Faculté de prévoir, de deviner, pressentiment : *avoir l'intuition de l'avenir.*

INTUITIONNISME n. m. Doctrine des logiciens néerlandais Heyting et Brouwer, selon laquelle on ne doit considérer en mathématiques que les entités qu'on peut construire par l'intuition.

INTUITIVEMENT adv. Par intuition.

INTUMESCENCE n. f. (lat. *intumescere,* gonfler). Gonflement : *l'intumescence de la rate.* ‖ *Phys.* Onde de surface qui se produit dans les canaux découverts de faible profondeur.

INTUMESCENT, E [ɛ̃tymɛsɑ̃, -ɑ̃t] adj. Qui commence à enfler.

INTUSSUSCEPTION n. f. (lat. *intus,* dedans, et *suscipere,* prendre sur soi). *Biol.* Syn. de ABSORPTION.

INUIT, nom que se donnent les Esquimaux*.

INULE n. f. (lat. *inula*). Plante de la famille des composées, à fleurs jaunes.

INULINE n. f. *Chim.* Glucide voisin de l'amidon, soluble dans l'eau, insoluble dans l'alcool, que mettent en réserve plusieurs composées (dahlia, topinambour).

INUSABLE adj. Qui ne peut s'user.

INUSITÉ, E adj. Qui n'est pas usité.

INUSUEL, ELLE adj. Qui n'est pas usuel.

IN UTÉRO [inytero] loc. adv. et adj. (mots lat., *dans l'utérus*). Qui se produit à l'intérieur de l'utérus.

INUTILE adj. et n. Qui ne sert à rien.

INUTILEMENT adv. De façon inutile.

INUTILISABLE adj. Impossible à utiliser.

INUTILISÉ, E adj. Qu'on n'utilise pas.

INUTILITÉ n. f. Manque d'utilité : *reconnaître l'inutilité d'un effort.* ◆ pl. Choses inutiles : *discours rempli d'inutilités.*

INVAGINATION n. f. (lat. *in,* dans, et *vagina,* gaine). *Méd.* Repliement d'un organe creux sur lui-même, comme un doigt de gant retourné. (L'invagination de l'intestin cause son occlusion.)

INVAGINER (S') v. pr. Se replier vers l'intérieur par invagination.

INVAINCU, E adj. Qui n'a jamais été vaincu.

INVALIDANT, E adj. Se dit d'une maladie entraînant une incapacité de travail.

INVALIDATION n. f. Action d'invalider, d'être invalidé : *prononcer l'invalidation d'une élection.*

INVALIDE adj. et n. (lat. *invalidus,* faible). Infirme, qui n'est pas en état d'avoir une vie active. ◆ n. m. Ancien militaire rendu, par ses blessures, incapable de servir et entretenu aux frais de l'État par l'Institution des Invalides, à Paris. ● *Établissement des invalides de la marine,* organisme créé en 1673 et chargé aujourd'hui de la gestion du régime spécial de sécurité sociale des marins. ◆ adj. *Dr.* Qui n'est pas valable, qui est légalement nul.

INVALIDER v. t. Déclarer nul ou non valable : *invalider un testament, une élection.*

Invalides *(hôtel des),* monument édifié à Paris, à partir de 1670, sur les plans de Libéral Bruant et achevé par Jules Hardouin-Mansart, qui y ajouta, en 1680, la chapelle Saint-Louis, surmontée d'un dôme sous lequel ont été déposées, en 1840, les cendres de Napoléon Ier; on y trouve aussi le tombeau de son fils ainsi que ceux de plusieurs maréchaux (Turenne, Foch, Lyautey, Juin...). Cet hôtel avait été réalisé pour abriter l'*Institution nationale des Invalides,* créée en 1670 par Louis XIV pour y loger des soldats blessés ou vieillis dans le service. Après une longue histoire, cette institution, plusieurs fois réorganisée, notamment en 1918 et en 1957, reçoit encore des pensionnaires, mais elle est devenue un centre médico-chirurgical spécialisé dans la rééducation des grands blessés amputés. La plus grande partie de l'hôtel, dont Napoléon avait voulu faire un haut lieu de gloire nationale, abrite, depuis la fin du XIXe s., le *musée de l'Armée,* qui est un des plus beaux musées militaires, et le *musée des Plans-Reliefs.*

INVALIDITÉ n. f. Diminution du potentiel physique de qqn; état d'une personne dont la capacité de travail est réduite d'une façon importante. ‖ *Dr.* Manque de validité qui entraîne la nullité. ● *Assurance invalidité,* branche des assurances sociales prenant en charge les personnes atteintes d'invalidité d'au moins 66 p. 100 et leur versant à cet effet une pension.

INVAR [ɛ̃var] n. m. (nom déposé). Acier au nickel, dont le coefficient de dilatation est pratiquement négligeable.

INVARIABILITÉ n. f. État, caractère de ce qui est invariable.

INVARIABLE adj. Qui ne change pas : *l'ordre invariable des saisons.* ‖ *Ling.* Se dit des mots qui ne subissent aucune modification quelle que soit leur fonction.

INVARIABLEMENT adv. De façon invariable; toujours, immanquablement.

INVARIANCE n. f. *Math.* Caractère de ce qui est invariant. ‖ *Phys.* Propriété de certaines grandeurs physiques qui sont régies par des lois de conservation.

■ L'invariance est une propriété que l'on étudie en géométrie, pour certaines figures, et en algèbre, pour certaines expressions.

● En géométrie, l'invariance d'une figure s'étudie vis-à-vis d'une transformation ou d'un groupe de transformations. Cette invariance peut être globale ou point par point.

EXEMPLES. 1. La figure (F) admet un axe de symétrie *x*. Si $M \in (F)$, M', symétrique de M par

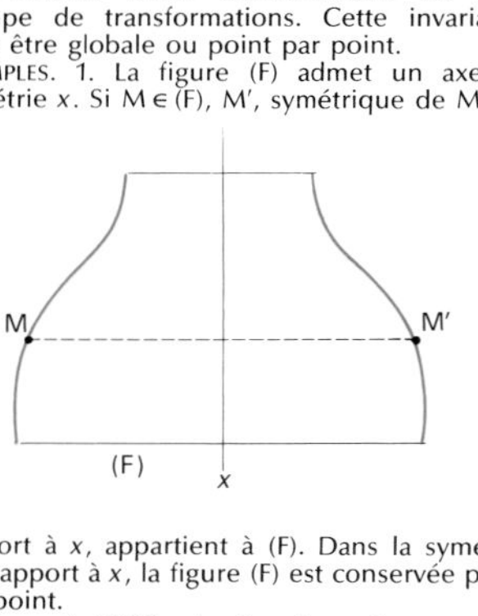

rapport à *x*, appartient à (F). Dans la symétrie par rapport à *x*, la figure (F) est conservée point par point.

2. Le carré ABCD admet, entre autres, comme éléments de symétrie, le point de rencontre O

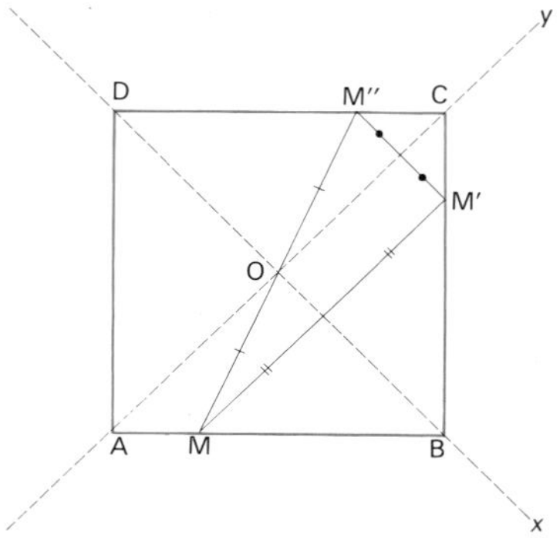

de ses diagonales et, comme axes, ces diagonales *x* et *y*. L'ensemble $\{S_O, S_x, S_y\}$, auquel on adjoint la transformation identique I, constitue un groupe de transformations quand on le munit de la composition des applications : cette composition est associative, interne pour l'ensemble $\{S_O, S_x, S_y, I\}$; I est élément *neutre;* chaque transformation est sa propre inverse. Le carré ABCD est globalement invariant dans chacune de ces quatre transformations ou par le produit, commutatif, de deux d'entre elles.

● En algèbre, on rencontre des expressions, ou simplement une propriété de non-nullité, qui sont conservées au cours de calculs. Par exemple, la matrice A d'une application linéaire *f* d'un espace vectoriel E de dimension *n* sur un corps K a un certain nombre d'invariants quand on passe d'une base de l'espace vectoriel E à une autre base de cet espace. Ces invariants sont, d'une part, la non-nullité ou la nullité du déterminant de la matrice A, qui traduisent respectivement la régularité ou la singularité de cette matrice, donc de l'application linéaire *f,* d'autre part, le spectre de la matrice A, c'est-à-dire l'ensemble de ses valeurs propres, lié aux sous-espaces propres.

Ainsi, l'invariance en mathématique traduit l'existence d'une propriété intrinsèquement liée à l'être mathématique que l'on étudie.

INVARIANT, E adj. *Math.* Se dit d'une grandeur, d'une expression, d'une relation, d'une propriété, etc., qui se conservent pour un groupe de transformations. ‖ Se dit d'un système physico-chimique en équilibre, dont la variance est nulle.

INVARIANT n. m. Ce qui ne varie pas, ce qui est constant : *un invariant économique.* ‖ *Math.* Quantité numérique invariante.

INVASION n. f. (lat. *invadere,* envahir). Irruption faite dans un pays par une force militaire : *les troupes d'invasion.* ‖ Arrivée massive d'animaux nuisibles : *invasion de rats.* ‖ Action d'entrer soudainement dans un lieu en grand nombre : *invasion de touristes, de produits étrangers.* ‖ Diffusion soudaine d'idées, d'éléments jugés subversifs. ‖ *Méd.* Irruption d'une maladie dans une contrée.

INVECTIVE n. f. (bas lat. *invectivus;* de *invehere,* attaquer). Parole violente; injure : *proférer des invectives contre qqn.*

INVECTIVER v. i. et t. Dire des invectives, injurier : *invectiver contre qqn; invectiver qqn.*

INVENDABLE adj. Qu'on ne peut vendre.

INVENDU, E adj. et n. m. Qui n'a pas été vendu : *liquider les invendus.*

INVENTAIRE n. m. (lat. *inventus,* trouvé). État, dénombrement des biens, meubles, titres, papiers d'une personne ou d'une collectivité : *faire l'inventaire d'une succession.* ‖ Évaluation des marchandises en magasin et des diverses valeurs, afin de constater les profits et les pertes. ● *Faire l'inventaire de qqch,* en faire la revue détaillée, minutieuse. ◆ pl. *Hist.* En 1906, opérations consécutives au vote de la loi du 9 décembre 1905, sur la séparation des Églises et de l'État, consistant dans l'inventaire officiel des objets du culte et du mobilier des églises, avant de les transmettre aux associations cultuelles. (Elles provoquèrent, en de nombreux endroits, la résistance du clergé et des catholiques; la mort d'un manifestant, en Flandre, mit fin brusquement à ces opérations.)

INVENTER v. t. (de *inventeur*). Trouver, créer le premier qqch de nouveau : *inventer un nouveau procédé de fabrication.* ‖ Imaginer une chose qui, dans une occasion déterminée, serve à qqch, ou une chose fictive : *inventer un expédient, une histoire.*

INVENTEUR, TRICE n. (lat. *inventor;* de *invenire,* trouver). Personne qui invente. ‖ *Dr.* Qui découvre, retrouve un objet caché ou perdu, un trésor.

INVENTIF, IVE adj. Qui a le génie, le talent d'inventer : *esprit inventif.*

INVENTION n. f. Action d'inventer, de créer qqch de nouveau. ‖ Faculté d'inventer, don d'imagination : *être à court d'invention.* ‖ Chose inventée, imaginée : *les grandes inventions humaines.* ‖ Mensonge inventé pour tromper : *ce sont de pures inventions.* ‖ *Dr.* Découverte de choses cachées. ‖ *Mus.* Courte composition musicale de style contrapuntique, pour instruments à clavier.

INVENTIVITÉ n. f. Qualité d'une personne inventive.

INVENTORIAGE n. m. Action d'inventorier.

INVENTORIER v. t. Faire l'inventaire de.

Invercargill, v. de la Nouvelle-Zélande, à l'extrémité méridionale de l'île du Sud; 52 000 hab.

INVÉRIFIABLE adj. Qui ne peut être vérifié.

Inverness, v. du nord de l'Écosse, sur la mer du Nord; 35 000 hab.

INVERSABLE adj. Qui ne peut se renverser.

INVERSE adj. (lat. *inversus*). Opposé à la direction actuelle ou naturelle : *dans un miroir, les objets apparaissent dans un sens inverse.* ● *Éléments inverses* (Math.), dans un ensemble muni d'une loi de composition interne, les deux éléments dont la composition fournit l'élément unité. ‖ *En raison inverse,* se dit d'une comparaison entre objets qui varient en proportion inverse l'un de l'autre. ‖ *Figures inverses* (Math.), figures transformées l'une de l'autre par inversion. ‖ *Fonctions inverses,* fonctions $f(x)$ et $g(x)$, telles que $y = f(x)$ et $x = g(y)$ expriment la même loi fonctionnelle. ‖ *Nombres inverses l'un de l'autre* (Math.), nombres dont le produit est égal à l'unité. ‖ *Relief inverse* (Géogr.), celui dans lequel la dénivellation topographique est en sens inverse de la déformation tectonique.

INVERSE n. m. Le contraire : *faire l'inverse de ce qui est commandé.* ● *Inverse d'un nombre* (Math.), fraction ayant ce nombre pour dénominateur et l'unité pour numérateur : *1/4 est l'inverse de 4.* (Zéro n'a pas d'inverse.) ‖ *Inverses optiques* (Chim.), isomères symétriques l'un de l'autre par rapport à un plan. (Syn. : COMPOSÉS ÉNANTIOMORPHES.)

INVERSEMENT adv. D'une manière inverse.

INVERSER v. t. (de *inverse*). Renverser la direction, la position relative : *inverser l'ordre des mots dans une phrase.* ‖ Changer le sens d'un courant électrique.

INVERSEUR n. m. Appareil servant à inverser un courant électrique, le sens de marche d'un ensemble mécanique. ● *Inverseur de poussée,* dispositif qui, dans un propulseur à réaction, permet, en changeant la direction des gaz, de modifier l'orientation de la poussée.

INVERSIBLE adj. *Math.* Se dit d'un élément *a* d'un ensemble muni d'une loi interne et possédant un élément neutre *e* tel qu'il existe un élément *a'* de l'ensemble considéré vérifiant la relation $aa' = a'a = e$. ● *Film inversible,* ou *inversible* n. m., film dont le développement par inversion donne une image positive.

INVERSION n. f. Action d'inverser, de s'inverser. ‖ *Chim.* Transformation du saccharose en glucose et en lévulose par hydrolyse. ‖ *Ling.* Toute construction où l'on donne aux mots un autre ordre que l'ordre considéré comme normal ou habituel. ‖ *Math.* Transformation dans laquelle un point M d'une figure est remplacé par un point M' de la droite $\overline{OM}$ (O étant un point fixe), tel que le produit $\overline{OM} \times \overline{OM'}$ soit constant. ‖ *Pathol.* Retournement d'un organe creux. ‖ *Phot.* Suite d'opérations permettant d'obtenir directement une image positive sur la couche sensible employée à la prise de vue. ● *Inversion de relief* (Géogr.), phénomène par lequel un relief conforme à la structure évolue en relief inverse. ‖ *Inversion sexuelle,* syn. vx de HOMOSEXUALITÉ. ‖ *Inversion de température,* en montagne, phénomène selon lequel l'air froid, plus lourd, s'accumule dans les vallées et les bassins, tandis que l'air des sommets est relativement plus chaud.

INVERTASE n. f. Enzyme de la transformation du saccharose en glucose et en lévulose. (Syn. SUCRASE.)

INVERTÉBRÉ, E adj. et n. m. Se dit des animaux sans colonne vertébrale, comme les insectes, les crustacés, les mollusques, les vers, les oursins, etc. (La plupart des invertébrés supérieurs sont réunis dans l'embranchement des arthropodes.)

INVERTI, E adj. *Chim.* Se dit du saccharose transformé en glucose et en lévulose par hydrolyse.

INVERTI, E n. Syn. vx de HOMOSEXUEL.

INVERTIR v. t. (lat. *invertere,* retourner). Renverser symétriquement. ‖ *Chim.* Transformer le saccharose par inversion.

INVESTIGATEUR, TRICE n. et adj. (lat. *investigator;* de *vestigium,* trace). Qui recherche avec soin, jusque dans les détails : *jeter des regards investigateurs.*

INVESTIGATION n. f. Recherche attentive et suivie jusque dans les détails : *poursuivre ses investigations.*

INVESTIR v. t. (lat. *investire,* entourer). Mettre, avec certaines formalités, en possession d'un pouvoir, d'une autorité quelconque. ‖ Encercler une ville en coupant ses communications avec l'extérieur. ● *Investir qqn de sa confiance,* se fier à lui entièrement.

INVESTIR v. t. (angl. *to invest*). Placer des capitaux dans une entreprise. ‖ *Psychol.* Donner à qqch une signification personnelle, lui attacher des valeurs affectives : *il investit beaucoup dans son travail.*

INVESTISSEMENT n. m. Action d'investir une ville, une place forte.

INVESTISSEMENT n. m. (angl. *investment*). Emploi de capitaux visant à accroître la production d'une entreprise ou à améliorer son rendement. ‖ Placement de fonds. ‖ *Psychol.* Action d'investir. ● *Club d'investissement,* groupe de personnes qui gèrent ensemble un portefeuille indivis de valeurs mobilières alimenté par des cotisations périodiques.

INVESTISSEUR adj. et n. m. *Écon.* Celui qui pratique un investissement. ● *Investisseur institutionnel,* organisme chargé de la gestion de fonds destinés à être investis.

INVESTITURE n. f. Mise en possession d'un fief, d'une dignité ecclésiastique, d'un pouvoir quelconque. ‖ Acte par lequel un parti politique désigne un candidat à une fonction élective. ‖ Acte par lequel (dans certains pays et notamment en France de 1946 à 1954) le Parlement, en sa principale assemblée, donnait mission à un homme d'État de constituer le gouvernement.

Investitures *(querelle des),* conflit qui, de 1075 à 1122, opposa le Saint Empire à la papauté au sujet des nominations d'évêques et d'abbés. L'intégration de l'Église dans la féodalité avait abouti à faire des domaines et des droits politiques attachés aux grandes charges ecclésiastiques (évêchés, abbatiats) des fiefs relevant du droit féodal : aussi le seigneur féodal, qui, pour les évêques et les abbés, était souvent l'empereur (Saint Empire) ou le roi (France), s'était arrogé le droit de les choisir et de les investir de leurs charges. La papauté elle-même n'échappa pas à l'influence de l'empereur, qui parvint à contrôler l'élection romaine. Le mouvement d'émancipation naquit sous le pontificat de Grégoire VI* († 1046) et aboutit rapidement aux mesures prises par Nicolas II* pour réserver l'élection du pape aux seuls cardinaux (1059). Mais avec Grégoire VII* la tentative réformiste déboucha sur un affrontement dramatique entre le pape et l'empereur. Après la défaite de Grégoire VII (1085), la lutte fut poursuivie par Urbain II*, puis par Pascal II*, et se termina sous Calixte II* par la solution de compromis du concordat de Worms (1122). L'évêque ou l'abbé était élu librement et consacré par un prélat, qui l'investissait au spirituel par la remise de l'anneau et de la crosse. L'empereur conservait l'investiture temporelle, c'est-à-dire celle des droits de la puissance publique attachés à l'évêché ou à l'abbaye.

INVÉTÉRÉ, E adj. (lat. *inveteratus;* de *inveterare,* faire vieillir). Fortifié, enraciné par le temps : *mal invétéré.* ‖ Qui a laissé vieillir, s'enraciner en soi telle manière d'être, telle habitude, impénitent : *un buveur invétéré.*

INVÉTÉRER (S') v. pr. (conj. **5**). *Litt.* S'affermir, se fortifier par le temps : *laisser s'invétérer une mauvaise habitude.*

INVINCIBILITÉ n. f. Caractère, qualité de ce qui est invincible.

INVINCIBLE adj. Qu'on ne saurait vaincre : *armée invincible.* ‖ Que l'on ne peut réfuter, surmonter : *argument, sommeil invincible.*

INVINCIBLEMENT adv. De façon invincible.

INVIOLABILITÉ n. f. Qualité de ce qui est inviolable : *l'inviolabilité parlementaire.*

INVIOLABLE adj. Qu'on ne doit jamais violer, enfreindre : *serment, droit inviolable.* ‖ Que la loi met à l'abri de toute poursuite : *la personne des ambassadeurs est inviolable.*

INVIOLÉ, E adj. Qui n'a pas été violé, outragé, enfreint : *sanctuaire inviolé; loi inviolée.*

INVISIBILITÉ n. f. État de ce qui est invisible.

INVISIBLE adj. Qui ne peut pas être vu : *un homme invisible.* ‖ Qui échappe à la vue par sa nature, sa taille ou son éloignement : *certaines étoiles sont invisibles à l'œil nu.*

INVISIBLEMENT adv. De façon invisible.

INVITANT, E adj. Qui invite : *puissance invitante.*

INVITATION n. f. Action d'inviter; son résultat.

INVITE n. f. Ce qui invite à faire qqch, appel indirect, adroit : *répondre à l'invite de qqn.*

INVITÉ, E n. Personne que l'on a priée de venir assister à un repas, une cérémonie, etc. ● *Artiste invité* (Chorégr.), étoile ou soliste engagés pour une durée limitée, par une compagnie autre que celle à laquelle ils sont attachés par contrat et qui perçoivent un cachet pour chaque représentation. (On dit aussi ARTISTE EN REPRÉSENTATION.)

INVITER v. t. (lat. *invitare*). Prier par courtoisie, par politesse de venir en un lieu, d'assister à; convier à : *inviter qqn à dîner.* ‖ Engager à faire qqch; inciter : *le beau temps invite à la promenade.* ‖ Demander avec autorité à qqn de faire qqch, ordonner : *inviter qqn à se taire.*

IN VITRO [invitro] loc. adv. et adj. (mots lat., *dans le verre*). Se dit de toute réaction physiologique qui se fait en dehors de l'organisme (dans des tubes, des éprouvettes, etc.).

INVIVABLE adj. Impossible à vivre, difficile à supporter.

IN VIVO [invivo] loc. adv. (mots lat., *dans le vif*). Se dit de toute réaction physiologique qui se fait dans l'organisme.

INVOCATEUR, TRICE adj. et n. Qui invoque.

INVOCATION n. f. (lat. *invocatio*). Action d'invoquer. ‖ *Liturg.* Patronage, protection, dédicace : *église placée sous l'invocation de la Vierge.*

INVOCATOIRE adj. Qui appartient à l'invocation.

INVOLONTAIRE adj. Où la volonté n'a pas part. ‖ Qui agit sans le vouloir.

INVOLONTAIREMENT adv. Sans le vouloir.

INVOLUCELLE n. m. Petit involucre.

INVOLUCRE n. m. (lat. *involucrum*, enveloppe). *Bot.* Ensemble de bractées, d'organes foliacés, rapprochés autour de la base d'une fleur ou d'une inflorescence, spécialement d'une ombelle ou d'un capitule.

INVOLUTÉ, E adj. (lat. *involutus*, enveloppé). *Bot.* Roulé en dedans.

INVOLUTIF, IVE adj. Qui se rapporte à une involution. ‖ *Math.* Se dit d'un élément d'un ensemble égal à son inverse. ‖ *Méd.* Se dit des processus liés au vieillissement. • *Transformation involutive*, transformation bijective égale à la transformation inverse.

INVOLUTION n. f. *Biol.* Régression d'un organe, soit chez un individu (l'involution de l'utérus après l'accouchement dure douze jours), soit dans une espèce, suivant un des mécanismes de l'évolution. ‖ *Math.* Homographie réciproque. ‖ *Méd.* Processus de régression biologique et psychologique dû au vieillissement. ‖ *Philos.* Passage de l'hétérogène à l'homogène, du divers au même, du multiple à l'un.

INVOQUER v. t. (lat. *invocare*). Implorer l'aide, le secours de qqn de plus puissant par des prières, des supplications. ‖ Donner comme argument, comme justification : *invoquer un témoignage.*

INVRAISEMBLABLE adj. Qui ne semble pas vrai : *fait invraisemblable.* ‖ Extraordinaire, bizarre : *chapeau invraisemblable.*

INVRAISEMBLABLEMENT adv. De façon invraisemblable.

INVRAISEMBLANCE n. f. Manque de vraisemblance. ‖ Chose invraisemblable : *récit plein d'invraisemblances.*

INVULNÉRABILITÉ n. f. État de celui ou de ce qui est invulnérable.

INVULNÉRABLE adj. Qui ne peut être blessé, qui résiste à toute atteinte.

INZINZAC-LOCHRIST (56650), comm. du Morbihan, à 7 km au N. d'Hennebont; 5 594 hab.

IOÁNNINA ou **JANNINA,** v. du nord-ouest de la Grèce, en Épire, sur le *lac de Ioánnina;* 40 000 hab. Monastères anciens dans l'île du lac. Mosquée du XVIIe s. (musée).

IOCHKAR-OLA, v. de l'U.R.S.S. (R.S.F.S. de Russie), capit. de la république autonome des Maris, au N.-O. de Kazan; 216 000 hab.

IODATE n. m. Sel de l'acide iodique.

IODE [jɔd] n. m. (gr. *iôdês*, violet). Corps simple (I) n° 53, en paillettes grises à éclat métallique, de masse atomique 126,90, de densité 4,93, fusible à 114 °C, et qui répand, quand on le chauffe, des vapeurs violettes.

■ L'iode a été découvert par Courtois en 1811. C'est un solide gris-noir, à éclat métallique, cristallisé en paillettes orthorhombiques, d'odeur irritante. Peu soluble dans l'eau, il se dissout dans l'iodure de potassium, l'alcool, le sulfure de carbone. Ses propriétés chimiques le rapprochent des autres halogènes, mais il est moins électronégatif. Sa combinaison avec l'hydrogène, HI, est peu stable. Il a peu d'action sur les métalloïdes, attaque les métaux à chaud et agit difficilement sur les corps organiques. On le trouve, sous forme d'iodures, dans les végétaux marins et on l'extrait habituellement des cendres de laminaires, que l'on traite par le chlore. On le prépare aussi à partir des eaux mères des nitrates du Chili.

En thérapeutique, on utilise l'iode : en *applications*, sous forme de soluté alcoolique (teinture d'iode), comme antiseptique; *per os*, sous forme d'iodure de potassium, pour le traitement de mycoses profondes. L'*iode radioactif* (I 131 ou I 132) est utilisé pour l'exploration et le traitement de certaines affections thyroïdiennes.

IODÉ, E adj. Qui contient de l'iode : *eau iodée.*

IODER v. t. Couvrir ou additionner d'iode.

IODHYDRIQUE adj. m. Se dit d'un acide (HI) formé par la combinaison d'iode et d'hydrogène.

IODIQUE adj. m. Se dit d'un acide (HIO_3) produit par l'oxydation de l'iode.

IODISME n. m. Intoxication par l'iode.

IODLER v. i. → JODLER.

IODOFORME n. m. Composé (CHI_3) que l'on obtient en faisant agir l'iode sur l'alcool, et employé surtout comme antiseptique.

IODURE n. m. Sel de l'acide iodhydrique.

IODURÉ, E adj. Qui contient un iodure : *sirop ioduré.* ‖ Couvert d'une couche d'iodure : *plaque photographique iodurée.*

ION n. m. (mot angl.; gr. *ion*, allant). Atome ou groupe d'atomes ayant gagné ou perdu (par électrolyse, sous l'action de rayonnements, etc.) un ou plusieurs électrons.

■ Pour expliquer les propriétés des solutions aqueuses des acides, des bases et des sels, ainsi que l'électrolyse, Arrhenius supposa que les molécules dissoutes s'étaient spontanément dissociées en ions, par une réaction réversible. Les *cations*, chargés positivement, sont des atomes ayant perdu des électrons, les *anions*, des atomes ou radicaux en ayant gagné. Le degré de dissociation ionique, rapport du nombre de molécules dissociées au nombre total de molécules, dépend de la nature de la substance et il augmente avec la dilution.

Les ions électrolytiques sont doués de propriétés chimiques différentes de celles des molécules, et leurs réactions s'interprètent par l'écriture ionique des équations.

Si, au moyen de deux électrodes, on établit un champ électrique dans la solution, les ions se déplacent vers les électrodes, où ils perdent leurs charges en donnant des atomes neutres. Ainsi s'expliquent le passage du courant dans les électrolytes et les lois de l'électrolyse.

Dans les sels cristallisés, les nœuds du réseau cristallin sont occupés par des ions unis par attraction électrostatique. Ainsi, un cristal de chlorure de sodium comporte des ions Na^+ et Cl^-, alternativement disposés aux sommets de cubes contigus.

Sous l'action de certains rayonnements ou particules (ultraviolet, X, α, β, γ, électrons accélérés), les gaz deviennent conducteurs de l'électricité, car une partie de leurs atomes est transformée en ions. Les ions ainsi créés peuvent être utilisés pour détecter les rayonnements ou particules (compteurs et détecteurs). La recombinaison des anions et des cations en atomes neutres s'accompagne d'une émission lumineuse, mise à profit dans les tubes luminescents. Les gaz très ionisés constituent les plasmas.

IONESCO (Eugène), écrivain français d'origine roumaine (Slatina 1912). Ses premières comédies, où un langage distendu démasque chez ses personnages le vide des idées que les mots prétendent couvrir, où les objets écrasent des êtres dérisoires incapables de dominer l'univers matériel, dévoilent l'absurdité de l'existence et

Eugène **Ionesco**

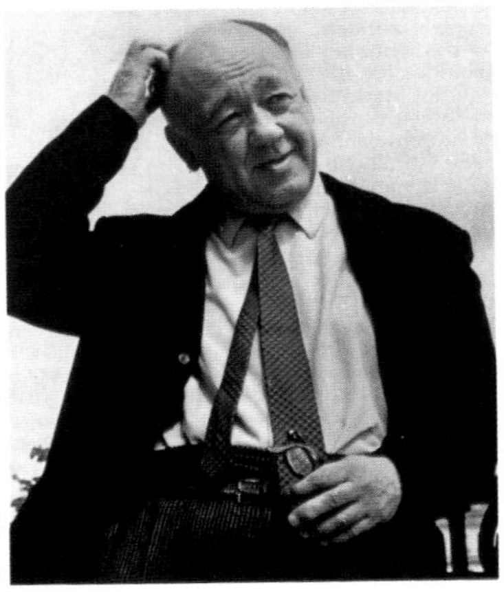

G. Freund

des rapports sociaux (*la Cantatrice chauve**, 1950; *la Leçon**, 1951; *les Chaises**, 1952).

Son exploration du langage s'accompagne ensuite de la recherche d'une nouvelle possibilité de communication humaine, dans des pièces où la parodie s'inscrit dans une perspective symbolique (*Rhinocéros**, 1960; *Le roi* se meurt*, 1962; *le Piéton de l'air*, 1963; *la Soif et la faim*, 1966; *Macbett*, 1972), avant de s'épancher dans un univers onirique (*l'Homme aux valises*, 1975), dont la logique anime aussi bien les notations de son *Journal en miettes* (1967-68) et de *la Quête intermittente* (1988) que ses contes à l'usage d'un public enfantin (*Conte numéro 1*, 1969; *Conte numéro 2, pour enfants de moins de trois ans*, 1970). Ionesco a transposé ses thèmes favoris dans les domaines romanesque (*le Solitaire*, 1973) et cinématographique (*la Vase*, film de Heinz von Kramer, dont il est le scénariste et le personnage principal).

IONIE, partie centrale de la région côtière de l'Asie Mineure, peuplée de Grecs venus de la Grèce d'Europe; ses deux villes principales étaient Éphèse* et Milet*. La civilisation ionienne subit l'influence de la civilisation orientale, et sa plus brillante période se situe aux VIIe-VIe s. av. J.-C. (v. GRÈCE D'ASIE). On pense que les *Ioniens* constituèrent une des premières vagues des envahisseurs qui déferlèrent sur le territoire grec au début du IIe millénaire av. J.-C. et que, sous la poussée dorienne, ils passèrent l'Égée pour venir s'installer dans le territoire qui a conservé leur nom, où se sont formées une culture et une civilisation auxquelles l'Orient a largement contribué.

IONIEN, ENNE adj. et n. De l'Ionie. • *Dialecte ionien*, ou *ionien* n. m., un des principaux dialectes de la langue grecque, qu'on parlait dans l'Ionie. ‖ *École ionienne* (Philos.), école des VIIe et VIe s. av. J.-C., qui entreprit une vaste enquête sur la nature pour en rechercher le principe d'explication : l'eau pour Thalès, l'infini pour Anaximandre, l'air pour Anaximène.

IONIENNE *(mer)*, partie de la Méditerranée comprise entre le sud de l'Italie et la Grèce continentale, et séparée de l'Adriatique par le canal d'Otrante.

IONIENNES *(îles)*, groupe d'îles situées le long de la côte ouest de la Grèce, dont elles font partie; 2 307 km²; 184 000 hab. Du nord-ouest au sud-est se succèdent *Corfou* (la principale), *Ithaque, Céphalonie, Zante* et, au sud du Péloponnèse, *Cythère.*

HISTOIRE. Au Moyen Âge, les îles Ioniennes appartinrent au roi de Naples et aux despotes d'Épire, avant de passer sous la domination de Venise (1386).

Occupées par les Français en 1797, reprises par les Russes (1799), puis restituées aux Français (1807), qui les annexèrent aux provinces Illyriennes, les îles Ioniennes passèrent sous domination anglaise en 1809. Elles furent unies à la Grèce en 1864.

IONIQUE adj. Qui se rapporte aux ions.

IONIQUE adj. De l'Ionie. • *Ordre ionique*, ordre d'architecture grecque apparu v. 560 av. J.-C., caractérisé par une colonne cannelée, élancée, posée sur une base moulurée, et par un chapiteau dont l'échine, décorée d'oves, est flanquée de deux volutes et dont l'abaque est souvent orné en son centre d'une fleur.

IONISANT, E adj. Qui provoque l'ionisation.

IONISATION n. f. Transformation d'atomes, de molécules neutres, en ions.

IONISER v. t. Provoquer l'ionisation.

IONOGRAMME n. m. *Chim.* Formule représentant les concentrations des différents ions (sodium, potassium, chlore, etc.) contenus dans un liquide organique.

IONONE n. f. Cétone à odeur de violette très prononcée, et employée en parfumerie.

IONOPLASTIE n. f. Production d'un dépôt métallique par passage d'un courant électrique dans un gaz raréfié. (Syn. PULVÉRISATION CATHODIQUE.)

IONOSPHÈRE n. f. Ensemble des régions de la haute atmosphère (approximativement entre 60 et 600 km) où l'air est fortement ionisé et, par conséquent, conducteur de l'électricité.

IONOSPHÉRIQUE adj. Relatif à l'ionosphère.

IORGA (Nicolae), historien et homme politique roumain (Botoșani 1871 - Strejnie 1940). Professeur d'histoire à l'université de Bucarest, député d'Iași à partir de 1907, il fonde en 1910 un parti nationaliste et démocratique, et préside en 1918 l'assemblée qui proclame l'union de tous les Roumains. Président du Conseil (1931-32), puis ministre d'État (1938), il est assassiné par la Garde de Fer. Il a écrit une *Histoire des Roumains* (1935-1939).

IOS ou **NIÓ,** île des Cyclades (Grèce), au S. de Naxos.

IOTA n. m. Neuvième lettre de l'alphabet grec (ι), correspondant à notre *i.* • *Il n'y manque pas un iota*, il n'y manque rien.

IOTACISME n. m. *Ling.* Emploi fréquent du son *i*, particulier au grec moderne.

IOUDENITCH (Nikolaï Nikolaïevitch) → RUSSES BLANCS *(armée des).*

IOUJNO-SAKHALINSK, v. de l'U.R.S.S. (R.S.F.S. de Russie), dans le sud de l'île de Sakhaline; 152 000 hab.

IOULER v. i. → JODLER.

IOURTE n. f. → YOURTE.

IOWA, État du centre des États-Unis; 145 790 km²; 2 913 000 hab. Capit. *Des Moines.* Dans les Grandes Plaines, entre le Missouri, à l'O., et le Mississippi, à l'E., l'Iowa est un État à prépondérance agricole, fondée sur les cultures du blé, du soja et principalement du maïs, qui sont largement associées à un important élevage (porcins et vaches laitières notamment). L'industrie est encore partiellement liée à cette agriculture (alimentation et matériel agricole).

IPÉCACUANA [ipekakwana] et, par abrév., **IPÉCA** [ipeka] n. m. (mot portug.; du tupi). Racine vomitive d'un arbrisseau du Brésil. (Famille des rubiacées.)

IPHICRATE, stratège athénien (en Attique v. 415 - en Thrace 354). Il fut l'organisateur d'un corps d'infanterie légère, les *peltastes*, qui introduisait un élément nouveau dans l'art militaire.

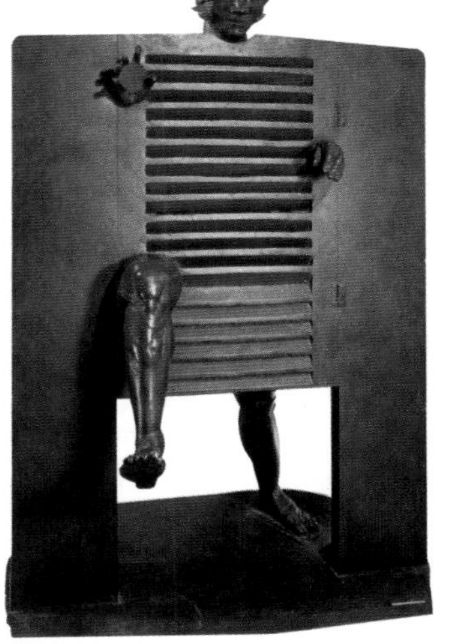

Lauros

Ipousteguy : *Homme poussant une porte.* Bronze, 1966. (Galerie Claude-Bernard, Paris.)

IPHIGÉNIE, dans la mythologie grecque, fille d'Agamemnon et de Clytemnestre. Son père la sacrifia à Artémis afin de fléchir les dieux, qui retenaient par des vents contraires la flotte grecque à Aulis. Suivant une autre tradition, la déesse substitua à Iphigénie une biche et fit de la jeune fille sa prêtresse en Tauride. Cette légende a fourni à Euripide le thème de deux tragédies : *Iphigénie à Aulis* et *Iphigénie en Tauride;* c'est de la première que s'est inspiré Racine dans son *Iphigénie en Aulide* (1674). Au XVIIIe s., Gluck a écrit la musique d'une *Iphigénie en Aulide* (1774), tragédie lyrique sur des paroles de Du Roullet, et d'une *Iphigénie en Tauride* (1779), sur des paroles de Guillard. Goethe a donné une *Iphigénie en Tauride* (1779-1787).

IPOH, v. de la Malaysia, capit. de l'État de Perak; 300 000 hab. Extraction de l'étain.

IPOMÉE n. f. (gr. *ips*, ver, et *omoios*, semblable). Nom scientifique de la *patate douce.*

IPOUSTEGUY (Jean-Robert), sculpteur et dessinateur français (Dun-sur-Meuse 1920). D'abord peintre, il se consacre vers 1950 à la sculpture, partant d'une puissante stylisation pour évoluer à travers un éventail baroque de manières où domine soit toute la tension d'un discours intériorisé (*Alexandre devant Ecbatane*, bronze, 1965, musée national d'Art moderne), soit le déploiement d'une scénographie véhémente (*Un mangeur de gardiens*, céramique, 1970).

IPPON [ipon] n. m. (mot jap.). Action décisive (immobilisation, étranglement, projection sur le dos, etc.) arrêtant un combat de judo.

IPSÉITÉ n. f. (lat. *ipse*, soi-même). *Philos.* Ce qui fait qu'un être est lui-même et non un autre.

IPSO FACTO [ipsofakto] loc. adv. (mots lat., *par le fait même*). Par une conséquence obligée, automatiquement.

IPSOS, bourg de Phrygie, où eut lieu en 301 av. J.-C. une bataille entre les généraux successeurs d'Alexandre, dans laquelle Antigonos* Monophthalmos trouva la mort.

IPSWICH, v. de Grande-Bretagne, au N.-E. de Londres; 123 000 hab.

IQBĀL (*sir* Muḥammad), poète et philosophe musulman de l'Inde (Sialkot 1875 - Lahore 1938). Son œuvre, écrite en ourdou (*l'Appel de la cloche*, 1924; *l'Aile de Gabriel*, 1935), en persan (*Message de l'Orient*, 1923) et en anglais (*The Reconstruction of Religious Thought in Islam*, 1934), a exercé une profonde influence sur les créateurs de l'État pakistanais.

IQUIQUE, port du Chili septentrional; 77 000 hab. Pêche. Engrais.

IQUITOS, v. du nord-est du Pérou, sur le Marañón; 174 000 hab. Raffinage du pétrole.

Ir, symbole chimique de l'*iridium.*

IRA, sigle de l'*Irish Republican Army* (Armée républicaine irlandaise), qui se substitue à partir de 1919 aux Volontaires irlandais, l'organisation militaire du parti nationaliste Sinn* Féin. Hostile, dans sa grande majorité, au traité de Londres de 1921, l'IRA poursuit la lutte contre le gouvernement britannique en Irlande du Nord, en faveur de la réunification et de l'indépendance complète de l'île. L'accession au pouvoir de De Valera* affaiblit l'organisation, qui est déclarée illégale en 1939. À partir de 1969, l'IRA intervient en Ulster aux côtés des catholiques et reprend la lutte armée contre les protestants et le gouvernement britannique. À l'IRA officielle, plutôt favorable à un règlement pacifique du conflit, s'oppose bientôt une tendance extrémiste dure, l'IRA provisoire, qui fait sécession et poursuit une action violente en dépit des trêves intervenues depuis 1972.

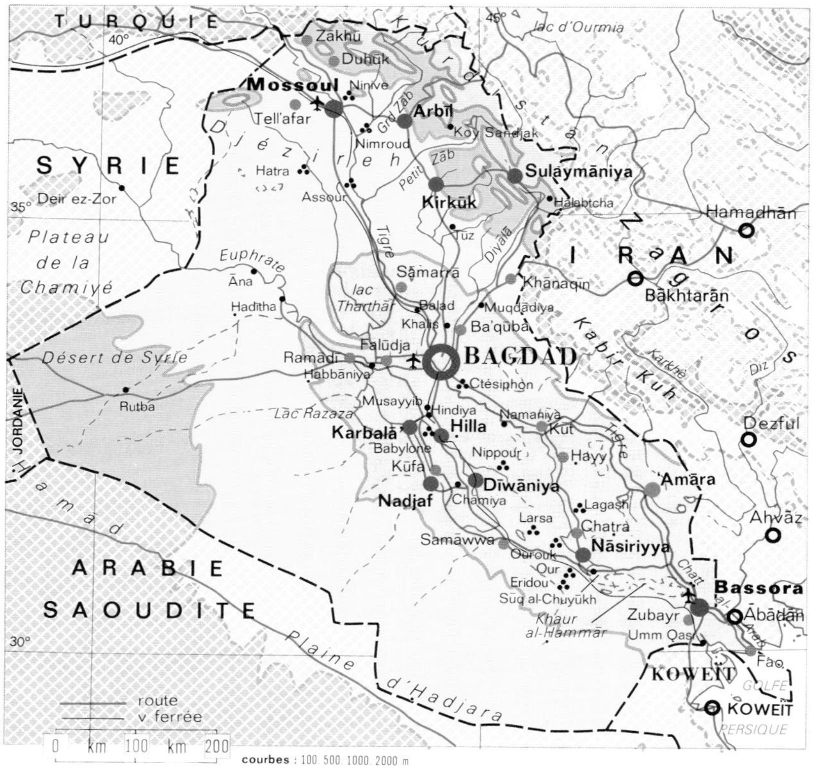

IRAQ

l'agriculture est prospère, connaît un grand essor économique, culturel et artistique. Cependant, la société irakienne est secouée par de nombreuses révoltes sociales ou religieuses (fidélité aux 'Alides et au chī'isme*, soulèvement des esclaves noirs de la région de Bassora, raids des qarmaṭes). Sous la tutelle des émirs chī'ites buwayhides (de 945 à 1055), maîtres de l'Iran, puis sous celle des Turcs Seldjoukides*, restaurateurs du sunnisme, les califes n'ont plus qu'une autorité nominale.

La conquête mongole de 1258 précipite le déclin politique de l'Iraq et sa décadence économique. Pendant près de trois siècles, le pays est dominé par des dynasties d'origine mongole (Ilkhāns*, Djalāyirides) ou turkmène (Mouton* Noir, Mouton* Blanc, Séfévides*). La turbulence des tribus, bédouines au sud, turkmènes et kurdes au nord, achève de désorganiser l'économie. Bagdad est mise à sac par Tīmūr Lang (Tamerlan*) en 1401.

La conquête ottomane s'accomplit par étapes de 1515 à 1546 et est plusieurs fois remise en cause par les Persans séfévides. Les gouverneurs ottomans de l'Iraq jouissent d'une grande autonomie jusqu'à la réorganisation administrative ottomane, qui fend, de 1831 à 1918, à moderniser et à occidentaliser le pays.

DÉFENSE ET ARMÉES

• LES FORCES IRAKIENNES EN 1985. Effectif total : 1 300 000 hommes environ. Service militaire de 21 à 24 mois, prolongé en raison du conflit avec l'Iran.

Armée de terre : 550 000 hommes; 20 divisions (dont 6 blindées et 5 mécanisées), une trentaine de brigades.

Marine : 5 000 hommes; une cinquantaine de bâtiments dont 10 vedettes lance-missiles.

Aviation : 40 000 hommes, environ 600 appareils de combat.

Forces paramilitaires : environ 700 000 hommes.

Les Britanniques conquièrent l'Iraq sur les Ottomans de 1914 à 1918 et obtiennent en 1920 un mandat de la S.D.N. La Grande-Bretagne organise la monarchie constitutionnelle hāchémite* et signe avec Fayṣal Ier (de 1921 à 1933) le traité de 1930, qui accorde l'indépendance à l'Iraq, mais qui réaffirme l'alliance politique et militaire entre les deux pays.

L'opposition nationaliste se développe. Un groupe d'officiers dirigés par Kassem*, encouragés par les succès de Nasser, renversent la dynastie hāchémite et proclament la république (1958). L'Iraq, sous les régimes de Kassem (de 1958 à 1963), d'Abdul Salam Aref* (de 1963 à 1966), d'Abdul Rahman Aref* (de 1966 à 1968), d'Aḥmad Ḥasan al-Bakr* (de 1968 à 1979) et de Ṣaddām Ḥusayn, connaît une vie politique agitée, dont les principaux protagonistes sont les nationalistes arabes proégyptiens, les communistes et les baassistes (le Baath* est au pouvoir en 1963, puis depuis 1968). Les relations privilégiées avec la Grande-Bretagne sont abrogées dès 1958, alors que s'opère un rapprochement avec la France (à partir de 1967) et avec l'U.R.S.S. (traités d'amitié et de coopération de 1969 et de 1972). L'Iraq s'engage dans la voie du socialisme : réforme agraire de 1958, nationalisation de l'Iraq Petroleum Company (1961, 1972), développement d'une compagnie nationale, contrôle des banques et de l'industrialisation depuis 1964. L'affrontement des nationalismes arabe et kurde* provoque l'insurrection kurde de 1961-1966, qui se rallume de 1969 à 1975. En 1980, une contestation frontalière amène l'Iraq à s'engager dans un conflit avec l'Iran et à pénétrer jusqu'aux alentours de Khurramchāhr. Le conflit prend la forme d'une sanglante guerre de position en 1981. En 1982, l'armée irakienne doit abandonner les territoires conquis puis repousser les attaques iraniennes en direction de Bassora. Ces offensives se poursuivent en 1983 et en 1984. Le conflit s'intensifie encore en 1985, les attaques contre les terminaux et les navires pétroliers se doublant de raids aériens sur des objectifs civils (les capitales et les villes principales des deux pays sont bombardées). Cette guerre, qui divise profondément le monde arabe et tend à s'internationaliser, provoque une chute de près des deux tiers des exportations pétrolières de l'Iraq. En 1988, un cessez-le-feu intervient entre l'Iran et l'Iraq. Il est suivi de l'ouverture de négociations en vue d'aboutir à un règlement politique du conflit.

IRASCIBILITÉ n. f. *Litt.* Disposition à s'irriter.

IRASCIBLE [irasibl] adj. (bas lat. *irascibilis;* de *irasci,* se mettre en colère). Qui se met en colère facilement, coléreux, irritable.

IRBID, v. du nord-ouest de la Jordanie; 140 000 hab.

IRBM n. m. (sigle de *Intermediate Range Ballistic Missile*). Missile stratégique sol-sol de portée comprise entre 2 400 et 6 500 km.

IRE n. f. (lat. *ira*). *Litt.* et *vx.* Colère.

IRÈNE, impératrice d'Orient → ISAURIENS.

IRÉNÉE *(saint),* évêque de Lyon, Père de l'Église (Smyrne v. 130 - Lyon v. 202). Grec d'origine, il bénéficia de l'enseignement de l'évêque Polycarpe*, qui passait pour avoir été le disciple de l'apôtre Jean*. Prêtre à Lyon, il succède à l'évêque saint Pothin*, mort martyr durant la persécution de 177. De son œuvre abondante, il nous reste une réfutation des systèmes gnostiques, l'*Adversus haereses (Contre les hérésies),* et un exposé catéchétique de la foi chrétienne : *Démonstration de la prédication apostolique.*

IRÉNIQUE adj. (gr. *eirênikos,* pacifique). Se dit de certains écrits dont le but est de ramener la paix entre les chrétiens.

IRÉNISME n. m. Attitude pacificatrice adoptée entre chrétiens de confessions différentes pour étudier les problèmes qui les séparent.

IRIAN, nom de la partie indonésienne de la Nouvelle-Guinée.

IRIARTE (Tomás DE), écrivain et compositeur espagnol (La Orotava, Tenerife, 1750 - Madrid 1791). Auteur de *Fables littéraires,* qui illustrent son esthétique classique, et de poèmes musicaux, il introduisit le « mélodrame » en Espagne.

IRIDACÉE n. f. (de *iris*). Plante monocotylédone aux fleurs souvent décoratives. (Les *iridacées* forment une famille comprenant l'*iris,* le *glaïeul,* le *crocus.*)

IRIDECTOMIE n. f. (gr. *ektomê,* coupure). *Méd.* Excision chirurgicale d'une partie de l'iris.

IRIDIÉ, E adj. Qui contient de l'iridium.

IRIDIUM [iridjɔm] n. m. (lat. *iris, iridis,* arc-en-ciel). Métal (Ir) blanc, n° 77, de masse atomique 192,22, extrêmement dur et résistant à l'action des agents chimiques, fondant vers 2 400 °C et contenu dans certains minerais de platine.

IRIDOLOGIE n. f. Méthode de diagnostic d'une maladie générale par l'examen de l'iris.

IRIGNY (69540), ch.-l. de cant. du Rhône, à 10 km au S. de Lyon; 6 933 hab.

IRIS [iris] n. m. (mot gr.) *Anat.* Membrane colorée de l'œil, située derrière la cornée et devant le cristallin et percée d'un orifice, la pupille. (L'iris joue le rôle d'un diaphragme.) ‖ *Bot.* Plante type de la famille des iridacées, souvent cultivée pour ses fleurs ornementales et odorantes, et dont le rhizome peut être employé en parfumerie. ‖ Poudre parfumée faite avec le rhizome d'iris. ‖ *Phot.* Diaphragme formé par de nombreuses lamelles comprises entre deux anneaux, l'un fixe, l'autre mobile.

IRISABLE adj. Susceptible d'irisation.

IRISATION n. f. Propriété qu'ont certains corps de disperser la lumière en rayons colorés comme l'arc-en-ciel; reflets ainsi produits.

IRISÉ, E adj. Qui présente les couleurs de l'arc-en-ciel : *verre irisé.*

IRISER v. t. Faire apparaître l'irisation; donner les couleurs de l'arc-en-ciel. ◆ **s'iriser** v. pr. Se revêtir des couleurs de l'arc-en-ciel.

IRISH-TERRIER [ajriʃterje] n. m. (pl. *irish-terriers*). Chien de chasse robuste et rapide.

IRITIS [iritis] n. f. *Méd.* Inflammation de l'iris.

IRKOUTSK, v. de l'U.R.S.S. (R.S.F.S. de Russie), dans le sud de la Sibérie, sur l'Angara, près du lac Baïkal; 582 000 hab. Centrale hydroélectrique. Métallurgie et chimie.

IRLANDAIS, E adj. et n. De l'Irlande.

IRLANDAIS n. m. Langue celtique parlée en Irlande.

IRLANDE, en gaélique **Éire,** la plus occidentale des îles Britanniques, partagée entre l'Irlande du Nord*, ou Ulster, partie du Royaume-Uni, et la république d'Irlande, ou Éire, qui couvre 70 300 km², compte 3 420 000 hab. *(Irlandais)* et dont la capitale est *Dublin.*

GÉOGRAPHIE

• *L'île.* Une série de massifs anciens, constitués de roches cristallines et rabotés par l'érosion, encadrent la dépression centrale du Shannon, pays de plaines et de collines. L'emprise des glaciers quaternaires se traduit dans le paysage par l'existence de vallées en auge dans les massifs montagneux, pourtant peu élevés, et par l'épandage de moraines, qui sont responsables de la désorganisation de l'hydrographie (nombreux lacs). Le climat océanique entretient une humidité constante : partout, il pleut plus de 200 jours par an. Les hautes terres, battues par les vents, surtout à l'O. de l'île, sont couvertes de landes. Dans les dépressions se développent des tourbières. La permanence de l'humidité, jointe à l'acidité du substratum, explique la pauvreté des sols.

• *La république d'Irlande.* La faible densité de la population est liée au fort courant d'émigration qui dure depuis plus d'un siècle. Dû à des causes historiques et à la médiocrité des conditions naturelles, ce courant d'émigration est responsable du départ de nombreux jeunes, principalement vers les États-Unis et, actuellement, la Grande-Bretagne. Il explique le vieillissement de la population, catholique et parlant encore le gaélique en certaines régions.

L'élevage constitue la principale activité rurale : ovins en montagne (4 M de têtes) et bovins dans les plaines (7 M de têtes), pour la viande et pour le lait. Les cultures se concentrent dans le Sud-Est, un peu plus ensoleillé (blé, pomme de terre, betterave à sucre, orge).

Les ressources naturelles ont permis la création d'industries traditionnelles telles que les brasseries et les usines textiles (lin, laine). Des activités modernes se développent actuellement : raffinage du pétrole (et pétrochimie), constructions mécaniques. Mais l'Irlande doit importer les matières premières de même que certains biens de consommation. Sa balance commerciale est déficitaire. Son partenaire principal demeure la Grande-Bretagne; en même temps que celle-ci (1973) l'Irlande a adhéré au Marché commun.

iris

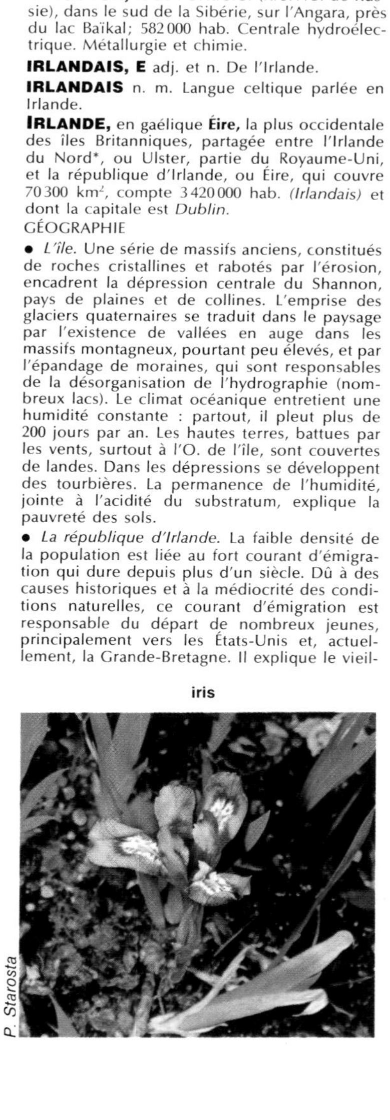

HISTOIRE. Les Celtes s'installent dans l'île, par petits groupes, à partir du IVe s. av. J.-C. Les derniers venus sont les Gaëls, qui constituent une aristocratie bien armée et dominent le pays. L'Irlande gaélique se partage en petits royaumes *(tuath),* peu à peu regroupés en cinq ensembles plus vastes : l'Ulster, qui a d'abord l'avantage; le Connacht, dont le roi s'arroge le titre de « roi suprême de l'île » (Ard Rí); le Leinster du Nord, conquis par l'Ulster; le Leinster du Sud; le Munster. Au Ve s., Patrick* établit les bases de l'Église irlandaise. Son œuvre missionnaire est parachevée par de nombreux moines, notamment ceux de Clonard et d'Armagh, tels Colomba* († 597), mort au monastère écossais d'Iona, centre de l'évangélisation de l'Écosse et de l'Angleterre, et Colomban* († 615), qui devient l'un des grands fondateurs de monastères en Gaule et en Germanie. Le rayonnement de l'Irlande aux VIe et VIIe s. est aussi culturel (Jean Scot* Érigène) et artistique (enluminures).

Cet « âge d'or » de l'Irlande prend fin avec les invasions scandinaves, qui ravagent l'île durant deux siècles (IXe-Xe s.). Les Norvégiens s'y taillent des royaumes, dont les deux plus importants sont ceux de Dublin et de Limerick. Mais Brian Boru, devenu roi de toute l'Irlande du Sud (1002-1014), vainqueur des Scandinaves à Clontarf (1014), arrête ces derniers. Le dernier Ard Rí d'Irlande est Turloch O'Connor († 1156), roi du Connacht. Son adversaire, Dermot Mac Murrough († 1171), roi du Leinster, ayant demandé l'aide du roi d'Angleterre, Henri II, l'île est soumise à la conquête anglo-normande à partir de 1171. Les excès de la féodalité normande provoquent une révolte et amènent Henri II à signer, à Windsor, un traité (1175) qui fait du roi d'Angleterre le *dominus* (seigneur) de l'île, Rory O'Connor, roi du Connacht († 1198), gardant le titre d'Ard Rí. En fait, l'avidité des féodaux anglais va, pour des siècles, provoquer une alternance de révoltes irlandaises et de dures réactions anglaises. Colonie anglaise négligée, l'Irlande est disputée entre l'aristocratie indigène et la féodalité étrangère.

Cependant, du XIIIe au XVIe s., la force assimilatrice du milieu irlandais entraîne une rétraction, la suzeraineté anglaise ne subsistant que grâce à des familles de l'aristocratie anglo-irlandaise restées fidèles à la Couronne, tels les Fitzgerald de Kildare, maîtres du pays de 1468 à 1534, mais qu'Henri VIII décime en 1535.

C'est qu'Henri VIII est surtout préoccupé par le refus de l'Irlande d'abandonner le catholicisme et de reconnaître l'*Acte de suprématie* anglicane. Ayant pris le titre de roi d'Irlande (1541), le Tudor voit se dresser contre lui toute l'île : il réplique en redistribuant les terres irlandaises à des Anglais. Les confiscations se poursuivent sous Édouard VI et même sous Marie Tudor. Sous Élisabeth Ire, l'opposition irlandaise s'allie aux Espagnols et bat les Anglais à Yellow Ford en 1598. Mais cette défaite retentissante n'empêche pas les Anglais d'écraser les révoltes de Munster (1569-1583) et d'Ulster (1594-1603), forçant les comtes O'Donnell et O'Neill, véritables héros nationaux, à s'enfuir à l'étranger. L'Irlande gaélique est morte; l'île n'est plus qu'une colonie où le conquérant va s'acharner à s'imposer à une population rétive.

Le drame irlandais commence, jalonné de jacqueries, telle celle de 1641. Tout naturellement, lorsque les Stuarts* se trouvent, à deux reprises, rejetés d'Angleterre, l'Irlande soutient leur cause. D'où la réaction violente d'Olivier Cromwell, responsable du massacre de Drogheda (1649). Après la défaite de Jacques II devant Guillaume III à la Boyne (1690), l'Irlande est abandonnée aux Anglais, son aristocratie quittant le pays pour se mettre au service de Louis XIV ou d'autres princes européens. Les lois pénales de 1702-1705, abolies seulement en 1782, mettent la masse irlandaise hors la loi. Ce n'est qu'après l'indépendance des colonies américaines (1782) que Londres, craignant la sécession de l'Irlande et ayant besoin de ses hommes pour son armée, se décide à des concessions et octroie à l'île son autonomie législative et la liberté du commerce, ce qui profitera presque uniquement à la population protestante.

Aussi la Révolution française est-elle bien accueillie par les Irlandais qui se soulèvent

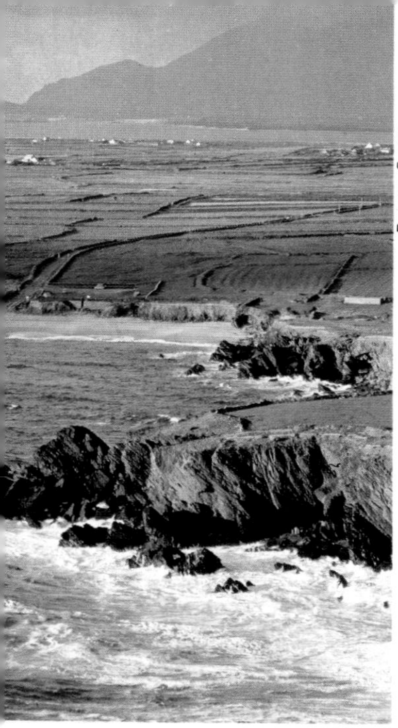

Beuzen-Scope

Irlande. La péninsule de Dingle (comté de Kerry).

plusieurs fois (1796-1798), croyant pouvoir être appuyés par un corps expéditionnaire français. Londres réagit : Pitt, en août 1800, obtient l'union de l'Irlande et de l'Angleterre (Royaume-Uni); le Parlement de Dublin disparaît. C'est alors qu'un avocat catholique, Daniel O'Connell*, décide d'adopter une autre méthode : faire profiter tous les Irlandais des bienfaits du régime politique britannique afin d'obtenir la suppression de l'Union. Député de Clare (1828), il obtient l'émancipation des catholiques (1829) et lance une campagne pour la suppression de l'Union (1840) : Londres n'ayant pas cédé, il n'ose pas « franchir le Rubicon ». Alors, ses disciples fondent la « Jeune-Irlande », cependant que l'île connaît en septembre 1845, avec la maladie de la pomme de terre, une effroyable catastrophe — la « Grande Famine » —, qui, en accélérant un énorme courant d'émigration vers l'Angleterre et les États-Unis, dépeuple l'île. Si bien que la « Jeune-Irlande » se trouve sans force jusqu'à ce que, en 1858, soit créée la Fraternité républicaine irlandaise (*Irish Republican Brotherhood*, IRB), dont les membres prennent le nom de *fenians* : les attentats que ceux-ci multiplient (1866-67) font prendre conscience à l'opinion britannique du problème irlandais. En 1870, se fonde l'association pour le *Home Rule**, dont le chef populaire est Charles Parnell*, qui, par d'habiles procédés (obstruction parlementaire), oblige les Britanniques à multiplier les concessions. Gladstone*, d'ailleurs favorable au *Home Rule*, accorde le *Land Act* (1881); mais l'opposition des libéraux unionistes — qui ramène les conservateurs au pouvoir — et la fin isolée de Parnell (1891) font échouer le *Home Rule*, si bien que les mouvements proprement irlandais se multiplient. La fondation, en 1902, du *Sinn* Féin* (« Nous-mêmes »), mouvement paramilitaire, est déterminante. Mais la Première Guerre mondiale éclate alors que le *Home Rule* va être voté; en 1916, les volontaires irlandais fomentent un soulèvement, qui est écrasé. À partir de 1918, le *Sinn Féin* domine les élections, tandis que les volontaires irlandais se transforment en armée révolutionnaire. Finalement, Lloyd George accorde à l'Irlande son indépendance (6 déc. 1921).

Mais, sitôt née, la jeune république d'Irlande est profondément divisée : d'une part parce que l'Irlande du Nord (Ulster) reste unie à la Grande-Bretagne et d'autre part parce que les liens avec Londres ne sont pas suffisamment dénoués. Le plus populaire des Sinn Féiners, Eamon De Valera*, refuse de reconnaître cet état de fait : aussi, de 1921 à 1923, l'agitation républicaine est-elle intense. William T. Cosgrave*, au pouvoir de 1922 à 1932, rétablit l'ordre et renoue avec Londres; mais la crise de 1929 ayant durement frappé l'île, le nouveau parti républicain, le *Fianna Fáil*, arrive au pouvoir avec E. De Valera (de 1932 à 1948). Celui-ci rompt avec la Grande-Bretagne et mène contre elle une guerre économique (1932-1938) qui compromet gravement le développement de l'île; mais, par la Constitution du 29 décembre 1937, il donne une indépendance réelle à l'Irlande, qui devient l'*Éire*. Quand le *Fine Gael*, avec John A. Costello, remplace De Valera au pouvoir (1945), l'Éire devient la république d'Irlande et cesse de faire partie du Commonwealth.

De 1951 à 1973 le *Fianna Fáil* a presque constamment le pouvoir; celui-ci passe ensuite au *Fine Gael* (Liam Cosgrave), mais revient au *Fianna Fáil* de 1977 à juin 1981, puis de mars à octobre 1982. Après les élections du 24 novembre 1982, Garret Fitzgerald (*Fine Gael*), allié au parti travailliste, devient Premier ministre. Les efforts qu'il mène pour trouver un début de solution politique au problème de l'Ulster aboutissent, en 1985, à la signature avec la Grande-Bretagne d'un accord donnant à la république d'Irlande un droit de regard sur la gestion des affaires de l'Irlande du Nord. Au terme des élections du 17 février 1987, le *Fianna Fáil* revient au pouvoir sous la conduite de Charles Haughey. Ce dernier conserve la direction du gouvernement après les élections du 15 juin 1989.

IRLANDE *(mer d')*, bras de mer entre l'Angleterre et l'*Irlande*.

IRLANDE DU NORD, partie du Royaume-Uni occupant la partie nord-est de l'île d'Irlande*; 13 600 km²; 1 570 000 hab. Capit. *Belfast*.

GÉOGRAPHIE. Par rapport à la Grande-Bretagne, l'Irlande du Nord apparaît comme une région déshéritée. La population est composée de deux communautés, l'une protestante (près des deux tiers) et l'autre catholique, qui s'affrontent. Le problème religieux se double en effet d'un problème social, les protestants occupant généralement les fonctions les plus importantes et les catholiques constituant les couches les plus pauvres de la société. L'agriculture souffre des conditions naturelles. Les cultures (céréales, pommes de terre, fruits et légumes) occupent des surfaces réduites, et l'élevage (bovins, porcs, volaille) constitue l'activité dominante. L'industrie se concentre autour de Belfast et de Londonderry. Son développement, relativement plus avancé que celui de la république d'Irlande, a été favorisé par la Grande-Bretagne. Le textile (lin, fibres synthétiques) et les constructions navales sont les principales branches industrielles.

HISTOIRE. Le fait saillant de l'histoire de l'Irlande du Nord (Ulster), née en 1921, est la juxtaposition, au sein de la population, des deux communautés, catholique et protestante. Car sur les plans politique, économique et social, les protestants — appuyés sur le parti unioniste et sur l'ordre d'Orange — ont toujours dominé, ce qui n'a cessé d'exacerber, surtout après 1969, le mécontentement des catholiques. L'intervention de l'armée britannique et les agissements de l'IRA*, qui multiplie les attentats en Ulster, puis en Grande-Bretagne, aggravent encore la situation. Si bien que le gouvernement britannique est amené à proposer un plan de paix — qui échoue en fait — et à mettre fin à l'autonomie de l'Irlande du Nord (24 mars 1972) pour mieux la contrôler. Un accord, signé en novembre 1985 par la Grande-Bretagne et la république d'Irlande, prévoit la création d'une conférence intergouvernementale ayant un rôle consultatif dans la gestion des affaires de l'Irlande du Nord.

IROISE *(mer d')*, partie de l'Atlantique, au large du Finistère, entre la pointe Saint-Mathieu, Ouessant, la pointe du Raz et l'île de Sein.

IRONE n. f. Principe odorant de la racine d'iris.

IRONIE n. f. (gr. *eirôneia*, interrogation). Raillerie qui consiste à faire entendre le contraire de ce que l'on dit grâce à l'intonation : *ce compliment n'est qu'une ironie.* ‖ Contraste entre la réalité cruelle et ce qu'on pouvait attendre : *l'ironie de la situation.* ● *Ironie socratique*, manière de philosopher propre à Socrate qui posait des questions en feignant l'ignorance.

IRONIQUE adj. Qui raille, qui traite avec ironie : *sourire ironique; esprit ironique.*

IRONIQUEMENT adv. Par ironie.

IRONISER v. i. Traiter avec ironie, railler.

IRONISTE n. Personne qui use habituellement de l'ironie.

IROQUOIS, E adj. et n. Qui appartient au peuple de ce nom.

IROQUOIS, Indiens sédentaires de l'Amérique du Nord, qui livrèrent au XVIIe s. une guerre acharnée aux colonisateurs français du Canada et à leurs alliés, les Hurons. Après les campagnes victorieuses de Frontenac en 1693-1696, la paix imposée en 1701 mit fin à ces hostilités.

IRRACHETABLE adj. Qu'on ne peut racheter.

IRRADIATION n. f. Action d'irradier, d'être irradié. ‖ Exposition à un rayonnement radioactif, à la lumière ou à d'autres radiations. ● *Irradiation douloureuse*, propagation d'une douleur à partir de son point d'apparition.

IRRADIER v. i., ou **IRRADIER (S')** v. pr. (lat. *radius*, rayon). Se propager en s'écartant d'un centre, en rayonnant : *les rayons d'un foyer lumineux irradient de tous côtés.* ◆ v. t. Exposer à certaines radiations.

IRRAISONNÉ, E adj. Qui n'est pas raisonné.

IRRATIONALISME n. m. Attitude philosophique qui soutient que le monde n'est pas entièrement accessible à la connaissance parce qu'il contient un résidu inintelligible et inexplicable. ‖ Attitude philosophique qui prétend que la raison n'a pas ou ne doit pas avoir une valeur absolue dans la conduite des hommes.

IRRATIONALISTE adj. et n. Qui prône ou qui caractérise l'irrationalisme.

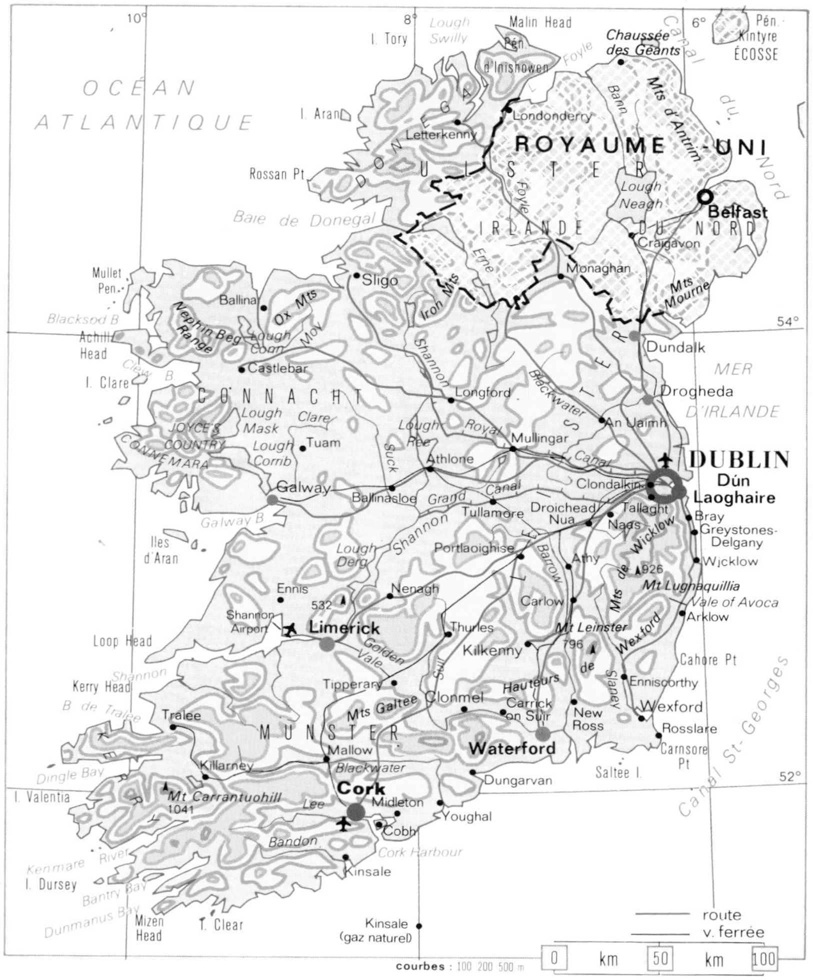

IRLANDE

IRRATIONALITÉ n. f. Caractère de ce qui est irrationnel : *l'irrationalité d'un comportement.*

IRRATIONNEL, ELLE adj. Contraire, inaccessible à la raison : *peur irrationnelle.* ‖ *Math.* Se dit d'un nombre qui n'est pas le quotient de deux nombres entiers.

IRRATTRAPABLE adj. Qu'on ne peut pas rattraper : *un impair irrattrapable.*

IRRAWADDY, principal fleuve de Birmanie, dont il constitue l'artère vitale; 2 100 km. Il traverse le pays du N. au S., défilés et bassins (dont celui de Mandalay) alternant sur le cours supérieur et moyen. Le cours inférieur se déroule dans une plaine alluviale plus large, entre les chaînes de l'Arakan et du Pegu Yoma. Le delta sur le golfe de Martaban, dans l'océan Indien, très arrosé, est une grande région productrice de riz.

IRRÉALISABLE adj. Qui ne peut être réalisé.

IRRÉALISME n. m. Manque de réalisme.

IRRÉALISTE adj. Qui ne tient pas compte de la réalité.

IRRÉALITÉ n. f. Caractère de ce qui n'est pas réel.

IRRECEVABILITÉ n. f. Caractère de ce qui n'est pas recevable. ‖ *Dr.* Caractère d'une demande en justice qui ne peut être examinée.

IRRECEVABLE adj. Qui ne peut être pris en considération, inacceptable, inadmissible.

IRRÉCONCILIABLE adj. Qui ne peut se réconcilier.

IRRÉCOUVRABLE adj. Qui ne peut être recouvré : *créance irrécouvrable.*

IRRÉCUPÉRABLE adj. Qui n'est pas récupérable.

IRRÉCUSABLE adj. Qui ne peut être récusé.

IRRÉDENTISME n. m. (de *Italia irredenta*, Italie non délivrée). *Hist.* Après 1870, mouvement de revendication italien sur le Trentin, l'Istrie et Fiume, puis sur l'ensemble des territoires considérés comme italiens. ‖ Mouvement nationaliste de revendication territoriale.

IRRÉDENTISTE adj. et n. Qui est partisan de l'irrédentisme.

IRRÉDUCTIBILITÉ n. f. Qualité, caractère de ce qui est irréductible.

IRRÉDUCTIBLE adj. Qui ne peut être réduit, simplifié. ‖ Qui ne transige pas, qu'on ne peut fléchir : *ennemi irréductible.* ‖ *Chir.* Qui ne peut être remis en place : *fracture irréductible.* ● *Fraction irréductible*, fraction dont le numérateur et le dénominateur n'ont aucun diviseur commun autre que l'unité. ‖ *Polynôme irréductible sur un corps K*, polynôme ne pouvant se décomposer en produit de polynômes à coefficients dans le corps K.

IRRÉDUCTIBLEMENT adv. De façon irréductible.

IRRÉEL, ELLE adj. Qui n'est pas réel.

IRRÉFLÉCHI, E adj. Qui n'est pas réfléchi : *homme irréfléchi; action irréfléchie.*

IRRÉFLEXION n. f. Défaut de réflexion, étourderie.

IRRÉFORMABLE adj. Qui ne peut être réformé.

IRRÉFRAGABLE adj. (lat. *refragari*, s'opposer). Qu'on ne peut récuser, contredire : *autorité irréfragable.*

IRRÉFUTABILITÉ n. f. Caractère de ce qui est irréfutable.

IRRÉFUTABLE adj. Qui ne peut être réfuté.

IRRÉFUTABLEMENT adv. De façon irréfutable.

IRRÉFUTÉ, E adj. Qui n'a pas été réfuté.

IRRÉGULARITÉ n. f. Manque de régularité : *l'irrégularité d'un bâtiment, d'un employé.* ‖ Chose faite en violation des règlements : *les irrégularités d'une gestion administrative.*

IRRÉGULIER, ÈRE adj. Qui n'est pas symétrique, pas uniforme. ‖ Non conforme à l'usage commun : *situation irrégulière d'un couple.* ‖ Non conforme à une réglementation : *une procédure irrégulière.* ‖ Qui n'est pas régulier dans son travail, ses résultats : *athlète irrégulier.* ‖ *Bot.* Se dit d'un calice ou d'une corolle dont les pièces ne sont pas égales. ‖ *Ling.* Qui s'écarte d'un type considéré comme normal.

IRRÉGULIER n. m. Partisan qui, en temps de guerre, coopère à l'action d'une armée régulière.

IRRÉGULIÈREMENT adv. De façon irrégulière.

IRRÉLIGIEUX, EUSE adj. Qui n'a pas de convictions religieuses : *homme irréligieux.* ‖ Irrespectueux envers la religion : *discours irréligieux.*

IRRÉLIGION n. f. (lat. *irreligio*). Irrespect à l'égard de la religion. ‖ Absence de convictions religieuses.

IRRÉMÉDIABLE adj. À quoi on ne peut remédier, définitif : *désastre irrémédiable.*

IRRÉMÉDIABLEMENT adv. Sans recours, sans remède : *malade irrémédiablement perdu.*

IRRÉMISSIBLE adj. *Litt.* Qui ne mérite point de pardon : *faute irrémissible.* ‖ Implacable, fatal : *le cours irrémissible des événements.*

IRRÉMISSIBLEMENT adv. *Litt.* Sans rémission, sans miséricorde.
IRREMPLAÇABLE adj. Impossible à remplacer.
IRRÉPARABLE adj. Qui ne peut être réparé.
IRRÉPRÉHENSIBLE adj. *Litt.* Qu'on ne saurait blâmer : *conduite irrépréhensible.*
IRRÉPRESSIBLE adj. Qu'on ne peut réprimer : *force irrépressible.*
IRRÉPROCHABLE adj. Qui ne mérite pas de reproche, qui ne présente pas de défaut : *écolier irréprochable; travail irréprochable.*
IRRÉPROCHABLEMENT adv. De façon irréprochable.
IRRÉSISTIBLE adj. À qui ou à quoi l'on ne peut résister : *charme irrésistible.*
IRRÉSISTIBLEMENT adv. De façon irrésistible.
IRRÉSOLU, E adj. Qui n'a pas reçu de solution. ‖ Qui se décide difficilement à agir, velléitaire.
IRRÉSOLUTION n. f. Incertitude, état de celui qui demeure irrésolu.
IRRESPECT n. m. Manque de respect.
IRRESPECTUEUSEMENT adv. De façon irrespectueuse.
IRRESPECTUEUX, EUSE adj. Qui manque de respect; qui blesse le respect.
IRRESPIRABLE adj. Non respirable; empuanti : *l'air de cette pièce est irrespirable.*
IRRESPONSABILITÉ n. f. État de celui qui n'est pas responsable de ses actes : *plaider l'irresponsabilité d'un accusé.* ‖ *Dr.* Principe constitutionnel selon lequel tout acte du chef de l'État doit être contresigné par un ministre, seul responsable devant le Parlement.
IRRESPONSABLE adj. et n. Qui n'est pas responsable de ses actes : *enfant irresponsable.* ‖ *Péjor.* Qui agit pour son compte, sans se soucier de l'intérêt général.
IRRÉTRÉCISSABILITÉ n. f. Propriété d'un tissu ayant subi un apprêt lui donnant une stabilité dimensionnelle.
IRRÉTRÉCISSABLE adj. Qui ne peut se rétrécir.
IRRÉVÉRENCE n. f. Manque de respect. ‖ Parole, action irrévérencieuse.
IRRÉVÉRENCIEUSEMENT adv. Avec irrévérence.
IRRÉVÉRENCIEUX, EUSE adj. Qui manque de respect.
IRRÉVERSIBILITÉ n. f. Caractère de ce qui est irréversible.
IRRÉVERSIBLE adj. Qui n'est pas réversible. ‖ Qu'on ne peut suivre que dans une seule direction : *la marche de l'histoire est irréversible.* ‖ *Chim.* Se dit d'une réaction qui se produit jusqu'à achèvement et qui n'est pas limitée par la réaction inverse.
IRRÉVOCABILITÉ n. f. État de ce qui est irrévocable, définitif.
IRRÉVOCABLE adj. Qui ne peut être révoqué. ‖ Sur quoi il est impossible de revenir : *décision irrévocable.*
IRRÉVOCABLEMENT adv. De façon irrévocable : *date irrévocablement fixée.*
IRRIGABLE adj. Qui peut être irrigué.
IRRIGATEUR n. m. *Méd.* Instrument servant à faire des injections.
IRRIGATION n. f. Ensemble des techniques utilisées pour amener et distribuer l'eau (en complément des précipitations atmosphériques) nécessaire à la mise en valeur agricole ou seulement à l'introduction de nouvelles cultures et à l'amélioration des rendements. ‖ *Méd.* Action de faire parvenir un liquide à une partie malade. ‖ *Physiol.* Apport du sang dans les tissus par les vaisseaux sanguins.
IRRIGUER v. t. (lat. *irrigare,* arroser). Arroser par irrigation.
IRRITABILITÉ n. f. État de celui ou de ce qui s'irrite facilement. ‖ *Biol.* Propriété que possède une cellule ou un organisme de réagir aux excitations extérieures.
IRRITABLE adj. Qui s'irrite facilement, irascible : *un caractère irritable.* ‖ *Biol.* Qui réagit.
IRRITANT, E adj. Qui met en colère : *reproches irritants.* ◆ adj. et n. m. Qui détermine une irritation : *sels irritants.*
IRRITANT, E adj. (lat. *irritare,* annuler). *Dr.* Qui annule (vx) : *clause irritante.*
IRRITATIF, IVE adj. *Méd.* Qui irrite.
IRRITATION n. f. État d'une personne en colère : *en proie à une vive irritation.* ‖ Action de ce qui irrite les organes, les nerfs, etc.; résultat de cette action.
IRRITER v. t. (lat. *irritare*). Provoquer un état d'énervement pouvant aller jusqu'à la colère : *un rien l'irrite.* ‖ *Méd.* Causer de la douleur, de l'inflammation dans un organe.
IRRUPTION n. f. (lat. *irruptio*). Entrée soudaine de qqn dans un lieu. ‖ Envahissement subit : *l'irruption des eaux dans les bas quartiers.* ● *Faire irruption quelque part,* y pénétrer.

IRTYCH, riv. de l'U. R. S. S., en Sibérie occidentale, affl. de l'Ob (r. g.); 4 248 km.
IRÚN, v. d'Espagne, sur la Bidassoa, à la frontière française; 53 000 hab.
IRVING (Washington), écrivain américain (New York 1783 - Sunnyside 1859). Considéré comme le premier « homme de lettres » américain, il collabora au *Salmagundi,* pour lequel il écrivit ses *Esquisses* (1819). Après avoir dépeint les mœurs des colons hollandais dans son *Histoire de New York par Dietrich Knickerboker* (1809), il parcourut l'Europe et fut ambassadeur en Espagne (1842-1846). Il a laissé également de nombreux ouvrages historiques (*Vie et voyages de Christophe Colomb,* 1828-1830; *Histoire de la conquête de Grenade,* 1829; *Vie de Washington,* 1855-1859) et des récits inspirés par ses voyages (*Contes de l'Alhambra,* 1832).
ISAAC, patriarche biblique, fils d'Abraham, père de Jacob.
ISAAC JOGUES *(saint),* missionnaire jésuite français, martyr au Canada (Orléans 1607-Ossernenon 1646). Entré dans la Compagnie de Jésus* en 1624, il est envoyé au Canada, où il évangélise les Hurons et les Iroquois, par qui il sera massacré.
ISAAC Ier COMNÈNE → COMNÈNES.
ISAAC II ANGE → ANGES.
ISAAK (Heinrich), compositeur flamand (v. 1450 - Florence 1517). Au service des Médicis et de Maximilien Ier, il composa des messes polyphoniques dans l'esthétique franco-flamande.
ISABEAU DE BAVIÈRE (Munich 1371 - Paris 1435), reine de France, fille d'Étienne II de Wittelsbach, mariée à Charles VI en 1385. Celui-ci devenu fou, elle se lie avec Louis d'Orléans, qui est assassiné en 1407. Après la conquête anglaise (1415), elle se fait la complice de l'exhérédation du dauphin Charles (traité de Troyes, 21 mai 1420).
ISABELLE adj. inv. et n. m. (du n. d'*Isabelle la Catholique*). D'une couleur jaune clair. ● *Cheval isabelle,* ou *isabelle* n. m., de couleur isabelle, avec les crins et les extrémités noirs.
ISABELLE D'ANGOULÊME (1186 - Fontevrault 1246), reine d'Angleterre, fille d'Aimar III, comte d'Angoulême. Fiancée à Hugues X de Lusignan, elle est enlevée par Jean sans Terre, qui l'épouse (1200). En 1217, elle se marie en secondes noces avec son ancien fiancé. Elle est la mère d'Henri III, roi d'Angleterre.
ISABELLE D'ORLÉANS (Paris 1389 - Blois 1409), reine d'Angleterre, fille de Charles VI et d'Isabeau* de Bavière. À l'âge de sept ans, elle est mariée à Richard II d'Angleterre (1396). Renvoyée en France en 1401, elle épouse (1406) Charles, comte d'Angoulême, puis duc d'Orléans.
ISABELLE Ire la Catholique (Madrigal de las Altas Torres 1451 - Medina del Campo 1504), reine de Castille (1474-1504). Elle est la fille de Jean II et la sœur d'Henri IV l'Impuissant, roi de Castille, qui, après l'avoir reconnue comme son héritière et mariée au prince Ferdinand, l'héritier de la couronne aragonaise (1469), la déshérite au profit de Jeanne la Beltraneja, sa fille, dont la légitimité est contestée par les grands du royaume (1470). Réconciliée avec son frère lors de l'entrevue de Ségovie (1473), elle lui succède un an plus tard. Avec l'aide de Ferdinand II* d'Aragon, qui n'a cependant aucune autorité officielle en Castille, elle triomphe du roi du Portugal, Alphonse V (1479), qui, soutenu par Louis XI, a envahi la Castille (1475), soumet la noblesse, achève la Reconquista* (conquête de Grenade*, 1492) et favorise les projets de Christophe Colomb* en Amérique. Isabelle et Ferdinand, auxquels la papauté a conféré en 1494 le titre de « Rois Catholiques », ont préparé l'unification de l'Espagne.
Isabelle-la-Catholique *(ordre royal d'),* ordre espagnol, créé en 1815 pour récompenser tous les services rendus au pays. (Il a été réorganisé en 1947.)
ISABELLE DE PORTUGAL (Lisbonne 1503-Tolède 1539), impératrice du Saint Empire romain germanique. Fille de Manuel Ier, roi de Portugal, et de Marie d'Aragon, elle épouse Charles Quint (1526) et est la mère de Philippe II d'Espagne, qui, de son chef, devient roi de Portugal (1580).
ISABELLE D'AUTRICHE (Ségovie 1566-Bruxelles 1633), gouvernante des Pays-Bas (1599-1633). Fille de Philippe II, elle épouse son cousin l'archiduc Albert d'Autriche (1598), à qui elle apporte les Pays-Bas et la Franche-Comté. À la mort de son époux (1621), elle gouverne seule les Pays-Bas et poursuit la guerre contre la Hollande.
ISABELLE II (Madrid 1830 - Paris 1904), reine d'Espagne (1833-1868). Fille de Ferdinand VII, elle lui succède, malgré la loi salique et au détriment de son oncle don Carlos : cette situation est à l'origine des guerres carlistes (v. CARLISME). Après la régence de sa mère, Marie-Christine (de 1833 à 1841), puis d'Espartero* (de 1841 à 1843), Isabelle gouverne seule. Au début, elle tolère le gouvernement modéré

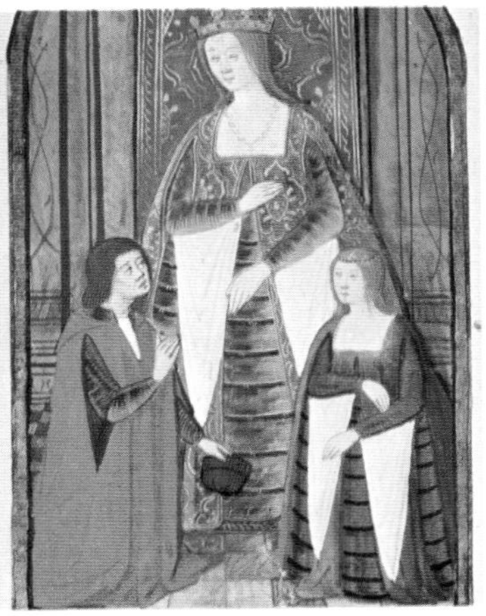

Lauros-Giraudon

Isabelle Ire la Catholique, Ferdinand II d'Aragon et Jeanne la Folle (leur fille). Miniature du XVe s. (Musée Condé, Chantilly.)

de Narváez (de 1844 à 1848), puis, sous l'influence des catholiques intransigeants, elle se livre à une violente réaction cléricale et absolutiste (1851), qui provoque une révolution populaire (1854) : elle doit octroyer la Constitution libérale de 1855. Mais, après s'être appuyée sur le général O'Donnell (de 1857 à 1863), partisan d'un régime constitutionnel, elle revient à la réaction (1863), si bien qu'en 1868 elle doit s'enfuir en France et abdiquer en faveur de son fils Alphonse XII*.
ISABEY, peintres français. JEAN-BAPTISTE (Nancy 1767 - Paris 1855) fut surtout un miniaturiste et un décorateur au service de Bonaparte, puis de la famille impériale, dont il a exécuté les portraits sur ivoire; il maintint son succès sous les régimes suivants et donna des paysages lithographiés. — EUGÈNE (Paris 1804 - Lagny 1886), son fils, peintre de marines romantiques, de paysages et de scènes de genre, pratiqua, lui aussi, la lithographie.
ISAÏE, prophète juif, qui exerça son ministère dans le royaume de Juda entre 740 et 687. Aristocrate et lettré, il jouit d'une large audience auprès des rois Achaz (736-716) et Ezéchias (716-687), qu'il ne cessera de mettre en garde contre le danger assyrien. Il est le prophète de la sainteté de Yahvé*, de la foi et de la justice. Mais l'essentiel de son message réside dans l'espérance messianique; pour la première fois dans l'histoire biblique est évoquée la figure du Roi-Messie, fils de David.

Le livre d'Isaïe est un écrit composite, dont la première partie seulement (chap. I à XXXIX) concerne les oracles du prophète et qui témoigne de l'influence qu'exercera le message d'Isaïe sur les générations suivantes, au point que l'on peut parler d'une véritable « école », qui sera à l'origine de nouveaux oracles que l'on placera sous le nom d'*Isaïe.* Ces ajouts à l'œuvre du prophète sont appelés par les critiques *Deutéro-Isaïe* (chap. XL à LV), écrit à la fin de l'Exil, et le *Trito-Isaïe* (chap. LVI à LXVI), écrit après le retour en Palestine (VIe-Ve s.).
ISALLOBARE n. f. (de *isobare,* et gr. *allos,* autre). *Météor.* Ligne reliant les stations où la pression atmosphérique a varié de la même quantité entre deux observations consécutives.
ISAR, affl. du Danube (r. dr.), né en Autriche et passant à Munich; 295 km.
ISARD n. m. (mot prélatin). Chamois des Pyrénées.
ISATIS [izatis] n. m. (mot gr.). *Bot.* Syn. de PASTEL. ‖ Renard des régions arctiques, appelé aussi *renard bleu* ou *renard polaire,* dont la fourrure d'hiver peut être gris bleuté ou blanche selon les individus.
ISAURIENS *(dynastie des),* empereurs de Constantinople (717-802). Le fondateur de la dynastie est Léon III l'Isaurien (de 717 à 741), stratège des Anatoliques et dont l'arrivée au pouvoir marque la fin de l'anarchie qui a suivi la chute du dernier des Héraclides* (711). Il défend brillamment Constantinople contre les Arabes, qu'il chasse de l'Asie Mineure. À l'intérieur, il réorganise l'Administration et jette les fondements de la doctrine iconoclaste (726). Son fils, Constantin V (de 741 à 775), prend l'offensive en Arménie et en Syrie contre les Arabes, mais ne peut défendre l'exarchat de Ravenne contre les Lombards. Il poursuit la politique religieuse de son père (concile de Hieria, 754) et persécute les partisans de l'orthodoxie. Léon IV (de 775 à 780) continue la lutte contre les Arabes en Syrie et en Anatolie. D'abord prudent sur le plan religieux, il rallume la persécution à la fin de sa vie. Constantin VI (de 780 à 797) règne d'abord sous la tutelle de sa mère, Irène, qui fait rétablir le culte des images (concile de Nicée, 787). Incapable et impopulaire, il est détrôné (797) et aveuglé par sa mère, qui, à son tour, est renversée (802) au terme de cinq années d'un règne désastreux.
ISBA [isba *ou* izba] n. f. (mot russe). Habitation en bois de sapin de divers peuples du nord de l'Europe ou de l'Asie.
ISBERGUES (62330), comm. du Pas-de-Calais, à 4 km à l'E. d'Aire; 5 680 hab. Église du XVe s. Métallurgie.
ISCHÉMIE [iskemi] n. f. (gr. *iskhein,* arrêter, et *haima,* sang). *Méd.* Arrêt de la circulation sanguine dans un organe, un tissu.
ISCHÉMIQUE adj. *Méd.* Relatif à l'ischémie.
ISCHGL, station de sports d'hiver d'Autriche, dans le Tyrol (alt. 1 377-2 763 m); 1 130 hab.
ISCHIA, île volcanique d'Italie, à l'entrée du golfe de Naples; 26 000 hab. Tourisme.
ISCHIATIQUE [iskjatik] adj. *Anat.* Qui appartient à l'ischion.
ISCHION [iskjɔ̃] n. m. (mot gr.). *Anat.* Un des trois os formant l'os iliaque.
ISE *(baie d'),* baie du littoral méridional de Honshū (Japon), sur laquelle est située Nagoya.
ISE, v. du Japon, sur la *baie d'Ise;* 105 000 hab. Sanctuaires shintoïstes, parmi les plus anciens du pays, dont la reconstruction tous les vingt ans perpétue l'architecture prébouddhique.
ISENTROPIQUE adj. Se dit d'une transformation dans laquelle l'entropie reste constante.
ISEO *(lac d'),* lac subalpin de l'Italie du Nord (Lombardie), traversé par l'Oglio.
ISERAN *(col de l'),* col des Alpes (Savoie), entre les hautes vallées de l'Arc et de l'Isère; 2 762 m.
ISÈRE, riv. des Alpes du Nord; 290 km. Née à la frontière italienne, au pied de l'Iseran, l'Isère coule d'abord dans une vallée souvent étroite, passant à Bourg-Saint-Maurice, puis à Moûtiers. À Albertville, elle reçoit l'Arly et se dirige vers le S.-O., alors que s'élargit sa vallée (c'est le Sillon* alpin). Elle reçoit en aval l'Arc (r. g.), puis à Grenoble le Drac (r. g.), grossi de la Romanche. Elle sort de la montagne par la cluse de Voreppe et rejoint le Rhône (r. g.) en aval de Romans. Grande voie de pénétration des Alpes françaises, cours d'eau aux hautes eaux de printemps et de début d'été, elle a été tôt utilisée pour l'hydroélectricité, et d'importantes centrales jalonnent son cours supérieur, dans la Tarentaise, artère industrielle.
ISÈRE (38), départ. de la Région Rhône-Alpes; 7 431 km²; 936 771 hab. Ch.-l. *Grenoble.* Ch.-l. d'arr. *La Tour-du-Pin* et *Vienne.*

Partie de l'ancienne province du Dauphiné, le département s'étend au S.-E. sur la chaîne des Alpes (massif de la Grande-Chartreuse et extrémité septentrionale du Vercors, massif de Belledonne et Oisans, parties du Dévoluy et du Pelvoux), aérée par les vallées du Drac, de la Romanche et surtout de l'Isère (Grésivaudan*). Au N.-O., il occupe les collines et plaines argileuses et sableuses du Bas-Dauphiné, limitées à l'O. et au N. par la vallée du Rhône. La population est dense (sensiblement supérieure à la moyenne nationale) pour un département à demi montagnard. Cette situation s'explique par la présence de Grenoble*, dont l'agglomération

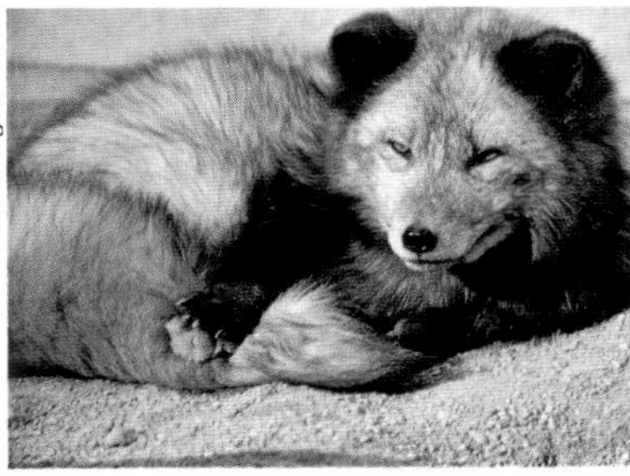

Varin-Visage-Jacana

isatis

regroupe près de la moitié de la population départementale (hors de l'agglomération de Grenoble, la deuxième commune du département n'atteint pas 30 000 habitants). Le poids économique de Grenoble explique aussi l'importance du secteur industriel (occupant approximativement la moitié de la population active et fondé en priorité sur les constructions mécaniques et électriques) et aussi du secteur tertiaire. En contrepartie, malgré le maintien de l'élevage bovin dans la montagne ainsi que sur les terres lourdes et humides du Bas-Dauphiné, malgré la mise en valeur intensive du Grésivaudan, l'agriculture emploie désormais moins du dixième de la population active. Au point de vue de l'évolution démographique, l'Isère, à la population stagnante pendant plus d'un siècle, a connu une croissance exceptionnelle, depuis une vingtaine d'années (de l'ordre de 50 p. 100

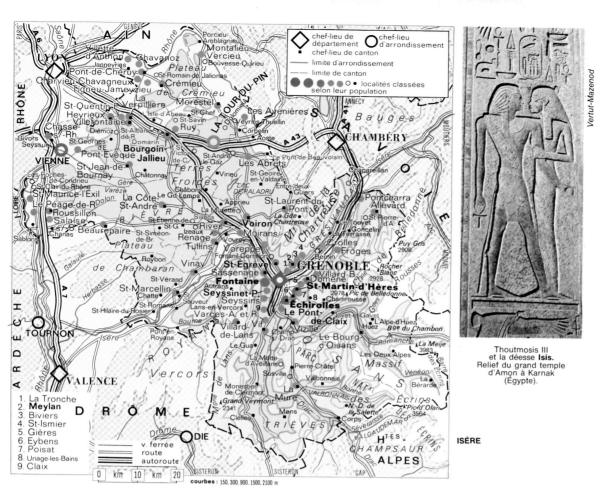

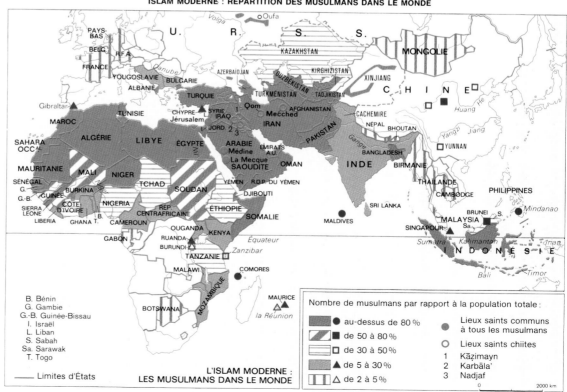

Thoutmosis III et la déesse Isis. Relief du grand temple d'Amon à Karnak (Égypte).

Vertut-Mazenod

des religions monothéistes précédemment révélées, le judaïsme et le christianisme, et parachève la révélation divine. L'adhésion à l'islam repose sur cinq actes essentiels, ou « piliers » de l'islam : la profession de foi, ou *chahāda*, qui consiste en la récitation de la formule « Je témoigne qu'il n'y a d'autre divinité qu'Allāh et que Mahomet est l'envoyé d'Allāh »; la prière légale, ou *Şalāt :* le fidèle, purifié par les ablutions, accomplit cinq fois par jour, dans la direction de La Mecque, un ensemble, strictement réglementé, d'invocations et de prosternations devant Allāh; l'observance du jeûne diurne pendant le mois de ramadān; le pèlerinage à La Mecque, ou *hadjdj*, que tout fidèle valide doit accomplir une fois dans sa vie; le paiement de l'aumône légale, ou *zakāt* (usage qui, peu à peu, a disparu). Ces pratiques mettent directement en relation le croyant et Dieu. Il n'y a pas de clergé musulman. Par contre, des hommes de loi (*muftī*, qui donnent un avis autorisé sur un point de droit, et *qādī* ou *cadis* (juges)) veillent à l'application de la loi coranique (*chari'a**).

Les musulmans forment une communauté (*umma*). La communauté primitive de Médine s'organisa en un État dont le chef (imām ou calife) devait faire appliquer la loi coranique. Par les conquêtes de la guerre sainte (*djihād*), cet État s'étendit et devint un vaste empire, gouverné par les califes d'Arabie*, puis par les Omeyyades*, les 'Abbāssides*, et enfin les Ottomans*. Mais, à partir du IXᵉ s., on assiste à une certaine séparation pratique du temporel et du spirituel : des souverains assurent le pouvoir dans une région, tout en reconnaissant l'imām-calife comme chef théorique de la communauté. Ainsi se forment les États musulmans. Le califat* est aboli depuis 1924, et des États modernes régissent le monde musulman contemporain. Mais que ces États aient adopté des constitutions laïques (Tunisie, Turquie) ou qu'ils se réclament de lui, l'islam joue toujours un rôle politique de premier plan comme âme de la résistance à la colonisation européenne des XIXᵉ et XXᵉ s. ou comme valeur d'identification nationale et culturelle, revendiquée par les nations contemporaines.

L'islam est à la source d'une philosophie dont le problème central est l'interprétation de la révélation et de la prophétie de Mahomet. Hormis cette détermination essentielle, la philosophie islamique puise son renouveau dans les traductions des philosophes et des savants antiques (Platon, Aristote, Galien et les astronomes persans). Elle s'affirme d'abord comme une interprétation rationaliste de l'histoire de l'islam (v. MUʿTAZILITES, ACHARISME), puis comme une mystique (v. CHIʿISME, FRÈRES DE LA PURETÉ et AMIS DE LA FIDÉLITÉ, SOUFISME). Loin de se limiter à la philosophie arabe connue des scolastiques (v. AVERROÈS, IBN BĀDJDJA, IBN ŢUFAYL) ou à de rares « grands penseurs » (v. AVICENNE, AL-FĀRĀBĪ)

environ), grâce encore surtout à l'essor de Grenoble plus qu'à la poursuite des aménagements hydroélectriques (à l'origine, cependant, de certaines branches industrielles : électrométallurgie et électrochimie) et qu'au développement, pourtant notable, du tourisme estival et surtout hivernal dans la partie alpestre (Chamrousse, l'Alpe-d'Huez, Autrans, etc.).

ISERLOHN, v. de l'Allemagne fédérale, dans l'est de la Ruhr; 95 000 hab. Métallurgie.

ISERNIA, v. d'Italie (Molise), ch.-l. de prov.; 21 000 hab.

Iseut, héroïne d'une légende médiévale qui se rattache au cycle breton. (V. TRISTAN ET ISEUT.)

ISEYIN, v. du Nigeria, au N.-O. d'Ibadan; 129 000 hab.

ISHINOMAKI, port du Japon, dans le nord de Honshū, sur le Pacifique; 120 000 hab. Pêche.

ISHTAR, déesse du panthéon assyro-babylonien, apparentée à l'Ashtarté syrienne dont parle la Bible. Déesse de l'Amour et de la Fécondité, elle était l'objet de cultes licencieux; elle apparaît dans de nombreux mythes orientaux.

ISIAQUE adj. Qui a rapport à Isis.

ISIDORE de Séville, le dernier Père de l'Église d'Occident (Carthagène v. 560 - Séville 636). En tant qu'évêque de Séville (de 601 à 636), il exerça un rôle prépondérant en Espagne. Son œuvre de compilateur a été une des sources les plus exploitées au Moyen Âge. Son ouvrage principal, *Étymologies,* ou *Origines,* est une encyclopédie du savoir profane et religieux de son temps.

ISIGNY-LE-BUAT (50540), ch.-l. de cant. de la Manche, à 22 km au S.-E. d'Avranches; 3 147 hab.

ISIGNY-SUR-MER (14230), ch.-l. de cant. du Calvados, à 10,5 km à l'E. de Carentan; 3 159 hab. Église des XIIIᵉ et XVIIᵉ s.

ISIS, déesse égyptienne. Épouse et sœur d'Osiris*, mère d'Horus*, elle est le type de l'épouse fidèle et de la mère dévouée. Son culte connut en dehors de l'Égypte, à l'époque hellénistique et romaine, une grande fortune. Isis devint même dans le monde romain l'image de la déesse universelle; on célébrait en son honneur des cérémonies secrètes, des mystères initiatiques et de grandes fêtes publiques.

ISKĂR, riv. de l'ouest de la Bulgarie, qui passe près de Sofia, affl. du Danube (r. dr.); 370 km.

ISKENDERUN, port du sud de la Turquie; 124 000 hab.

ISLĀM [islam] n. m. (mot ar., *soumission à Dieu*). Religion et civilisation des musulmans. ‖ Le monde musulman (généralement avec une majuscule en ce sens).

■ L'islam, religion fondée par Mahomet* dans l'Arabie du VIIᵉ s., s'est répandu, sans rencontrer d'obstacles majeurs, en Asie et, dans une moindre mesure, en Afrique et en Europe. On estime à 900 millions environ le nombre des musulmans, ce qui représente un septième ou un huitième de la population mondiale. Le sous-continent indien occupe la première place avec plus de 250 millions de musulmans; le bloc malais et indonésien partage la deuxième avec les Arabes; viennent ensuite les Turcs, les Iraniens et les Africains.

Mahomet a reçu de Dieu la révélation coranique. Le Coran* et le *hadīth* (tradition du Prophète) forment la tradition (*sunna*), qui sert de modèle impératif aux musulmans. Le dogme principal de l'islam est l'existence de Dieu (Allāh), être suprême unique, infiniment parfait, créateur de l'univers et juge souverain des hommes. L'islam réaffirme donc le fondement

ISLĀM MODERNE : RÉPARTITION DES MUSULMANS DANS LE MONDE

L'ISLAM MODERNE : LES MUSULMANS DANS LE MONDE

B. Bénin
G. Gambie
G.-B. Guinée-Bissau
I. Israël
L. Liban
S. Sabah
Sa. Sarawak
T. Togo

— Limites d'États

Nombre de musulmans par rapport à la population totale :

● au-dessus de 80 %
■ de 50 à 80 %
□ de 30 à 50 %
▲ de 5 à 30 %
△ de 2 à 5 %

● Lieux saints communs à tous les musulmans
○ Lieux saints chiites

1 Kāzimayn
2 Karbālā'
3 Nadjaf

0   2000 km

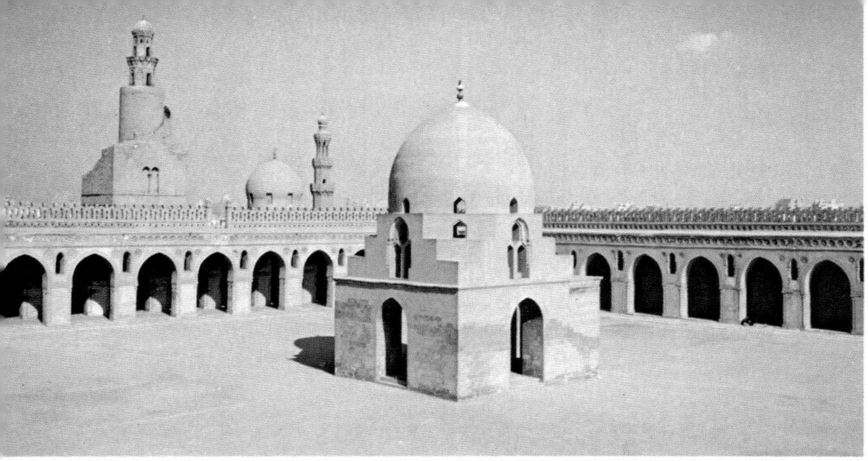

Froissardey-Atlas-Photo

Égypte. Cour de la mosquée d'Ibn Ṭūlūn au Caire, construite au IXe s., restaurée au XIIIe s.

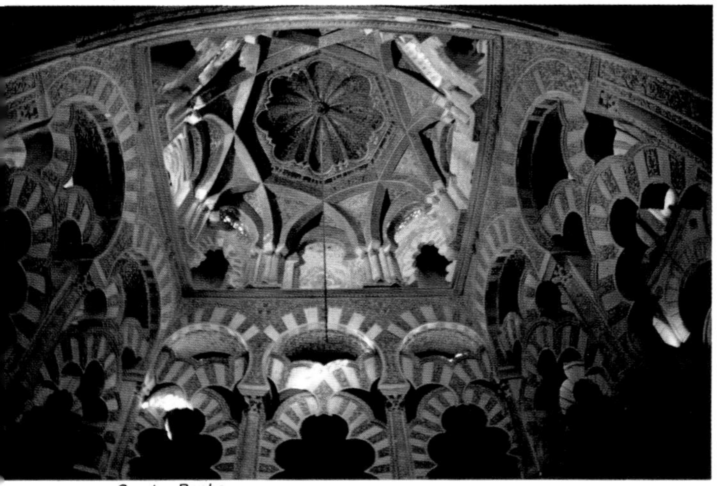

Gerster-Rapho

Espagne. Coupole sur nervures et riche décor de la salle du deuxième miḥrāb de la mosquée omeyyade de Cordoue (Xe s.), auj. cathédrale.

et d'ignorer les problèmes sociaux (v. IBN KHALDŪN), la pensée islamique ne cesse de se développer aussi en Orient (v. AL-KINDĪ, IBN MISKAWAYH, AL-ḤALLĀDJ, SOHRAWARDI) et de promouvoir une intense vie intellectuelle, dont témoignent les écoles de Kūfa et de Bassora (IXe s.), de Bagdad (IXe-Xe s.), d'Édesse (XIe s.) et d'Ispahan (XVIIe s.).

BEAUX-ARTS. Le lieu de prière est, à l'origine, un simple enclos entouré de roseaux, et les premières constructions en matériaux durs n'ont laissé aucune trace. Mais, bientôt, l'architecture et le répertoire ornemental sont définis et resteront relativement constants dans ce monde arabe qu'une religion commune unit de l'Inde à l'Espagne.

Sous les Omeyyades, la nécessité de la prière collective suscite la création de l'édifice religieux : la mosquée. Celle-ci, de plan rectangulaire, est constituée d'une vaste cour avec fontaine, bordée de portiques, qui précède la salle de prière, aux nefs plus ou moins nombreuses. La nef axiale conduit au miḥrāb (niche percée dans le mur du fond — qibli — indiquant la qibla, ou direction de La Mecque). La couverture est plate, et un ou plusieurs minarets dominent l'édifice, comme à la Grande Mosquée de Damas*, premier exemple de l'architecture islamique après la Coupole du Rocher de Jérusalem* (Qubbat al-Ṣakhra), qui reste d'esprit chrétien tant dans sa structure que dans son décor, réalisé par des mosaïstes qui pratiquent encore la technique byzantine.

L'architecture civile des Omeyyades est surtout connue par les châteaux du désert (Qaṣr al-Ḥayr, Mchattā, Quṣayr ʿAmra...). Certains ont livré des éléments de fresques au décor figuratif, confirmant les ascendants hellénistique et sassanide dont les Omeyyades sont héritiers, comme ils le sont également des traditions des cultures anciennes de la Mésopotamie (traitement de la décoration à base d'alternance de matériaux polychromes).

À la période ʿabbāsside, la capitale est transférée à Bagdad*, et l'empreinte de l'Iran* s'accentue, toujours associée aux souvenirs des civilisations anciennes (Sāmarrā*, le minaret hélicoïdal de sa Grande Mosquée). L'emploi de la brique est fréquent de même que les voûtes d'arêtes en berceau, la coupole et le fameux iwān iranien (salle fermée sur trois côtés et ouverte sur le quatrième par un arc très élevé donnant sur la cour intérieure). Malgré l'interdit religieux, c'est à cette époque qu'apparaît la première architecture funéraire (Sāmarrā, le Qubbat al-Ṣulaybiyya, double octogone séparé par un couloir). L'architecture civile, elle aussi, témoigne de la prépondérance iranienne, avec la fréquence

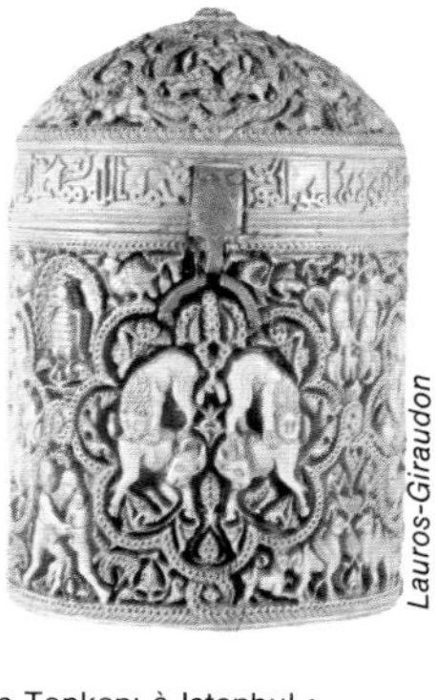

Lauros-Giraudon

Espagne. Pyxide d'al-Murhīra. Ivoire provenant de Cordoue. 968. (Musée du Louvre, Paris.)

Turquie. Palais Topkapı à Istanbul : détail du décor en faïence d'Iznik de la salle de la circoncision. XVe-XVIe s.

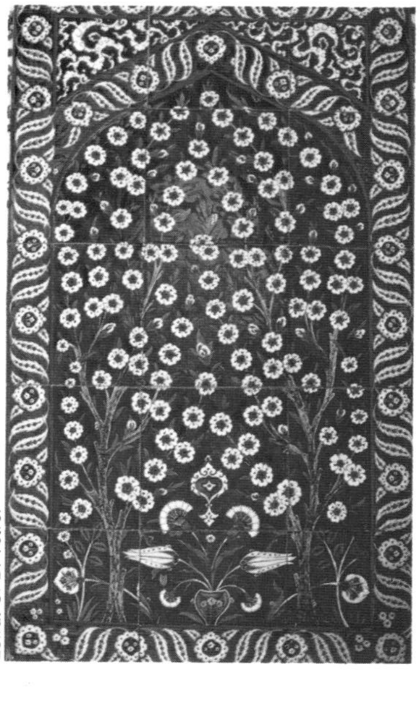

Loirat-C. D. Tétrel

de l'iwān (château d'Ukhayḍir, au sud-ouest de Bagdad) et la diversité des voûtes. Le décor n'est plus sculpté dans la pierre, mais plaqué sur la brique, dans les parties basses, ou fait de compositions figuratives peintes, sur les parties hautes.

La production des arts mineurs, très diversifiée, atteste, outre l'ascendant de l'Iran, celui de l'Extrême-Orient, notamment dans l'art du tissage et, surtout, dans celui de la céramique*, avec les centres de Sāmarrā, de Suse*, de Raqqa, de Rey, puis de Samarkand* et de Nichāpur, aux Xe et XIe s. L'unité ʿabbāsside favorise la fusion des styles architecturaux et des principes décoratifs. Ainsi, en Égypte, Ibn Ṭūlūn se souvient de Sāmarrā et de la tour cylindrique de la Malwiyya, lorsqu'il édifie au Caire* (876) sa Grande Mosquée; les panneaux décoratifs en bois, sculptés de motifs floraux et d'entrelacs, reflètent, eux aussi, la technique mésopotamienne. Même brassage d'influences à Kairouan*, où les traits ʿabbāssides sont conjugués à ceux qui viennent d'Égypte. Importé de Bagdad, le revêtement décoratif (premier exemple des carreaux de faïence à reflets métalliques) y est associé à des faïences de fabrication locale. En bois de teck, le minbar (chaire à prêcher), du IXe s., est un travail de très grande qualité, également originaire de Bagdad. Quant au massif minaret carré, il est le prototype de tous ceux de l'islām en Occident et procède de l'antique clocher syrien.

La dislocation de l'empire et les ruptures politiques qu'elle entraîne augmentent les particularismes régionaux, tout en confirmant les principes fondamentaux de l'art islamique.

Les derniers Omeyyades, réfugiés en Espagne, créent des chefs-d'œuvre, comme à Cordoue*, et leur architecture, enrichie, se perpétue dans le Maghreb sous les Almoravides — avec, cependant, des piliers massifs remplaçant les colonnes, des arcs en plein cintre outrepassés et une grande sobriété de décoration. Cet échange est à l'origine de l'art hispano-moresque, qui atteint un très haut degré de perfection, en particulier dans le domaine des arts mineurs — avec les centres céramiques de Valence, de Málaga et de Manises, et des bronzes reproduisant des formes animales, très proches stylistiquement de ceux des Fāṭimides. Sous les Almohades, certains thèmes se développent : coupole sur trompe, encorbellement de stalactites (muqarnas), arcs brisés outrepassés, arcatures polylobées ornant sobrement les puissants minarets carrés (Kutubiyya de Marrakech*, tour Ḥasan de Rabat*, Giralda de Séville*...). L'architecture militaire, avec de nombreuses enceintes et citadelles urbaines (qaṣba) — Rabat, XIIe s.; Fès* la Neuve, XIIIe s.; etc. —, connaît un grand développement.

Les Fāṭimides créent Le Caire, et leur première fondation religieuse est la mosquée al Azhar, transformée en madrasa, et dont l'ordonnance intérieure est interrompue par la grande nef axiale en profondeur. La mosquée al-Ḥākim témoigne encore plus de la juxtaposition des inspirations : Kairouan et une survivance locale de l'époque des Ṭūlūnides. À l'exemple de l'Iran, les Fāṭimides bâtissent des mausolées de plan carré, à coupole sur trompe; pourvus d'un miḥrāb, ils peuvent servir d'oratoire. Les fortifications du Caire confirment les traditions byzantines et leur décoration témoigne d'une origine gréco-romaine.

La grammaire décorative des Fāṭimides revêt une importance considérable, notamment dans l'élaboration du décor géométrique linéaire, exécuté en méplat, associé à la calligraphie* (coufique fleuri) ou à certains motifs animaliers dans les constructions civiles (panneaux décoratifs en bois, musée arabe du Caire). Il semble bien que l'on puisse attribuer l'entrelacs floral à la tradition copte, mais ce répertoire décoratif, extrêmement riche, reste typique de l'islām par son esprit géométrique et linéaire. Tout en étant réalisés par des artisans locaux, les arts mobiliers portent la marque de l'Iran (bois, ivoire, verrerie, très beaux bronzes). Les Ayyūbides et ensuite les Mamelouks subissent toujours l'attraction de l'Iran, mais leurs formules décoratives restent sobres et discrètes, utilisant souvent l'alternance des matériaux.

Les Mamelouks demeurent célèbres pour leurs tombeaux — souvent associés à de vastes complexes, mosquée-madrasa, dont Le Caire présente les plus beaux exemples —, à coupole très surhaussée, dont l'élégance des proportions est accusée par le décor d'arabesques (mosquée Madfān Qā'it bāy, 1472).

Si, entre l'Est et l'Ouest, les différences s'accentuent, le commerce des arts mobiliers maintient une certaine unité de style.

Les constructions marocaines portent toujours l'empreinte de leur glorieux passé, alors qu'en Tunisie leur robustesse est atténuée au profit d'une recherche d'élégance. C'est aux Marinides que l'on doit les ouvrages défensifs de Chella et les belles mosquées de Tlemcen*, Sīdī Abū Madyan (1339) et Sīdī al-Halwī (1353), au décor raffiné. C'est également sous leur règne que se répand la madrasa orientale, dite ici « medersa ». En Espagne, la décoration atteint une exubérante richesse (Alhambra de Grenade*), puis, suivant les progrès de la reconquête, fleurit l'art mudéjar (artisans musulmans au service des chrétiens, à l'inverse de l'art mozarabe, né au début de l'islamisation), dont Séville* et Tolède* ont été les grands centres.

Pendant le XIIe et le début du XIIIe s., la Sicile reste un foyer important de production de tissus et d'ivoires sculptés; elle voit se développer ensuite l'art arabo-normand (XIIIe-XVe s.).

Les derniers jaillissements de l'art islamique surgissent, d'une part, en Iran sous les Séfévides, et, de l'autre, dans le monde turc sous l'hégémonie des Ottomans*. En effet, si l'art des Seldjoukides*, en Iran, ne résiste pas aux invasions mongoles, il n'y a pas de rupture, malgré les dévastations, et plusieurs villes et diverses écoles de miniaturistes (v. MINIATURE) témoignent du goût fastueux des princes timūrides. C'est aux Séfévides que le pays doit la renaissance d'un art national, avec les somptueuses créations de Chāh ʿAbbās à Ispahan*, ainsi que le brillant essor de l'art du tapis*. L'influence iranienne se décèle aussi en Inde*, dans l'architecture fabuleuse des princes moghols*. Quant à l'Empire ottoman, il enrichit Istanbul*, Salonique*, Brousse*, et bien d'autres cités, de magnifiques édifices, dont certains sont dus au génie de l'architecte Sinan*.

ISLĀMĀBĀD, cap. du Pākistān, près de Rawalpindi; 201 000 hab.

ISLAMIQUE adj. Qui appartient à l'islām.

ISLAMISATION n. f. Conversion à l'islām.

ISLAMISER v. t. Convertir à l'islām.

ISLAMISME n. m. Religion musulmane.

ISLANDAIS, E adj. et n. De l'Islande.

ISLANDAIS n. m. En Bretagne, pêcheur de morue. ‖ Langue du groupe nordique parlée en Islande.

ISLANDE, État insulaire de l'Atlantique Nord, au S.-E. du Groenland; 103 000 km^{2}; 232 000 hab. *(Islandais).* Capit. *Reykjavík.*

GÉOGRAPHIE. Située sur la ride médio-atlantique, l'Islande est une île formée d'un empilement de coulées volcaniques récentes disposées en vastes plateaux accidentés par des failles. Elle compte de nombreux volcans encore actifs (Hekla), et les séismes y sont fréquents. Sa latitude septentrionale et son insularité expliquent son climat froid et humide (à Reykjavík, la température moyenne de janvier est de 0 °C, celle de juillet de 11,6 °C, et les précipitations annuelles sont de 861 mm), et de vastes surfaces sont couvertes par les glaciers, contrastant avec les nombreuses sources d'eau chaude liées à l'activité volcanique. Les habitants, peu nombreux, se concentrent sur la côte sud, principalement à Reykjavík, qui regroupe près de la moitié de la population du pays.

En raison des conditions naturelles, l'élevage (bovins, ovins) l'emporte sur la culture (céréales, cultures maraîchères). Mais la principale activité économique est la pêche (1,6 Mt de poisson). Harengs et morues sont traités dans les usines (surgélation) avant d'être exportés. Cependant, le pays cherche à diversifier sa production, en développant son industrie. Le potentiel énergétique constitué par les ressources hydrauliques et géothermiques doit servir de base à la création d'activités nouvelles, telles que la métallurgie de l'aluminium ou l'industrie textile.

HISTOIRE. La colonisation ne commence réellement qu'à partir du IXe s., avec l'arrivée d'un chef de clan norvégien, Ingólfur Arnarson, puis avec la poussée expansionniste des Vikings*. Vivant de la pêche et de l'élevage, la population est dominée par l'oligarchie et christianisée non sans résistance. En 1056, l'Islande dispose d'un évêché autonome, dont les titulaires sont des Norvégiens, si bien que, par le biais de la religion, Haakon IV († 1263) finit par soumettre l'île, dont l'économie passe aux mains des commerçants norvégiens. Quand la Norvège devient danoise (1380), l'Islande (où la Réforme luthérienne s'installera au XVIe s.) connaît une certaine décadence, renforcée au XVIIIe s. par des épidémies, des famines et des catastrophes naturelles (éruptions volcaniques). En 1814, le Danemark, qui perd la Norvège, garde l'Islande, où un mouvement à la fois libéral et national, incarné par Jón Sigurósson (1811-1879), s'amplifie au XIXe s. : en 1843, le Parlement national est restauré, et, en 1854, l'entière liberté de commerce est rétablie. En 1903, une constitution accorde à l'île une véritable autonomie; en 1918, l'Islande devient un royaume indépendant, qui ne garde de commun avec le Danemark que la couronne. Le 17 juin 1944, la République islandaise est proclamée et Sveinn Björnsson (1881-1952) en devient le président; ses successeurs sont, de 1952 à 1968, Ásgeir Ásgeirsson, de 1968 à 1980, Kristjan Eldjarn et, depuis 1980, Mme Vigdis Finnbogadottir. L'économie profite des accords signés avec les États scandinaves, mais les conflits avec la Grande-Bretagne au sujet de la pêche sont fréquents depuis 1958.

ISLE, riv. du sud-ouest de la France, qui passe à Périgueux et rejoint la Dordogne (r. dr.) à Libourne; 235 km.

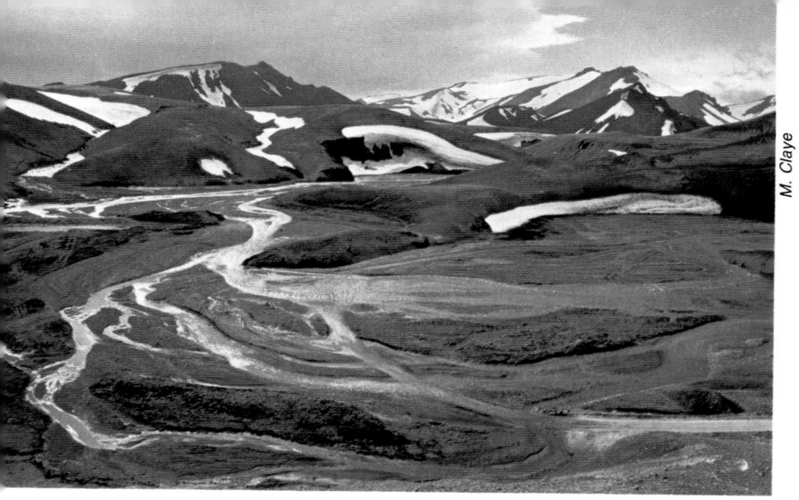

M. Claye

Islande.
Paysage du nord-ouest de l'Islande.

ISLANDE

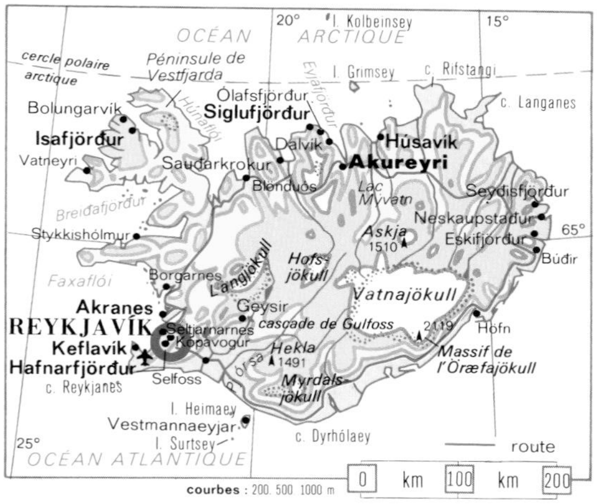

ISLE (87170), comm. de la Haute-Vienne, banlieue sud-ouest de Limoges; 6 953 hab.

ISLE-ADAM (L') [95290], ch.-l. de cant. du Val-d'Oise, sur l'Oise, à 14 km au N.-E. de Pontoise; 9 479 hab. *(Adamois).* Église gothique et Renaissance (XVe-XVIe s.). Forêt.

ISLE-D'ABEAU (L') [38300 Bourgoin Jallieu], comm. de l'Isère, à 35 km à l'E.-S.-E. de Lyon; 813 hab. Elle a donné son nom à une ville nouvelle, développée dans une situation de carrefour entre Lyon, Grenoble et Chambéry.

ISLE-D'ESPAGNAC (L') [16340], comm. de la Charente, à 6 km à l'E. d'Angoulême; 5 302 hab.

ISLE-EN-DODON (L') [31230], ch.-l. de cant. de la Haute-Garonne, sur la Save, à 40 km au N. de Saint-Gaudens; 2 039 hab. Église des XIVe-XVIe s., à abside fortifiée.

ISLE-JOURDAIN (L') [32600], ch.-l. de cant. du Gers, sur la Save, à 33 km à l'O. de Toulouse; 4 365 hab.

ISLE-JOURDAIN (L') [86150], ch.-l. de cant. de la Vienne, sur la Vienne, à 32 km au S.-O. de Montmorillon; 1 355 hab.

ISLE-SUR-LA-SORGUE (L') [84800], ch.-l. de cant. de Vaucluse, à 10 km au N. de Cavaillon; 13 205 hab. Église des XIVe et XVIIe s., à décor et mobilier remarquables (XVIIe s.).

ISLE-SUR-LE-DOUBS (L') [25250], ch.-l. de cant. du Doubs, à 23 km au S.-O. de Montbéliard; 3 207 hab.

ISLE-SUR-SEREIN (L') [89440], ch.-l. de cant. de l'Yonne, à 15 km au N.-E. d'Avallon; 524 hab.

ISLY (l'), riv. du nord-est du Maroc, à l'O. d'Oujda. Victoire de Bugeaud sur les Marocains en 1844 (v. ALGÉRIE).

ISMAËL, fils d'Abraham et de sa servante égyptienne Agar. Une tradition populaire, consignée dans la Bible et dans le Coran, fait de lui l'ancêtre des peuples arabes.

ISMAÉLIENS ou **ISMAÏLIENS** n. m. pl. Membres d'une secte chi'ite qui admet comme dernier imām Ismā'īl († 762).
■ Ismā'īl fut destitué par son père au profit de son frère, Mūsā al-Kāẓim, reconnu imām par le chi'isme* duodécimain. Un fort mouvement révolutionnaire ismaélien apparut v. 880. Une branche, dite « qarmaṭe », échoua dans les insurrections qu'elle déclencha en Iraq (890) et en Syrie (900), mais prit le pouvoir v. 894 au Ḥasā et au Bahreïn, et enleva en 930 la Pierre noire de La Mecque. La dynastie ismaélienne des Fāṭimides* régna sur le Maghreb au Xe s. et sur l'Égypte de 973 à 1171. Les dissidences se multiplièrent au XIe s. : Druzes*, qui gagnèrent la Syrie; musta'lites et nizārites, connus au Moyen Âge sous le nom d'« assassins* ». Les ismaéliens ont aujourd'hui des communautés en Syrie, en Iran, en Asie centrale, en Afrique orientale et en Inde, où l'imām de la communauté, qui porte le titre d'Agha khān depuis 1834, a dû se réfugier en 1842. Ils sont environ 3 millions.

ISMAÉLITE adj. et n. Qui appartient aux tribus arabes de Transjordanie que la Bible fait descendre d'Ismaël, fils d'Abraham.

ISMĀ'ĪL → ISMAÉLIENS.

ISMĀ'ĪL Ier → SÉFÉVIDES.

ISMAÏLIA, v. d'Égypte, sur le canal de Suez; 175 000 hab.

ISMĀ'ĪL PACHA (Le Caire 1830 - Constantinople 1895), khédive d'Égypte (1867-1879). Ayant obtenu du sultan ottoman une plus grande autonomie (firmans de 1867 et de 1873), il entreprend des grands travaux de modernisation (chemins de fer, canaux d'irrigation, urbanisme), dont le financement, qui s'ajoute aux dépenses d'une politique de prestige (cérémonies d'inauguration du canal de Suez*), conduit l'Égypte à la banqueroute financière. Les grandes puissances imposent le contrôle financier franco-anglais (1878) et la déposition d'Ismā'īl par le sultan (1879).

ISOBARE adj. (gr. *isos,* égal, et *baros,* pesanteur). D'égale pression. ‖ Qui a lieu à pression constante.

ISOBARE adj. et n. m. Se dit de noyaux ayant même nombre de masse mais des numéros atomiques différents.

ISOBARE n. f. Sur une carte météorologique, ligne qui joint les points d'égale pression atmosphérique.

ISOBATHE adj. (gr. *isos,* égal, et *bathos,* profondeur). De même profondeur.

ISOBATHE n. f. Sur une carte bathymétrique, ligne qui joint les points d'égale profondeur du fond des mers et des océans.

ISOCARDE n. m. (gr. *isos,* égal, et *kardia,* cœur). Mollusque bivalve dont la coquille a la forme d'un cœur. (Long. 6 cm.)

ISOCARÈNE adj. *Mar.* Qui correspond à des carènes de même volume, mais de formes différentes suivant les diverses inclinaisons.

ISOCÈLE adj. (gr. *isos,* égal, et *skelos,* jambe). *Math.* Qui a deux côtés égaux. ● *Trapèze isocèle,* trapèze dont les côtés non parallèles sont égaux. ‖ *Triangle isocèle,* triangle ayant deux côtés de même longueur.

ISOCHIMÈNE [izɔkimɛn] adj. et n. f. (gr. *isos,* égal, et *kheima,* hiver). Qui a la même température moyenne en hiver.

ISOCHORE [izɔkɔr] adj. (gr. *isos,* égal, et *khôra,* emplacement). Qui correspond à un volume constant : *transformation isochore.*

ISOCHROMATIQUE adj. (gr. *isos,* égal, et *khrôma,* couleur). Dont la couleur est uniforme.

ISOCHRONE [izɔkrɔn] ou **ISOCHRONIQUE** adj. (gr. *isos,* égal, et *khronos,* temps). De durée égale.

ISOCHRONISME n. m. Qualité de ce qui est isochrone. ‖ État de deux cellules nerveuses ou musculaires ayant même chronaxie.

ISOCLINAL, E, AUX adj. *Pli isoclinal* (Géol.), celui dont les deux flancs sont parallèles.

ISOCLINE ou **ISOCLINIQUE** adj. (gr. *isoklinês;* de *isos,* égal, et *klinein,* pencher). Qui a la même inclinaison. ● *Ligne isocline,* ou *isocline* n. f., ligne reliant des points de la surface terrestre où l'inclinaison magnétique est la même.

ISOCRATE, orateur athénien (436-338 av. J.-C.). Il célébra les conceptions intellectuelles du monde grec (*Panégyrique d'Athènes,* 380; *Panathénaïque,* 342-339) et se fit le champion de l'unité hellénique, même au prix d'une alliance avec la Macédoine.

ISODYNAMIE n. f. *Physiol.* Équivalence entre les aliments du point de vue de l'énergie qu'ils apportent. (11 g de lipides fournissent par oxydation autant de calories que 24 g de glucides ou que 25 g de protides.)

ISODYNAMIQUE adj. Se dit d'une ligne reliant des points de la surface terrestre où la composante horizontale du champ magnétique terrestre a la même valeur. ‖ *Physiol.* Relatif à l'isodynamie.

ISOÉDRIQUE adj. (gr. *isos,* égal, et *hedra,* face). *Minér.* Dont les facettes sont semblables.

ISOÉLECTRIQUE adj. *Point isoélectrique,* état d'un système colloïdal dont les particules ne portent pas de charges électriques.

ISOÈTE n. m. (gr. *isos,* égal, et *êtos,* année). Genre de cryptogames vasculaires vivant dans les lacs et les étangs.

ISOGAME adj. *Bot.* Qui présente une reproduction par isogamie.

ISOGAMIE n. f. (gr. *isos,* égal, et *gamos,* mariage). Fusion entre deux gamètes semblables, qui se réalise chez diverses espèces d'algues et de champignons inférieurs. (Contr. HÉTÉROGAMIE.)

ISOGLOSSE adj. et n. f. (gr. *isos,* égal, et *glôssa,* langue). *Ling.* Se dit d'une ligne joignant les lieux qui présentent des faits de langue analogues.

ISOGONE adj. (gr. *isos,* égal, et *gônia,* angle). Qui a des angles égaux. ‖ Se dit d'une ligne reliant des points de la surface terrestre de même déclinaison magnétique.

ISOHYÈTE adj. et n. f. *Météor.* Se dit d'une ligne qui joint les points d'une région où les précipitations moyennes sont les mêmes pour une période considérée.

ISOHYPSE [izɔips] adj. (gr. *isos,* égal, et *hupsos,* hauteur). D'égale altitude.

ISOHYPSE n. f. Syn. de COURBE DE NIVEAU*.

ISOIONIQUE adj. Qui contient la même quantité d'ions.

ISOLA (06420 St Sauveur sur Tinée), comm. des Alpes-Maritimes, à 14 km au N.-N.-O. de Saint-Sauveur-sur-Tinée; 539 hab. — À 17,5 km à l'E., station de sports d'hiver *Isola 2000* (alt. 2 000-2 400 m).

ISOLABLE adj. Qui peut être isolé.

ISOLANT, E adj. Qui est mauvais conducteur de la chaleur ou de l'électricité : *support isolant.* ● *Langues isolantes,* langues où les phrases sont formées de mots sans variation morphologique, ordinairement monosyllabiques, et où les rapports grammaticaux ne sont marqués que par la place des termes. (Le chinois, l'annamite, le tibétain sont des langues isolantes.)

ISOLANT n. m. Corps non conducteur de la chaleur ou de l'électricité.

ISOLAT [izɔla] n. m. *Biol.* Espèce au sein de laquelle le choix des conjoints reste confiné. ‖ *Démogr.* Ensemble humain, de caractère géographique, social ou religieux, à l'intérieur duquel s'opèrent les unions consensuelles.

ISOLATEUR, TRICE adj. Se dit des substances ayant la propriété d'isoler.

ISOLATEUR n. m. Support en matière isolante d'un conducteur électrique.

ISOLATION n. f. Action de réaliser un isolement acoustique, électrique ou thermique. ‖ *Psychanal.* Mécanisme de défense qui consiste à dépouiller un événement de son retentissement émotionnel.

ISOLATIONNISME n. m. Attitude d'un pays qui s'isole politiquement et économiquement des pays voisins.

ISOLATIONNISTE n. et adj. Partisan de l'isolationnisme.

ISOLÉ, E adj. (it. *isolato*). Seul, séparé des autres : *vivre isolé, construction isolée.* ‖ Peu fréquenté, éloigné des habitations : *un endroit isolé.* ‖ Unique, pris à part, individuel : *un cas isolé.* ‖ Protégé du contact de tout corps conducteur de l'électricité ou de la chaleur. ● *Point isolé d'un ensemble E,* point *a* de l'ensemble E tel qu'il existe un voisinage du point *a* ne contenant aucun point de l'ensemble E différent de *a.*

ISOLÉ n. m. Militaire détaché temporairement de son corps.

ISOLEMENT n. m. État d'une personne qui vit isolée : *fuir l'isolement.* ‖ Absence d'engagement d'un pays avec les autres nations. ‖ État d'un corps isolé du point de vue électrique ou calorifique. ‖ Mesure prise pour empêcher le passage de l'électricité ou de la chaleur par conduction. ‖ *Psychiatr.* Mesure thérapeutique qui vise à soustraire momentanément le sujet de son milieu familial ou social. ● *Isolement sensoriel* (Physiol.), privation de toute stimulation issue du monde extérieur.

ISOLÉMENT adv. De façon isolée, à part, individuellement : *agir isolément.*

ISOLER v. t. Séparer une chose des objets environnants : *isoler un monument.* ‖ Mettre qqn à l'écart des autres, lui interdire toute relation avec les autres : *isoler un malade contagieux.* ‖ Abstraire, considérer à part : *isoler une phrase de son contexte.* ‖ Protéger une personne, une chose, contre les influences thermiques. ‖ *Chim.* Dégager de ses combinaisons : *isoler un métal.* ‖ *Électr.* Ôter au corps qu'on électrise ou qui sert de conducteur électrique tout contact avec ce qui pourrait lui enlever son électricité. ◆ **s'isoler** v. pr. Se séparer des autres.

ISOLEUCINE n. f. Acide aminé essentiel présent dans de nombreuses protéines.

ISOLOIR n. m. Cabine où l'électeur prépare son bulletin de vote.

ISOMÉRASE n. f. Enzyme d'une isomérisation.

ISOMÈRE adj. et n. m. (gr. *isos,* égal, et *meros,* partie). Qui a même composition chimique et même masse moléculaire, mais dont la structure atomique et les propriétés diffèrent.

ISOMÉRIE n. f. Caractère des corps isomères.
■ Les cas d'isomérie sont très nombreux en chimie organique. Ils peuvent être dus à une différence de structure du squelette carboné [butane $CH_3—CH_2—CH_2—CH_3$ et isobutane $CH_3—CH(CH_3)_2$], à une différence de position d'un groupement fonctionnel (propanols -1 et -2, $CH_3—CH_2—CH_2OH$ et $CH_3—CHOH—CH_3$), ou à une coïncidence fortuite (oxyde de méthyle $CH_3—O—CH_3$ et éthanol $CH_3—CH_2OH$).
L'usage des formules planes suffit à rendre compte des trois cas précédents. Mais d'autres cas ne peuvent s'interpréter que par des formules dans l'espace (stéréo-isomérie). Ce fait se présente en particulier lorsqu'un atome de carbone est lié à quatre atomes ou radicaux différents (carbone asymétrique). Deux dispositions sont alors possibles, dont l'une est symétrique de l'autre par rapport à un plan. Ces deux isomères, dits « énantiomorphes » ou « inverses optiques », donnent au plan de polarisation de la lumière des rotations opposées. Leur mélange, en quantités égales, est inactif par compensation ou racémique. Les composés éthyléniques peuvent présenter deux isomères, dits « cis » et « trans », représentés par les schémas suivants :

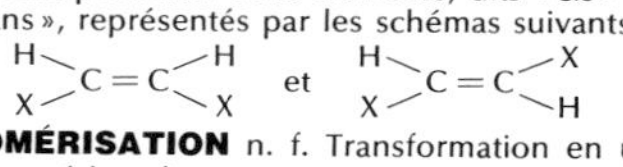

ISOMÉRISATION n. f. Transformation en un composé isomère.

ISOMÉTRIE n. f. *Math.* Transformation isométrique.
■ Une isométrie est une transformation ponctuelle du plan ou de l'espace qui conserve les distances : si M et P sont transformés en M' et P', M'P' = MP. On distingue les isométries *positives,* qui conservent le sens des angles, des dièdres et des trièdres, et les isométries *négatives,* qui changent le sens de ces éléments.

● Dans le plan, les *isométries positives* sont les translations et les rotations autour d'un point, ainsi que les produits de ces transformations.
— Une *translation* associe, à tout point M, le point M' défini par $\overrightarrow{MM'} = \vec{V}$, $\vec{V}$ étant un vecteur donné. Cette transformation est caractérisée par la propriété de transformer un vecteur $\overrightarrow{MP}$ en un vecteur *équipollent* $\overrightarrow{M'P'} = \overrightarrow{MP}$.
— Une *rotation* est définie par un point O et un angle θ. À tout point M, la rotation $\mathcal{R}(O, \theta)$ associe le point M', tel que OM = OM' et $(\overrightarrow{OM}, \overrightarrow{OM'}) = \theta$. Elle est caractérisée par la propriété de transformer un vecteur $\overrightarrow{MP}$ en un

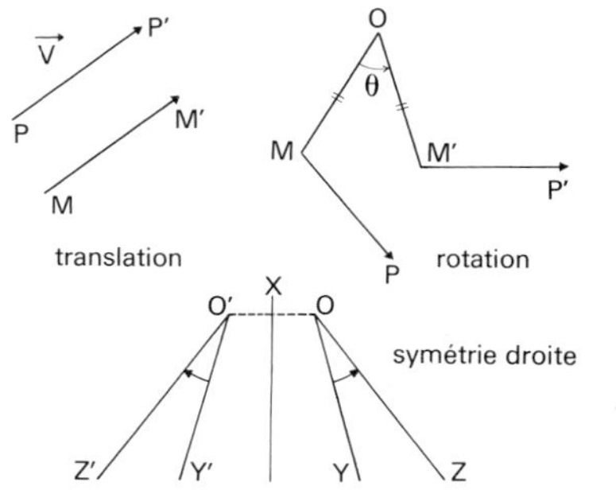

translation — rotation — symétrie droite

vecteur $\overrightarrow{M'P'}$, de même module (longueur) que $\overrightarrow{MP}$, tel que $(\widehat{\overrightarrow{MP}, \overrightarrow{M'P'}}) = \theta$, θ étant indépendant du vecteur $\overrightarrow{MP}$ considéré.

Les isométries positives planes transforment une figure en une figure *directement* égale, les deux figures étant superposables.

La *symétrie par rapport à un point, dans le plan*, est une rotation d'angle π.

La *symétrie par rapport à une droite*, *dans le plan*, est une isométrie *négative* : la droite X est la médiatrice du segment OO', les angles $\widehat{YOZ}$ et $\widehat{Y'O'Z'}$ sont égaux, mais de sens contraires : ils sont inversement égaux. On ne peut pas les superposer de façon telle que OY et OZ viennent respectivement sur O'Y' et O'Z' en faisant *glisser* les figures dans le plan. Il faut sortir du plan pour réaliser la superposition.

• Dans l'espace, les *isométries positives* sont les translations et les rotations autour d'un axe, ainsi que les produits de ces transformations. La rotation d'axe (X) associe au point M le point M' du plan (P) passant par M et perpendiculaire à (X), tel que $(\widehat{\overrightarrow{OM}, \overrightarrow{OM'}}) = \theta$, le sens positif dans le plan (P) étant défini à l'aide du vecteur $\vec{u}$ qui oriente (X). Les rotations et translations transforment une figure de l'espace en une figure directement égale.

Les *symétries par rapport à un point* ou *par rapport à un plan* sont des isométries *négatives*. Elles transforment une figure en une figure *inversement égale*, qu'on ne peut superposer à la première. Pour s'en convaincre, il suffit de placer un gant gauche devant un miroir plan : on voit un gant droit. Les deux gants, symétriques par rapport au plan du miroir, sont inversement égaux et non égaux car on ne peut mettre un gant droit à une main gauche.

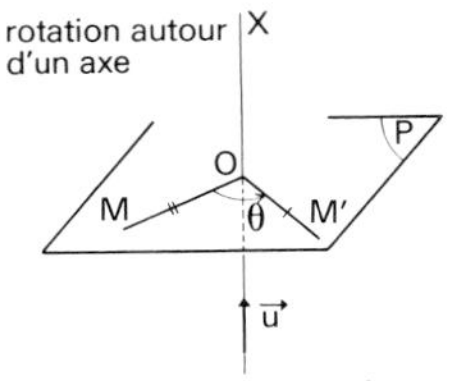

isométrie dans le plan
isométrie dans l'espace

La *symétrie par rapport à un axe* est une rotation d'angle π autour de cet axe, donc une isométrie *positive*. Les isométries positives sont aussi appelées *déplacements*. Elles forment un *groupe* vis-à-vis de la composition des applications. Les isométries négatives sont les *antidéplacements*. Elles ne forment pas un groupe.

L'ensemble de toutes les isométries, muni de la composition des applications, est un groupe, le *groupe euclidien* de l'espace, dont un sous-groupe est le groupe des déplacements.

ISOMÉTRIQUE adj. *Minér.* Dont les dimensions sont égales : *cristaux isométriques.* ‖ Se dit d'un procédé de myographie dans lequel on enregistre les variations de tension du muscle excité, sa longueur restant la même. ‖ *Math.* Se dit d'une transformation ponctuelle qui conserve la distance de deux points quelconques.

ISOMORPHE adj. *Chim.* Qui affecte la même forme. ‖ *Math.* Se dit de deux ensembles dans lesquels une bijection confère la même structure pour certaines opérations définies dans chacun d'eux. ‖ *Minér.* Se dit de corps pouvant former des cristaux mixtes en proportions quelconques.

ISOMORPHISME n. m. Caractère des corps isomorphes. ‖ *Math.* Caractère de deux ensembles isomorphes.

ISONIAZIDE n. m. Puissant médicament antituberculeux.

ISONZO, fl. de Yougoslavie et d'Italie, qui rejoint le golfe de Trieste; 138 km. Théâtre de nombreuses batailles entre Italiens et Autrichiens de 1915 à 1917.

ISOPÉRIMÈTRE adj. *Math.* Se dit des figures à périmètres égaux.

ISOPODE n. m. Crustacé, parfois terrestre, à sept paires de pattes semblables, comme le *cloporte*. (Les *isopodes* forment un ordre.)

ISOPRÈNE n. m. Diène qui est à la base de la fabrication de nombreux polymères.

ISOPTÈRE n. m. Insecte à ailes égales, comme les *termites*. (Les *isoptères* forment un ordre.)

ISOSTASIE n. f. (gr. *isos*, égal, et *stasis*, arrêt). Théorie selon laquelle les divers compartiments de l'écorce terrestre se maintiennent dans un équilibre relatif grâce aux différences des densités.

■ Selon cette théorie, les inégalités de la topographie terrestre sont compensées en profondeur : sous les massifs montagneux il existe un déficit de masse qui compense le surcroît de charge occasionné par le relief. Ainsi peuvent s'expliquer les anomalies de la pesanteur constatées à la surface du globe.

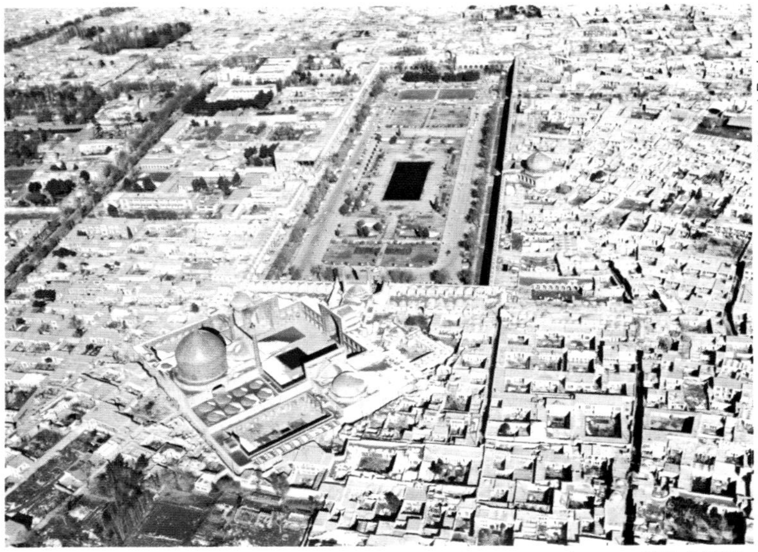

Michaud-Rapho

Ispahan : la place Royale et la Mosquée royale (Masdjid-e Châh, construite entre 1612 et 1630).

ISOSTATIQUE adj. Relatif à l'isostasie.

ISOSYLLABIQUE adj. Qui a le même nombre de syllabes.

ISOTHERME adj. (gr. *isos*, égal, et *thermos*, chaud). De même température. ‖ Qui a lieu ou qui se maintient à une température constante : *camion isotherme.*

ISOTHERME n. f. *Météor.* Ligne qui joint les points de température moyenne identique pour une période considérée.

ISOTONIE n. f. *Phys.* Équilibre moléculaire de deux solutions séparées par une membrane perméable et qui ont la même pression osmotique.

ISOTONIQUE adj. *Phys.* Se dit d'une solution qui, ayant même concentration moléculaire qu'une autre, a la même pression osmotique que celle-ci. • *Solution isotonique* (Méd.), solution de même concentration moléculaire que le plasma du sang.

ISOTOPE adj. et n. m. (gr. *isos*, égal, et *topos*, lieu). Se dit d'atomes d'un même élément chimique ne différant que par les masses de leurs noyaux. • *Isotope radioactif*, syn. de RADIO-ISOTOPE.

■ Les isotopes, dont l'existence a été établie grâce aux spectrographes de masse de J. J. Thomson et de F. W. Aston (1912) et par l'étude des séries radioactives (Soddy et Fajans, 1914), ont des atomes dont les noyaux comportent le même nombre de protons, mais diffèrent par le nombre de neutrons. Ayant le même nombre d'électrons périphériques, ils ont des propriétés chimiques presque identiques et ne constituent qu'un seul élément. On les distingue en portant le nombre de masse en haut et à gauche du symbole de l'élément, par ex. : ^{16}O, ^{18}O. En physique nucléaire, les divers isotopes d'un même élément peuvent avoir des propriétés très différentes. Beaucoup, obtenus artificiellement, sont radioactifs; mélangés aux atomes naturels, ils permettent de « marquer » les molécules et de les suivre dans leurs transformations, d'où des applications nombreuses dans l'industrie et en biochimie.

L'utilisation des isotopes radioactifs est fréquente lors d'investigations physiologiques ou diagnostiques. Ainsi le radio-iode 131 se fixe sur le corps thyroïde et permet de déterminer la forme et le fonctionnement de la glande. Les isotopes ont aussi des applications thérapeutiques dans le traitement de lésions hyperplasiques. Ils peuvent être utilisés par voie interne, tel le radio-iode dans le traitement de l'hyperthyroïdie, ou externe, tel l'yttrium, employé dans certains cancers de la peau.

ISOTOPIQUE adj. Relatif aux isotopes. • *Générateur isotopique,* générateur de courant électrique utilisant comme source d'énergie les rayonnements émis par des radioéléments.

ISOTROPE adj. (gr. *isos*, égal, et *tropos*, direction). *Phys.* Dont les propriétés physiques sont identiques dans toutes les directions.

ISOTROPIE n. f. Caractère d'un milieu isotrope.

ISPAHAN, v. d'Iran, au S. de Téhéran; 671 000 hab. Tourisme. Textile. Sidérurgie.

HISTOIRE. Ville de fondation très ancienne, occupée par les Arabes dans les années 640, Ispahan devient la capitale des Seldjoukides de 1051 à 1200 env. Elle décline après l'occupation mongole (1240). 'Abbās Ier* le Grand la choisit pour capitale (1596-97) et la reconstruit suivant un urbanisme grandiose. Elle connaît un grand essor jusqu'à sa prise par les Afghans (1722).

BEAUX-ARTS. Grande Mosquée reconstruite par les Seldjoukides*, après l'incendie de 1122. Mosquée royale (Masdjid-e Chāh, 1612-1630) et mosquée du Cheykh Lotfollāh (1602-03), toutes deux ornées d'un somptueux revêtement de faïences polychromes. Place Royale (Meydān-e Chāh), bazar, porte d'‘Ali Qapū, formant un pavillon royal et s'ouvrant sur une suite de jardins et de palais fastueux, dont la salle du trône de Chāh ‘Abbās (palais aux Quarante Colonnes), reconstruite au XVIIIe s. après un incendie, et le pavillon des Huit Paradis (Hicht Bīhicht) édifié sous le règne de Chāh Sulaymān (1667-1694). Le complexe de la madrasa de Chāh Ḥusayn (Mâdar-e Chāh), associant le classique plan à quatre iwāns et la grande salle à coupole.

ISPARTA, v. du sud-ouest de la Turquie; 91 000 hab.

ISRAËL, État du Proche-Orient; 21 000 km²; 4 375 000 hab. *(Israéliens).* Capit. *Jérusalem* (selon la Knesset).

GÉOGRAPHIE

• *Le milieu naturel.* À l'exception du littoral au climat méditerranéen, caractérisé cependant par une longue sécheresse d'été, l'ensemble du pays est marqué par l'aridité. Les précipitations, souvent inférieures à 200 mm par an, permettent seulement la croissance d'une maigre steppe. Au nord, la plaine côtière est séparée du profond fossé tectonique où coule le Jourdain par les montagnes de Galilée. Une étroite bande littorale fait communiquer cette partie septentrionale du pays avec le désert du Néguev, au sud. Celui-ci forme un vaste plateau surmonté de massifs cristallins et volcaniques, limité à l'est par la prolongation du fossé tectonique, de la mer Morte au golfe d'‘Aqaba. Depuis 1967 Israël occupe la Cisjordanie, donc tous les territoires à l'ouest du Jourdain, et une partie de la massive péninsule du Sinaï.

• *La population.* Les conditions du peuplement sont très originales par rapport au reste du Proche-Orient. Ce peuplement résulte de l'immigration de Juifs venus du monde entier à partir de 1880, le mouvement s'étant intensifié après 1945. La part des émigrants de l'Europe orientale et centrale a décliné au profit de ceux de l'Afrique du Nord et du Moyen-Orient. Actuellement, le pays compte 18 p. 100 d'Arabes, le reste de la population étant composé de Juifs dont à peine la moitié sont nés en Israël. La répartition de la population, très dense, reflète les étapes de la colonisation. Les premiers arrivants se sont installés dans la plaine côtière, puis dans les collines de Galilée et dans le fossé du Jourdain. Le Néguev, plus aride, mis en valeur plus tardivement et encore incomplètement, est beaucoup moins peuplé.

Le taux d'urbanisation est très élevé puisque 85 p. 100 des habitants résident dans les villes. Celles-ci sont d'anciennes cités de Palestine agrandies par l'immigration ou ont été créées de toutes pièces. Tel-Aviv-Jaffa, capitale économique du pays, commande un réseau urbain comprenant en particulier Jérusalem et Haïfa.

• *La vie économique.* L'économie a bénéficié du haut niveau technique des Israéliens et de l'abondance des capitaux, qui ont permis d'atteindre un niveau de développement presque comparable à celui des pays occidentaux.

La mise en valeur agricole s'est faite dans le cadre d'exploitations plus ou moins collectives, les kibboutzim et les mochavim. Elle passe par l'irrigation : l'eau disponible (puits, rivières, lac de Tibériade) est envoyée par divers systèmes de canalisation vers les surfaces cultivées. L'agriculture est intensive. Les céréales (blé, orge) occupent une place peu importante comparées aux cultures de plantation : oliviers, vignes, et surtout agrumes (1,7 Mt). L'élevage est en progression et la pêche est active. Cependant, la production agricole est insuffisante pour l'alimentation de la population.

Le développement industriel souffre du manque de matières premières. Le pays ne possède que des gisements de potasse et de phosphate et un peu de cuivre. Mais tous les autres produits doivent être importés; aussi Israël s'est-il orienté vers la fabrication de biens de consommation, fondée sur la présence d'une main-d'œuvre très qualifiée. Des industries variées (électronique, chimie, produits pharmaceutiques, taille des diamants) sont réparties dans les principaux centres urbains.

Les produits industriels assurent les deux tiers des exportations, qui passent par les ports de Haïfa et d'Ashdod. Mais le déficit de la balance commerciale n'est comblé que grâce à l'aide extérieure. Le développement économique est freiné par l'exiguïté du territoire et surtout par les problèmes politiques qui opposent Israël au reste du monde arabe, imposant notamment de lourdes dépenses militaires.

HISTOIRE. L'État d'Israël est fondé le 14 mai 1948, quelques heures avant l'expiration du mandat britannique sur la Palestine*, conformément à une résolution de l'Assemblée générale de l'O. N. U. en date du 29 novembre 1947. Ce « plan de partage » — qui crée en Palestine un État arabe et un État juif de 12 000 km² et qui fait de Jérusalem une zone internationale — est aussitôt rejeté par les nations arabes limitrophes (Égypte, Liban, Syrie, Iraq, Transjordanie) qui, dès le 15 mai, envahissent Israël.

À la suite de cette première guerre israélo-arabe, les pourparlers de Rhodes aboutissent à une série d'armistices (févr.-juill. 1949), qui constatent la situation créée sur le terrain à la suite de sept mois de combats intermittents. Si bien que le jeune État d'Israël atteint 20 000 km², avec, en plus, la Galilée occidentale (Nazareth), le sud de la bande côtière jusqu'à Gaza et un « corridor » à travers les monts de Judée, incluant le secteur occidental de Jérusalem. La Jordanie et la bande de Gaza (sous administration égyptienne) servent de refuge à plus de 500 000 Arabes : vingt ans plus tard, ils seront près de un million et demi, constituant la masse des Palestiniens* dont les droits, grâce à l'action d'organisations intérieures, vont s'affirmer de plus en plus fortement.

Reconnu par l'O. N. U. (1949), l'État d'Israël se dote d'un régime parlementaire, avec un chef de l'État purement représentatif — le premier est Chaïm Weizmann (de 1949 à 1952) — et un gouvernement responsable devant la Knesset, chambre unique élue au suffrage universel par

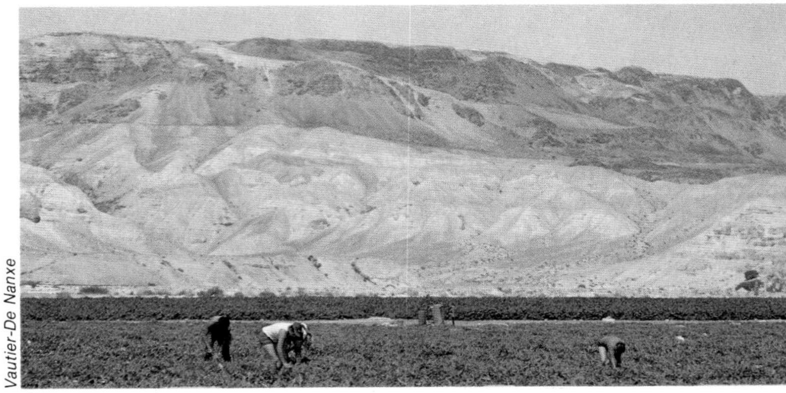

Vautier-De Nanxe

les citoyens des deux sexes. Le Mapaï (parti socialiste israélien), qui, en 1968, fusionne avec deux autres partis pour former le Front travailliste, fut au pouvoir depuis les origines de l'État jusqu'en 1977 : avec David Ben Gourion*, son fondateur (de 1948 à 1953, de 1955 à 1963), puis avec Moshé Sharett (de 1953 à 1955), Levi Eshkol (de 1963 à 1969), Golda Meir (de 1969 à 1974) et Itzhak Rabin (de 1974 à 1977). Aux élections de mai 1977, le bloc nationaliste (Likoud) de Menahem Begin l'emporte sur les travaillistes.

À l'intérieur, la vie politique est dominée par les controverses entre les partisans du laïcisme et ceux qui sont attachés à la prédominance de l'orthodoxie religieuse, notamment à propos de la «loi du retour» (1950), qui fixe les modalités d'intégration des Juifs, religieux ou non. D'autre part, le problème des disparités sociales se reflète dans le fossé grandissant entre originaires d'Europe, qui connaissent généralement une promotion rapide, et originaires d'Afrique et d'Asie, moins favorisés dans les faits.

Sur le plan des relations extérieures, le consensus est, par contre, à peu près total. Car, constamment contesté dans son existence même par ses voisins arabes et par la résistance palestinienne, Israël est, depuis son origine, sur le pied de guerre.

Par trois fois d'ailleurs, après 1949, le pays est en guerre. En 1956, alors que ses relations avec l'U. R. S. S., protectrice affirmée des Arabes, sont extrêmement tendues, une concentration des forces blindées égyptiennes provoque la campagne du Sinaï (29 oct.), à laquelle participent les forces anglo-françaises. Quoique vainqueurs, les Israéliens sont réduits au *statu quo*. En 1967, alors que la France, jusque-là fournisseur d'armes à Israël, décide l'embargo sur les expéditions d'armes vers le Moyen-Orient, éclate la «guerre des six jours» (5-10 juin), marquée par la victoire rapide d'Israël, qui s'installe dans le Sinaï et occupe entièrement Jérusalem et les territoires situés à l'ouest du Jourdain. Désormais, le problème de ces territoires domine la diplomatie du Moyen-Orient et aboutit à la guerre du Kippour (oct. 1973), qui provoque une grave tension intérieure et isole un peu plus Israël au sein de l'O. N. U. Toutefois, un traité de paix est signé le 26 mars 1979 entre Israël et l'Égypte; il prévoit notamment la libération du Sinaï (restitué à l'Égypte en 1982) ainsi que l'octroi d'une certaine autonomie pour Gaza et la population des territoires occupés en 1967, à l'ouest du Jourdain.

En 1982, Israël envahit le Liban jusqu'à Beyrouth et obtient ainsi la dispersion des forces palestiniennes. Mais cette intervention soulève de vives oppositions en Israël. (Les Israéliens se retireront du Sud-Liban en 1985.) En octobre 1983, Itzhak Shamir succède à Begin, démissionnaire. Le nouveau gouvernement doit faire face à des difficultés économiques grandissantes, et la Knesset est dissoute en mars 1984. À la suite des élections anticipées de juillet, un gouvernement d'union nationale est constitué en septembre entre les travaillistes et le Likoud. Les leaders des deux partis assurent alternativement la direction du gouvernement : Shimon Peres de 1984 à 1986 et Itzhak Shamir de 1986 à 1988. À partir de déc. 1987, Israël doit faire face à un soulèvement populaire palestinien dans les territoires occupés (Cisjordanie et Gaza). Au terme des élections de novembre 1988, un nouveau gouvernement d'union nationale est formé : Shamir reste Premier ministre. Mais, à la suite de désaccords sur la question du dialogue israélo-palestinien, la coalition gouvernementale éclate en mars 1990.

DÉFENSE ET ARMÉES

● *1948 :* création, à partir de la Haganah*, de l'armée israélienne, Tsahal.

● *1949 :* création d'un service militaire obligatoire masculin et féminin, dont les recrues assurent, en outre, des tâches civiques.

● LES FORCES ISRAÉLIENNES EN 1985. Budget : près de 40 p. 100 du P.N.B. Effectifs : 150 000 hommes (active), portés en mobilisation à 500 000 hommes. Service militaire : trois ans pour les hommes, deux ans pour les femmes (Juifs et Druzes seulement; Arabes et chrétiens pouvant être volontaires).

Armée de terre : 110 000 hommes, 11 divisions blindées, 70 brigades (dont 33 blindées, 15 d'artillerie et 5 parachutistes), 3 600 chars (dont 350 «Merkava» de fabrication israélienne).

Marine : 10 000 hommes; 3 sous-marins, 6 corvettes, une vingtaine de vedettes lance-missiles et une soixantaine de bâtiments divers.

Armée de l'air : 30 000 hommes, plus de 600 avions de combat et environ 60 hélicoptères armés, 15 bataillons de défense aérienne.

ISRAËL *(royaume d')*, nom de l'un des deux royaumes issus de la séparation des douze tribus à la mort de Salomon*. Les tribus du Nord formèrent le royaume d'Israël (931-721 av. J.-C.), celles du Sud, le royaume de Juda*. (V. HÉBREUX.)

Le trait caractéristique de la monarchie du royaume d'Israël est l'instabilité politique. Indépendamment d'usurpateurs éphémères, on ne compte pas moins de dix-neuf rois (pour deux siècles à peine), dont les plus importants furent : Jéroboam* (de 931 à 910), premier roi du royaume d'Israël; Omri* (de 885 à 874), qui fonda Samarie*, dont il fit sa capitale; Achab (de 874 à 853); Jéhu* (de 841 à 814); Jéroboam II (de 783 à 743), dernier grand roi d'Israël. Pour avoir manqué de réalisme en politique étrangère, le royaume d'Israël succombera sous les coups des Assyriens. En 722 av. J.-C., Sargon II* s'empare de Samarie et met fin à l'existence du royaume du Nord : l'élite de la population est déportée en Assyrie et des colons mésopotamiens sont installés à sa place.

ISRAÉLIEN, ENNE adj. et n. De l'État d'Israël.

ISRAÉLITE adj. et n. Qui appartient à la religion juive. ‖ Descendant de Jacob, ou *Israël*, appelé aussi JUIF ou HÉBREU.

israélo-arabes *(guerres). Première guerre (1947-1949).* L'O. N. U. ayant arrêté le 29 novembre 1947 un plan de partage de la Palestine, celui-ci est accepté par les Juifs mais rejeté par l'ensemble des États arabes. Il en résulte, pendant l'évacuation des forces britanniques, une guerre civile entre Juifs et Arabes (hiver 1947-48). Dès sa proclamation, le 14 mai 1948, l'État d'Israël est attaqué par les armées égyptienne, irakienne, jordanienne, libanaise et syrienne qui, au cours de la campagne *des dix jours*, sont partout refoulées par les Israéliens (9-19 juill. 1948). Après une trêve qui permet l'exode de 500 000 Arabes, Israël attaque l'Égypte (oct.), occupe le Néguev et rejette les Égyptiens sur El-Arich. De février à juillet 1949, l'O. N. U. impose des armistices entre Israël et ses voisins arabes. Israël obtient de nouvelles frontières au Néguev et en Galilée et reçoit Jérusalem (sauf les Lieux saints, attribués à la Jordanie). Mais les États arabes refusent de reconnaître son existence, ce qui amènera de nouveaux conflits.

● *Deuxième guerre (1956).*

— *26 juill.* L'Égypte nationalise le canal de Suez et passe des accords militaires avec l'Arabie, la Jordanie et la Syrie.

— *29 oct.* Israël lance trois colonnes blindées vers le canal, qui mettent les Égyptiens en déroute.

— *30 oct.* Ultimatum franco-britannique à l'Égypte et à Israël leur enjoignant de retirer leurs forces à 16 km de part et d'autre du canal; les Israéliens l'acceptent, mais, le 31, ils sont à 30 km du canal et occupent Charm al-Chaykh le 3 novembre.

— *5-7 nov.* Le refus de l'Égypte provoque l'intervention de forces franco-britanniques concentrées à Chypre, qui, débarquant à Port-Fouad et à Port-Saïd, progressent jusqu'à El-Kantara, où elles s'arrêtent à la suite des pressions exercées par l'U. R. S. S. et les États-Unis.

— *15 nov.* Les casques bleus relèvent les forces franco-britanniques (dont les derniers éléments quittent l'Égypte le 23 décembre) et rétablissent les frontières de 1949.

— *Mars 1957.* Évacuation de Gaza et de Charm al-Chaykh par les Israéliens.

● *Troisième guerre, dite «des six jours» (juin 1967).*

— *21 mai.* À la demande de l'Égypte, les casques bleus évacuent Charm al-Chaykh; les Égyptiens les y remplacent et interdisent l'accès du golfe d''Aqaba à l'État d'Israël, dont Nasser, appuyé par la Jordanie et l'Iraq, remet en cause l'existence par un violent discours (26 mai).

— *5 juin.* Ouverture des hostilités : l'aviation israélienne détruit la quasi-totalité des avions arabes et bénéficie désormais de la maîtrise de l'air.

— *6-8 juin.* Après avoir réduit la poche de Gaza et refoulé les Égyptiens dans le Sinaï, les Israéliens bordent le canal de Suez et occupent Charm al-Chaykh. La Légion arabe de Ḥusayn doit se replier à l'est du Jourdain et abandonne Jérusalem aux Israéliens.

— *9-10 juin.* La Syrie est à son tour attaquée par les Israéliens, qui prennent Qunayṭra, les hauteurs du Golan et menacent Damas. Le cessez-le-feu, exigé par l'O. N. U. le 7, est accepté par l'Égypte et la Jordanie le 8, puis par la Syrie le 9, ce qui conduit Israël à s'y plier à son tour.

● *Quatrième guerre, dite «du Kippour» (oct. 1973).*

— *6 oct.* Les Égyptiens franchissent par surprise le canal de Suez et les Syriens (renforcés de Marocains) attaquent le front du Golan; les Israéliens, qui fêtent le Kippour, mobilisent en hâte.

— *9 oct.* Les Égyptiens contrôlent la rive est du canal. Les Syriens, rejoints par les Irakiens et les Jordaniens, prennent le mont Hermon et Qunayṭra.

— *11-15 oct.* Israël contre-attaque dans le Golan, reprend Qunayṭra et bloque une offensive blindée irakienne; le front se stabilise à l'est des lignes de 1967.

— *15-20 oct.* Israël contre-attaque sur le canal, poursuit l'action entamée dès le 8 au nord des lacs Amer et isole la IIIᵉ armée égyptienne.

— *17 oct.* L'Organisation des pays arabes exportateurs de pétrole décide de réduire leur production et leur exportation vers l'Europe et les États-Unis et augmente ses tarifs.

— *22-24 oct.* La résolution américano-soviétique exigeant un cessez-le-feu, adoptée par l'O. N. U., est acceptée le 23 par l'Égypte et par Israël.

— *25 oct.* Mise en alerte des forces nucléaires américaines pour dissuader Moscou de toute intervention militaire.

— *26 oct.* Arrivée des premiers casques bleus et début des négociations israélo-égyptiennes au kilomètre 101 de la route Le Caire-Suez.

— *18 janv. 1974.* Accord militaire israélo-égyptien sur le désengagement des forces sur le canal.

— *31 mai-5 juin 1974.* Accords analogues entre Israël et la Syrie (front du Golan).

— *4 sept. 1975.* Accord signé à Genève entre Israël et l'Égypte sur la situation de leurs forces et de celles de l'O. N. U. dans la zone du canal de Suez.

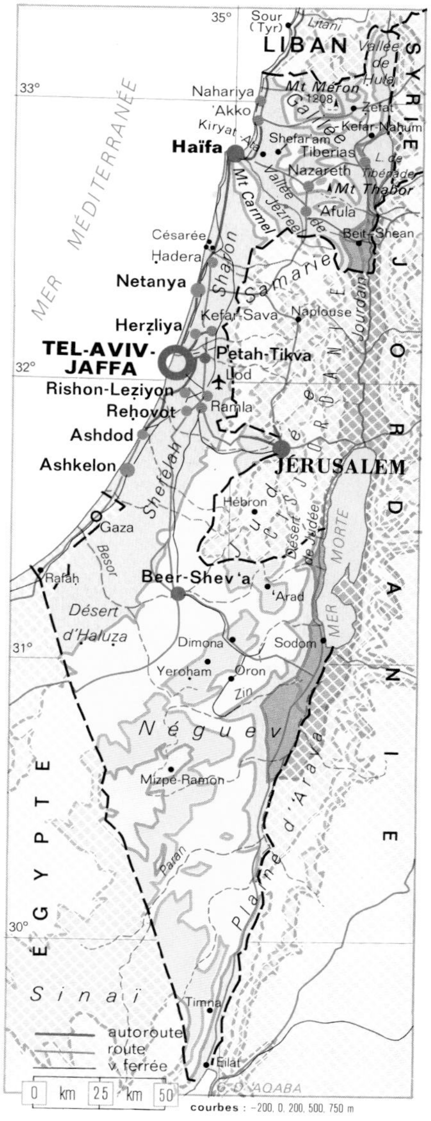

ISRAËL

ISSARLÈS *(lac d')*, lac volcanique de l'ouest de l'Ardèche.

ISSAS, population semi-nomade, appartenant au groupe de Somalis.

ISSIGEAC (24560), ch.-l. de cant. de la Dordogne, à 19 km au S.-E. de Bergerac; 686 hab. Église gothique (XVIᵉ s.). Château.

ISSOIRE (63500), ch.-l. d'arr. du Puy-de-Dôme, dans la *Limagne d'Issoire*, à 35 km au S.-E. de Clermont-Ferrand; 15 383 hab. *(Issoiriens)*. Église du XIIᵉ s., chef-d'œuvre du roman auvergnat (chapiteaux; crypte), restaurée au XIXᵉ s. Métallurgie (grande presse hydraulique).

ISSOS, ville de l'Asie Mineure, en Cilicie. En 333 av. J.-C., Alexandre* y remporta sur Darios III une victoire décisive qui mit l'Empire perse à sa merci.

ISSOUDUN (36100), ch.-l. d'arr. de l'Indre, à 27 km au N.-E. de Châteauroux; 15 166 hab. *(Issoldunois)*. Ancien hôtel-Dieu du début du XVIᵉ s. (musée) et autres monuments. Constructions électriques. Confection. Mégisserie.

ISSU, E adj. (anc. fr. *issir;* lat. *exire*, sortir). Sorti, né de : *issu d'une famille de paysans.*

ISSUE n. f. Ouverture ou passage par où l'on peut sortir, s'échapper : *garder toutes les issues d'une maison.* ‖ Moyen de sortir d'embarras : *se ménager des issues.* ‖ Manière dont une affaire trouve sa solution, conclusion : *issue d'un combat.* ● *À l'issue de*, à la fin de : *à l'issue de la séance.* ◆ pl. Produits, autres que la farine, obtenus au cours de la mouture des céréales. ‖ *Bouch.* Parties non consommables des animaux (cornes, cuir, suif, etc.).

IS-SUR-TILLE (21120), ch.-l. de cant. de la Côte-d'Or, à 24 km au N. de Dijon; 4 200 hab. Constructions mécaniques.

ISSYK-KOUL, lac de l'U. R. S. S. (Kirghizistan); 6 200 km².

ISSY-LES-MOULINEAUX (92130), ch.-l. de cant. des Hauts-de-Seine, dans la proche banlieue sud-ouest de Paris; 46 491 hab. Centre industriel et résidentiel.

ISSY-L'ÉVÊQUE (71760), ch.-l. de cant. de Saône-et-Loire, à 16,5 km au N.-O. de Gueugnon; 1 062 hab. Église des XIᵉ et XIIᵉ s.

Israël. Cultures dans un kibboutz, près de la mer Morte.

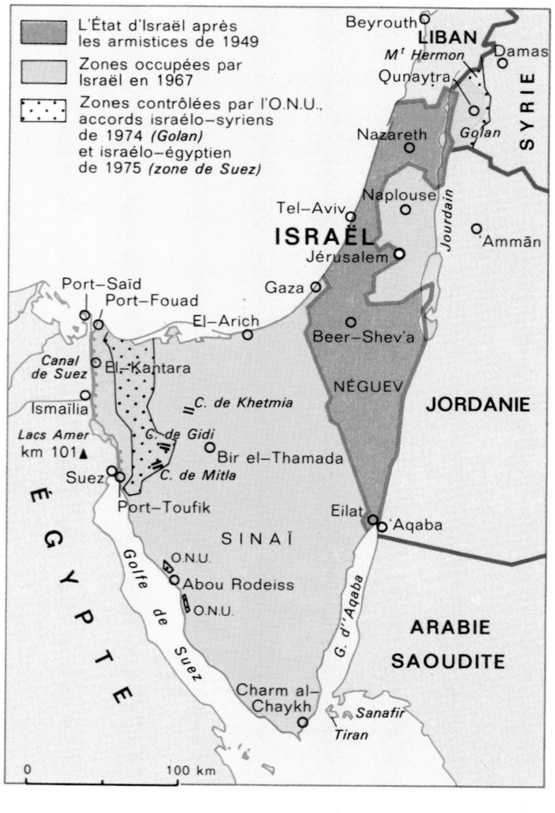

L'ÉTAT D'ISRAËL DE 1949 À 1975

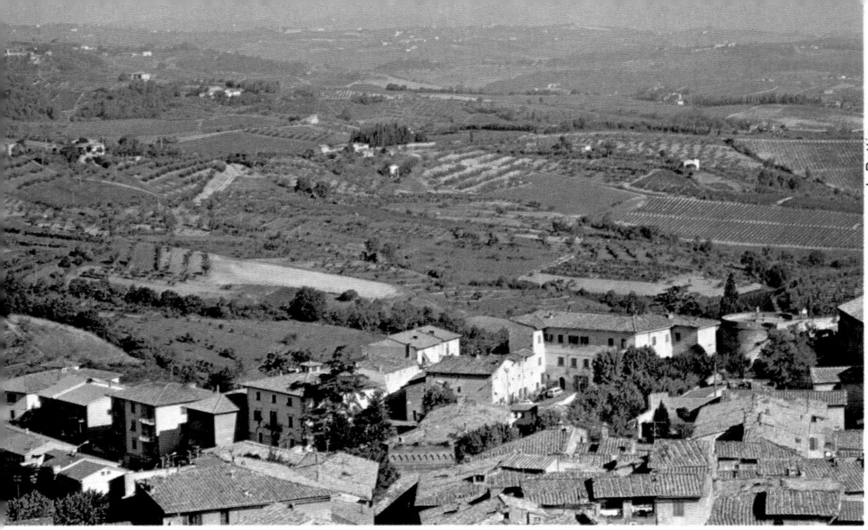

J. Bottin

Italie. Paysage de la Toscane, à San Gimignano.

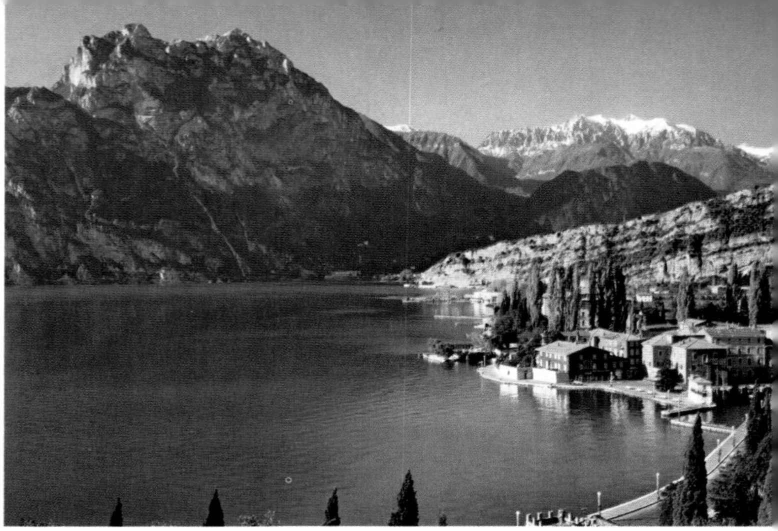

Everts-Rapho

Le lac de Garde.

ISTANBUL, la plus grande ville de Turquie, sur le Bosphore et la mer de Marmara; 2 853 000 hab. Importants musées.

GÉOGRAPHIE. Istanbul doit son importance à son site et à sa situation, entre la Méditerranée et la mer Noire, entre l'Europe balkanique et l'Asie Mineure. La ville s'est développée de part et d'autre de la Corne d'Or, petite baie sur la côte européenne. Au N., Galata est le port et le centre commercial moderne, alors qu'au S. s'étend le *bazar,* la vieille ville populeuse, siège du commerce de détail et de l'artisanat. Sur la rive asiatique (reliée aujourd'hui par un pont) s'est étendu le faubourg d'Üsküdar (Scutari). Cité longtemps cosmopolite et comptant alors de fortes minorités chrétiennes, Istanbul est aujourd'hui une ville turque et islamique. Principal port (prépondérant notamment pour les importations), la ville est le centre industriel (constructions mécaniques et électriques, travail du cuir, textile, alimentation) et culturel (université, édition) du pays malgré une situation excentrée dans la Turquie, qui a contribué à l'empêcher de redevenir au XXe s. une capitale politique.

HISTOIRE. Istanbul, ou Constantinople*, fut la capitale de l'Empire ottoman de 1453 à 1923. Mehmed II* y fit son entrée le 30 mai 1453, et choisit la ville pour capitale; Sainte-Sophie en devint la Grande Mosquée. Pour repeupler la ville, les sultans ottomans des XVe et XVIe s. y installèrent des déportés, chrétiens ou musulmans, venus des régions nouvellement conquises. La ville se développa autour des fondations (mosquées et leurs dépendances) créées par les sultans et les hommes d'État importants. Résidence des patriarches grec et arménien et du grand rabbin, Istanbul devint une capitale cosmopolite, où coopéraient musulmans, chrétiens et juifs au service de la grandeur ottomane.

BEAUX-ARTS. Dans la ville, où se mélangeaient subtilement les arts grec, romain et byzantin, une ère architecturale nouvelle s'amorce après 1453. Synthèse des données byzantines et seldjoukides*, l'art ottoman* se manifeste dans des constructions nombreuses et variées (mosquées, madrasa, palais, tombeaux, bibliothèques, fontaines, etc.), et aussi dans la transformation d'églises en mosquées : Sainte-Sophie*, Saint-Théodore, devenue Kilise camii, etc. Pour le XVe s., citons le palais de Çinili Köşk, deux forteresses sur le Bosphore, le château des Sept Tours, et certaines parties de l'immense palais de Topkapı; ce dernier, habité jusqu'au XIXe s. et sans cesse agrandi, présente, au milieu des cyprès, des aménagements de toutes les époques (salle du Conseil, 1527; kiosque d'Erevan, 1635; kiosque de Bagdad, 1639; bibliothèque d'Ahmed III, 1718; etc.). Dès le début du XVIe s., le type classique de la mosquée ottomane est établi (Beyazıt camii). La ville conserve les constructions les plus remarquables de l'architecte Sinan* : bains Haseki Hamam (1553), mosquée de Şehzade (1544-1548), mosquée (ornée d'admirables céramiques) et madrasa de Rüstem Paşa (v. 1550), mosquée Sokullu Mehmed Paşa (1571), et le chef-d'œuvre de l'art ottoman, la mosquée Süleymaniye, avec ses vastes annexes (1550-1557). Édifiée entre 1609 et 1616, et flanquée de six minarets, la mosquée de Sultan Ahmed doit son nom de « mosquée Bleue » à sa décoration intérieure de faïence émaillée.

Au contact de l'Europe, l'art ottoman subit l'influence du baroque et du rococo (mosquée d'Eyüp et mosquée de Fatih, 1767-1771); terminée en 1755, la mosquée Nuruosmaniye, tout en conservant la disposition classique, confirme cette influence dans son architecture extérieure.

ISTHME [ism] n. m. (gr. *isthmos,* passage étroit). Bande de terre resserrée entre deux mers et réunissant deux terres. ‖ *Anat.* Nom donné à certaines parties rétrécies d'une région ou d'un organe.

ISTHMIQUE adj. Relatif à un isthme. • *Jeux Isthmiques* (Antiq. gr.), célébrés en l'honneur de Poséidon dans l'isthme de Corinthe.

Istiqlāl, parti politique marocain. Le parti de l'Istiqlāl (parti de l'indépendance) est fondé à la fin de 1943. Il remet en 1944 à Muḥammad V* un manifeste réclamant l'indépendance du Maroc. En 1952, le sultan est contraint par les autorités françaises de désavouer l'Istiqlāl, qui organise cependant la lutte pour l'indépendance, obtenue en 1956. L'Istiqlāl perd de son importance au profit de l'opposition plus radicale (U. N. P. F., fondé en 1959) et du parti de soutien à la monarchie (F. D. I. C., fondé en 1963). Apportant son soutien au roi, en 1976, dans l'affaire du Sahara occidental, il se rallie au régime dans les années 1980 pour contrer l'extrémisme islamique et l'extrême gauche.

ISTRATI (Panait), écrivain roumain d'expression française (Brăila 1884 - Bucarest 1935), auteur d'un cycle romanesque, *la Vie d'Adrien Zograffi,* de caractère autobiographique (*Kyra Kyralina,* 1924).

Istanbul : la mosquée de Sultan Ahmed (ou mosquée Bleue), 1609-1616.

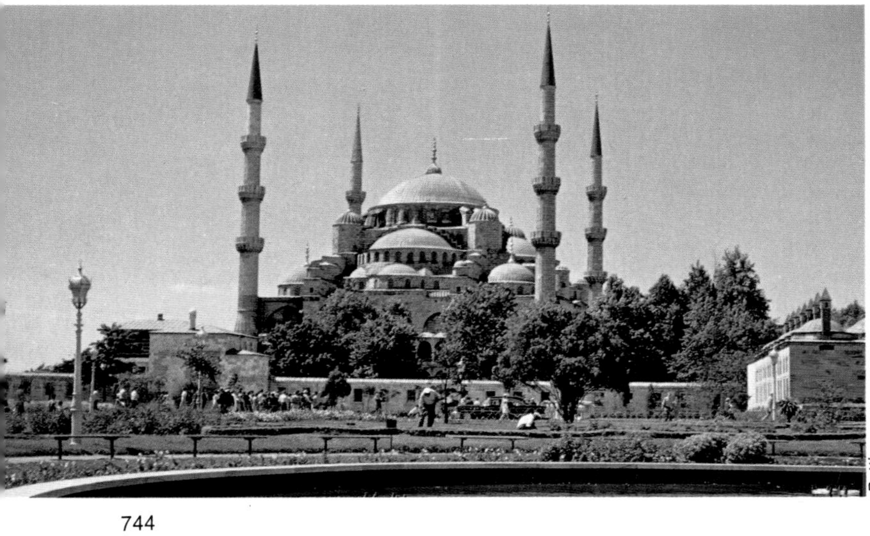

Bottin

ISTRES, ch.-l. d'arr. des Bouches-du-Rhône, sur la rive occidentale de l'étang de Berre; 30 360 hab. *(Istréens).* École de l'armée de l'air. Constructions aéronautiques.

ISTRIE, presqu'île du nord de l'Adriatique, en face de Venise, appartenant à la Yougoslavie (Slovénie et surtout Croatie).

HISTOIRE. Colonie romaine très prospère, envahie par les Barbares aux Ve et VIe s., l'Istrie, rattachée au duché de Bavière puis à la Carinthie, entre dans le Saint Empire en 952. Conquise par Venise — sauf Trieste, restée aux Habsbourg — au XIVe s., elle est vénitienne jusqu'en 1797. Cédée alors à l'Autriche, incorporée en 1806 au royaume d'Italie et en 1809 aux Provinces Illyriennes*, l'Istrie redevient autrichienne en 1815. Revendiquée par l'Italie comme « province irrédente », elle est annexée par elle en 1920 (traité de Rapallo); Fiume l'est à son tour en 1924. En 1947, l'Istrie est cédée à la Yougoslavie, Trieste* gardant un statut spécial.

ITABIRA, v. du Brésil (Minas Gerais); 24 000 hab. Minerai de fer. Métallurgie.

ITAIPU, aménagement hydroélectrique réalisé sur le Paraná, par le Brésil et le Paraguay.

ITALIANISANT, E adj. et n. Qui s'occupe de langue et de littérature italiennes. ‖ *Bx-arts.* Qui s'inspire des styles de l'Italie.

ITALIANISER v. t. Donner un caractère italien.

ITALIANISME n. m. Manière de parler propre à la langue italienne. ‖ Goût des choses italiennes.

ITALIE, en it. **Italia,** État de l'Europe méridionale; 301 300 km^2; 57 400 000 hab. *(Italiens).* Capit. *Rome.*

GÉOGRAPHIE. Notable puissance économique européenne, l'Italie est marquée par l'inégalité du développement, qui oppose le Nord, comparable aux nations de l'Europe occidentale, et le Sud, présentant des caractères évidents de relatif sous-développement.

• *Le milieu naturel.* L'Italie s'étend sur deux ensembles de relief très différents. Au nord, l'Italie continentale correspond à la plaine du Pô, vaste fosse remblayée par plusieurs milliers de mètres de sédiments, drainée par le fleuve et ses affluents, et dominée par l'arc alpin. Étroit et élevé à l'ouest (mont Viso, mont Blanc, mont Rose), cet arc s'élargit à partir du Tessin, où il est précédé de Préalpes calcaires qui atteignent leur développement maximal à l'est, dans les Dolomites. Échancrées de nombreux cols, trouées de larges vallées (val d'Aoste, Valteline, Adige), les Alpes portent encore des glaciers, dont les grands lacs (lac Majeur, lac de Côme, lac de Garde) témoignent de l'avancement au quaternaire. Au sud, l'Italie péninsulaire et insulaire présente au contraire un relief très compartimenté. La péninsule est axée sur l'Apennin*, chaîne récente, constituée essentiellement de flysch comprenant les noyaux cristallins (Sila, Aspromonte), et trouée de bassins (Florence, Pérouse, Terni, etc.). Cette chaîne est bordée par les plaines des Marches et du Tavoliere sur le littoral adriatique, et par celles des Maremmes, du Latium, de Campanie sur le littoral tyrrhénien. L'Apennin se prolonge en Sicile, tandis que la Sardaigne est un fragment de socle hercynien haché de failles. La jeunesse du relief est attestée par les nombreux volcans récents ou encore actifs (Vésuve, Stromboli, Etna), jalonnant la côte occidentale.

Le climat accentue l'opposition entre l'Italie du Nord et l'Italie méridionale. La plaine du Pô subit un climat continental aux hivers froids et aux étés chauds et orageux. La péninsule et les îles connaissent un climat méditerranéen plus doux, marqué par la sécheresse estivale, dont la durée augmente vers le sud. Dans le Nord, la végétation naturelle ne subsiste que sur les montagnes, dont les pentes portent de belles forêts de conifères et de feuillus, surmontées par les alpages. Dans le Sud, les reliefs sont couverts par la forêt méditerranéenne de chênes verts et de pins, souvent dégradée en garrigue ou en maquis.

• *La population.* L'Italie est un pays fortement peuplé. Sa densité élevée résulte d'un accroissement régulier et qui a été longtemps relativement rapide : la population a doublé en un siècle et s'est accrue de plus de 12 millions d'habitants depuis 1950. Actuellement, l'accroissement démographique est réduit, en raison d'une baisse du taux de natalité, qui reste nettement plus élevé dans le Sud que dans le Nord. La forte augmentation de population a été en partie compensée par un fort courant d'émigration. À la fin du XIXe s. et au début du XXe s., ce courant était dirigé surtout vers les États-Unis et les pays de l'Amérique latine, et, après 1945, vers d'autres pays de l'Europe occidentale (France, Suisse, Allemagne). Aujourd'hui, les migrations intérieures prédominent, les chômeurs du Sud vont chercher du travail dans les villes de la plaine du Pô, compensant la plus forte natalité des régions méridionales. Mais leur intégration dans les grandes cités industrielles du Nord ne se fait pas sans problème.

La population est répartie assez également sur l'ensemble du territoire. Seules les montagnes, par suite d'un exode rural prolongé, se sont peu à peu vidées, la population se concentrant dans les plaines et les bassins. Mais l'Italie est caractérisée par un taux d'urbanisation élevé. Les villes, nombreuses, ont souvent une origine ancienne, comme en témoignent les anciens quartiers, riches en souvenirs historiques. Elles forment un réseau dense dominé par Milan, capitale économique, et Rome, capitale politique.

• *L'économie.* L'opposition naturelle entre le Nord et le Sud se double d'une opposition économique tant sur le plan agricole que sur le plan industriel, le Mezzogiorno* apparaissant déshérité.

Le *secteur agricole* emploie le cinquième de la population active, mais ses progrès sont lents et sa part, dans le revenu national, diminue. L'agriculture souffre de la structure de la propriété. À côté des petites exploitations morcelées persistent encore des latifundias, et les tentatives de réforme agraire visant à limiter les superficies ont eu des résultats médiocres. Actuellement, sous l'impulsion de l'État, on cherche à intensifier la production. Les grands travaux de bonification entrepris sous le fascisme (marais Pontins) ont été poursuivis. Grâce au drainage et à l'irrigation, sont livrées à l'agriculture des terres qui jusqu'à présent n'étaient guère mises en valeur : delta du Pô, Maremme, Basilicate, etc. Parallèlement, la mécanisation et l'emploi massif d'engrais font progresser les rendements et la création de coopératives facilite la commercialisation des produits. La production agricole est variée. Le blé (de 8 à 10 Mt) est cultivé partout, mais le Nord produit du blé tendre et le Sud du blé dur, aux rendements plus faibles. La plaine du Pô fournit du maïs (7 Mt) et du riz. Les cultures arbustives viennent ensuite : arbres fruitiers (agrumes du Sud, pêchers, poiriers), oliviers (Pouille) et, surtout, vigne, qui place l'Italie au premier rang mondial — devant la France — pour la production de vin (de 65 à 80 Mhl), dont l'écoulement pose de sérieux problèmes. L'élevage est moins développé. La Lombardie est spécialisée dans l'élevage bovin (viande, fromage) et porcin, tandis qu'au sud domine l'élevage ovin et caprin. Mais la production ne couvre pas les besoins nationaux. La pêche a rarement dépassé le stade artisanal.

L'opposition entre la plaine du Pô et le Sud est manifeste sur le plan agricole. Les riches fermes du Nord contrastent avec les exploitations extensives du Mezzogiorno, à l'exception de quelques points favorisés (Campanie, Pouille) mais où la plus grande richesse des terres est compensée par la pression démographique.

745

Village en Calabre.

Rizières dans la plaine du Pô, en Lombardie.

P. Tétrel

Blanchard

Cependant, sur le plan industriel, l'opposition est encore plus frappante.

L'*industrie* italienne est récente. Elle a connu un essor spectaculaire après 1945. Elle avait été en grande partie désorganisée par la guerre et la reconstruction était l'objectif prioritaire. Elle eut lieu sous l'impulsion de firmes privées, grâce, en grande partie, à des capitaux étrangers (américains et suisses), mais le rôle de l'État a été primordial. Sur le plan financier, l'industrie italienne est très concentrée. L'IRI (Istituto per la Ricostruzione Industriale), qui regroupe diverses sociétés nationales dans ses différentes branches, et l'ENI (Ente Nazionale Idrocarburi) contrôlent des secteurs entiers de la production face aux puissantes sociétés privées, telles que Fiat, Pirelli ou Olivetti. Actuellement, toutes les gammes sont représentées. Les ressources naturelles sont pourtant peu abondantes. Le pays possède de petits gisements de fer (Elbe), de plomb, de zinc, de soufre (Sicile). Dans le domaine énergétique, la rareté du charbon (Sardaigne) n'est palliée qu'en partie par l'hydroélectricité des Alpes et le gaz naturel (15 Gm³) de la plaine du Pô (Cortemaggiore), envoyé dans tout le pays par un réseau de gazoducs. L'Italie doit surtout importer du pétrole (dont elle ne possède que de médiocres gisements en Sicile), qui est raffiné dans les complexes portuaires comprenant des installations pétrochimiques. Malgré l'absence de matières premières, la sidérurgie est puissante (de 20 à 25 Mt d'acier). Les aciéries, implantées dans les ports (Gênes, Naples, Tarente, etc.) et en Lombardie, alimentent les constructions mécaniques, qui constituent la principale activité industrielle : constructions automobiles (1,5 M de voitures de tourisme), concentrées à Turin (Fiat), matériel agricole et ferroviaire, constructions navales (Gênes, Trieste), etc. L'industrie chimique est également très développée : engrais, pneumatiques (Pirelli), matières plastiques. Parmi les autres branches industrielles, dominent le textile (laine, coton, fibres synthétiques), les industries alimentaires, le bâtiment et divers secteurs traditionnels réputés (cuir, imprimerie, verrerie, etc.).

Mais la plupart de ces activités sont localisées dans les grandes villes du Nord, et c'est à Milan que se situent les sièges de la plupart des sociétés italiennes. La rareté des implantations industrielles dans le Sud entraîne un déséquilibre sur le plan des revenus et emplois. Pour y remédier, l'État a créé en 1950 la Caisse du Midi, organisme qui tente de favoriser le développement de la péninsule. Il est notamment responsable de la création du complexe sidérurgique de Tarente et de l'usine automobile Alfa-Sud à Naples. Cependant, son action reste

très ponctuelle et le chômage continue à sévir dans le Sud, contraignant une grande partie des habitants à aller chercher du travail dans les usines du Nord.

L'économie repose en partie sur l'activité commerciale, favorisée par un réseau de voies de communication remarquable. La densité d'autoroutes est en particulier très importante. Le trafic maritime passe par les ports de Naples, de Venise, de Trieste et surtout de Gênes. Compte tenu de la structure de son industrie, le pays doit importer des matières premières et exporter des produits fabriqués. Les autres pays du Marché commun, dont il est membre, sont ses principaux partenaires. Le déficit de la balance commerciale est partiellement compensé par les envois en argent des travailleurs à l'étranger et surtout par le tourisme. La richesse du patrimoine artistique et les stations de sports d'hiver ou balnéaires attirent chaque année plus de 20 millions de touristes étrangers.

HISTOIRE. ● *Des origines à la Renaissance.* Au milieu du IIᵉ millénaire, des Indo-Européens édifient dans la plaine du Pô une civilisation contemporaine de Mycènes, dite « des terramares ». Se développe ensuite la civilisation des Villanoviens, tandis que s'installent dans la péninsule des populations désignées sous le nom général d'*Italiques*. À partir du VIIIᵉ s. av. J.-C., les Grecs s'installent sur les côtes méridionales de l'Italie (v. GRÈCE D'OCCIDENT) ; le reste de la péninsule est occupé durant deux siècles (VIᵉ-Vᵉ s. av. J.-C.) par les Étrusques*, dont la domination se heurte à l'expansion de Carthage*, puis au déferlement gaulois (IVᵉ av. J.-C.) : la ruine des Étrusques profite alors à Rome* qui, du IVᵉ au IIᵉ s. av. J.-C., fait la conquête de l'Italie. Progressivement se constitue un État romano-italique auquel Auguste*, grand unificateur de la péninsule, incorpore la Gaule Cisalpine. Si un magnifique réseau routier contribue au développement des villes italiennes, l'afflux des blés étrangers provoque la dégradation des terres ; d'autre part, l'immensité même de l'Empire romain fait perdre à l'Italie son rôle directionnel.

L'Italie, qui est une des premières régions de l'Empire à être gagnée au christianisme, est aussi l'une des premières à être envahie par les Barbares — Goths, Huns, Vandales — au Vᵉ s. apr. J.-C. En 476, le dernier empereur d'Occident est déposé ; l'Hérule Odoacre puis l'Ostrogoth Théodoric* (de 489 à 526) deviennent maîtres de l'Italie. Justinien Iᵉʳ*, secondé par Bélisaire*, réussit à arracher aux Goths la péninsule (535-555) mais, dès 568, les Lombards s'installent dans l'Italie septentrionale et centrale, les Byzantins ne gardant que l'exarchat de Ravenne*, lequel tombe en 751 sous les coups des Lombards ; ceux-ci, quoique convertis au christianisme depuis le milieu du VIIᵉ s., se heurtent à une papauté de plus en plus puissante, qui, menacée par eux dans ses droits, recourt aux Pépinnides francs (753). En 774, Charlemagne*, patrice des Romains, devient aussi roi des Lombards ; son emprise sur l'Italie se renforce lors de son couronnement comme empereur à Rome, en 800. Fait significatif, il attribue à son fils Pépin le titre de « roi d'Italie ». En fait, les Byzantins s'accrochent dans le sud de la péninsule et la riche Venise* est déjà autonome.

Le IXᵉ s. est un « siècle noir » pour l'Italie, ravagée par les Normands et les Sarrasins : l'autorité du roi — qui est aussi l'empereur — se heurte à l'ambition des grands vassaux, tandis que l'aristocratie romaine paralyse l'action ponti-

ficale. En couronnant empereur le roi de Germanie et d'Italie Otton Iᵉʳ* (962), le pape Jean XII* pense sauver la péninsule de l'anarchie en unissant son sort à celui de l'Allemagne. En fait, le Saint Empire* romain germanique fait tout de suite peser une lourde hypothèque sur l'Église romaine, les empereurs disposant de la couronne pontificale et intervenant constamment en Italie pour le maintien de leurs droits (973-1073). Quand le pape Grégoire VII* prend des dispositions pour mettre un frein à cette ingérence impériale, éclate la querelle des Investitures* (1073-1122), qui se termine par la victoire de la papauté sur l'Empire.

Le XIIᵉ s. voit éclater, en Italie d'abord, la grande révolution économique qui accompagne le réveil de l'Europe. Les villes — Pise*, Gênes*, Milan*, Florence* —, pour mieux se vouer à l'industrie (textile, surtout) et commercer plus à l'aise et selon les techniques modernes, secouent le joug des autorités féodales et se donnent des institutions communales. Leur richesse s'accompagne d'un grand essor intellectuel et artistique. Cette prospérité provoque, entre les villes, des rivalités sanglantes, tandis qu'à l'intérieur des cités — où domine l'aristocratie (Venise) ou la bourgeoisie négociante — des conflits opposent les différentes classes. Seul le Sud, où, au XIᵉ s., s'installent les Normands*, vainqueurs des Arabes et des Byzantins, ne participe pas à ce grand mouvement : la monarchie absolue, féodale et bureaucratique s'y perpétue. La Sicile, qui échoit en 1194 aux Hohenstaufen*, devient par contre un brillant carrefour de civilisation composite.

Cependant, l'élection à la dignité impériale de Frédéric* Iᵉʳ Barberousse (1152) relance en Italie la lutte entre le Sacerdoce* et l'Empire (1154-1250), qui divise et ravage l'Italie ; la victoire finale de la papauté sur Frédéric* II est une victoire à la Pyrrhus. Car, les Hohenstaufen étant écartés, Rome et l'Italie passent sous l'influence de Charles* d'Anjou, dont l'impérialisme provoque les Vêpres siciliennes (1282). Les Aragonais deviennent alors les maîtres de la Sicile et de la Sardaigne (1302), les Angevins ne gardant que Naples jusqu'à la formation du royaume des Deux-Siciles*, en 1442, à la suite du triomphe des Aragonais. Le long séjour des papes à Avignon* (1309-1376) puis le Grand Schisme* d'Occident (1378-1417) amenuisent l'influence papale tout en accélérant le morcellement et l'anarchie de l'Italie. Quand la papauté, restaurée, réintègre les États romains, ceux-ci, comme les Deux-Siciles, resteront marqués par l'archaïsme politique et économique.

Par contre, les villes, et notamment Gênes, Venise*, Milan et Florence, connaissent, au XIIIᵉ et au XIVᵉ s., une grande prospérité qui a pour corollaires l'essor de l'humanisme* et la formation de courants de pensée favorables à un retour à la pauvreté évangélique. (V. FRANÇOIS D'ASSISE.) En 1416, la création du duché de Savoie* manifeste la montée d'une nouvelle puissance territoriale. (V. PIÉMONT.)

LES DÉBUTS DE L'UNITÉ ITALIENNE

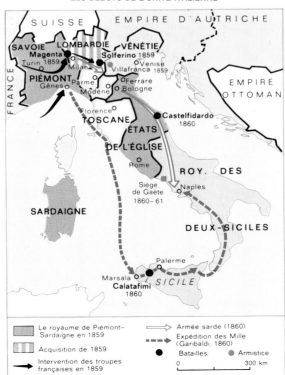

L'ITALIE DE 1860 À 1870

• *De la Renaissance à 1870.* Dans l'ensemble, cependant, cette Italie prospère et rayonnante qui est, aux XVe et XVIe s., au cœur de la Renaissance*, repose sur des bases politiques fragiles. Ce qui explique les interventions étrangères. Au XVIe s., les descentes des Valois* en Italie sont nombreuses; mais, après une série de victoires et de revers (v. ITALIE [*guerres d'*]), Henri II, par le traité du Cateau-Cambrésis (1559), doit renoncer aux prétentions françaises sur Naples et le Milanais. L'Italie tombe alors sous l'influence des Habsbourg d'Espagne, maîtres directs du Milanais — qui connaît la décadence —, de Naples et de la Sicile. Après 1598, l'influence française grandit de nouveau dans la péninsule, où la maison de Savoie*, qui monte, vit longtemps dans l'orbite de la France. En Toscane, les derniers Médicis* président à la décadence florentine; les États pontificaux sont toujours la proie de l'anarchie, du népotisme et de la misère. Venise elle-même souffre de la prépondérance atlantique et de l'avancée des Turcs. Aussi, au XVIIe et au XVIIIe s., la démographie décline, le paupérisme s'étend. À partir de 1763, la péninsule est la proie des Habsbourg, qui redistribuent à leur guise les États italiens et font d'eux le champ où s'affrontent les impérialismes autrichien et espagnol. Le Piémont-Sardaigne, quant à lui, fortifie ses positions.

La Révolution française rencontre beaucoup de sympathies chez les Italiens; mais les gouvernements, inquiets, réagissent, déclarant presque tous la guerre à la France révolutionnaire (1792-93), laquelle n'intervient guère en Italie, se contentant d'annexer la Savoie et Nice (1792) et d'occuper la république de Gênes (1794). Par contre, Bonaparte*, qui considère l'Italie comme sa seconde patrie, estime que la péninsule doit jouer un rôle essentiel dans la guerre contre l'Autriche. (V. ITALIE [*campagnes de Bonaparte en*].) C'est ainsi que l'Italie, à partir de 1796, passe dans la zone d'influence française, avec la formation des républiques sœurs — Cisalpine*, Cispadane*, Parthénopéenne*, Ligurienne* (1797-1799), où la législation et les institutions françaises sont appliquées — puis avec celle du royaume d'Italie* (1805-1814), dont Napoléon Ier est le titulaire, Eugène de Beauharnais* étant vice-roi, et avec l'annexion des États pontificaux (1809). On peut même parler d'une Italie française, la Sardaigne et la Sicile échappant seules à l'emprise des Bonaparte. Malgré le Blocus* continental, la période française est, sur le plan économique, assez bénéfique pour le Nord, tandis que le Midi reste archaïque.

Après la chute de l'Empire français (1814-15), l'Italie revient à l'Ancien Régime, les anciens souverains rentrent dans leur capitale, le pape dans les États pontificaux, les Bourbons à Naples et en Sicile; la maison de Savoie règne de nouveau sur le Piémont-Sardaigne-Savoie; quant au reste de la péninsule, il est directement (royaume lombard-vénitien) ou indirectement (Parme, Toscane, Modène) sous la domination autrichienne. Très vite, sous l'influence de sociétés secrètes — le carbonarisme* — se développe, en Italie du Nord surtout, un double mouvement, libéral et national, dont la conduite passe progressivement au Piémont, qui devient, après 1821, le principal foyer du *Risorgimento**. La réaction se déchaîne durant dix ans (1821-1831) contre ce mouvement, qui trouve enfin une brèche en 1848, lors de la révolution libérale européenne. Mais la « Jeune-Italie » se révélant trop faible face à l'Autriche, Victor-Emmanuel II*, roi de Piémont, et son ministre Cavour* (de 1852 à 1861) se tournent vers la France pour les aider à faire l'unité italienne. La campagne d'Italie* franco-piémontaise de 1859 se solde par l'annexion de la Lombardie par le Piémont. Une série de mouvements locaux aboutissent alors à la « libération » des Deux-Siciles, de la Romagne, des duchés centraux (1860-61), de sorte que, dès 1861, est proclamé le royaume d'Italie, dont la capitale est d'abord Turin, puis (1865) Florence, et le premier souverain Victor-Emmanuel II. La guerre de 1866 vaut à l'Italie l'annexion de la Vénétie. En septembre 1870, Rome devient la capitale du jeune royaume, dont l'unité ne sera complète qu'avec l'annexion des provinces irrédentes, le Trentin et Trieste.

• *De 1870 à nos jours.* Tout de suite, les gouvernements qui se succèdent — droite historique de 1870 à 1876, gauche anticléricale de 1876 à 1900, notamment avec Crispi* — se heurtent à la médiocrité des ressources industrielles, au féodalisme, au retard du *Mezzogiorno* et au fait que le pape, qui se considère comme lésé par la prise de Rome, interdit aux catholiques de participer à la vie politique. Pour donner un certain élan au pays, les gouvernants rompent avec le libre-échange et avec la francophilie de Cavour (signature de la Triplice [v. ALLIANCE (*Triple-*)], 1882) et tournent les ambitions italiennes vers des entreprises outre-mer (Tunisie puis Éthiopie), qui s'avèrent malheureuses. À un progrès économique certain répondent le développement de la misère et de l'émigration, et, par voie de conséquence, l'emprise de l'anarchisme* — responsable en 1900 de la mort du second roi d'Italie, Humbert Ier (de 1878 à 1900) — et surtout du socialisme*. L'avènement en 1900 du troisième roi d'Italie, Victor-Emmanuel III, et, trois ans plus tard, l'arrivée au pouvoir de Giolitti* — qui va s'y maintenir pratiquement jusqu'en 1914 — coïncident avec la reprise économique : celle-ci est favorisée par la bonne gestion financière de Giolitti et la mise en place par lui d'une législation sociale importante. Le rapprochement avec la France, à partir de 1902, oriente l'Italie vers le nationalisme et réveille l'irrédentisme*. Cela explique l'annexion par l'Italie de la Libye (1911) et du Dodécanèse (1912) et son entrée dans la guerre aux côtés des Alliés, contre l'Autriche, en 1915. Cette guerre coûte cher à l'Italie mais lui vaut l'annexion du Trentin, du Haut-Adige puis — grâce à D'Annunzio* — de Fiume* (1919). Cependant, la crise économique, morale et sociale de l'après-guerre favorise la création d'un fort parti communiste italien (1921); parallèlement, se forme un mouvement démocrate-chrétien, avec don Luigi Sturzo*. Mais l'un et l'autre sont débordés par un mouvement d'extrême droite, le fascisme*, incarné en Benito Mussolini*, qui impose au pays, de 1922 à 1943, un régime totalitaire, nationaliste et corporatif. Alliée de l'Allemagne nazie dès 1936, l'Italie fasciste entre dans la Seconde Guerre mondiale en 1940, et, assez vite, les Italiens laissent le poids de la guerre aux Allemands qui, en 1943-44, opposent aux Alliés, débarqués en Italie, une farouche opposition. Cependant, dès 1943, Mussolini est arrêté; en 1944, la lieutenance du royaume est confiée à Humbert II; en 1945, dans l'Italie libérée, Alcide De Gasperi*, leader de la démocratie chrétienne, s'installe au pouvoir pour huit ans (1945-1953), le tripartisme étant mort en même temps que la monarchie, que remplace la république (1946).

De Gasperi s'efforce de rendre à son pays, dans le cadre de l'Alliance atlantique et de la Communauté européenne, une audience internationale et amorce, à l'intérieur, un redressement économique spectaculaire, qu'on qualifiera de « miracle ». Après 1953, l'équilibre de l'État italien s'avère fragile, la démocratie chrétienne, majoritaire, étant menacée à l'extrême droite par le néofascisme, à l'extrême gauche par un communisme de plus en plus puissant. Un certain affermissement coïncide avec la période 1958-1963, dominée par le leader de la démocratie chrétienne, Amintore Fanfani, qui amorce une ouverture à gauche. Celle-ci est réalisée par Aldo Moro en 1963, avec la formation d'un gouvernement de centre gauche : cette formule, qui se poursuit jusqu'en 1968, assure à l'Italie la poursuite du « miracle économique » et la stabilité gouvernementale. Mais celle-ci est remise en question par les élections de 1968, qui manifestent un net recul des socialistes. Si bien que, durant quatre ans (1968-1972), les coalitions de centre gauche s'avèrent fragiles. Face à une situation de plus en plus difficile, les gouvernements sont paralysés; ils se succèdent rapidement. La lenteur de la politique des réformes et la multiplication des scandales politiques aggravent le mécontentement et provoquent grèves sur grèves. Aux élections de juin 1976, le parti communiste italien préconise un « compromis historique » avec la démocratie chrétienne. Le gouvernement de Giulio Andreotti, qui bénéficie du soutien des communistes, est affronté notamment à l'action violente des Brigades rouges : celles-ci, en 1978, assassinent Aldo Moro. En 1979, les communistes se retirent de la majorité parlementaire. Après la démission d'Andreotti, Francisco Cossiga (1979), puis Arnaldo Forlani (1980), deux autres démocrates-chrétiens, lui succèdent. Ils sont remplacés par Spadolini, secrétaire du parti républicain (1981), puis par Fanfani (1982). En 1983, le socialiste Bettino Craxi accède au pouvoir. En 1984, un nouveau concordat remplace les accords de Latran : le catholicisme n'est plus religion d'État. Après la démission de Craxi (avril 1987), Fanfani dirige un gouvernement de transition jusqu'aux élections de juin 1987, qui voient la démocratie chrétienne retrouver, avec Giovanni Goria (juill. 1987), Ciriaco De Mita (avr. 1988), puis G. Andreotti (juill. 1989), la présidence du Conseil.

DÉFENSE ET ARMÉES

Membre du Pacte atlantique (1949) et de l'Union de l'Europe occidentale (1954).

• LES FORCES ITALIENNES EN 1985. Effectifs : 380 000 hommes (dont près de 260 000 appelés). Service militaire de 12 mois (armée de terre, aviation) et 18 mois (marine).

Armée de terre : 270 000 hommes, 3 corps d'armée à 4 divisions blindées ou mécanisées, 13 brigades (dont 5 alpines). Chars américains et « Leopard » allemands.

Aviation : 70 000 hommes, près de 400 avions de combat, 8 groupes de missiles sol-air.

Marine : 50 000 hommes, 10 sous-marins, 6 croiseurs et destroyers lance-missiles, une vingtaine de frégates et corvettes, une cinquantaine d'autres bâtiments.

Gendarmerie : 90 000 carabiniers.

Italie *(campagnes de Bonaparte en).* • Engagée par Carnot contre la première coalition*, la campagne ouverte en 1796 en Italie est conduite par Bonaparte qui, à vingt-sept ans, y révèle son génie militaire. Séparant les Autrichiens (battus à Montenotte et à Lodi) des Piémontais (battus à Mondovi), il contraint ceux-ci à traiter (avr.) et entre à Milan. Il vainc ensuite les Autrichiens à Castiglione (août), à Arcole (nov.) et à Rivoli (janv. 1797), marche sur Vienne et les oblige à signer l'armistice de Leoben (avr.), prélude de la paix de Campoformio (oct.).

• En 1800, pour mettre fin à la deuxième coalition*, Bonaparte passe le Grand-Saint-Bernard et bat de nouveau les Autrichiens à Marengo (14 juin). Ils signent la paix de Lunéville, le 9 février 1801.

Italie *(campagne d')* [*1859*]. Pour libérer l'Italie du Nord, les forces françaises de Napoléon III, alliées des Piémontais, battent — en Lombardie, à Palestro (mai), à Magenta et à Solferino (4 et 24 juin) — les Autrichiens, qui signent l'armistice (8 juill.) et les préliminaires de paix de Villafranca (11 juill.).

Italie *(campagne d')* [*1943-1945*]. Venant de la Sicile, conquise en juillet et en août 1943, le 15e groupe d'armées anglo-américain du général Alexander débarque en Calabre (sept.), mais, après la signature d'un armistice avec l'Italie, est arrêté par les Allemands au nord de Naples, sur la ligne Gustav (nov.), notamment à Cassino. Malgré un nouveau débarquement à Anzio (janv. 1944), il faut l'audacieuse manœuvre des Français commandés par Juin sur le Garigliano pour ouvrir la route de Rome, libérée le 4 juin. Après leur entrée à Sienne, Livourne et Florence, les Alliés, conduits par le général Clark, se heurtent durant l'hiver à la ligne Gothique, d'où ils ne débouchent sur Bologne et sur Vérone qu'en avril 1945. En liaison avec les insurgés italiens et avec les forces de Tito, ils prennent contact, au sud du Brenner, avec les forces venues d'Allemagne et imposent à la Wehrmacht la capitulation de Caserte. (V. GUERRE MONDIALE [*Seconde*].)

Italie *(front d')* [*1915-1918*]. Après l'entrée de l'Italie aux côtés des Alliés dans la Première Guerre mondiale, un front, commandé, de 1915 à 1917 par le général Luigi Cadorna (1850-1928), est créé sur les Alpes contre les Austro-Hongrois. Après les combats de l'Isonzo (1915-16) et la défaite de Caporetto (1917), les Italiens, rétablis sur la Piave, sont vainqueurs à Vittorio Veneto (oct. 1918) et entrent à Trente et à Trieste.

Italie *(guerres d')*, série d'expéditions menées par les rois de France en Italie, de 1494 à 1559. À l'origine de ces guerres figurent les prétentions de la maison d'Anjou sur Naples, léguées à la royauté française par le testament de René d'Anjou (1480). Profitant de l'appel que lui adresse Ludovic le More contre le duc de Milan, Charles VIII entre en Italie (oct. 1494) et progresse vers Naples, dont il s'empare le 17 février 1495. Cependant, la coalition qui se forme aussitôt contre lui (Aragon, Empire, papauté) le contraint à battre en retraite vers la France (Fornoue, juill. 1495; pacte de Naples, 1496). Les prétentions de Louis XII sur le Milanais rallument la guerre. Les Français occupent le Milanais (1499-1500) et Naples (1501), qui est reprise par les Espagnols (1503). Louis XII écrase les Vénitiens à Agnadel (1509) mais doit ensuite faire face à la Sainte Ligue* : grâce à Gaston de Foix (1489-1512) il remporte la bataille de Ravenne (1512) mais se voit contraint peu après d'évacuer le Milanais. Le rêve italien, repris par François Ier, aboutit à la victoire de Marignan (1515) et à la conquête du Milanais. Le conflit rebondit après l'élection à l'Empire de Charles Quint; fait prisonnier à Pavie (1525), François Ier doit renoncer au Milanais. Mais, dès 1526, une guerre épisodique reprend, qui aboutit, en 1544, à l'occupation par la France, de la Savoie et du Piémont. Après la mort de François Ier, son fils, Henri II, se laisse entraîner dans l'aventure italienne, qu'interrompt la défaite de Saint-Quentin (1557). Le traité du Cateau-Cambrésis (1559) marque la renonciation de la France à Milan et à Naples et la fin des guerres d'Italie.

ITALIE *(royaume d')*, royaume créé par Napoléon Ier en 1805, pour remplacer la République italienne (cisalpine). Il eut comme souverain l'empereur des Français, celui-ci se faisant représenter par un vice-roi, Eugène de Beauharnais*. Il disparut en 1814.

ITALIEN, ENNE adj. et n. De l'Italie.

ITALIEN n. m. Langue romane parlée en Italie. ■ L'italien n'est que depuis peu la langue vernaculaire de l'Italie : au milieu du XIXe s., il n'était parlé que par 600 000 personnes (dont 400 000 Toscans), soit 2,5 p. 100 de la population. L'italien est en effet le dialecte toscan promu au rang de langue littéraire par les grands écrivains de la Renaissance florentine (Dante, Pétrarque, Boccace). Longtemps langue seulement écrite, il a peu évolué depuis le XIIIe s. et reste plus proche de ses origines latines que les autres langues romanes. L'italien contemporain est une langue en pleine évolution. Ouvert à toutes les influences, il emprunte aussi bien aux dialectes qu'aux langues étrangères (français, anglais); il s'enrichit également en utilisant des procédés de composition et de dérivation très productifs. Les dialectes, très nombreux, sont encore aujourd'hui largement utilisés. Ils se répartissent en quatre groupes : ceux du Nord (dits « gallo-italiens »), ceux du Centre (auxquels se rattache le vénitien), ceux du Sud, ceux de Sardaigne.

Italien *(Théâtre-)* → COMÉDIE-ITALIENNE.

ITALIQUE adj. Se dit des populations indo-européennes qui pénétrèrent en Italie au IIe millénaire, ainsi que de leurs langues.

ITALIQUE adj. et n. m. Se dit du caractère d'imprimerie légèrement incliné vers la droite, comme l'écriture ordinaire, et créé à Venise, vers 1500, par Alde Manuce.

italo-éthiopiennes *(guerres)* → ÉTHIOPIE *(campagnes d')*.

italo-turque *(guerre)*, conflit qui opposa en 1911-12 l'Italie à la Turquie et qui se termina par l'annexion de la Tripolitaine par l'Italie. Les opérations qui se déroulèrent en Tripolitaine furent accompagnées de démonstrations navales italiennes en mer Égée et de la prise d'îles du Dodécanèse, que récupéra la Turquie.

ITAMI, v. du Japon, dans le sud de Honshū; 172 000 hab. Aéroport d'Ōsaka.

ITARD (Jean Marc Gaspard), médecin et pédagogue français (Oraison 1775 - Paris 1838). Il fut l'un des premiers à s'intéresser à l'éducation des enfants arriérés.

ITEM [itɛm] adv. (mot lat.). De même, en outre, de plus. (Dans les comptes, les énumérations.)

ITEM n. m. Question, épreuve d'un test psychologique. ‖ *Ling.* Tout élément d'un ensemble (grammatical, lexical, etc.) considéré en tant que terme particulier.

ITÉRATIF, IVE adj. (lat. *iterare*, recommencer). Fait ou répété plusieurs fois.

ITÉRATIF adj. et n. m. *Ling.* Syn. de FRÉQUENTATIF.

ITÉRATION n. f. Action de répéter, de faire de nouveau. ‖ Répétition indéfinie et stéréotypée d'un acte moteur ou d'une pensée vide.

ITÉRATIVEMENT adv. Pour la seconde, la troisième, la quatrième fois.

ITHAQUE, une des îles Ioniennes (Grèce); 5 000 hab. On l'identifie à l'Ithaque d'Homère, patrie d'Ulysse*. Cette identification traditionnelle ne comporte aucune garantie historique.

ITHYPHALLIQUE adj. *Bx-arts.* Qui présente un phallus en érection : *statue ithyphallique.*

ITINÉRAIRE n. m. (lat. *iter, itineris*, chemin). Route à suivre dans un voyage, parcours, trajet : *établir son itinéraire.* ◆ adj. *Mesure itinéraire* (Topogr.), évaluation d'une distance.

ITINÉRANT, E adj. et n. m. Qui se déplace pour exercer une certaine fonction : *prédicateur itinérant.* • *Culture itinérante* (Géogr.), déplacement des zones de culture et, souvent, de l'habitat, caractéristique des régions tropicales, où le sol s'épuise rapidement.

ITON, riv. de Normandie, qui passe à Évreux et rejoint l'Eure (r. g.); 118 km.

ITOU adv. (anc. fr. *itel*; lat. *hic talis*). *Fam.* Aussi, de même : *et moi itou.*

ITTEN (Johannes) → BAUHAUS.

P. Starosta

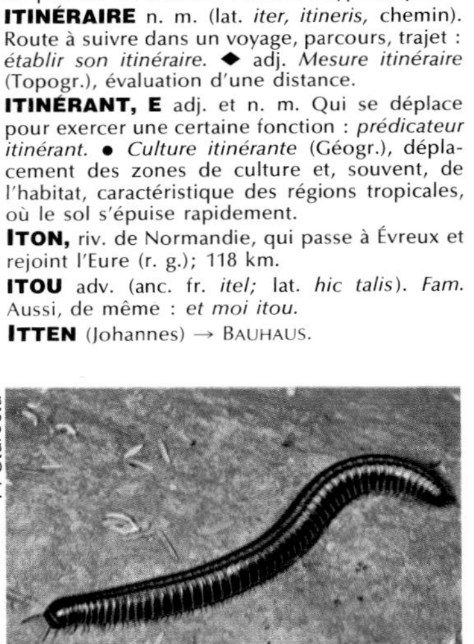

iule

ITURBIDE (Agustín), général et homme d'État mexicain (Valladolid [auj. Morelia, Michoacán] 1783 - Padilla 1824). Général espagnol, il réprime l'insurrection populaire de 1810 conduite par Hidalgo et Morelos, puis négocie avec les rebelles et impose à l'Espagne le traité de Córdoba, qui reconnaît l'indépendance du Mexique (1821). Proclamé empereur en 1822, avec l'appui de l'armée, il doit abdiquer en 1823 devant le soulèvement républicain du général Santa Anna (1823). Il est fusillé en 1824.

IULE n. m. (gr. *ioulos*). Mille-pattes qui s'enroule en spirale en cas de danger.

IULE, en lat. **Iulius**, autre nom du fils d'Énée*, Ascagne, qui fonda Albe-la-Longue*.

I. U. T. n. m. Abrév. de INSTITUT UNIVERSITAIRE DE TECHNOLOGIE.

IVAJLO († 1280), roi de Bulgarie (1277-1279). Révolté contre le roi Constantin Asen Tech, qu'il battit et tua avant de se proclamer tsar (1277), Ivajlo dut aussitôt lutter contre Jean IV Asen III, prétendant de l'ancienne dynastie, qui le fit assassiner (1280).

IVAN Ier → MOSCOVIE.

IVAN III le Grand (Moscou 1440 - *id.* 1505), grand-prince de Moscou et de toute la Russie (1462-1505). Il réunit au domaine moscovite Iaroslavl (1463), Rostov (1474), Novgorod* (1478), Tver (1485) et Viatka (1489), tient en respect les Mongols (1480) et s'allie au khân de Crimée contre la Horde d'Or, vaincue en 1502, et contre la Lituanie. Ivan III met en place un appareil étatique centralisé, auquel les boyards doivent se soumettre. Le *Soudebnik*, Code administratif et judiciaire de 1497, témoigne des progrès accomplis dans ce domaine. Ayant épousé, en 1472, Sophie (Zoé Paléologue), Ivan III se considère comme l'héritier des empereurs byzantins, dont il adopte le cérémonial.

IVAN IV le Terrible (Moscou 1530 - *id.* 1584), grand-prince de Moscou depuis 1533, tsar de Russie (1547-1584). La régence est assurée à partir de 1533 par sa mère, Hélène Glinski († 1538), les boyards se partageant les profits du

Ivan IV Vassilievitch le Terrible.
Illustration extraite de l'ouvrage
les Racines des monarques russes (1672).
[Musée historique d'État, Moscou.]

pouvoir. Le métropolite Macaire* prend en main l'éducation d'Ivan. En 1547, ce dernier est sacré tsar de Russie, titre que l'on accordait jusqu'alors aux empereurs byzantins et qu'il est seul le premier souverain russe à porter. Le Code de 1550 réforme l'administration des provinces, le système de l'impôt et l'armée. Ivan IV, vainqueur des khâns de Kazan (1552) et d'Astrakhan (1556), annexe toute la région de la Volga et commence la conquête de la Sibérie. Sa politique occidentale est moins heureuse : il n'obtient pas, à l'issue de la guerre de Livonie (1558-1583), de débouché sur la Baltique. À la fin de son règne, Ivan IV fait régner en Russie un régime de terreur (expédition contre Novgorod, 1570). À partir de 1565, il organise l'*opritchnina*, système qui place sous sa direction personnelle les régions centrales du pays, dont il distribue les terres à une nouvelle noblesse de service, les seigneurs locaux étant transférés dans le territoire commun, ou *zemchtchina*. Cette réforme brutale et impitoyable entraîne un assujettissement plus grand des paysans.

Ivanhoé, roman historique de Walter Scott (1820).

Ivan le Terrible, film soviétique de S. M. Eisenstein (1942-1946). Une fresque en deux parties, qui constitue le testament cinématographique de l'auteur. La première partie (tournée en 1942-43) est en noir et blanc, la seconde (1944-1946), qui comporte des séquences en Agfacolor, fut critiquée par Staline, qui en interdit la diffusion. La lutte d'Ivan IV contre les boyards et le clergé donne l'occasion à Eisenstein de méditer sur le sens du pouvoir et

de se livrer à un éblouissant exercice de style. Le film imite la forme d'un opéra dont le déroulement tragique obéit aux règles d'un cérémonial symbolique, hiératique et envoûtant.

IVANO-FRANKOVSK, v. de l'U.R.S.S., dans l'ouest de l'Ukraine; 180 000 hab.

IVANOV (Aleksandr Andreïevitch), peintre russe (Saint-Pétersbourg 1806 - *id.* 1858). Il travailla essentiellement en Italie, mais son œuvre est conservée à la galerie Tretiakov, à Moscou : monumentale *Apparition du Christ au peuple*, « Esquisses bibliques » visionnaires, modernes études d'après nature.

IVANOV (Lev Ivanovitch), maître de ballet, pédagogue et chorégraphe russe (Moscou 1834-Saint-Pétersbourg 1901). Collaborateur d'E. Cecchetti (*Cendrillon*, 1893) et de M. Petipa (*le Lac des cygnes*, 1895), il est l'auteur seul de *Casse-Noisette* (1892).

IVANOVO, v. de l'U.R.S.S. (R.S.F.S. de Russie), au N.-E. de Moscou; 474 000 hab.

IVE ou **IVETTE** n. f. *Bot.* Espèce de bugle à fleurs jaunes.

IVENS (Joris), cinéaste néerlandais (Nimègue 1898 - Paris 1989). Attentif à rendre compte par l'image des grands bouleversements sociaux et politiques du monde contemporain, il entreprit à partir de 1928 une œuvre fervente et fraternelle qui lui donna une place de choix parmi les documentaristes les plus inspirés : *le Pont d'acier* (1928), *Pluie* (1929), *Zuyderzee* (1930), *Borinage* (1933), *Terre d'Espagne* (1937), *400 Millions* (1938), *le 17e Parallèle* (1967), *Comment Yu-Kong déplaça les montagnes* (1975).

IVES (Charles), compositeur américain (Danbury, Connecticut, 1874 - New York 1954). Pionnier du langage musical actuel, il s'arrêta de composer vers 1920 et ne reçut la consécration qu'à partir de 1939 (quatre symphonies, deux quatuors, deux sonates pour piano (*Concord Sonata*), *Three Places in New England*, *Central Park in the Dark*, *The Unanswered Question*).

I.V.G. n. f. Abrév. d'INTERRUPTION VOLONTAIRE DE GROSSESSE.

IVOIRE n. m. (lat. *ebur, eboris*). Substance osseuse dure, riche en sels de calcium, qui forme la plus grande partie des dents. (On utilise l'ivoire de l'éléphant et de l'hippopotame.) ‖ Objet sculpté dans de l'ivoire. ● *Ivoire végétal*, syn. de COROZO.

Plaque d'**ivoire** du XIe s.
(Musée du Bargello, Florence.)

iwân de la madrasa de Châh Husayn, à Ispahan. Fin de l'époque séfévide.

ivraie

IVOIRIEN, ENNE adj. et n. De la Côte-d'Ivoire.

IVOIRIER, ÈRE n. Personne qui travaille l'ivoire : *les ivoiriers dieppois*.

IVOIRIN, E adj. *Litt.* Syn. de ÉBURNÉEN, ENNE.

IVRAIE n. f. (lat. *ebriacus*, ivre). Plante de la famille des graminacées, à graines toxiques, commune dans les prés et les cultures, où elle gêne la croissance des céréales. (Sous le nom de *ray-grass*, on emploie deux espèces d'ivraie pour les gazons.) ● *Séparer le bon grain de l'ivraie*, séparer les bons des méchants, le bien du mal.

IVRE adj. (lat. *ebrius*). Qui a l'esprit troublé par l'effet du vin, de l'alcool. ‖ Exalté par une passion, un sentiment : *ivre d'orgueil*. ● *Ivre mort, ivre morte*, ivre au point d'avoir perdu connaissance.

IVRÉE, en it. **Ivrea,** v. d'Italie (Piémont), sur la Doire Baltée; 29 000 hab. Monuments anciens et modernes. Matériel de bureau.

IVRESSE n. f. État d'excitation psychique et d'incoordination motrice dû à l'ingestion massive d'alcool, de barbituriques, de certains stupéfiants ou à l'intoxication par l'oxyde de carbone. ‖ Transport, excitation : *ivresse de la joie*.

IVROGNE, ESSE n. (lat. pop. *ebrionia*, ivrognerie). Personne qui s'enivre souvent, alcoolique.

IVROGNERIE n. f. Habitude de s'enivrer.

IVRY-LA-BATAILLE (27540), comm. de l'Eure, sur l'Eure, à 30 km au S.-E. d'Évreux; 2 065 hab. Henri de Navarre, roi désigné de France (Henri IV*), y vainquit Mayenne et son allié, le comte d'Egmont, le 14 mars 1590.

IVRY-SUR-SEINE (94200), ch.-l. de cant. du Val-de-Marne, dans la proche banlieue sud-est de Paris, sur la rive gauche de la Seine; 55 948 hab. (*Ivryens*). Industries métallurgiques.

IWAKI, v. du Japon (Honshū), sur le Pacifique; 342 000 hab.

IWAKUNI, v. du Japon, dans le sud de Honshū; 112 000 hab.

IWÂN n. m. *Archit.* Salle voûtée quadrangulaire (d'origine iranienne), grande ouverte par un arc brisé sur la cour de certaines mosquées.

IWASZKIEWICZ (Jarosław), écrivain polonais (Kalnik, Ukraine, 1894 - Varsovie 1980). Il s'efforce de concilier les principes de l'esthétique classique et les aspirations sociales et humaines de la Pologne nouvelle, dans ses poèmes, ses drames et surtout ses nouvelles (*les Boucliers rouges*, 1934; *la Mère Jeanne des Anges*, 1946; *Lis des marais et autres récits*, 1960). Il a publié également un récit autobiographique (*le Livre de mes souvenirs*, 1968) et réuni plusieurs essais critiques (*Causeries sur les livres*, 1968; *les Hommes et les livres*, 1971).

IWO, v. du sud-ouest du Nigeria; 214 000 hab.

IWO JIMA, île du Pacifique, au N. des Mariannes et à 1 400 km au S. du Japon, conquise par les Américains en février 1945.

IXELLES, en néerl. **Elsene,** comm. de Belgique (Brabant), dans la banlieue sud-est de Bruxelles; 76 000 hab. Anc. abbaye de la Cambre (bâtiments des XIVe et XVIIIe s.). Musée communal.

IXIA n. f. (mot lat.). Iridacée bulbeuse, cultivée pour ses belles fleurs.

IXION, héros thessalien de la légende grecque, ancêtre de la race des Centaures*. En raison de sa traîtrise à l'égard de Zeus, il fut attaché à une roue enflammée qui devait tourner éternellement aux Enfers.

IXODE n. m. (gr. *ixôdés*, gluant). Nom scientifique de la *tique*.

IYEYASU → IEYASU.

IZEGEM, comm. de Belgique (Flandre-Occidentale), au N.-O. de Courtrai; 26 200 hab.

IZERNORE (01580), ch.-l. de cant. de l'Ain, à 10 km au N.-O. de Nantua; 975 hab. Vestiges gallo-romains.

IZMIR, anc. **Smyrne,** port de Turquie, sur la mer Égée; 757 000 hab. Musée archéologique. Foire internationale. Exportation de produits agricoles.

HISTOIRE. Smyrne est au VIIe s. av. J.-C. une importante cité fortifiée. Elle connaît, grâce à son port, un grand développement à l'époque hellénistique et est une des premières villes évangélisées de l'Asie Mineure. Annexée par les Ottomans en 1424, Izmir devient un port actif dont plus de la moitié de la population est composée de Grecs, de Juifs, d'Arméniens et d'Occidentaux. Occupée par les Grecs en 1919, elle est reprise par les Turcs en 1922.

IZMIT, port de Turquie, sur la mer de Marmara; 190 000 hab. Pétrochimie.

IZOARD, col des Hautes-Alpes, à 36 km au S.-E. de Briançon, entre le Queyras et le Briançonnais; 2 361 m.

J n. m. Dixième lettre de l'alphabet et la septième des consonnes : *le j est une fricative sonore.* ‖ **J**, symbole du *joule.* ‖ **J/K,** symbole du *joule par Kelvin.* ‖ **J/(kg.K),** symbole du *joule par kilogramme-Kelvin.* ● *Jour J,* jour où doit se déclencher une action, une attaque, une guerre.

JABALPUR ou **JUBBULPORE,** v. de l'Inde, dans le centre de Madhya Pradesh; 758 000 hab. Métallurgie. Textile.

JABIRU [ʒabiry] n. m. (mot tupi-guarani). Oiseau échassier des régions chaudes, voisin de la cigogne. (Haut. 1,50 m.)

JABLE n. m. (mot gaul.). Rainure pratiquée dans les douves des tonneaux, pour y enchâsser le fond. ‖ Partie de la douve qui dépasse le fond du tonneau.

JABLOIR n. m., ou **JABLOIRE** n. f. Outil de tonnelier, servant à faire le jable des tonneaux.

JABORANDI n. m. (mot guarani). Remède sudorifique, habituellement tiré de pilocarpes de l'Amérique du Sud.

JABOT [ʒabo] n. m. (mot auvergnat). Chez les oiseaux et les insectes, poche formée par un renflement de l'œsophage, et dans laquelle les aliments séjournent quelque temps avant de passer dans l'estomac ou d'être régurgités. ‖ Ornement de dentelle ou de tissu léger froncé ou plissé, fixé au plastron d'un vêtement.

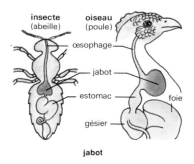

jabot

JABOTER v. i. Piailler, chanter, en parlant des oiseaux.

JACARANDA n. m. (mot guarani). Arbre des régions chaudes, de la famille des bignoniacées. (Il fournit un très beau bois.)

JACASSEMENT n. m. Action de jacasser.

JACASSER v. i. (de *jacque,* n. dialect. du geai). Crier, en parlant de la pie. ‖ *Fam.* Bavarder, parler avec volubilité.

JACASSEUR, EUSE n. *Fam.* Celui, celle qui jacasse.

JACÉE n. f. (lat. *jacea*). Espèce de centaurée à fleurs mauves, des prés et des chemins.

JACHÈRE n. f. (bas lat. *gascaria*). État d'une terre cultivable que l'on laisse temporairement au repos pour permettre la reconstitution de la fertilité du sol; cette terre elle-même.

JACINTHE n. f. (gr. *Huakinthos,* personnage myth.). Plante bulbeuse dont on cultive une espèce de l'Asie Mineure dont les fleurs en grappes ornementales. (Famille des liliacées.) ● *Jacinthe des bois,* syn. de ENDYMION.

JACISTE adj. et n. Qui appartient à la jeunesse agricole chrétienne (J. A. C.).

JACK [dʒak] n. m. (mot angl.). Douille métallique associée à plusieurs ressorts plats isolés entre eux et isolés de la douille, utilisée en téléphonie pour la connexion de conducteurs.

JACKSON, v. des États-Unis, capit. du Mississippi; 202 000 hab.

JACKSON (Andrew), homme d'État américain (Waxhaw 1767 - Hermitage 1845). Héros de la seconde guerre de l'Indépendance (1815), sénateur démocrate (1823), il devient le 7e président des États-Unis (1829-1837). Bien que représen-

Andrew **Jackson,** par Thomas Sully.
(National Gallery of Art, Washington.)

tant les pionniers de l'Ouest et la jeune démocratie autoritaire et nationaliste, il renforce l'autorité de l'exécutif, suit une politique isolationniste et inaugure le *rotation system* qui, dans les postes de fonctionnaires fédéraux, favorise les partisans du président en charge. En 1836, il fait élire son homme de confiance, Martin Van Buren, si bien qu'on a pu appeler la période 1825-1840 *l'ère de Jackson,* marquée par le triomphe du réalisme démocratique sur l'idéalisme jeffersonien. (V. JEFFERSON.)

JACKSON (John Hughlings), neurologue britannique (Green Hammerton, Yorkshire, 1834-Londres 1911). Considéré comme l'un des fondateurs de la neurologie moderne, il a introduit la notion de localisation lésionnelle et considéré qu'une lésion entraîne une dissolution, suivie d'une nouvelle intégration à un niveau inférieur du fonctionnement du système nerveux.

JACKSON (Mahalia), chanteuse noire américaine (La Nouvelle-Orléans 1911 - Chicago 1972). Elle fut l'une des plus grandes chanteuses de gospel-songs et de negro spirituals (*Silent Night,* 1950; *In the Upper Room,* 1952; *Black, Brown and Beige* [avec Ellington, 1958]; *Elijah Rock,* 1961).

JACKSONISME n. m. Théorie neurologique inspirée de l'évolutionnisme et représentée par *H.* Jackson, selon laquelle il existerait une hiérarchie des fonctions du système nerveux.

JACKSONVILLE, v. des États-Unis, dans le nord-est de la Floride; 529 000 hab. Tourisme. Métallurgie. Papeterie.

JACOB, patriarche* biblique, fils d'Isaac*, père de douze fils, ancêtres éponymes des douze tribus d'Israël.

JACOB, menuisiers d'art et ébénistes français. GEORGES (Cheny, Yonne, 1739 - Paris 1814), maître à Paris en 1765, inventa des formes inédites de sièges et utilisa l'acajou, à l'imitation de l'Angleterre, vers 1785. Il était épris de sobriété, élaborant toutefois un riche ornementation « à la grecque » pour satisfaire aux commandes royales. En 1796, il laissa son atelier à ses fils GEORGES II (1768-1803) et FRANÇOIS HONORÉ (1770-1841), qui définirent le style Directoire, comme il l'avait fait pour Louis XVI. En 1803, François Honoré fonda, sous le nom de JACOB-DESMALTER, une fabrique (jusqu'à 800 ouvriers) dont l'œuvre fut immense au service de l'Empire (sa tâche fut, notamment, de remeubler les anciens palais royaux). Son fils GEORGES ALPHONSE (1799-1870) continua cette production de 1829 à 1847.

JACOB (Max), écrivain français (Quimper 1876 - camp d'internement de Drancy 1944). Peintre, critique d'art et poète, il mena la vie de bohème avec Picasso et Modigliani et se révéla un précurseur du surréalisme (*le Cornet* * à dés,

1917). Converti au catholicisme, il se retira à Saint-Benoît-sur-Loire, où il fut arrêté par les Allemands.

JACOB (François), médecin et biologiste français (Nancy 1920). Travaillant avec J. Monod, à l'Institut Pasteur, il conçoit, puis démontre l'existence de l'A.R.N. messager. En 1965, il reçoit, avec A. Lwoff et J. Monod, le prix Nobel de médecine et de physiologie. En 1986, il publie une autobiographie : *la Statue intérieure.*

JACOBÉE n. f. (lat. *jacobaeus,* de Jacques). Espèce de séneçon, commune dans les bois et les prés, appelée aussi *herbe de Saint-Jacques.*

JACOBI (Moritz Hermann VON), physicien allemand (Potsdam 1801 - Saint-Pétersbourg 1874). Il est l'inventeur du retour par la terre en télégraphie et de la galvanoplastie.

JACOBI (Carl), mathématicien allemand (Potsdam 1804 - Berlin 1851), frère du précédent. Avec Abel*, il fut l'un des fondateurs de la théorie des fonctions elliptiques, dont il découvrit la double périodicité. Il introduisit des fonctions nouvelles se présentant sous forme de séries exponentielles et permettant de calculer les intégrales elliptiques les plus générales. D'autre part, il établit la théorie des déterminants fonctionnels, appelés depuis *jacobiens.*

JACOBIN, E n. (lat. *Jacobus,* Jacques). Nom donné autref., en France, aux dominicains. ◆ n. m. et adj. *Hist.* Membre d'une société qui, durant la Révolution, tenait ses séances dans l'ancien couvent des Jacobins de la rue Saint-Honoré, à Paris. ‖ Républicain partisan d'une démocratie centralisée.

■ Formé à Versailles, en mai 1789, le club breton s'installa à Paris dès octobre. D'abord modéré, il prit une allure plus révolutionnaire avec Pétion et surtout avec Robespierre, qui en fut le principal animateur à partir de 1792. Fermé après Thermidor (1794), reconstitué sous le Directoire, réuni aux Tuileries puis à Saint-Thomas d'Aquin, le club des Jacobins fut définitivement dissous le 13 août 1799.

JACOBINISME n. m. Doctrine démocratique et centralisatrice professée sous la Révolution par les Jacobins, ou Montagnards. ‖ Opinion préconisant le centralisme de l'État.

JACOBITE adj. et n. *Hist.* Se dit, en Angleterre après la révolution de 1688, des partisans de Jacques II et de la maison des Stuarts. ‖ *Relig.* Se dit de l'Église orientale monophysite, appelée officiellement *syrienne orthodoxe.* (Elle doit son nom à l'évêque Jacques Baradaï [VIe s.], qui fut son principal organisateur. Au XVIIIe s. une branche jacobite s'est rattachée à Rome : elle forme le *patriarcat syrien catholique.*)

JACOBSEN (Arne), architecte et designer danois (Copenhague 1902 - id. 1971). Inspiré par le purisme de Mies van der Rohe, il donne notamment, à la fin des années 50, des usines d'une grande qualité plastique. À partir de 1960, il étend son activité aux meubles, aux couverts de table et à l'impression des tissus. Son fauteuil « cygne » a rencontré un vif succès.

JACQUARD n. m. Métier à tisser inventé par Jacquard. ‖ Tricot qui présente des bandes ornées de dessins géométriques sur un fond de couleur différente.

JACQUARD (Joseph-Marie), mécanicien français (Lyon 1752 - Oullins, Rhône, 1834). Il inventa le métier à tisser qui porte son nom, en perfectionnant celui de Jacques de Vaucanson* et en y adjoignant, notamment, le dispositif de sélection par cartons perforés imaginé en 1728 par Falcon (v. 1705-1765).

JACQUELINE de Bavière (Le Quesnoy 1401 - Teilingen 1436). Comtesse de Hainaut, de Hollande, de Frise et de Zélande (1417-28), elle fit annuler son mariage avec Jean IV de Brabant et, par son union avec le duc de Gloucester (1422), provoqua la guerre entre Hainaut et Bourgogne. En 1426, elle dut abandonner ses États au duc de Bourgogne Philippe le Bon.

JACQUEMART de Hesdin, miniaturiste français, au service du duc de Berry de 1384 à 1409. Il est notamment l'auteur des images en pleine page des *Très Belles Heures* (v. 1400, Biblio-

jacinthe

Max **Jacob,** par Loir de Montés.
(Musée des Beaux-Arts, Orléans.)

thèque royale, Bruxelles), véritables tableaux qui introduisent espace et sensibilité naturaliste dans l'art de l'enluminure.

JACQUEMART n. m. → JAQUEMART.

JACQUERIE n. f. (de *jacques*, nom pop. donné aux paysans). Révolte paysanne. ‖ (Avec une majuscule.) *Hist.* Insurrection paysanne consécutive à la défaite de Poitiers et à la peste noire, qui, en mai-juin 1358, ravagea le Beauvaisis, le Ponthieu, la Picardie, la Brie. (Elle fut réduite par les troupes de Charles le Mauvais.)

JACQUES le Majeur *(saint)*, apôtre de Jésus, fils de Zébédée et frère de Jean l'Évangéliste, mort martyr en 44, sous Hérode Agrippa, d'après les Actes des Apôtres. Il est honoré à Compostelle, mais l'apostolat de Jacques le Majeur en Espagne repose sur des données tardives qui sont du domaine de la légende hagiographique.

JACQUES le Mineur *(saint)*, membre de la famille de Jésus, qui joua dans l'organisation du christianisme à Jérusalem un rôle important (ce n'est pas le second apôtre Jacques, fils d'Alphée, que mentionnent les Évangiles). Il fut exécuté sans doute en 62 sur l'ordre du grand prêtre. L'*épître de Jacques*, qui lui est attribuée, est un écrit anonyme de la fin du Ier siècle, inspiré de la théologie judéo-chrétienne, dont le foyer fut la communauté chrétienne de Jérusalem.

JACQUES Ier (Édimbourg 1566 - Theobalds Park 1625), roi d'Écosse (Jacques VI) de 1567 à 1625, roi d'Angleterre et d'Irlande de 1603 à 1625. Fils de Marie* Stuart et du baron Darnley*, il restaure en Écosse l'autorité royale, substituant une administration centralisée à l'organisation féodale. En 1603, il succède à Élisabeth Ire* sur le trône d'Angleterre. Adversaire des catholiques, il échappe à un complot fomenté par eux (Conspiration des poudres, 1604-05); persécuteur des puritains, il accélère ainsi leur émigration vers les colonies d'Amérique. Autoritaire et cauteleux, négligeant le Parlement, s'appuyant sur des favoris (dont Buckingham*) et s'entourant d'Écossais, Jacques Ier s'attire l'hostilité des Anglais qui, par ailleurs, ne lui pardonnent pas ses échecs diplomatiques (alliance avortée avec l'Espagne).

JACQUES II (Londres 1633 - Saint-Germain-en-Laye 1701), roi d'Angleterre, d'Irlande et d'Écosse (Jacques VII) de 1685 à 1688. Frère du

National-Portrait Gallery

Jacques II, par Godefrey Kneller. (National Portrait Gallery, Londres.)

roi Charles II, duc d'York, grand amiral, il se distingue contre les Hollandais. Mais, s'étant converti au catholicisme, il est évincé après le vote du *Test* Act*. Néanmoins, il succède sans difficulté à Charles II en 1685. Sa dure répression contre Monmouth*, son mépris du Parlement, les faveurs qu'il accorde aux catholiques lui aliènent l'opinion anglaise. La naissance d'un fils, Jacques Édouard (1688), semble ouvrir la perspective d'une dynastie anglaise catholique; l'opposition whig en appelle alors à Guillaume d'Orange, gendre de Jacques II, qui, en débarquant en Angleterre, oblige le Stuart à s'enfuir en France (déc. 1688). Ayant essayé une restauration sur le territoire irlandais, Jacques II est écrasé par les Orangistes à la Boyne (1690) et contraint de s'exiler définitivement.

JACQUES ÉDOUARD STUART le Prétendant (Londres 1688 - Rome 1766). Fils de Jacques II, catholique comme lui, il est reconnu comme roi d'Angleterre (Jacques III) par Louis XIV, lors de la mort de son père (1701), mais, à Londres, l'*Acte d'établissement* interdit tout espoir aux Stuarts. Néanmoins, un parti jacobite* subsiste, qui échoue dans ses tentatives de débarquement (1708) ou de soulèvement en Écosse (1715).

JACQUES Ier, II, rois d'Aragon → ARAGON.

JACQUES Ier, II, III, IV, V, rois d'Écosse → STUARTS.

JACQUES VI, roi d'Écosse → JACQUES Ier, roi d'Angleterre.

JACQUES VII, roi d'Écosse → JACQUES II, roi d'Angleterre.

JACQUES Ier, empereur d'Haïti → DESSALINES (J.-J.).

JACQUES de Voragine, hagiographe italien (Varazze v. 1230 - Gênes 1298). Dominicain, archevêque de Gênes (1292), il est considéré comme le père de la *Légende dorée.* Béatifié en 1816.

Jacques le Fataliste et son maître, roman de Diderot, écrit en 1773, publié en 1796. Inspiré de Sterne, ce roman sentimental et humoristique mêle, à travers les anecdotes, les monologues d'auteur, les apostrophes au lecteur, le récit des amours d'un domestique et des discussions philosophiques sur la liberté humaine.

JACQUET [ʒakɛ] n. m. (dimin. de *Jacques*). Jeu analogue au trictrac, joué avec des pions et des dés sur une tablette divisée en quatre compartiments.

JACQUIER n. m. → JAQUIER.

JACTANCE n. f. (lat. *jactantia;* de *jactare*, vanter). *Litt.* Attitude arrogante qui se manifeste par l'emphase avec laquelle une personne parle d'elle-même, se vante : *parler avec jactance.*

JACTER v. i. *Pop.* Parler.

JACULATOIRE adj. (lat. *jaculari*, lancer). *Oraison jaculatoire* (Relig.), prière courte et fervente.

JADE n. m. (esp. *ijada*). Silicate naturel d'aluminium, de calcium et de magnésium, utilisé comme pierre fine d'un vert plus ou moins foncé, à l'éclat laiteux, très employée en Chine. (Le jade comprend deux espèces : la *jadéite* et la *néphrite.*) ‖ Objet sculpté dans cette matière.

JADE, petit golfe formé par la mer du Nord, sur le littoral de l'Allemagne fédérale (Basse-Saxe).

JADÉITE n. f. L'une des espèces de jade.

JADIDA (El-), anc. **Mazagan,** port du Maroc, sur l'Atlantique; 56 000 hab.

JADIS [ʒadis] adv. (anc. fr. *ja a dis*, il y a déjà des jours). Autrefois, dans le passé.

JAÉN, v. d'Espagne, en Andalousie, ch.-l. de prov.; 95 000 hab. Vestiges mauresques. Églises gothiques et mudéjares. Magnifique cathédrale reconstruite à partir de 1548, dans le style de la Renaissance classique, par Andrés de Vandelvira.

JAFFA, auj. **YAFO,** partie de *Tel-Aviv-Jaffa*, sur la Méditerranée. La ville, très ancienne, est mentionnée au XIVe s. av. J.-C. dans les textes d'Amarna*. Cité biblique, elle fut prospère jusqu'à l'époque romaine. Prise par les Arabes, redevenue chrétienne avec les croisés, elle retrouva sa prospérité à partir du XVIe s.

JAFFNA, port du nord du Sri Lanka; 118 000 hab.

JAGELLONS, famille d'origine lituano-russe qui régna en Pologne (1386-1572), dans le grand-duché de Lituanie (1377-1392 et 1440-1572), en Hongrie (1440-1444 et 1490-1526) et en Bohême (1471-1526). Elle doit son nom à Jagellon *(Jogaila)*, grand-duc de Lituanie depuis 1377, qui, après avoir abjuré le paganisme (15 févr. 1386), épousa Hedwige d'Anjou, reine de Pologne, et fut couronné roi de Pologne, sous le nom de LADISLAS II (14 mars 1386). Il imposa sa suzeraineté aux palatins de Moldavie (1387), de Valachie (1389) et de Bessarabie (1396) et brisa l'expansion germanique en taillant en pièces la chevalerie Teutonique (Grunwald-Tannenberg, 1410). — LADISLAS III LE VARNÉNIEN (Cracovie 1424 - Varna 1444), fils de Ladislas II, devint roi de Pologne en 1434; ayant accepté la couronne de Hongrie (1440), il engagea son pays dans la croisade organisée par la papauté contre les Turcs et trouva la mort à Varna (1444). — Son frère, CASIMIR IV JAGELLON (Cracovie 1427-Grodno 1492), déjà grand-duc de Lituanie (1440), élu roi de Pologne (1445), fut couronné en 1447; il restaura l'autorité royale compromise par l'opposition des magnats, et triompha de l'ordre Teutonique (paix perpétuelle de Toruń, 1466) en s'emparant de la Poméranie orientale et en imposant la suzeraineté de la Pologne sur les possessions de l'ordre; il assura à son fils aîné les couronnes de Bohême (1471) et de Hongrie (1490). — Sous ses fils, JEAN Ier ALBERT (Cracovie 1459 - Toruń 1501), roi de Pologne de 1492 à 1501, et ALEXANDRE (Cracovie 1461 - Vilnious 1506), grand-duc de Lituanie (1492), puis roi de Pologne (1501), la puissance des Jagellons déclina, tant à l'intérieur, où l'opposition nobiliaire déboucha sur la création de la diète bicamérale, qu'à l'extérieur, où elle ne put empêcher la progression moscovite en Lituanie. — SIGISMOND Ier LE VIEUX (Kozienice 1467 - Cracovie 1548), le plus jeune des fils de Casimir IV, fut roi de Pologne et grand-duc de Lituanie de 1506 à 1548; il s'efforça de stopper les conquêtes des tsars de Moscovie, lutta efficacement contre les Tatars (1524) et les Moldaves (1531) et annexa la Mazovie (1526); à l'intérieur, il tenta sans succès de restaurer l'autorité royale. — Son fils, SIGISMOND II AUGUSTE (Cracovie 1520-Knyszyn 1572), grand-duc de Lituanie et roi de Pologne de 1548 à 1572, lutta contre Ivan le Terrible; par l'acte de Lublin (1569), il assura la fusion de la Pologne et de la Lituanie en une « République commune ». Sa mort sans héritiers (1572) marqua la fin de la dynastie des Jagellons.

JAGUAR [ʒagwar] n. m. (mot tupi-guarani). Mammifère carnassier de l'Amérique du Sud, voisin de la panthère, à taches ocellées. (Long. 1,30 m.)

JAILLIR v. i. (lat. pop. *galire;* mot gaul.). Sortir impétueusement, en parlant d'un liquide, d'un gaz : *le pétrole jaillit du sol.* ‖ *Litt.* Se manifester vivement, sortir soudainement : *du choc des opinions jaillit la vérité.*

JAILLISSANT, E adj. Qui jaillit.

JAILLISSEMENT n. m. Action de jaillir : *jaillissement d'une source, d'idées.*

JAÏN, E adj. et n. ou **JAÏNA** adj. et n. inv. Qui appartient au jinisme.

JAÏNISME n. m. → JINISME.

JAIPUR, v. du nord-ouest de l'Inde, capit. du Rājasthān; 1 005 000 hab. Université. Principal centre de la civilisation rājpute, la cité a abrité une école de miniaturistes contemporaine de celle des Moghols*, mais le site d'Amber, qu'elle remplaça au XVIIIe s., porte l'empreinte de l'art ancien de l'Inde. Ce style, dit « rājasthanī », se distingue par un grand sens décoratif et une stylisation parfois un peu raide. Mosquées, palais, observatoire du XVIIIe s.

JAIS [ʒɛ] n. m. (lat. *gagates*, pierre de Gages [Lycie]). Variété de lignite d'un noir brillant. ‖ Couleur noire : *des yeux de jais.*

JAKARTA ou **DJAKARTA,** anc. **Batavia,** capit. de l'Indonésie, dans l'ouest de Java; 7 636 000 hab. À quelques kilomètres de la mer de Java, Jakarta est la plus grande ville de l'Asie du Sud-Est. Le prodigieux accroissement de population (Jakarta comptait moins de 200 000 habitants au début du siècle) tient à un fort excédent naturel et surtout à l'afflux de ruraux, mais le développement économique n'est pas parallèle (l'industrie est inexistante, en dehors d'un secteur artisanal). Cette distorsion explique le taux élevé du chômage et une urbanisation anarchique, faisant de la capitale une agglomération, démesurément étendue, de villages, hors d'un quartier moderne, centre des affaires.

JAKOBSON (Roman), linguiste américain d'origine russe (Moscou 1896 - Boston 1982). Après des études à Moscou, où il côtoie les formalistes russes, Jakobson se fixe en 1920 en Tchécoslovaquie et participe aux travaux du Cercle linguistique de Prague. Il émigre en 1939 dans les pays scandinaves, puis en 1941 aux États-Unis, où il enseigne depuis lors. Ses travaux ont porté sur tous les domaines de la linguistique : la phonologie (théorie du binarisme), la psycholinguistique (*Langage enfantin et aphasie*, 1941), les rapports entre la théorie de la communication et le langage (théorie des fonctions du langage), l'étude de la langue poétique. Homme des recherches interdisciplinaires, il n'a cessé de stimuler depuis plus d'un demi-siècle la réflexion linguistique. Son œuvre considérable consiste en un très grand nombre d'articles portant sur des points particuliers et dont certains ont été regroupés dans *Essais de linguistique générale* (1963-1973, 2 vol.).

JALALABAD → DJALĀLĀBĀD.

Lenars-Atlas-Photo

Jaipur. L'observatoire du roi Jai Singh II, construit au XVIIIe s. Au premier plan, l'horloge solaire.

JALAP [ʒalap] n. m. (esp. *jalapa*). Genre de convolvulacée de l'Amérique septentrionale, dont la racine a des propriétés purgatives.

JALAPA ou **JALAPA ENRIQUEZ,** v. du Mexique, à l'E. de Mexico, capit. de l'État de Veracruz; 201 000 hab. Cathédrale du XVIIIe s. Riche musée archéologique.

JALE n. f. *Dialect.* Grande jatte, baquet.

JALGAON, v. de l'Inde, dans le nord du Mahārāshtra; 145 000 hab.

JALIGNY-SUR-BESBRE (03220), ch.-l. de cant. de l'Allier, à 30 km au S.-E. de Moulins; 767 hab. Église du XIIe s. Château Renaissance.

JALISCO, État du Mexique occidental. Capit. *Guadalajara**. Sur la côte pacifique s'est développée une civilisation précolombienne du classique ancien (300-600 apr. J.-C.), caractérisée par des tombes en puits et à plusieurs chambres, qui ont livré de nombreuses figurines, en céramique recouverte d'un engobe de couleur crème, représentant avec réalisme des personnages dans leurs activités quotidiennes.

JALON n. m. (lat. pop. *galire*, lancer). Piquet servant à établir des alignements, à marquer des distances. ‖ Ce qui sert de point de repère, de marque pour suivre une voie déterminée : *poser les jalons d'un travail.*

JALON-MIRE n. m. (pl. *jalons-mires*). Poteau surmonté d'une mire, réglable ou non, et que l'on fiche dans le sol pour effectuer un tracé ou une étude sur le terrain.

JALONNEMENT n. m. Action, manière de jalonner : *le jalonnement d'un itinéraire.*

JALONNER v. i. Placer des jalons de distance en distance. ◆ v. t. Déterminer une direction, les limites d'un terrain, marquer l'alignement de qqch : *bouées qui jalonnent un chenal.* ‖ Servir

Jamaïque. Panorama de Montego Bay, au nord-ouest de l'île.

Almasy

de point de repère, marquer : *des succès jalonnent sa carrière.*

JALONNEUR n. m. Homme chargé de jalonner.

JALOUSEMENT adv. De façon jalouse.

JALOUSER v. t. Porter envie à, être jaloux de : *jalouser ses camarades.*

JALOUSIE n. f. Dépit de voir un autre posséder qqch qu'on voudrait pour soi : *la jalousie le tourmente.* ‖ Sentiment d'inquiétude douloureuse chez qqn qui éprouve un désir de possession exclusive envers la personne aimée, et qui craint son éventuelle infidélité. ‖ Dispositif de fermeture d'une baie à lamelles horizontales orientables.

Jalousie *(la)*, roman de Robbe-Grillet (1957). Le jeu des mots (la jalousie née de la rivalité amoureuse) et du regard (la jalousie, persienne qui filtre la vue et en modifie l'angle) traduit la distance irrémédiable entre l'homme et un monde réduit à son apparence.

JALOUX, OUSE adj. et n. (lat. pop. *zelosus*; gr. *zêlos*, zèle). Qui éprouve du dépit devant les avantages des autres, envieux : *jaloux du bonheur d'autrui.* ‖ Qui éprouve de la jalousie en amour. ◆ adj. Très attaché à : *jaloux de son autorité.*

JAMAÏQUAIN ou **JAMAÏCAIN, E** adj. et n. De la Jamaïque.

JAMAÏQUE (la), en angl. **Jamaica,** l'une des Grandes Antilles, formant un État indépendant, membre du Commonwealth; 11 425 km^2; 2 300 000 hab. *(Jamaïquains).* Capit. *Kingston.*

GÉOGRAPHIE. Au S. de Cuba, la Jamaïque forme une petite île, en partie montagneuse, dont l'ouest et le centre sont occupés par un plateau calcaire. Le climat tropical est chaud, marqué par de faibles amplitudes, très humide sur les hauteurs et sur la côte nord, plus sec sur la côte sud.

La population est composée en majorité de Noirs, descendants des anciens esclaves amenés d'Afrique pour travailler dans les plantations. Sa densité élevée résulte d'un accroissement démographique rapide, dont les effets ont été un peu atténués par un fort courant d'émigration vers la Grande-Bretagne, les États-Unis et le Canada. Par ailleurs, la pression démographique en milieu rural est responsable de l'essor des villes, qui regroupent près de la moitié des habitants, et, en particulier, de la capitale, Kingston.

L'agriculture occupe le tiers de la population active. Elle reste fondée sur les cultures commerciales héritées de la période coloniale. La canne à sucre demeure la principale production mais subit une crise. Les bananes, les agrumes, le café, le cacao sont cultivés en faible quantité, et la production vivrière (céréales) est très insuffisante. La bauxite constitue l'une des principales richesses du pays (6 Mt, production en baisse); elle est exportée brute ou sous forme d'alumine. Le développement industriel s'amorce cependant, favorisé par une main-d'œuvre abondante et des avantages fiscaux. Le tourisme est en plein essor. Cependant, les conditions de vie restent précaires, et la surpopulation dans les campagnes contraint à l'exode les paysans, qui vont grossir le nombre de chômeurs dans les villes.

HISTOIRE. Occupée par les Espagnols depuis sa découverte en 1494, la grande île antillaise est conquise par les Anglais de 1655 à 1658. Devenue producteur de sucre et grand centre de contrebande, la Jamaïque, au XVIIIe s., est une plaque tournante pour le trafic des Noirs; elle-même bénéficie de l'afflux massif de la main-d'œuvre africaine (esclaves). Après les guerres napoléoniennes, l'île profite de l'effacement économique de Saint-Domingue, mais elle souffre de la concurrence de Cuba et de la Guyane. L'abolition de l'esclavage (1833) et des privilèges douaniers jamaïquains (1846) achève de ruiner les planteurs et provoque une forte émigration vers Cuba et les États-Unis. Après 1870, l'introduction de la culture de la banane s'accompagne de l'implantation des grandes compagnies étrangères *(United Fruit).* Une constitution est appliquée en 1884, mais la Jamaïque reste entre les mains de la classe possédante blanche. C'est cependant un Blanc, Alexander Bustamante, qui, à partir de 1930, devient le premier chef populiste, s'associant son cousin Norman W. Manley.

Londres, tirant la leçon de crises répétées, crée des syndicats, introduit le suffrage universel et amorce le processus d'une autonomie réelle.

À la tête du *Jamaica Labour Party,* Bustamante, Premier ministre en 1953, est remplacé, en 1957, par Manley, Premier ministre d'un gouvernement pour la première fois élu. En 1962, la Jamaïque devient pleinement indépendante, tout en restant membre du Commonwealth. Bustamante revient alors au pouvoir, puis le laisse à Donald Sangster (1967), qui est remplacé presque aussitôt par Hugh L. Shearer. Celui-ci, leader des travaillistes, doit compter avec la montée du *People's Political Party,* qui exalte la négritude et l'africanité. Après la victoire du *People's National Party* aux élections de 1972, Michael Norman Manley devient Premier ministre. En 1980, après la victoire du parti travailliste aux élections, Edward Seaga lui succède à la tête du gouvernement. Mais les élections de 1989 voient le retour au pouvoir du *People's National Party* et de son leader M. N. Manley.

JAMAIS adv. (anc. fr. *ja,* déjà, et *mais,* davantage). Accompagné de *ne,* en aucun temps : *cela ne s'est jamais vu.* ‖ Sans *ne,* notamment après *si, que* (comparaison), en un moment quelconque : *si jamais vous venez.* ● *À jamais, pour jamais,* toujours.

JAMBAGE n. m. Trait vertical ou légèrement incliné d'un *m,* d'un *n,* etc. ‖ *Constr.* Piédroit ou partie antérieure de piédroit.

JAMBE n. f. (bas lat. *gamba*). Partie du membre inférieur comprise entre le genou et le pied. (Le squelette de la jambe est formé du tibia et du péroné.) ‖ Le membre inférieur tout entier : *avoir de grandes jambes.* ‖ Chacune des deux parties d'un vêtement qui recouvrent les jambes. ‖ *Constr.* Chaîne verticale en pierre de taille placée dans le cours d'un mur afin de rendre ce mur plus résistant. ● *À toutes jambes,* très vite. ‖ *Ça lui fait une belle jambe* (Fam.), se dit par ironie de ce qui n'apporte aucun avantage à qqn. ‖ *Jambe de force* (Constr.), chacune des deux pièces de charpente inclinées, supportant les extrémités d'une poutre pour la soulager en diminuant sa portée. ‖ *Jeu de jambes* (Sports), manière de mouvoir ses jambes. ‖ *Par-dessous*

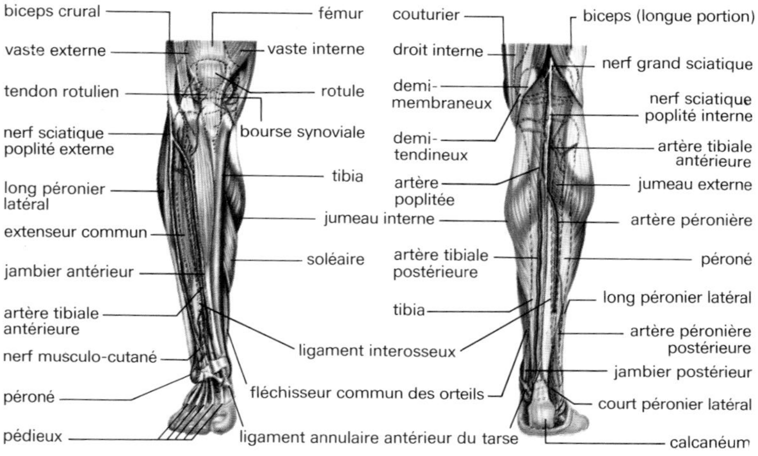
biceps crural
fémur
vaste externe
vaste interne
tendon rotulien
rotule
nerf sciatique poplité externe
bourse synoviale
tibia
long péronier latéral
extenseur commun
jumeau interne
soléaire
jambier antérieur
artère tibiale antérieure
nerf musculo-cutané
ligament interosseux
péroné
fléchisseur commun des orteils
pédieux
ligament annulaire antérieur du tarse
couturier
biceps (longue portion)
droit interne
nerf grand sciatique
demi-membraneux
nerf sciatique poplité interne
demi-tendineux
artère tibiale antérieure
artère poplitée
jumeau externe
artère péronière
artère tibiale postérieure
péroné
tibia
long péronier latéral
artère péronière postérieure
jambier postérieur
court péronier latéral
calcanéum

vue antérieure — vue postérieure

JAMBE

ou *par-dessus la jambe,* avec désinvolture. ‖ *Prendre ses jambes à son cou,* s'enfuir au plus vite. ‖ *Tenir la jambe à qqn* (Fam.), le retenir par une conversation ennuyeuse. ‖ *Tirer dans les jambes,* attaquer de manière déloyale.

JAMBETTE n. f. Petite pièce verticale de charpente, soulageant, par ex., un arbalétrier.

JAMBIER adj. et n. m. *Anat.* Muscle de la jambe.

JAMBIÈRE n. f. Morceau de tissu ou de cuir façonné pour envelopper et protéger la jambe. ‖ Partie de l'armure qui protégeait la jambe.

JAMBLIQUE, romancier grec né en Syrie (IIe s.), auteur des *Babyloniques.*

JAMBLIQUE, philosophe grec (Chalcis, Cœlésyrie, v. 250 - v. 330). Ses études sur le pythagorisme*, Platon, les doctrines des Chaldéens et des Égyptiens le conduisent à faire du néoplatonisme (v. PLATONISME) une philosophie religieuse. Fondateur d'une école philosophique à Apamée (Syrie), il a notamment écrit une *Vie de Pythagore* et *Sur les Mystères.*

JAMBOL, v. de l'est de la Bulgarie; 80 200 hab. Rizières. Industries agricoles.

JAMBON n. m. Morceau du porc correspondant au membre postérieur, préparé cru ou cuit.

JAMBONNEAU n. m. Portion inférieure du membre antérieur ou du membre postérieur du porc. ‖ Nom usuel des coquillages du genre *pinne.*

JAMBOREE [ʒɑ̃bɔri] n. m. (mot amér.). Réunion internationale des scouts.

JAMBOSE n. f. Fruit du jambosier.

JAMBOSIER n. m. Myrtacée de l'Inde, cultivée pour ses fruits rafraîchissants.

JAMES *(baie),* vaste baie du Canada (Québec et Ontario), prolongeant au S. la baie d'Hudson. Découverte en 1610 par Hudson, explorée, en 1631, par Thomas James. Dans la région, aménagements hydroélectriques.

JAMES (William), philosophe américain (New York 1842 - Chocorua, New Hampshire, 1910). Médecin et psychologue, il s'est efforcé, conjointement avec Ch. S. Peirce* et J. Dewey*, d'élaborer une morale fondée sur l'expérience (v. PRAGMATISME). Il a notamment publié *Principes de psychologie* (1891), *la Volonté de croire* (1897), *les Variétés de l'expérience religieuse* (1902), *le Pragmatisme* (1907) et *la Philosophie de l'expérience* (1910).

JAMES (Henry), écrivain britannique d'origine américaine (New York 1843 - Londres 1916), frère du précédent. Héritier d'une technique romanesque qui l'apparente à Hawthorne et d'une passion pour l'Europe acquise au cours d'une adolescence cosmopolite, il joue de son appartenance à deux mondes contrastés pour définir une philosophie de la vie qui s'achève en méditation sur l'art de vivre, qui n'est pas autre chose que de vivre selon les exigences et les ambiguïtés de l'art (*Roderick Hudson,* 1875; *Daisy Miller,* 1879; *Washington Square,* 1881; *le Secret de Maisie,* 1897; *le Tour* d'écrou,* 1898; *les Ailes* de la colombe,* 1902; *les Ambassadeurs**, 1903; *la Coupe* d'or,* 1904).

JAMESTOWN, ch.-l. de l'île de Sainte-Hélène.

JAMMES (Francis), écrivain français (Tournay, Hautes-Pyrénées, 1868 - Hasparren 1938). Son goût de la poésie naïve et de la simplicité rustique (*De l'Angélus de l'aube à l'Angélus du soir,* 1898) s'unit à une sensibilité romanesque et romantique (*Clara d'Ellébeuse,* 1899; *Almaïde d'Étremont,* 1901), puis, après son retour à la foi catholique, à une sentimentalité religieuse (*les Géorgiques chrétiennes,* 1911-12), pour donner une forme moderne au thème idyllique de l'innocence retrouvée dans le décor de la nature.

JAMMU, v. du nord-ouest de l'Inde, capit. (avec Srinagar) de l'*État de Jammu-et-Cachemire* (5 981 000 hab.); 155 000 hab.

JAMNA, JUMNA ou **YAMUNĀ** (la), riv. du nord de l'Inde, qui passe à Delhi, puis à Āgra, rejoignant le Gange (r. dr.) à Allāhābād; 1 370 km.

JĀMNAGAR, v. de l'Inde (Gujerat), près du golfe de Kutch; 317 000 hab.

JAM-SESSION [dʒamseʃən] n. f. (angl. *jam,* foule, et *session,* réunion) [pl. *jam-sessions*]. Réunion de musiciens de jazz improvisant en toute liberté pour leur plaisir.

JAMSHEDPUR, v. de l'Inde, dans le sud du Bihār; 670 000 hab. Centre sidérurgique.

JAN [ʒɑ̃] n. m. (de *Jean*). Chacune des deux tables du trictrac.

JANÁČEK (Leoš), compositeur tchèque (Hukvaldy 1854 - Ostrava 1928). Également pédagogue, interprète et théoricien, il explora systématiquement et scientifiquement le folklore de sa Moravie natale. Son art et sa pensée réalistes trouvèrent comme débouché naturel la scène (dix opéras, dont *Jenufa, Kat'á Kabanová, le Rusé Petit Renard, l'Affaire Makropoulos*), le poème symphonique (*Tarass Boulba*), la *Messe glagolitique,* deux quatuors à cordes, des œuvres pour piano et des mélodies.

I. P. S.

Henry **James**

H. Martinie

Francis **Jammes**

JANCSÓ (Miklós), cinéaste hongrois (Vác 1921). Au cours des années 60 il s'imposa sur le plan international comme l'un des réalisateurs les plus doués de son pays, en tournant plusieurs films traitant des rapports entre opprimés et oppresseurs : *les Sans-Espoir* (1966), *Rouges et Blancs* (1967), *Silence et cri* (1968), *Ah! ça ira* (1969), *Psaume rouge* (1972), *Pour Électre* (1975), *Rhapsodie hongroise* (1979), *le Cœur du tyran* (1981), *la Saison des monstres* (1987).

JANEQUIN (Clément), compositeur français (Châtellerault v. 1485 - Paris 1558). Il quitte Bordeaux pour Angers, avant d'entrer à la chapelle royale. Auteur de messes, de motets et de psaumes, il reste un des principaux représentants de la chanson parisienne polyphonique, descriptive (*la Guerre, le Chant des oiseaux, les Cris de Paris, le Caquet des femmes*), narrative, lyrique, galante, et s'attache à une certaine virtuosité rythmique.

JANET (Pierre), médecin et psychologue français (Paris 1859 - *id.* 1947). Considéré comme le fondateur de la psychologie clinique, il a mis au point une théorie du fonctionnement psychique, opposée à celle de son contemporain S. Freud, et appelée *psychologie des conduites.* Il fait appel aux concepts de force et de tension psychologiques pour rendre compte des phénomènes pathologiques. On lui doit des études sur l'hystérie et la psychasthénie.

JANGADA n. f. (mot portug.). Grand radeau de l'Amérique du Sud.

JANICULE *(mont),* en lat. **Janiculum,** colline de Rome située sur la rive droite du Tibre.

JANIN (Jules), écrivain français (Saint-Étienne 1804 - Paris 1874). Romancier d'inspiration romantique (*l'Âne mort et la Femme guillotinée,* 1829), il tint pendant quarante ans la critique dramatique du *Journal des débats.*

JANISSAIRE n. m. (turc *ǵeni çeri,* nouvelle milice). Soldat d'un corps d'infanterie ottomane recruté, au début (XIVe-XVIe s.), parmi les enfants enlevés aux peuples soumis. (Troupe d'élite, les

Ungarofilm (coll. J.-L. Passek)

Miklós **Jancsó** : une scène de *Psaume rouge* (1971).

janissaires jouèrent un rôle déterminant dans les conquêtes de l'Empire ottoman. À cause de leur ingérence dans le domaine politique Mahmut II les fit massacrer [1826].)

JANKELEVITCH (Vladimir), philosophe français (Bourges 1903 - Paris 1985). Marqué par Bergson, il s'est intéressé aux problèmes évoqués par l'existentialisme, comme la mort, le mal, le pardon, etc. Il est également l'auteur de monographies consacrées à des musiciens (Debussy, Ravel).

JAN MAYEN *(île),* île norvégienne montagneuse (2 340 m) et volcanique de l'Arctique, au N.-E. de l'Islande.

JANNE (Henri), sociologue belge (Bruxelles 1908). Partisan d'une sociologie «générale», il utilise conjointement des méthodes quantitatives et qualitatives *(le Système social,* 1968) afin d'atteindre une meilleure compréhension des faits sociaux.

JANNINA → IOÁNNINA.

JANNINGS (Emil), acteur allemand (Rorschach, Suisse, 1884 - Strobl, Autriche, 1950). Acteur de théâtre (il travailla notamment avec Max Reinhardt de 1906 à 1915), il aborda le cinéma en 1915. Il parut dans de nombreux films, dont *Madame du Barry* (1919), *Danton* (1920), *Variétés* (1925), *le Dernier des hommes* (1925), *Tartuffe* (1925), *Faust* (1926), *l'Ange bleu* (1930), *Président Kruger* (1941).

JANSEN (Zacharias), inventeur néerlandais (La Haye 1580 - Amsterdam 1628 ou 1638). Il paraît avoir inventé la première lunette d'approche.

JANSÉNISME n. m. Doctrine tirée de *l'Augustinus,* ouvrage de *Jansénius,* qui tendait à limiter la liberté humaine en partant du principe que la grâce est accordée à certains êtres dès leur naissance, et refusée à d'autres.

■ Le jansénisme prend ses racines au XVIe s. dans les conflits théologiques autour de la notion de grâce divine. Tandis que l'école de saint Augustin *(augustinisme)* fait très large la part de l'initiative divine face à la liberté humaine, les Jésuites — et notamment Molina* — accordent davantage à celle-ci. Le *molinisme,* qui fait de grands progrès, provoque d'âpres discussions, notamment à Louvain, où l'augustinisme est défendu par toute une école, dont le chef de file, Jansénius, rédige, avec *l'Augustinus* (1640), une somme des idées de saint Augustin. En France, cet ouvrage et ces idées ont comme principaux défenseurs les religieuses et les messieurs de Port-Royal, l'abbé de Saint-Cyran et la famille Arnauld*. Cependant, la papauté intervient plusieurs fois contre les thèses jansénistes, en particulier Innocent X, qui, par la bulle *Cum occasione* (1653), condamne cinq propositions qu'un docteur de Sorbonne a prétendu trouver dans *l'Augustinus.* Arnauld riposte en démontrant (1654) que ces cinq propositions, véritablement hérétiques, ne se trouvent pas dans cet ouvrage. Malgré l'intervention géniale de Blaise Pascal* contre les molinistes dans ses *Provinciales* (1656), la situation des jansénistes s'aggrave, à Rome (bulle *Ad sacrum,* 1656), mais aussi à Paris, où ils s'attirent l'hostilité de Louis XIV : Port-Royal en est la principale victime. Après une trêve, dite «paix de l'Église» (1669-1679), la persécution reprend, allant jusqu'à la destruction de Port-Royal-des-Champs.

Un second jansénisme, religieux, sans doute, mais aussi politique et parlementaire, se développe alors, en France surtout, et en Italie. L'un de ses chefs, Pasquier Quesnel*, doit se réfugier aux Provinces-Unies, où le jansénisme va jusqu'au schisme. (V. VIEUX-CATHOLIQUES.) La bulle *Unigenitus* de Clément XI (1713) porte un nouveau coup au jansénisme ; mais l'esprit janséniste, fait d'austérité et d'antiabsolutisme, pénètre le clergé : il colorera longtemps toute une zone de la spiritualité catholique.

JANSÉNISTE adj. et n. Qui appartient au jansénisme. ◆ adj. *Reliure janséniste,* reliure sans aucun ornement.

Jansénius, par L. Dutielt.
(Château de Versailles.)

JANSÉNIUS (Corneille JANSEN, dit), évêque d'Ypres (Acquoy, Hollande, 1585 - Ypres 1638). À l'université de Louvain, il prend parti pour l'augustinisme contre les Jésuites, et se lie avec Du Vergier* de Hauranne, futur abbé de Saint-Cyran, qui l'emmène en France (1604-1614). Encouragé par lui, Jansénius, devenu évêque d'Ypres en 1635, travaille à *l'Augustinus,* traité sur la grâce dont l'apparition, deux ans après sa mort, déchaînera la grave querelle doctrinale du jansénisme*.

JANSSEN (Jules), astronome français (Paris 1824 - Meudon 1907). Il s'intéressa plus particulièrement à la physique solaire et commença, en 1875, une série de photographies journalières de la surface solaire, série qui se continue à l'heure actuelle. En 1876, il créa à Meudon un observatoire, devenu la section d'astrophysique de l'Observatoire de Paris. En 1891, il implanta au sommet du mont Blanc un observatoire pour travailler hors de la pollution des villes.

JANTE n. f. (gaul. *cambo,* courbe). Cercle qui constitue la périphérie d'une roue de véhicule.

JANUS, l'un des plus anciens dieux de la mythologie romaine. Il est le gardien des portes, d'où il surveille les entrées et les sorties ; c'est pourquoi il est représenté avec deux visages. Son temple, à Rome, n'était fermé qu'en temps de paix.

JANVIER n. m. (lat. *januarius).* Premier mois de l'année.

JANVIER *(saint),* évêque de Bénévent (Naples v. 250 - Pouzzoles v. 305). Son sang, conservé à Naples dans deux ampoules, se liquéfie et entre en ébullition le jour de sa fête (19 sept.) et en quelques circonstances graves.

JANVILLE (28310), ch.-l. de cant. d'Eure-et-Loir, dans la Beauce, à 30 km à l'O. de Pithiviers ; 1 672 hab.

JANZÉ (35150), ch.-l. de cant. d'Ille-et-Vilaine, à 25 km au S.-E. de Rennes ; 4 507 hab. Zoo.

JAPHET, troisième fils de Noé*, ancêtre, selon la Bible, des peuples indo-européens.

JAPON n. m. Porcelaine, ivoire fabriqués au Japon. ● *Papier japon,* papier légèrement jaune, soyeux, satiné, nacré, fabriqué autref. au Japon avec l'écorce d'un mûrier et qui servait aux tirages de luxe ; papier fabriqué à l'imitation du papier japon.

JAPON, en jap. **Nippon,** ou **Nihon,** État insulaire de l'Asie orientale ; 370 000 km² ; 121 millions d'hab. *(Japonais).* Capit. *Tōkyō.*

GÉOGRAPHIE. Dans tout le continent asiatique, le Japon est le seul pays à avoir atteint un niveau de développement comparable à celui des pays occidentaux. Mais sa richesse, fondée sur l'importation de matières premières que transforme une main-d'œuvre qualifiée, est relativement fragile.

● *Le milieu naturel.* Le Japon forme un archipel s'étirant sur 2 200 km de long entre l'océan Pacifique et la *mer du Japon.* Les îles les plus importantes sont Honshū, Hokkaidō, Kyūshū et Shikoku. Plutôt massif au nord, il se morcelle vers le sud, autour de la mer Intérieure, plate-forme littorale peu profonde. Le relief résulte de mouvements tectoniques récents, se poursuivant encore aujourd'hui. Des arcs montagneux forment l'ossature des différentes îles. Ils sont interrompus au centre de Honshū par le vaste fossé de la Fossa Magna, qui va de la mer du Japon à l'océan Pacifique. Un changement de direction des chaînes lui correspond : de N.-S., elles deviennent E.-N.-E.-O.-S.-O. Hachées de failles qui déterminent des fossés tectoniques, les montagnes sont surmontées de nombreux volcans (dont le Fuji-Yama, point culminant du Japon [3 776 m]). Certains sont encore en activité (mont Aso), témoignant — avec les fréquents séismes, parfois accompagnés de raz de marée (les tsunamis) — de la jeunesse du relief. Les plaines n'occupent que le sixième de la superficie de l'archipel. Localisées généralement sur les côtes, elles sont discontinues, les plus vastes étant situées à Hokkaidō (Ishikari) et surtout à Honshū (Kantō, littoral de la mer Intérieure).

L'ensemble du pays est sous l'influence de la mousson, humide en été (saison la plus pluvieuse), sèche en hiver. Cependant, l'insularité explique l'absence de saison vraiment sèche, le total des précipitations dépassant partout 1 m par an. Les températures moyennes, douces dans le Sud, diminuent fortement vers le nord en raison de la latitude, mais également sous l'influence du courant froid, l'Oyashio, qui longe les côtes septentrionales de l'archipel. Le gel et la neige sont habituels à Hokkaidō et dans le nord de Honshū. La forêt couvre les versants montagneux. Elle est caractérisée par le mélange des essences : les feuillus tempérés (chênes, érables, hêtres) sont mêlés de conifères et de bouleaux au nord, d'espèces tropicales (camélias, magnolias) au sud. Sur les basses pentes poussent les bambous.

● *La population.* Le Japon est très peuplé. La densité moyenne, qui atteint 320 hab. au km², est l'une des plus fortes du monde et l'exiguïté des surfaces planes accentue encore la pression

démographique. Pour éviter la surpopulation, diverses mesures ont été prises. La population, qui a triplé en moins d'un siècle, ne s'accroît maintenant que lentement du fait de la limitation volontaire des naissances. Le taux de natalité est aujourd'hui inférieur à 16 p. 1 000. Parallèlement a été menée une politique d'extension des surfaces cultivables, notamment à Hokkaidō. La répartition de la population reste cependant très inégale. La plupart des habitants, dont la vie sociale reste très attachée aux structures traditionnelles, se concentrent dans les plaines. Par ailleurs, on peut opposer le Japon du Nord-Est, dans l'ensemble peu peuplé en raison des conditions naturelles plus rudes, à celui du Sud-Ouest, beaucoup plus peuplé et très urbanisé. Des agglomérations presque continues s'échelonnent le long de la côte méridionale de Honshū en une sorte de mégalopolis qui va de Tōkyō à Kōbe.

● *La vie économique.* L'agriculture n'occupe que 8 p. 100 de la population active. Souffrant de la faible étendue des surfaces cultivables (sixième du territoire) et de la pression démographique, elle est marquée par son caractère intensif. En de nombreux endroits, surtout dans le Sud, l'irrigation permet la double récolte annuelle sur des terres aménagées depuis des siècles (terrasses sur les pentes montagneuses, canaux, puits). Depuis la réforme de 1946, la plupart des terres sont cultivées en faire-valoir direct, mais la structure agraire rend difficile la modernisation. La construction de barrages a permis l'augmentation des surfaces irriguées et l'emploi massif d'engrais a fait croître les rendements, mais l'exiguïté des parcelles est un obstacle à la mécanisation. Le riz (15 Mt) demeure la principale production et constitue la base de l'alimentation. Les autres céréales n'occupent qu'une place minime. Les cultures vivrières sont nettement insuffisantes pour l'alimentation du pays. En dehors des mûriers, pour le ver à soie, et des théiers (0,1 Mt de thé), les cultures commerciales occupaient, jusqu'à une période récente, une place peu importante, en raison de la forte densité de population et de l'absence de colonisation. Elles se développent actuellement (tabac, betterave et canne à sucre), de même que les cultures maraîchères et fruitières (autour des agglomérations urbaines). Parallèlement, l'élevage connaît un certain essor : volailles, porcs et bovins. Mais la viande demeure peu importante dans l'alimentation face au poisson. La pêche est une activité traditionnelle très intense. Elle s'est industrialisée, des sociétés possédant des flottes modernes, qui placent le Japon au premier rang mondial (11,5 Mt de prises). Des tentatives d'aquaculture sont également en cours, mais le développement des

agglomérations industrielles pose le problème parfois dramatique de la pollution.

Face à l'agriculture, l'*industrie* occupe une place prépondérante dans l'économie. Le développement industriel a commencé il y a un siècle, lors de l'ère Meiji. L'État a favorisé la création de grandes entreprises en facilitant le commerce extérieur et en créant un important réseau de communications (voies ferrées). Ce dernier a été largement amélioré depuis, grâce au développement du transport aérien, le réseau routier restant insuffisant. Actuellement, l'activité industrielle est concentrée dans de puissantes sociétés (Mitsui, Mitsubishi, etc.). Ces firmes contrôlent la majeure partie de la production, qui place le Japon dans les premiers rangs mondiaux, mais, à côté de ces géants, subsistent de nombreuses entreprises à caractère artisanal. L'un des atouts de l'industrie a par ailleurs longtemps été l'existence d'une main-d'œuvre abondante et bon marché, lui permettant de pratiquer de très bas prix de vente.

Les ressources naturelles sont peu abondantes. Le sous-sol recèle un peu de fer, du cuivre, du zinc, du plomb et surtout du charbon (17 Mt). Mais le pays doit importer des quantités massives de matières premières. Sur le plan énergétique, le déficit en charbon et, surtout, en hydrocarbures oblige le Japon à de coûteux achats de pétrole. La production électrique est importante (598 TWh) ; cependant, tout le potentiel hydraulique paraît être utilisé et le pays s'oriente vers l'énergie nucléaire. Divers gisements alimentent une métallurgie des non-ferreux, mais la sidérurgie repose sur l'importation de fer. Fortement concentrée (Nihon Steel), elle est localisée dans les ports et produit environ 105 Mt d'acier par an. Elle est à la base de toute une gamme d'industries, depuis la métallurgie lourde jusqu'aux productions les plus diversifiées : automobiles (11 M de véhicules), machines-outils, chantiers navals (9,5 Mtjb), constructions électriques et électroniques, appareils photographiques, etc. L'industrie chimique occupe une place de plus en plus importante : elle produit des engrais azotés, des colorants et du caoutchouc synthétique. L'industrie textile, la plus ancienne, a perdu sa prédominance : la production de soie recule devant le développement des textiles synthétiques, tandis que les industries de la laine et du coton souffrent de leur dépendance du marché mondial pour les matières premières. Les industries alimentaires traitent les produits de l'agriculture et de la pêche. De nombreuses activités traditionnelles, telles que la fabrication de la porcelaine, de la laque, du papier, etc., se sont maintenues et connaissent même un renouveau grâce au développement du tourisme.

Japon. La mer Intérieure, entre les îles de Honshū, Kyūshū et Shikoku.

Japon. Paysage du centre de l'île de Kyūshū.